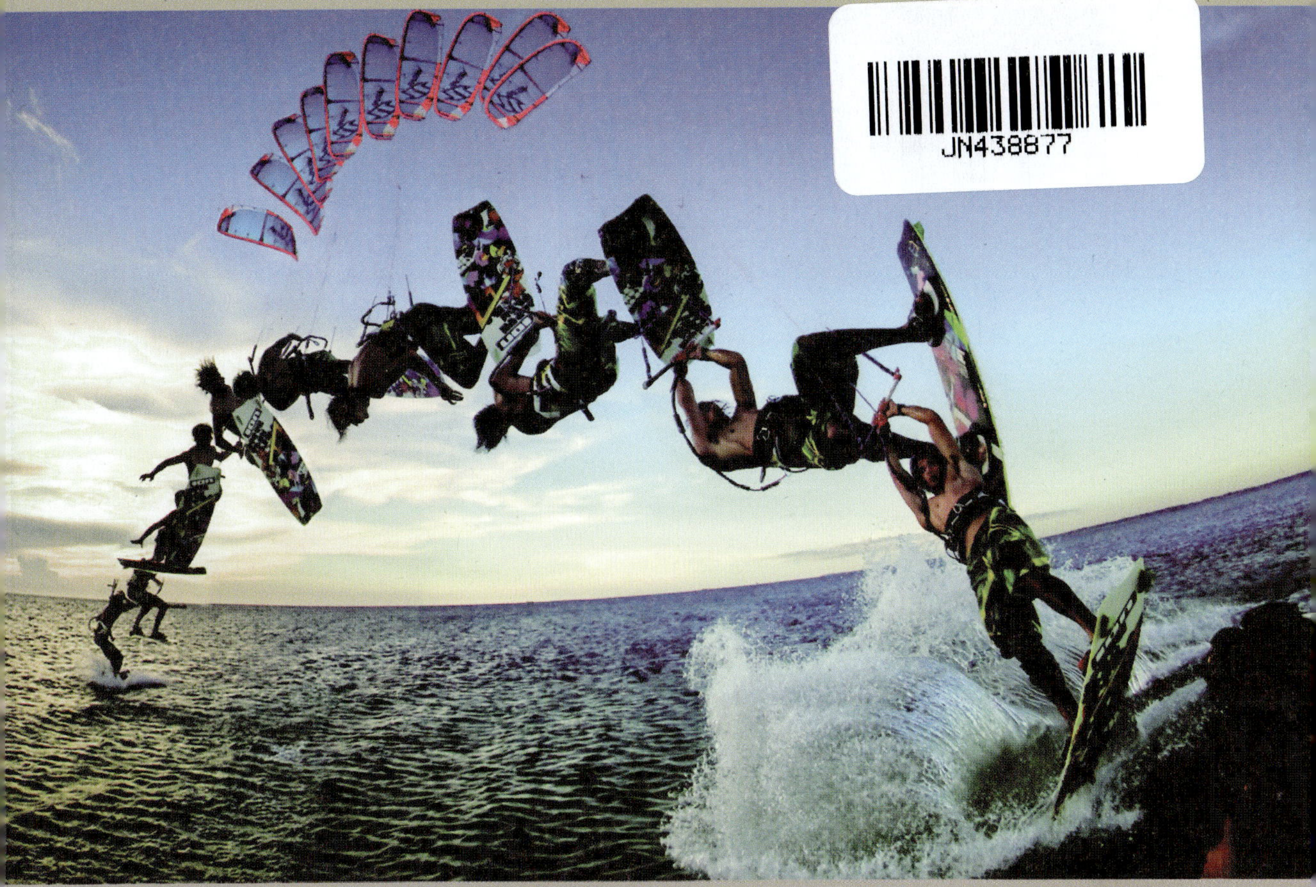

Fundamentals of Physics

3rd 일반물리학 I

물리개발연구위원회

머 리 말

물리학은 자연 현상을 다루는 학문이다. 우주는 어떻게 만들어 졌으며, 우주를 이루고 있는 구성원들은 다른 구성원들과 어떠한 질서를 유지하면서 조화를 이루고 있는가를 알려고 하는 것이 물리학의 본질이다. 거창하게 표현하였지만 실상은 물리학도 우리와 똑 같이 생긴 인간들이 만들었으며, 초창기 물리학은 우리의 감각에 크게 의존하고 있어서 일상생활 그 자체가 물리학이며 고등학교에서 배운 과학적인 사고와 상식만으로도 일상생활에서 일어나는 많은 현상을 이해하기 충분하다.

그러나 20세기 초반부터 인간의 감각기관의 정밀도를 훨씬 초월하는 과학 기기의 출현으로 현대 물리학은 매우 빠른 속도로 발전하였고, 그에 따라 물리학은 차츰 어려운 과목으로 여겨지게 되었다. 이러한 발달된 물리학의 내용은 자연과학, 공학, 의학 분야에 응용되고 있고 궁극적으로 우리 인간생활에 큰 도움이 되고 있다. 여기서 우리가 알아야 할 중요한 사실은 미래세계는 과학기술 발달이 가속될 것이므로 뉴턴 법칙만 배운 사람이 살기에는 불편할 것이므로 현대 과학에 나타나는 새로운 개념에 친숙해져야 한다는 점이다.

일부분의 학생들은 고교시절에 수학과 물리학으로부터 많은 고통을 받았을 것이다. 더군다나 물리학의 발달에 수학이 크게 기여하였기에 수식 없이 물리학을 충분히 설명하기에는 불가능하다. 인간의 병중에 가장 무서운 것 중에 하나는 통증을 느끼지 못하는 병이다. 통증을 마냥 피하려고 한다면 그 인간은 식물인간과 다를 바 없으며 개인의 발전을 기대하기 어렵다. 요컨대, 현대과학을 이해하기 위해서는 수학과 어느 정도 친숙해야 한다.

이 책의 앞부분에 다룬 역학은 인간의 오감에 기초하고 있는 일상생활에 나타나는 문제들을 벡터, 미분, 적분 등의 몇 가지 수학개념으로 표현하였다. 물리학 분야에서 가장 쉽게 이해할 수 있는 역학 부분을 공부하면서 수학적 개념과도 친숙해 지기를 기대한다. 미적분을 잘 푸는 것이 아니라 미적분의 개념을 역학을 공부하면서 깨우치기를 바란다. 이 책의 후반부에 다룬 전자기학과 현대물리학도 미적분과 벡터의 기초적인 수학적 개념을 적절하게 조화시켜서 책을 엮었다. 미적분을 잘 푸는 것 보다 그 개념을 이해하는 것이 중요하다. 다시 말해, 문제를 잘 푸는 것은 전문가가 할 일이고, 학생은 개념을 이해하고 개념을 이해하기 위한 논리적인 사고방식을 습득하여 주기 바란다.

이 책에서 사용한 물리용어는 고등학교에서 사용하는 용어를 준용하려고 애썼으며, 고교과정 밖의 용어는 한국물리학회 물리 용어집에 근거하였다. 원고 교정과정에서 많은 노력을 하였지만, 수정되어야 할 부분은 있을 것이다. 여러분들의 고견을 언제든지 청범출판사로 보내주시면, 향후 보다 나은 책을 만드는데 귀중한 자료로 삼을 것이다.

저자 일동

차 례

01 일차원 운동 or 벡터해석

02 2차원 및 3차원 운동

03 운동의 법칙

04 뉴턴의 운동법칙의 응용

05 일과 에너지

06 퍼텐셜에너지와 에너지 보존

07 운동량과 충돌

08 회전운동

09 만유인력

10 진동

11 파동

12 파동의 중첩

13 유체역학

14 온도와 기체운동론

15 열 및 열역학 제 1 법칙

16 열기관, 엔트로피, 열역학 제 2 법칙

17 전기력과 전기장

20 자기장

21 패러데이 법칙과 자기유도

22 전자기파

26 상대성 이론 ······ 617

27 양자물리학 ······ 635

28 원자물리

29 핵물리학

30 입자물리학과 우주론

Fundamentals of Physics

01 일차원 운동 or 벡터해석

물리학은 가장 기초적 단계에서 물질, 에너지, 공간 그리고 시간 등을 다루는 과학의 한 분야이다. 여러분이 생물학, 건축, 의학, 음악, 화학 그리고 예술 등의 분야를 공부하고자 할 때 그 각 분야에는 그에 해당하는 물리학적인 원리들이 포함되어 있다.

물리학에서는 측정될 수 있는 현상만을 대상으로 하고 있기 때문에, 물리학을 측정의 과학이라고 한다. 때로는 추상적이고 실제 · 존재하는 현상과 거리가 먼 것같이 보이는 경우도 있지만, 이 같은 것도 궁극적으로는 측정으로 확인될 수 있는 양들의 결합에 지나지 않음을 알게 된다. 결국 물리학의 발전은 사물의 정밀한 측정에 의존하고 있다고 볼 수 있다. 이런 의미에서 우선 물리학에서 취급하는 양의 측정에 관하여 논의하고, 다음에 이 양들의 수학적인 취급 방법을 고려하겠다.

물리적 세계에 속하는 미시적 또는 거시적 물체는 모두 운동을 하고 있다. 물리학의 목표는 자연을 알고 물리적 세계를 이해하는 데 있으므로, 물리학에서 연구 대상으로 하는 거의 모든 분야가 운동과 직접 관련되어 있다. 물리학은 물체의 운동을 그 원인을 고려하지 않고 다루는 **운동학**(kinematics)과 운동의 원인이 되는 외부요인 즉 외력의 영향을 고려하여 다루는 **동역학**(dynamics)으로 크게 나뉜다. 이 장에서는 물체의 운동을 운동학적 측면에서 다루고자 한다. 우선 물리적 현상의 수학적 표시 방법과 이를 어떻게 물리적으로 해석하는 가를 다루고자 한다.

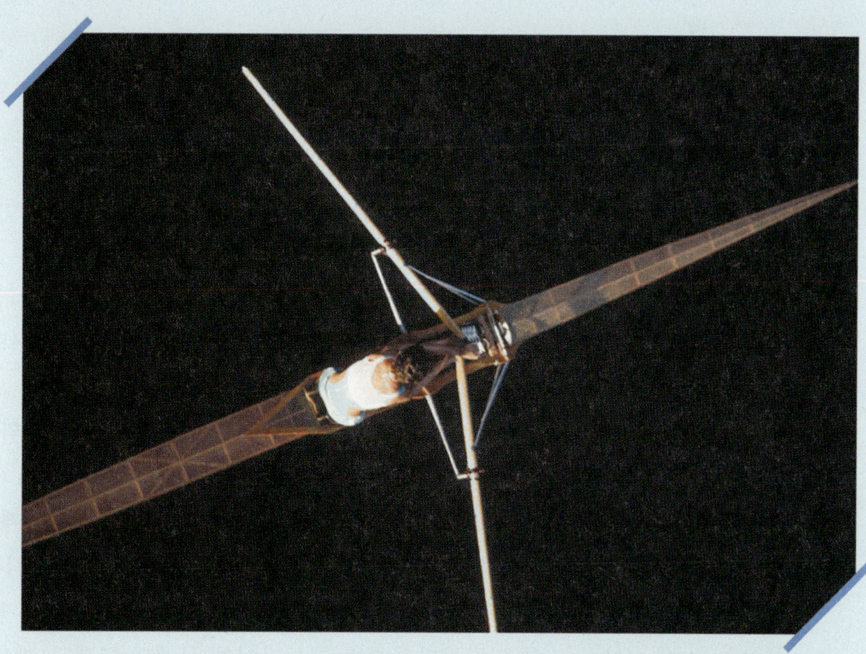

1.1 수학과 물리학

물리학과 수학은 불가분의 관계가 있다. 물리학의 모든 법칙은 수학적 방법으로 표현할 수 있으며, 또한 물리적인 양들 사이의 관계를 수학적 방법으로 가장 간결하고 완벽하게 표현할 수 있다. 물리학의 발전이 수학의 뒷받침 없이는 이루어질 수 없다고 하여도 과언이 아닐 만큼 수학이 물리학에서 큰 역할을 하고 있다. 그러나 수학과 물리학 사이에는 커다란 차이점이 있다. 수학은 본질적으로 자연과 아무런 관계없이 단지 기호들 사이의 관계만을 다루는 학문이므로 과학은 아니다. 반면 물리학은 전적으로 자연에서 일어나는 현상을 연구하여 자연 법칙을 발견하고, 이를 바탕으로 사건을 분석하고 해석하는 학문이다. 물리학에서 수학이 차지하는 위치는 이 같은 일을 간결하고 쉽게 풀어주는 역할을 하고 있을 뿐 결국 수학은 물리학을 연구하는 방법의 한 종류에 지나지 않는다. 물리학에서 수학이 중요한 위치를 차지하고 있는 것만은 틀림없는 사실이지만, 수학이 물리학의 전부가 아니라는 것을 명심하여야 한다. 그보다 더욱 중요한 사실은 자연 현상의 정확한 이해와 판단이다.

물리학에서 모든 법칙과 현상은 수식으로 표현할 수 있다. 이같이 수식적 표현의 도움으로 자연현상을 손쉽게 파악하고 풀어나갈 수 있다. 뿐만 아니라 물리적 세계를 지배하는 기본 원리로 파고드는 지름길을 알려주는 역할을 하고 있다. 공업의 발전이 고도로 발전한 기계의 이용으로 이루어지듯이, 물리학의 발전은 수학을 어떻게 이용할 수 있느냐에 달려 있다고 보겠다.

1.2 단 위(Units)

측정이란 표준이 되는 단위를 정하고, 이것과 측정하고자 하는 양을 비교하는 것을 말한다. 우리가 알고 있는 모든 물리량은 표준 단위들을 기본으로 하여 이들의 결합으로 표현할 수 있다. 이 기본이 되는 표준 단위를 **기본단위**라 한다.

길이	m
질량	kg
시간	s
전류	A
온도	K
물질의 양	mol
조도	cd

오늘날 쓰이는 주된 단위계에는 미터단위계와 영국 공학단위계 두 가지가 있다. 이 중 국제도량형협의회(Conference Generale des Poids et Measures)는 미터단위계로 표시되는 단위를 **국제단위**(SI 단위)라 정하고 이 단위의 사용을 권장하고 있다. 미터단위계에서는 길이 · 질량 · 시간 및 전류의 단위로 **미터**(m), **킬로그램**(kg), **초**(s) 및 **암페어**(ampere)를 쓰며, 영국 공학단위계에서는 길이와 무게의 단위로 **피트**(ft)와 **파운드**(lb)를 쓰고, 시간과 전류의 단위는 미터단위계에서와 같다.

미터단위계에서 기본적인 단위의 정의는 상당한 기간을 두고 발전해 왔다. 1791년 프랑스 과학아카데미에서 처음 미터 단위계가 제정되었을 때, 1m는 북극에서 적도까지의 자오선 길이의 1천만분의 1로 정의되었다. 1초는 1m 길이의 진자가 한 쪽 끝에서 다른 쪽 끝으로 흔들리는 데 소요한 시간으로 정의하였다. 이러한 정의들은 장애가 많고 정확하게 복제하기가 쉽지 않으므로 국제적 협약에 의해 보다 정교한 정의들로 대체되었다.

시 간

1889년부터 1967년까지, 단위 시간은 평균 태양일의 적정한 분수로 정의되었다. 평균 태양일이란 매일 태양이 최고점에 도달할 때까지 걸린 시간의 평균을 뜻한다. 현재의 표준은 1967년에 만들어졌는데 이전 방법보다 훨씬 정교하다. 그것은 원자시계에 근거를 두고 있는데, 원자시계는 세슘 원자의 에너지 준위 중 가장 낮은 두 준위의 에너지 차이를 이용하고 있다. 아주 정확하게 적절한 진동수의 마이크로파로 세슘 원자를 때리면 이 두 개 준위 사이에서 천이가 일어난다.

1초는 이 파의 진동이 9,192,631,770번 일어나는 데 걸리는 시간으로 정의된다.

미국표준국(NIST)에 접속하면(www.nist.gov)이 원자시계와 연결된 정확한 현재의 시간을 알 수 있다.

길 이

1960년에 미터에 대한 원자 수준의 정의도 만들어졌는데, 방전관 속 크립톤(86Kr) 원자에서 방출되는 붉은 오렌지 빛의 파장을 사용하였다. 1983년 길이의 표준은 보다 혁신적으로 변하였다. 진공 중에서 빛의 속력을 정확하게 299,792,458m/s로 정의하였다. 미터는 이 수와 위에서 정한 단위 시간과 일관성을 유지하도록 정의되었다. 따라서 새롭게 정의된 1미터는 진공 중에서 빛이 1/299,792,458초 동안 진행한 거리이다. 이 정의는 빛의 파장을 사용한 정의보다 훨씬 정교한 표준을 제공한다.

질 량

질량의 표준인 킬로그램은 백금-이리듐 합금으로 만들어진 특별한 봉의 질량으로 정의된다. 이 봉은 프랑스 파리 근처 Sevres에 위치한 질량 측정에 관한 국제 표준 사무국에 보관되어 있다. 원자적 정의가 보다 근본적이겠으나 현재 우리는 거시 수준에서 측정하는 것보다 더 정확하게 원자 수준에서의 질량 측정을 하지 못하고 있다. 1그램(이것은 기본 단위가 아니다)은 0.001킬로그램이다.

차 원

[ ]
$[v]=L/T$
$[A]=L^2$ area
$[a]=L/T^2$

어떤 물리량을 길이 · 질량 · 시간 및 전류의 조합으로 표시하여 이것을 그 물리량의 **차원**(dimension)이라 한다. 물리량의 차원을 고려한다는 것은 단위의 결정, 계산 또는 유도 과정의 검산 등에 유용하게 이용된다. 흔히 사용하는 물리량 중에서 위의 네 기본 단위로 표시되지 않는 경우에는 이 네가지 기본 단위의 조합으로 표현이 된다.

1.3 유효숫자

유효숫자의 판별법

유효숫자 자리수를 잘 알고 있는 사람은 드물다. 하지만 우리가 실험에서 구한 자료를 통계 처리함에 있어 유효숫자의 개수를 정확하게 알아야 정확한 값을 구했다고 확신할 수 있는 것이다. 각 실험 데이터가 가지는 유효숫자의 개수가 서로 다르므로 사칙연산을 하게 되면 결과 값의 유효숫자 자릿수는 연산방법에 따라 달라진다.

유효숫자의 개수를 정하는 방법에 대해 알아보자.

Prefixes for 10^*

10^{-18}	atto	a
10^{-15}	femto	f
10^{-12}	pico	p
10^{-9}	nano	n
10^{-6}	micro	μ
10^{-3}	milli	m
10^{-2}	centi	c
10^{-1}	deci	d
10^{1}	deka	da
10^{2}	heto	h
10^{3}	kilo	k
10^{6}	mega	M
10^{9}	giga	G
10^{12}	tera	T
10^{15}	peta	P
10^{18}	exa	E

숫자 123은 3개의 유효숫자를 갖는다. 이렇게 정수인 경우에는 유효숫자를 정하는 것이 매우 간단하다. 하지만 소수점을 포함하는 경우에는 좀 어려워진다. 예를 들어 123.4는 4개의 유효숫자라는 것이 명확하지만 123.40은 몇 개의 유효숫자를 가지는 것일까? 이는 당연히 5개의 유효숫자를 갖는다. 즉 마지막에 오는 영도 표시를 한다는 것은 유효숫자에 속한다는 말이다. 그러면 이제 0.00030의 유효숫자 자리를 생각해 보자. 결론부터 말하자면 이 값의 유효숫자는 두 개다. 소수점 아래 30 이전에 나오는 3개의 영은 유효숫자가 아니라 단지 자릿수를 나타내는 것이다. 그러므로 이 값의 유효숫자는 두 개가 되는 것이다. 정수일 때와 소수일 때를 다 만족하는 표기법을 과학적 표기법이라 하며 $*.*** \times 10^*$로 나타낸다. 즉 123.40은 1.2340×10^2이고 0.00030은 3.0×10^{-4}이다. 이렇게 표시하면 어떠한 값이라도 앞에 나오는 것이 유효숫자의 개수이고 뒤에 나오는 지수항은 실제 소수점의 위치를 나타내게 되는 것이다.

이제 사칙연산에서 유효숫자가 어떻게 정해지는지에 대해 살펴보자. 덧셈과 뺄셈의 경우에는 유효숫자의 자릿수보다 **정도**(precision)에 의존하고 곱셈이나 나눗셈의 경우에는 유효숫자의 자릿수에 의해 결정한다.

예제 **1.1** 철로 이루어진 한 물체의 질량이 6.47kg이다. 부피가 $4.44\times10^{-4}\,\mathrm{m}^3$이고 밀도가 $2.7\times10^3\,\mathrm{kg/m}^3$인 알루미늄으로 이루어진 물체와 합한 질량은 얼마인가?

풀이 알루미늄의 질량은

$$m=(4.44\times10^{-4}\ \mathrm{m}^3)(2.7\times10^3\ \mathrm{kg/m}^3)$$
$$=1.199\ \mathrm{kg}\ =1.2\ \mathrm{kg}$$

이다. 그 이유는 알루미늄의 부피는 유효숫자가 3개이지만 밀도가 2개의 유효숫자를 가지므로 최소 유효숫자에 연산 결과를 맞추어야 한다. 이제 두 질량의 합을 구하면

$$\begin{array}{r} 6.47\ \mathrm{kg} \\ +\ 1.2\ \ \mathrm{kg} \\ \hline 7.7\ \ \mathrm{kg} \end{array}$$

이다. 이 식의 단순한 산술적 합은 7.67kg이지만 소수 두 번째 자리의 숫자는 유효숫자가 아니다. 즉 6.47kg은 미리 6.5kg으로 반올림하여 덧셈을 해 주어야 한다는 의미이다.

예제 **1.2** 반지름이 6.1m인 공의 부피를 구하라.

풀이 반지름 R인 공의 부피 V는

$$V=\frac{4}{3}\pi R^3$$

이다. 측정값의 유효숫자는 2자리이므로 $\pi=3.14$로 하면 된다.

$$V=\frac{4}{3}\times3.14\times(6.1\ \mathrm{m})^3=950.29378\ \mathrm{m}^3=950\ \mathrm{m}^3$$

만일 $\pi=3.1$로 놓으면 940이 되어 정확도는 아주 떨어진다. 이 예제에서 부피가 정확히 950이라는 것은 아니다. 유효숫자의 자리수가 두 자리이므로 940보다 크고 960보다 작다는 것이다. 이같이 부정확도를 명시하지 않으면 유효숫자의 자리수가 명백하지 않을 때가 있다. 이 같은 폐단을 없애고 큰 수 또는 아주 작은 수를 편리하게 표시하는 방법으로 지수 표기법(exponential notation)이 있다. 이것은 유효숫자의 자릿수만을 쓰고 양의 크기는 10의 거듭제곱으로 표시하는 방법이다. 이 표기법으로 앞의 값을 표시하면 9.5×10^2이 된다. 이 방법으로 지구와 태양간의 거리를 표시하면 1.4960×10^{11}m, 수소 원자의 반지름은 5.3×10^{-11}m로 되어 앞의 것의 유효숫자는 다섯 자리이고, 뒤의 것은 두 자리임이 명백하게 된다.

예제 **1.3** 지구의 반지름은 6.37×10^6m이고, 질량은 5.975×10^{24}kg이다. 이 때, 지구의 밀도를 계산하라.

풀이 밀도 $\rho=\dfrac{m}{V}$이므로 먼저 지구의 부피 V를 구하면

$$V=\frac{4}{3}\pi R^3=\frac{4}{3}\times3.142\times(6.37\times10^6\ \mathrm{m})^3$$

이다. 따라서

$$\rho = \frac{5.975 \times 10^{24}\ \mathrm{kg}}{\frac{4}{3} \times 3.142 \times (6.37 \times 10^{6}\ \mathrm{m})^{3}}$$
$$= 0.005518 \times 10^{6}\ \mathrm{kg/m^{3}}$$
$$= 5.52 \times 10^{3}\ \mathrm{kg/m^{3}}$$

1.4 속 도

1차원 직선 운동에서 입자의 위치는 하나의 변수 x로 표시할 수 있다. 이렇게 표현되는 양을 좌표계의 원점으로부터 입자가 이동해 온 **변위**(displacement)라 하는데, 그림 1.2에서 x는 원점 O에 대한 P의 변위이다. 이 입자가 운동을 하면 변위 x는 시간 t의 함수로 표시된다. 즉,

$$x = x(t) \tag{1.1}$$

이다. 임의의 시간 t_i에서 입자의 위치를 x_i 라 하고, Δt 시간 후인 시간 t_f에서 입자의 위치를 x_f라 하자. 그러면 Δt 시간 사이에 변화한 입자의 변위 Δx는

$$\Delta x = x_f - x_i$$

그림 1.1
물체의 위치가 시간에 따라 변화하는 것을 속도라 정의한다.

이다. 이 때 Δt 시간 사이에 변위의 변화율을 Δt 시간 동안의 입자의 **평균속도**(average velocity)라 한다. 즉, 평균속도 $\bar{v}$는 다음과 같이 정의된다.

$$\bar{v} \equiv \frac{\Delta x}{\Delta t} = \frac{x_f - x_i}{t_f - t_i} \tag{1.2}$$

시간의 구간 Δt를 점점 작게 잡아 이의 극한을 취하면 시간 t에서의 순간속도

$$\lim_{\Delta t \to 0} \frac{\Delta x}{\Delta t} = \frac{dx}{dt}$$

을 얻게 된다.
이것을 시간 t에서의 **순간속도**(instantaneous velocity) v라 한다.

$$v \equiv \lim_{\Delta t \to 0} \frac{\Delta x}{\Delta t} = \frac{dx}{dt} \tag{1.3}$$

그림 1.2는 시간에 따라 변하는 질점의 변위를 나타낸 그림이다. Δt 시간 사이에 질점은 P에서 Q로 이동하고, 이 때 변위는 Δx이다. 여기서 Δt가 0에 접근함에 따라 Q는 P에 가까워지므로 $\Delta x / \Delta t$의 방향은 P에서의 접선방향에 접근하여 끝내는 이에 일치하게 된다.

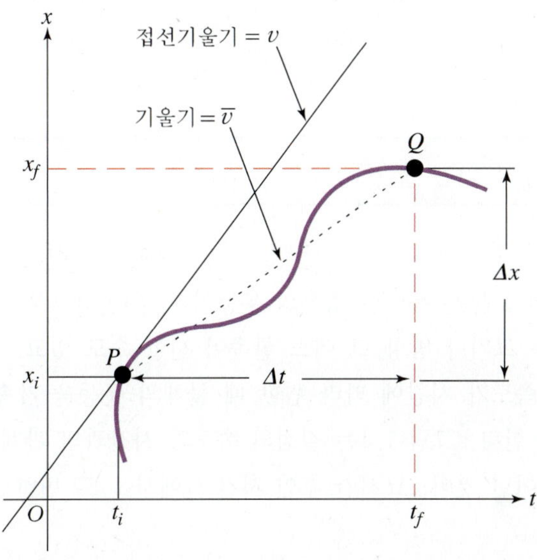

그림 1.2
x축 상에서 운동하는 물체의 거리-시간 그래프

순간속도의 크기를 **순간속력**(instantaneous speed)이라 한다. 변위 대신 입자가 이동한 거리를 생각하면 속력을 구할 수 있다. Δt 시간 사이에 이동한 거리를 Δs라 하면 속력 v는

$$v \equiv \frac{ds}{dt} = \lim_{\Delta t \to 0} \frac{\Delta s}{\Delta t} \tag{1.4}$$

가 되어 이것은 식 (1.3)의 순간속도의 절대값과 같다. 속도가 일정한 물체의 운동을 **등속도운동**(motion with constant velocity)이라 한다.

예제 **1.4** 그림 1.3은 운동하고 있는 어떤 물체의 이동거리와 시간과의 관계를 그린 그래프이다. 이 그래프에서 물체가 1초와 2초 사이에 운동한 평균 속력을 구하라.

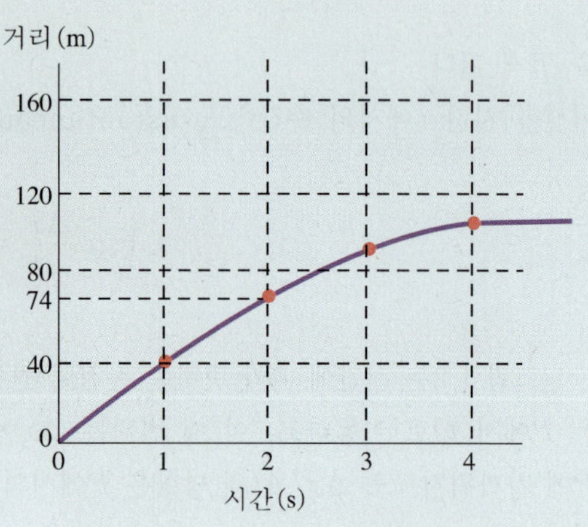

그림 1.3 시간 vs. 이동거리

풀이 평균속력 $\bar{v}$는

$$\bar{v} = \frac{\Delta x}{\Delta t} = \frac{x_f - x_i}{t_f - t_i}$$

$$= \frac{74\text{ m} - 40\text{ m}}{2\text{s} - 1\text{s}} = 34\text{ m/s}$$

이다.

1.5 가속도

속도가 일정한 물체의 운동은 특수한 경우의 운동이다. 일반적으로 물체의 속도는 시간에 따라 변한다. 속도는 크기나 방향 그 어느 한쪽이 변할 수도 있고, 둘 다 변할 수도 있다. 그 어느 경우이건 속도가 시간에 따라 변할 때 물체의 운동을 **가속도운동**(motion with acceleration)이라 한다. 그림 1.4는 질점의 속도와 시간과의 관계를 그린 것이다. 어느 순간 t_i에서 속도 v_i이던 것이 Δt시간 후인 시간 t_f에서 v_f로 변하였다면 변한 속도 Δv는

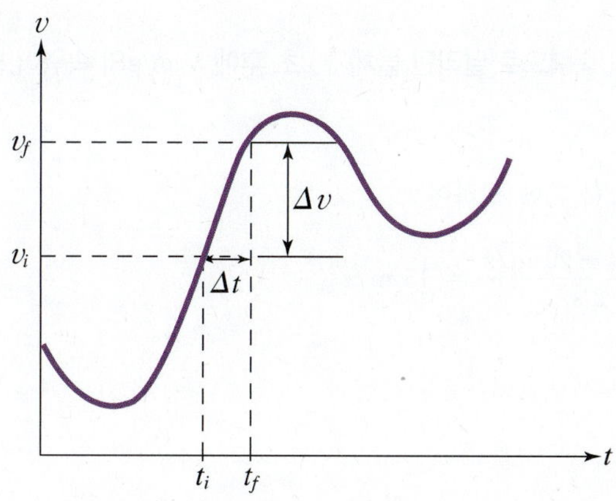

그림 1.4
1차원 운동에서 속도-시간의 그래프

$$\Delta v = v_f - v_i \tag{1.5}$$

이다. 여기서 Δt 시간 사이의 속도의 변화율 $\Delta v/\Delta t$를 Δt 시간 사이의 **평균가속도** (average acceleration)라 한다. 즉, 평균가속도 $\bar{a}$는

$$\bar{a} \equiv \frac{\Delta v}{\Delta t} = \frac{v_f - v_i}{t_f - t_i} \tag{1.6}$$

이다.

시간 간격 Δt를 점점 작게 잡아 이의 극한을 취한 순간가속도는

$$a = \lim_{\Delta t \to 0} \frac{\Delta v}{\Delta t} = \frac{dv}{dt} = \frac{d^2 x}{dt^2} \tag{1.7}$$

이다. 변위가 시간의 함수이면 변위의 시간에 대한 1차 도함수는 속도이고, 2차 도함수는 가속도임을 뜻한다.

가속도 a가 0일 때 물체는 **등속도 운동**을 하고, a = "일정"일 때 **등가속도운동** (motion with constant acceleration)을 한다. 지구표면 근처에서 지구 인력에 의한 물체의 운동은 등가속도운동이다. 이 때 지구 인력에 의한 가속도를 **중력가속도** (gravitational acceleration)라 부르고 g로 표시한다.

예제 **1.5** 처음 어느 순간에 20m/s의 속력으로 달리던 물체가 2초 후에 50m/s의 속력이 되었다. 이 물체의 평균가속도의 크기는 얼마인가?

풀이 평균 가속도의 크기 $\bar{a}$는 식 (1.7)에 의하여

$$\bar{a} = \frac{\Delta v}{\Delta t} = \frac{50\ \mathrm{m/s} - 20\ \mathrm{m/s}}{2\ \mathrm{s}} = 15\ \mathrm{m/s^2}$$

이다.

예제 **1.6** 물체의 속력과 시간과의 관계식이 $v = -\frac{1}{5}t^2 + 2t$ 일 때(단, 차원을 무시했음),

(a) 가속도를 시간의 함수로 표시하라. (b) 또 $t = 5$일 때의 가속도를 구하라.

풀이 가속도 a는 식 (1.7)에 의하여

(a) $a = \frac{dv}{dt} = -\frac{2}{5}t + 2$ (b) $a(5) = -\frac{2}{5} \times 5 + 2 = 0$

1.6 등가속도 직선 운동

가속도가 일정할 때 식 (1.7)은 쉽게 적분된다. 직선상에서 운동하는 물체가 그림 1.5와 같이 표시된다면 속력과 시간의 관계는 다음과 같이 적분에 의해서 구해진다. $a = \frac{dv}{dt}$ 이므로

$$dv = a\, dt$$

$t = 0$일 때 $v = v_0$이고 $t = t$일 때 $v = v$라 하면, a가 상수이므로

$$\int_{v_0}^{v} dv = a \int_0^t dt$$

$$v = v_0 + at \tag{1.8}$$

여기서 v_0를 처음 속도, v를 나중 속도라 부른다.

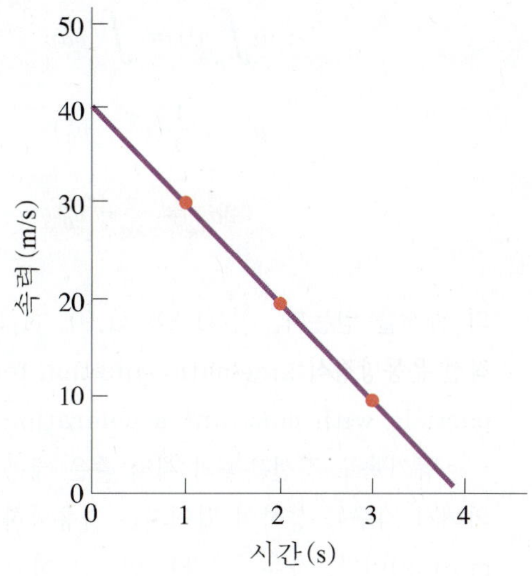

그림 1.5
등가속도 직선운동에서의 속력-시간 그래프

다음은 변위와 시간과의 관계식을 구해보자. $v = \dfrac{dx}{dt}$ 이므로

$$v = \frac{dx}{dt} = v_0 + at, \qquad dx = v_0\,dt + at\,dt$$

$t = 0$일 때 $x = 0$이고 $t = t$일 때 $x = x$라 하면

$$\int_0^x dx = \int_0^t v_0\,dt + a\int_0^t t\,dt$$

$$x = v_0 t + \frac{1}{2}at^2 \tag{1.9}$$

이 된다. 정지상태로부터 출발하여 일정한 비율로 가속된 물체의 변위는 $x = \dfrac{1}{2}at^2$이므로, 처음 1초 동안에 간 거리보다 2초 동안에 간 거리가 4배 더 많고, 3초 동안에는 9배 더 멀리 가게 된다.

이번에는 변위와 속도와의 관계를 구하기 위하여 식 (1.7)을

$$a = \frac{dv}{dt} = \frac{dx}{dt}\frac{dv}{dx} = v\,\frac{dv}{dx}, \text{ 즉 } adx = vdv$$

로 변형하자. $t = 0$일 때 $v = v_0$, $x = 0$이고, $t = t$일 때 $v = v$, $x = x$이므로

그림 1.6
피사의 사탑. 갈릴레오 갈릴레이(Galileo Galilei, 이탈리아 과학자, 1564~1642)는 낙하하는 물체의 속력을 측정하는 실험을 통해 모든 물체가 동일한 속력으로 낙하한다는 사실을 발견하였다.

$$a\int_0^x dx = \int_{v_0}^v v dv$$

$$ax = \frac{1}{2}(v^2 - v_0^2)$$

$$2ax = v^2 - v_0^2 \qquad (1.10)$$

의 관계를 얻는다. 식 (1.8), (1.9), (1.10)을 **등가속도 직선 운동방정식**(kinematic equation for a motion of particle with constant acceleration)이라 한다.

등가속도 직선운동의 제일 좋은 예는 지구의 중력에 의해서 지구를 향하여 떨어지는 **자유낙하운동**(free fall motion)이다. 자유낙하라는 말은 낙하와 더불어 속력의 상승도 포함되는 말이며, 공기의 저항을 무시한 이상적인 운동을 뜻한다. 갈릴레오는 많은 실험을 거친 후 자유낙하하는 모든 물체는 그 물체의 크기와 무게(또는 질량)에 관계없이 지구표면의 동일 지점에서 동일한 가속도로 낙하한다는 것을 발견하였다. 이 가속도의 크기는 지구표면에서 9.8 m/s^{2}이며, **중력가속도**라 부르고 g로 표시한다. 중력가속도는 항상 지구 중심을 향한다. 그러나 중력가속도의 값은 실제로는 지구 중심으로부터의 거리의 제곱에 반비례하여 변한다. 이 경우는 추후 논의하기로 하겠고 특별한 말이 없으면 g의 값은 일정한 것으로 하겠다.

1.7 비행기가 12,000m의 거리를 30초 동안 활주한 후 이륙하였다.

(a) 활주하는 동안 가속도가 일정하다고 생각하고 그 가속도를 구하라.

(b) 이륙할 때의 비행기의 속도를 구하라.

풀이 (a) $x = v_0 t + \frac{1}{2}at^2$에서 $v_0 = 0$, $t = 30\text{s}$, $x = 12{,}000\text{ m}$이므로

$$12{,}000\text{ m} = 0 + \frac{1}{2}a \times (30\text{s})^2$$

그러므로 $a = 26.7\text{ m/s}^2$ 이다.

(b) $v = v_0 + at$에서 $v_0 = 0$, $a = 26.7\text{ m/s}^2$이므로 $v = 26.7\text{ m/s}^2 \times 30\text{ s} = 801\text{ m/s}$이다.

1.7 벡터 해석

물리학에 사용되는 수학의 여러 분야 중에서 벡터 해석은 특히 유용하게 사용되는 분야이다. **벡터**(vector)라고 하는 물리량은 **스칼라**(scalar)와 구별되며, 일반적인 대수학적 방법으로 계산되지 않는 양이다. 따라서 벡터를 다루려면 새로운 종류의 계산법을 배워야 한다.

스칼라와 벡터

물리학에서 취급하는 양은 그 성질에 따라 두 종류로 구분하고 있다. 하나는 크기만으로 정해지는 **스칼라량**(scalar quantity)이고, 또 하나는 크기뿐만 아니라 방향까지 갖는 **벡터량**(vector quantity)이다. 길이, 시간, 질량과 같이 크기만으로 표시되고 일반 대수학에서 사용되는 법칙에 따라 연산할 수 있는 양은 모두가 **스칼라량**이다. 물리학에서 사용되는 양에는 크기만으로 충분히 표시할 수 없는 것이 많다. 예를 들어, 한 물체에 20 N의 힘이 작용한다고 하는 것은 어느 방향으로 힘이 작용하는 가에 따라서 다를 수 있기 때문에 어떤 방향으로 20 N의 힘이 작용하였다고 표현하여야 정확하게 설명이 가능하다. 이와 같이 크기와 방향을 함께 갖는 물리량을 **벡터량**이라 한다. 힘 이외에 변위, 속도, 가속도 등이 모두 벡터에 속한다.

벡터는 **A**, **B**,⋯등으로 표시하고, 그 크기를 A, B,⋯ 등으로 나타낸다. 글로 쓸 때는 $\vec{A}$, $\vec{B}$같이 화살표를 붙여 표시하기도 한다.

벡터의 덧셈과 뺄셈

그림 1.7에서 점 O에 있던 물체가 점 P로 이동하였다면 선분 OP와 화살표는 벡터 **A**의 크기와 방향을 표시한다. 여기서 벡터 **A**는 P가 놓여있는 원점 O에서 점 P까지의 거리(ℓ) 및 기준축과 OP와의 사잇각(θ)으로 정해진다. 이와 같이 한 벡터는 놓여있는 평면, 크기, 기준축과의 사잇각 등 세 요소를 내포하고 있다.

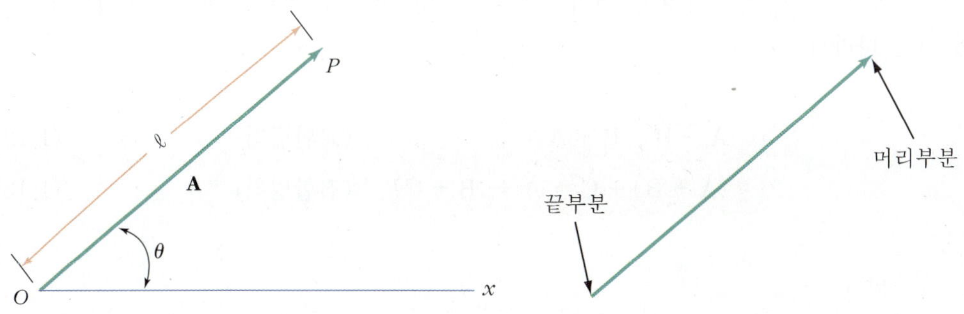

그림 1.7 벡터 **A**는 길이가 ℓ 이고 $+x$축과 각도 θ를 이룬다.

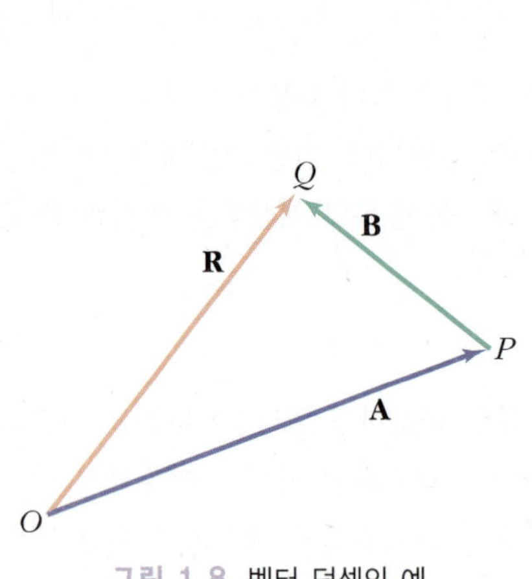

그림 1.8 벡터 덧셈의 예

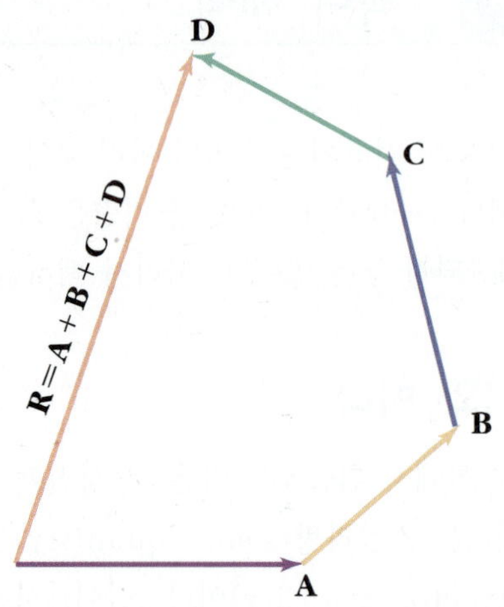

그림 1.9 네 벡터의 덧셈에 관한 기하학적 구성. 합 벡터 R은 다각형을 이룬다.

일반적으로 벡터 A와 B를 합하려면 A를 먼저 그리고, A의 끝에서부터 B를 그린 다음 A의 시작점에서 B의 끝점을 연결하면 이것이 합 벡터 R이 된다.

$$\mathrm{A} + \mathrm{B} = \mathrm{R} \tag{1.11}$$

그림 1.8은 벡터를 기하학적으로 합하는 방법을 설명하는 것이다. 두 벡터를 그림 1.8에서와 같이 삼각형을 그려서 합하는 방법을 **삼각형법**이라 한다.

기하학적 구성은 셋 이상의 벡터를 더할 때도 사용할 수 있다. 그림 1.9는 네 개의 벡터에 대한 벡터 덧셈이다. 더해진 합 벡터 R = A + B + C + D는 다각형을 완성시켜주는 벡터이다. 다시 말해서 R은 첫 벡터의 시작점에서 마지막 벡터의 끝점을 연결시켜주는 벡터이다.

스칼라의 경우와 마찬가지로 벡터의 계산에서도 교환법칙과 결합법칙이 성립한다. 그림 1.10에서 보듯이 삼각형의 한 변의 길이와 방향은 다른 두 변의 순서를 바꾸어도 변하지 않는다. 따라서

$$\mathrm{A} + \mathrm{B} = \mathrm{B} + \mathrm{A} \quad \text{(교환법칙)} \tag{1.12}$$

$$(\mathrm{A} + \mathrm{B}) + \mathrm{C} = \mathrm{A} + (\mathrm{B} + \mathrm{C}) \quad \text{(결합법칙)} \tag{1.13}$$

이 성립한다.

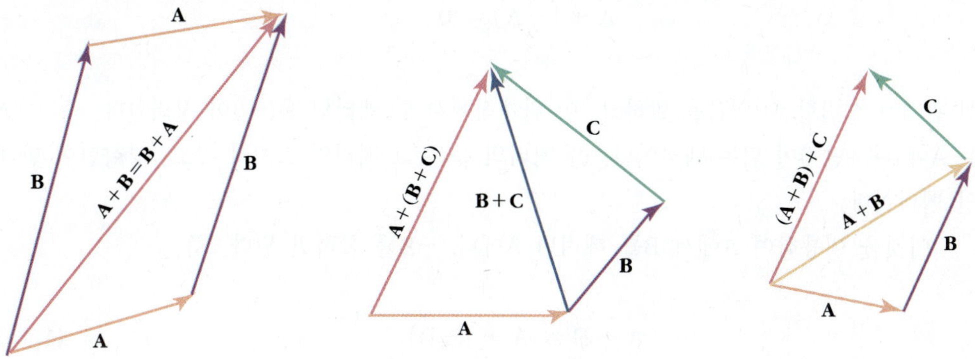

그림 1.10 벡터 덧셈의 교환법칙과 결합법칙

벡터의 뺄셈은 식 (1.11)과 그림 1.8을 연관시켜 생각할 수 있다. 벡터 A에서 벡터 B를 뺀다는 것은 그림 1.11에서 보듯이 B에 R를 합하여 A가 되는 변위 R을 구하는 것이다. 즉, R = A − B이다. 일반적으로 A에서 B를 빼려면 그림 1.11과 같이 두 벡터의 끝점을 같이 하고 B의 머리점에서 A의 머리점으로 연결한 벡터 R을 구하면 이것이 A에서 B를 뺀 벡터가 된다.

$$\mathrm{A} - \mathrm{B} = \mathrm{R} \tag{1.14}$$

영벡터(zero vecter)의 개념을 도입하면 벡터의 뺄셈에 벡터의 덧셈을 적용할 수 있다. 영벡터는 크기가 없는 벡터로

$$\mathrm{A} + 0 = \mathrm{A}$$

가 되는 벡터이며, 이는 크기도 방향도 없는 한 점이다. 영벡터의 이 같은 정의는

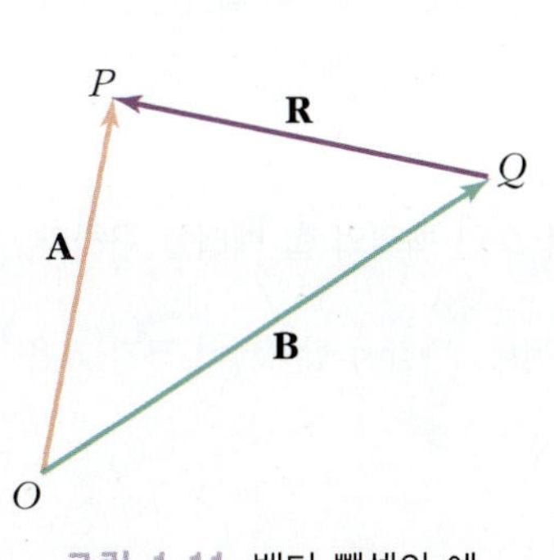

그림 1.11 벡터 뺄셈의 예

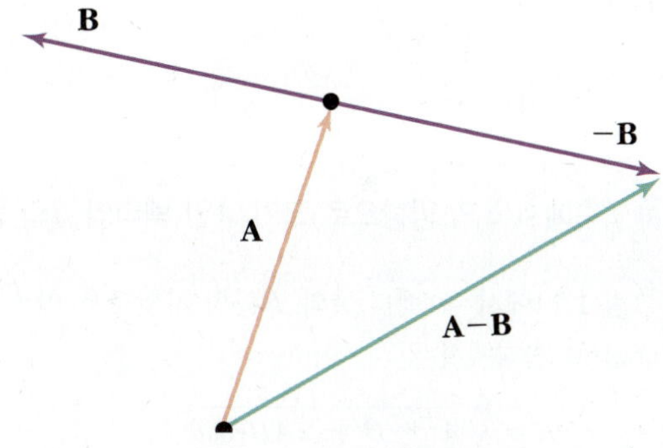

그림 1.12 벡터 뺄셈의 예

$$A + (-A) = 0$$

인 관계가 성립할 수 있음을 말하고, 이 관계식에서 한 벡터의 음(−)이 정의된다. 즉, −A는 A에 더하면 0이 되는 벡터이다. 한 벡터의 음은 그 벡터와 크기가 같고, 방향만이 반대인 벡터이다.

이것을 이용하여 A에서 B를 빼려면 A에다 −B를 합하면 된다. 즉,

$$A - B = A + (-B) \tag{1.15}$$

이다. 그림 1.12와 같이 여기서는 B의 음을 구한 다음 A와 −B를 합하면 된다. 벡터에서는 필요에 따라 평행 이동하여도 벡터량에는 변화가 생기지 않는다.

평행한 벡터의 방향은 두 방향뿐이다. 벡터를 한 직선 상에 평행 이동하여 놓고, 한 방향을 양(+), 다른 방향을 음(−)으로 정하면 직선상의 벡터는 스칼라와 동일하게 취급하여 대수적인 계산법을 적용할 수 있다.

예제 1.8 남쪽으로 3km/h의 속도로 흐르는 강 위에서 동쪽을 향하여 10km/h의 속도로 건너가는 배의 땅에 대한 속도를 구하여라.

풀이 그림 1.13에 강물에 대한 배의 속도를 벡터로 표시하였다. 이 그림에서 배의 땅에 대한 속도의 크기는

$$v = \sqrt{(10\text{ km/h})^2 + (3\text{ km/h})^2} = 10.4\text{ km/h}$$

이고 방향 θ는 동남쪽으로

$$\tan\theta = \frac{3}{10}, \qquad \theta = 17°$$

이다.

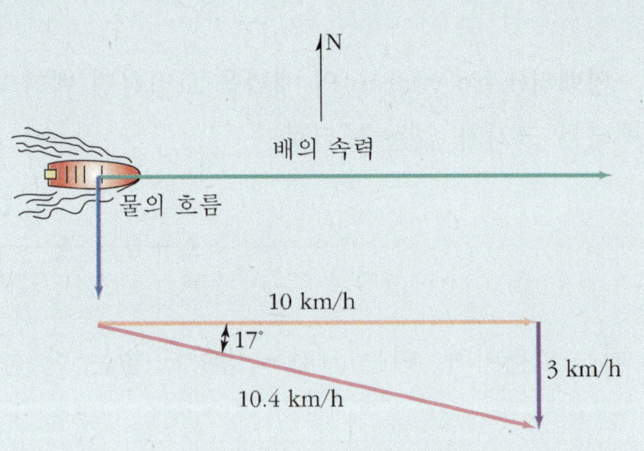

그림 1.13 배와 물의 속도벡터를 하나의 벡터로 합한다.

예제 1.9 x축에서 α의 방향으로 크기 A인 벡터와 β의 방향으로 크기 B인 벡터의 합 벡터를 구하라.

풀이 그림 1.14에서 두 벡터 A와 B와의 사잇각은 $\theta = \pi - \beta + \alpha$가 된다. 따라서 합벡터의 크기 R은 cosine 법칙에서

$$R = \sqrt{A^2 + B^2 - 2AB\cos\theta}$$

또한 R과 A와의 사잇각 ϕ는 사인법칙에 의하여

$$\frac{\sin\phi}{B} = \frac{\sin\theta}{R}$$

이다. 그러므로

$$\phi = \sin^{-1}\left(\frac{B\sin\theta}{R}\right)$$

이다.

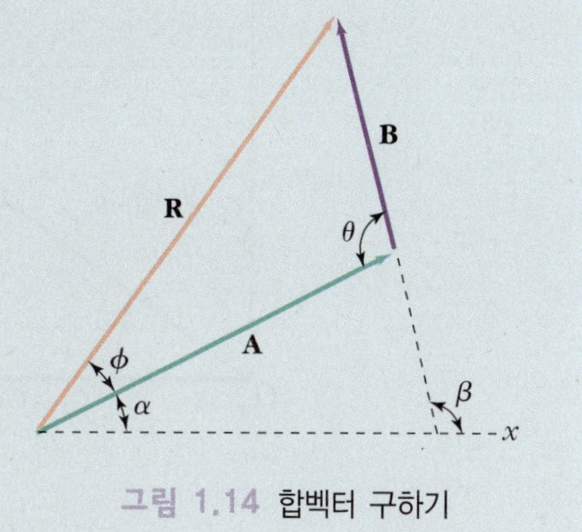

그림 1.14 합벡터 구하기

1.10 임의의 두 벡터 A와 B에서 A − B= − (B − A)임을 설명하여라.

풀이 그림 1.15에서와 같이 A − B와 B − A를 그리면 이들의 크기는 서로 합동인 평행사변형 $OPQR$과 $OSTU$의 대각선이므로 이들의 크기는 같다.
그림에서

$$\theta + \phi + \Psi = \pi$$

이고, 각 POQ는 ϕ와 같고 따라서 TOQ는 직선이다. 따라서

$$\mathrm{A} - \mathrm{B} = -(\mathrm{B} - \mathrm{A})$$

이다.

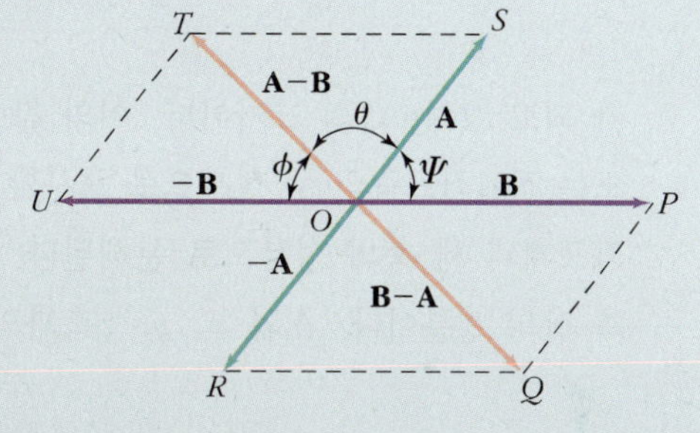

그림 1.15
벡터 뺄셈은 반대방향 벡터를 더하는 것과 같다.

벡터의 분해

한 개의 벡터는 정해진 방향을 가진 몇 개의 벡터 합으로 표시할 수 있다. 즉, 한 벡터는 정해진 몇 개의 성분으로 분해된다.

벡터를 정해진 방향의 성분으로 분해하는 것은 벡터를 대수적으로 계산하는 방법이다. 벡터는 동일 직선상에 있을 때에만 대수적인 계산이 가능하므로, 계산하고자 하는 벡터를 정해진 방향의 성분으로 분해하면 같은 축 위에 있는 성분끼리는 대수적으로 계산할 수 있다.

한 벡터의 성분은 기준축의 선정에 따라 달라진다. 기준 축의 선정은 어떻게 잡아도 좋으나 일단 한번 선택하면 계산 과정에서 변하지 않아야 한다. 기준 축으로 흔히 직교좌표계를 사용한다.

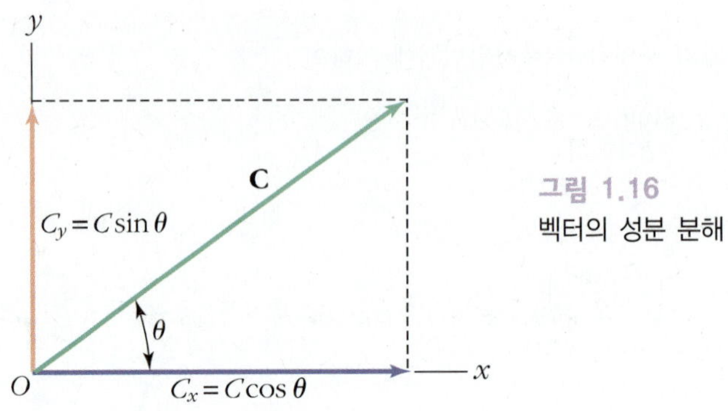

그림 1.16
벡터의 성분 분해

먼저 평면상의 한 벡터 C를 생각하자. 그림 1.16에서 벡터 C의 시작점을 좌표축의 원점으로 잡으면 C_x와 C_y의 합은 C가 된다. x축과 C와의 사잇각을 θ라 하면 각 성분은

$$C_x = C\cos\theta, \quad C_y = C\sin\theta \tag{1.16}$$

가 되고, C는 C의 크기이다. 이와 같이 평면상의 벡터는 그 크기와 방향으로 표시되거나 또는 직교좌표축의 두 성분으로 표시할 수 있다. 같은 방법으로 공간에서의 한 벡터는 직교좌표계의 세 축의 성분으로 분해된다. 그림 1.17에서 A_x, A_y, A_z는 각각 A의 x, y, z축 상의 성분이다. A와 x, y, z축과의 사잇각을 각각 α, β, γ라 하면 각 성분의 크기는

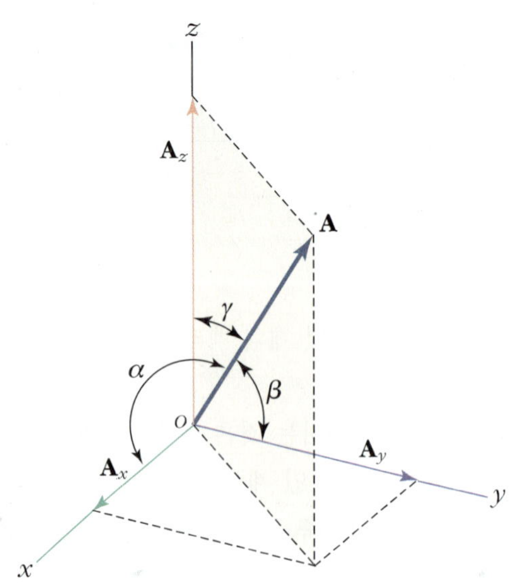

그림 1.17 3차원 벡터의 각 성분과 그 사잇각

$$A_x = A\cos\alpha$$
$$A_y = A\cos\beta \quad (1.17)$$
$$A_z = A\cos\gamma$$

가 된다.

벡터는 다음과 같이 좌표계의 성분으로도 표시한다.

$$\mathrm{A} = (A_x,\ A_y,\ A_z) \quad (1.18)$$

그림 1.18과 같이 두 벡터 A와 B를 합하거나 또는 A에서 B를 뺄 때는 먼저 같은 직교좌표계의 성분으로 분해하고 이들을 같은 축에 있는 성분끼리 대수적으로 계산하면, 이것이 주어진 벡터를 계산한 결과 벡터의 성분이 된다.

$$\mathrm{A} = (A_x,\ A_y,\ A_z)$$
$$\mathrm{B} = (B_x,\ B_y,\ B_z)$$
$$\mathrm{A} \pm \mathrm{B} = (A_x \pm B_x,\ A_y \pm B_y,\ A_z \pm B_z)$$
$$= (R_x,\ R_y,\ R_z) = \mathrm{R} \quad (1.19)$$

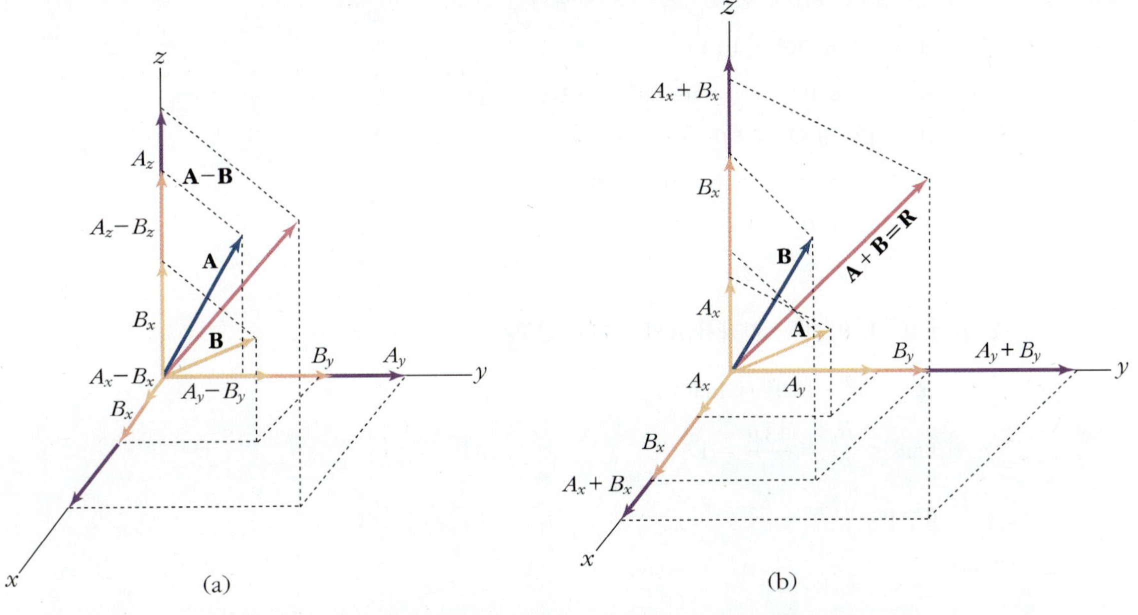

그림 1.18 벡터연산은 각 성분끼리 연산하여 그 합 벡터를 구한다.

예제 **1.11** 수평면과 30°의 각을 이루고 있는 경사면 위에 100kg의 물체가 놓여 있다. 이 무게를 면에 수평인 방향과 수직인 방향의 성분으로 분해하라.

풀이 그림 1.19와 같이 물체의 중심 O에서 면에 수직인 방향과 평행인 방향으로 축을 잡는다. W의 끝에서 이 축에 내린 수선과의 교점을 각각 H, P라 하면 OH, OP는 면에 수평방향 및 수직방향의 성분이 된다. 각 OWH는 각 ORB와 같으므로

$$OH = 100\,\text{kg}\sin 30° = 50\,\text{kg}$$

$$OP = 100\,\text{kg}\cos 30° = 86.6\,\text{kg}$$

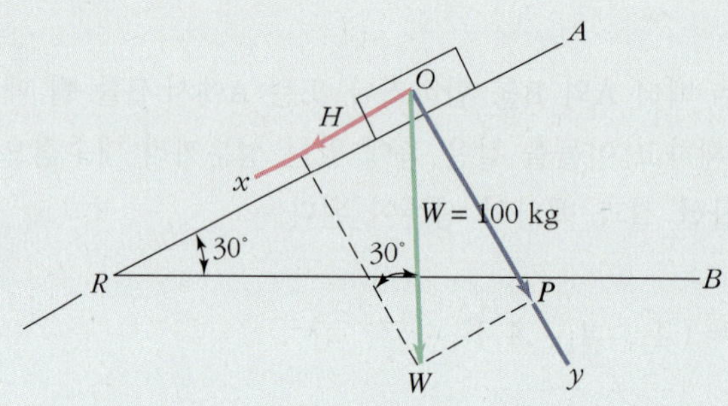

그림 1.19 경사면 물체에 미치는 힘의 분해도.

예제 **1.12** x축과 30°의 각을 이루고 크기가 12인 벡터와 x축과 100°의 각을 갖고 크기가 8인 벡터를 합하라.

풀이 각각의 벡터를 A 및 B라 하고, 성분으로 분해하면

$$A_x = 12\cos 30° = 10.4$$

$$B_x = 8\cos 100° = -8\cos 80° = -1.4$$

$$A_y = 12\sin 30° = 6.0$$

$$B_y = 8\sin 100° = 8\sin 80° = 7.9$$

$$R_x = A_x + B_x = 9.0$$

$$R_y = A_y + B_y = 13.9$$

즉, R = (9, 13.9)이다. 따라서 R의 크기와 방향은

$$R = \sqrt{9^2 + 13.9^2} = 16.6$$

$$\tan\theta = \frac{R_y}{R_x} = \frac{13.9}{9} = 1.54$$

$$\theta = \tan^{-1}1.54 = 57°$$

가 된다.

1.8 스칼라곱과 벡터곱

같은 두 개의 벡터를 합하면 $\mathrm{A}+\mathrm{A}=2\mathrm{A}$ 이다. 일반적으로 같은 벡터를 n번 합하면

$$\mathrm{A}+\mathrm{A}+\cdots\cdots=n\mathrm{A}$$

가 된다. 여기서 n은 스칼라이다. $n\mathrm{A}$는 A와 같은 직선 위에 있고, n이 양수일 때는 A와 같은 방향이고, 음수일 때는 반대방향이 된다.

A의 n배인 벡터를 B라 하면

$$n\mathrm{A}=\mathrm{B}$$

이다. 이것을 직교좌표계의 성분으로 분해하면 그림 1.20과 같이

$$\begin{aligned} n\mathrm{A}=\mathrm{B} &= (B_x,\ B_y,\ B_z) \\ &= (nA_x,\ nA_y,\ nA_z) \end{aligned} \tag{1.20}$$

가 된다. A의 방향으로 크기가 1인 벡터를 $\hat{\mathrm{a}}$라 하면 A는

$$\mathrm{A}=A\hat{\mathrm{a}}$$

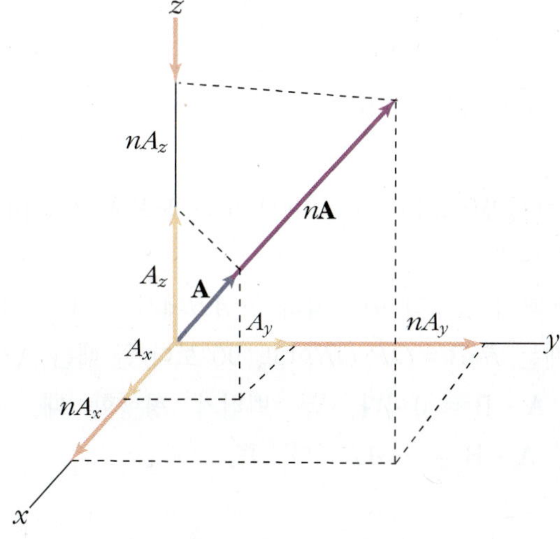

그림 1.20
벡터 A를 n개 더하면 $n\mathrm{A}$가 된다.

로 표시된다. $\hat{a}$와 같이 크기가 1인 벡터를 **단위벡터**(unit vector)라 하고, 단위벡터에 양의 스칼라를 곱하면 방향은 단위벡터의 방향과 같고 크기는 스칼라의 크기인 벡터가 된다. 즉, 단위벡터는 방향만 정해주는 벡터라 할 수 있다.

직교좌표계의 x, y, z축 방향으로 단위벡터를 잡아 이들을 각각 i, j, k라 하면 A의 각 축 상의 성분은 A_x, A_y, A_z로 표시되며, 이것으로 A를 표시하면

$$\mathrm{A} = A_x\mathrm{i} + A_y\mathrm{j} + A_z\mathrm{k} \tag{1.21}$$

가 된다.

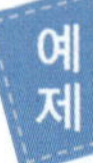

1.13 단위벡터를 이용하여 벡터 A±B를 계산하라.

풀이 A와 B를 단위벡터를 써서 표시하면

$$\mathrm{A} = A_x\mathrm{i} + A_y\mathrm{j} + A_z\mathrm{k} \qquad \mathrm{B} = B_x\mathrm{i} + B_y\mathrm{j} + B_z\mathrm{k}$$

이므로 이들의 덧셈과 뺄셈은

$$\begin{aligned}\mathrm{A} \pm \mathrm{B} &= (A_x\mathrm{i} + A_y\mathrm{j} + A_z\mathrm{k}) \pm (B_x\mathrm{i} + B_y\mathrm{j} + B_z\mathrm{k}) \\ &= (A_x \pm B_x)\mathrm{i} + (A_y \pm B_y)\mathrm{j} + (A_z \pm B_z)\mathrm{k}\end{aligned}$$

이다.

스칼라곱

두 벡터 A, B에서

$$\mathrm{A} \cdot \mathrm{B} = AB\cos\theta \tag{1.22}$$

로 정의되는 벡터의 곱을 **스칼라곱**(scalar product) 또는 **도트곱**(dot product)이라 한다. 여기서 θ는 A와 B의 사잇각이다.

스칼라곱 A · B는 두 벡터의 사잇각 θ에 따라 $-AB$에서 $+AB$까지 변한다. 그림 1.21에서 θ가 90°보다 작을 때는 $\mathrm{A}\cdot\mathrm{B} = OP\cdot OR$이고, 90°보다 클 때는 $\mathrm{A}\cdot\mathrm{B} = -OP\cdot OR$이다. 또한 θ가 90°이면 $\mathrm{A}\cdot\mathrm{B} = 0$이다. 두 벡터가 평행할 때, 같은 방향이면 $\mathrm{A}\cdot\mathrm{B} = AB$, 반대방향이면 $\mathrm{A}\cdot\mathrm{B} = -AB$이다. 즉,

$$\mathrm{A} \cdot \mathrm{B} = (A\cos\theta)B = A(B\cos\theta) \tag{1.23}$$

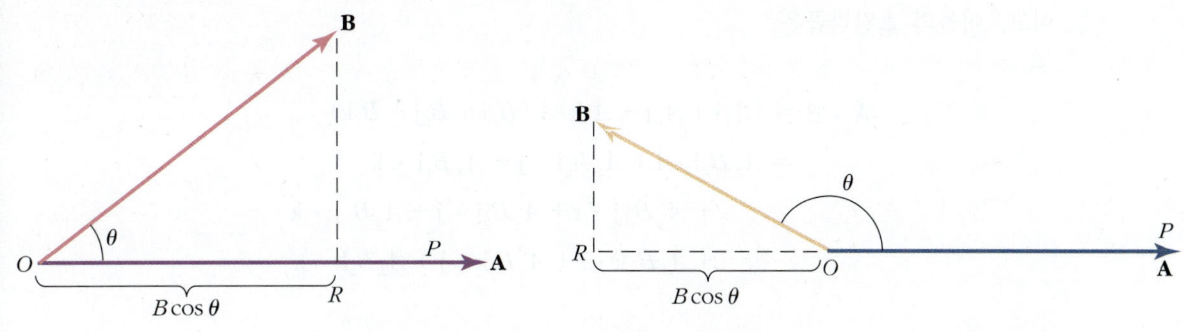

그림 1.21 벡터의 스칼라곱

가 되어 A의 B 방향성분에 B를 곱한 것과 B의 A 방향성분에 A를 곱한 것이 같아짐을 알 수 있다. 즉, 두 벡터의 스칼라곱은 두 벡터 중 어느 것을 기준으로 하여도 그 결과는 같아진다(그림 1.22).

직교좌표계를 이용하여 스칼라곱을 편리하게 계산할 수도 있다. 정의에 의하여 세 좌표축 방향의 단위벡터 사이의 내적을 계산하면

$$\begin{aligned} \mathrm{i}\cdot\mathrm{i} &= \mathrm{j}\cdot\mathrm{j} = \mathrm{k}\cdot\mathrm{k} = 1 \\ \mathrm{i}\cdot\mathrm{j} &= \mathrm{i}\cdot\mathrm{k} = \mathrm{j}\cdot\mathrm{k} = 0 \\ \mathrm{j}\cdot\mathrm{i} &= \mathrm{k}\cdot\mathrm{i} = \mathrm{k}\cdot\mathrm{j} = 0 \end{aligned} \tag{1.24}$$

이다. 두 벡터 A와 B를 직교좌표계의 각 성분으로 표시하면

$$\mathrm{A} = A_x\mathrm{i} + A_y\mathrm{j} + A_z\mathrm{k}$$
$$\mathrm{B} = B_x\mathrm{i} + B_y\mathrm{j} + B_z\mathrm{k}$$

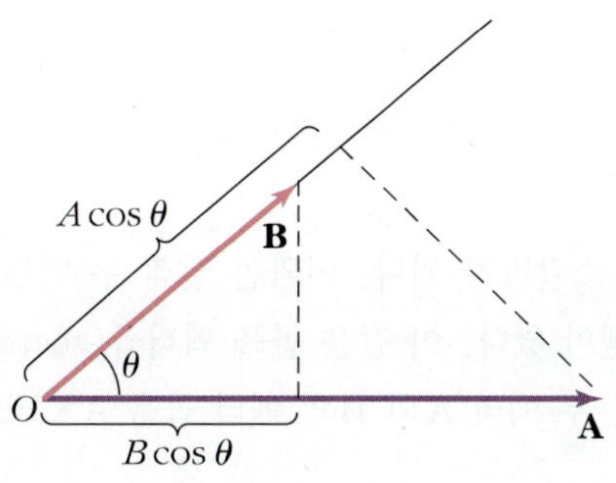

그림 1.22 축 상에서 운동하는 물체의 거리-시간 그래프.

이고, 이들의 스칼라곱은

$$\begin{aligned}\mathrm{A}\cdot\mathrm{B} &= (A_x\mathrm{i}+A_y\mathrm{j}+A_z\mathrm{k})\cdot(B_x\mathrm{i}+B_y\mathrm{j}+B_z\mathrm{k})\\ &= A_xB_x\mathrm{i}\cdot\mathrm{i}+A_xB_y\mathrm{i}\cdot\mathrm{j}+A_xB_z\mathrm{i}\cdot\mathrm{k}\\ &\quad +A_yB_x\mathrm{j}\cdot\mathrm{i}+A_yB_y\mathrm{j}\cdot\mathrm{j}+A_yB_z\mathrm{j}\cdot\mathrm{k}\\ &\quad +A_zB_x\mathrm{k}\cdot\mathrm{i}+A_zB_y\mathrm{k}\cdot\mathrm{j}+A_zB_z\mathrm{k}\cdot\mathrm{k}\end{aligned}$$

이다. 여기에 식 (1.24)를 적용하면

$$\mathrm{A}\cdot\mathrm{B} = A_xB_x + A_yB_y + A_zB_z \tag{1.25}$$

가 된다. 즉, 두 벡터의 스칼라곱은 각 벡터의 같은 축에 있는 성분끼리 곱한 다음 합하면 된다.

1.14 직교좌표계의 원점을 시작점으로 하고 각각 (1, 2, 3) 및 (3, 2, 1)에서 끝나는 두 벡터의 사잇각을 구하라.

풀이 식 (1.26)에서

$$\mathrm{A}\cdot\mathrm{B} = AB\cos\theta = A_xB_x + A_yB_y + A_zB_z$$

$$\cos\theta = \frac{A_xB_x + A_yB_y + A_zB_z}{AB}$$

$$= \frac{1\times3+2\times2+3\times1}{\sqrt{1^2+2^2+3^2}\,\sqrt{3^2+2^2+1^2}} = \frac{10}{14} = 0.7143$$

따라서 사잇각은

$$\theta = 44.4^\circ$$

이다.

벡터곱

두 벡터의 스칼라곱은 스칼라가 된다. 이와는 달리 두 벡터의 곱이 벡터량 즉, 크기와 방향을 갖는 양이 되는 곱셈이 있다. 이 같은 곱을 **벡터곱**(vector product) 또는 **크로스곱**(cross product)이라 한다. 두 벡터 A와 B의 벡터 곱을 A×B로 표시하고, 이것의 크기는

$$|\mathrm{A}\times\mathrm{B}| = AB\sin\theta \tag{1.26}$$

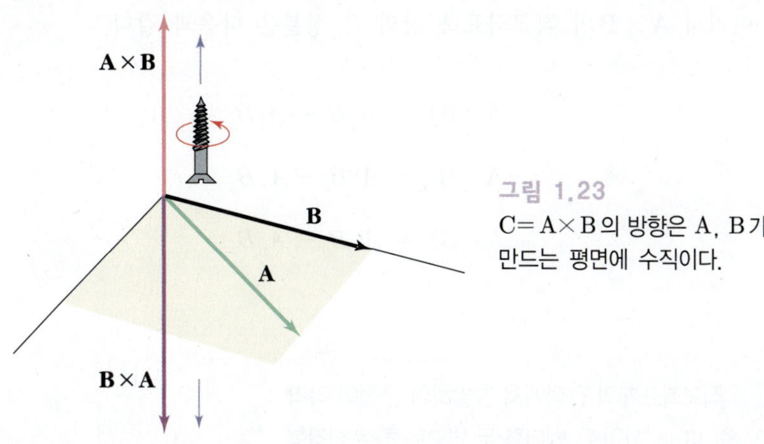

그림 1.23
C= A×B의 방향은 A, B가 만드는 평면에 수직이다.

로 정의한다. 여기서 θ는 A와 B와의 사잇각이다.

A×B의 방향은 두 벡터 A와 B가 만드는 평면에 수직인 축 방향으로 잡고 오른나사를 A에서 B로 돌릴 때, 이 나사가 진행하는 방향을 양(+) 방향으로 정한다(그림 1.23). 이 정의로부터

$$\mathrm{A}\times\mathrm{B} = -\mathrm{B}\times\mathrm{A} \tag{1.27}$$

임은 명백하다.

직교좌표축 상의 단위벡터 i, j, k에 식 (1.26)과 (1.27)을 적용하면

$$\begin{aligned}
&\mathrm{i}\times\mathrm{i} = \mathrm{j}\times\mathrm{j} = \mathrm{k}\times\mathrm{k} = 0\\
&\mathrm{i}\times\mathrm{j} = \mathrm{k} \quad \mathrm{j}\times\mathrm{i} = -\mathrm{k}\\
&\mathrm{j}\times\mathrm{k} = \mathrm{i} \quad \mathrm{k}\times\mathrm{j} = -\mathrm{i}\\
&\mathrm{k}\times\mathrm{i} = \mathrm{j} \quad \mathrm{i}\times\mathrm{k} = -\mathrm{j}
\end{aligned} \tag{1.28}$$

가 된다.

두 벡터 A와 B를 직교좌표계의 성분으로 표시하여 벡터곱을 계산하면

$$\begin{aligned}
\mathrm{A}\times\mathrm{B} &= (A_x\mathrm{i} + A_y\mathrm{j} + A_z\mathrm{k})\times(B_x\mathrm{i} + B_y\mathrm{j} + B_z\mathrm{k})\\
&= A_xB_x(\mathrm{i}\times\mathrm{i}) + A_xB_y(\mathrm{i}\times\mathrm{j}) + A_xB_z(\mathrm{i}\times\mathrm{k})\\
&\quad + A_yB_x(\mathrm{j}\times\mathrm{i}) + A_yB_y(\mathrm{j}\times\mathrm{j}) + A_yB_z(\mathrm{j}\times\mathrm{k})\\
&\quad + A_zB_x(\mathrm{k}\times\mathrm{i}) + A_zB_y(\mathrm{k}\times\mathrm{j}) + A_zB_z(\mathrm{k}\times\mathrm{k})\\
&= A_xB_y\mathrm{k} - A_xB_z\mathrm{j} - A_yB_x\mathrm{k} + A_yB_z\mathrm{i} + A_zB_x\mathrm{j} - A_zB_y\mathrm{i}\\
&= (A_yB_z - A_zB_y)\mathrm{i} + (A_zB_x - A_xB_z)\mathrm{j} + (A_xB_y - A_yB_x)\mathrm{k}
\end{aligned} \tag{1.29}$$

이다. 여기서 $A \times B$의 직교좌표축 상의 각 성분은 다음과 같다.

$$(A\times B)_x = A_yB_z - A_zB_y$$

$$(A\times B)_y = A_zB_x - A_xB_z$$

$$(A\times B)_z = A_xB_y - A_yB_x$$

예제 **1.15** 직교좌표계의 원점에서 출발하여 끝점이 각각 (1, 2, 3), (3, 2, 1)인 두 벡터를 두 변으로 하는 삼각형의 면적을 구하라.

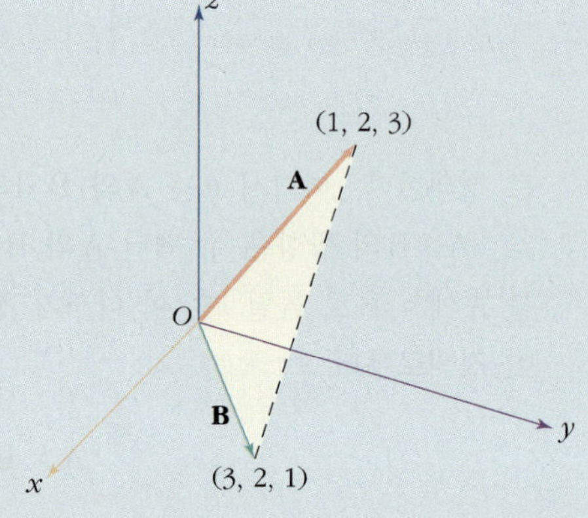

그림 1.24
두 점이 원점과 만드는 면적의 크기는 벡터곱을 이용하여 구할 수 있다.

풀이 그림 1.24에서 삼각형의 면적 S는

$$S = \frac{1}{2}AB\sin\theta = \frac{1}{2}|A\times B|$$

$$\begin{aligned} S &= \frac{1}{2}\,|(2-6)i+(9-1)j+(2-6)k| \\ &= \frac{1}{2}|-4i+8j-4k| \\ &= \frac{1}{2}\sqrt{16+64+16} \\ &= 4.9 \end{aligned}$$

이다.

예제 **1.16** $A = 2i+j-k$, $B = i-j+2k$인 두 벡터에서 $A \times B$를 구하라.

풀이
$$\begin{aligned} A\times B &= (A_yB_z - A_zB_y)i + (A_zB_x - A_xB_z)j + (A_xB_y - A_yB_x)k \\ &= (2-1)i+(-1-4)j+(-2-1)k \\ &= i-5j-3k \end{aligned}$$

이다.

연습문제
EXERCISES

1 다음 각 수치들의 유효숫자 개수를 정하고 과학표기법으로 바꾸어 표시하여라.
(a) 725.4s (b) 0.05870cm
(c) 2400g (d) 900.0×10^{2}mℓ

2 유효숫자를 고려하여 다음 연산을 하여라.
(a) $3.784\times10^{7}\text{g}+2.25\times10^{9}\text{g}$
(b) $(3.784\times10^{7}\text{m})\div(3.0\times10^{-2}\text{s})$
(c) 123.400+0.0030
(d) 123.400−0.0030
(e) 123.400×0.0030
(f) 123.400÷0.0030

3 어느 차가 2시간 동안 직선도로를 60km/h의 속력으로 달리고, 그 후 3시간 동안은 40 km/h의 속력으로 달렸다고 한다. 전체 5시간 동안 이 차의 평균 속력은 얼마인가?

4 어느 비행기가 70km/h의 순풍을 받고 1,200km 되는 두 도시 사이를 3시간 30분에 날았다고 한다. 이 비행기의 평균 속력은 얼마인가?

5 유속 v인 강물 위에 두 척의 배 A, B가 강물이 흐르는 방향으로 거리 d를 유지하면서 강물에 따라 흘러 내려가고 있다. 어느 사람이 물에 대하여 c의 속도로 헤엄을 쳐서 A에서 B에 갔다가 다시 A로 돌아 왔다고 한다. 이 사람이 헤엄친 시간을 c, v, d로 표시하라.

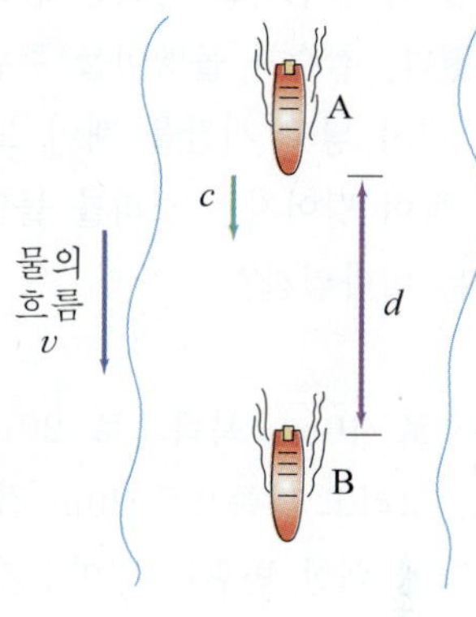

그림 1.25

6 자동차가 정지한 상태에서 출발하여 20s 사이에 50km/h의 속력을 얻었다.
(a) 이 자동차의 가속도를 구하고, (b) 차의 속력이 80km/h까지 되는 데 소요되는 시간을 구하라.

7 20km/h의 속력으로 달리고 있는 차에 3(km/h)/s의 가속도를 더 주었다. 이 차가 45km/h의 속력이 될 때까지 차가 이동한 거리는 얼마나 되겠는가?

8 64m 높이 되는 낭떠러지에서 돌을 떨어뜨렸다.
(a) 몇 초 후에 땅에 떨어지겠는가?
(b) 땅에 닿는 순간의 속도는 얼마인가?

9 어느 소녀가 60m 되는 건물 꼭대기에서 공을 20m/s의 속도로 곧장 위로 던졌다.
(a) 몇 초 후에 땅에 떨어지겠는가?
(b) 이 공이 땅에 닿을 때의 속력을 구하라.

10 어느 물체가 정지상태에서 자유낙하하고 있다. n초 후 1초 사이의 낙하 거리를 구하라.

11 등산을 가서 협곡을 만났는데 그 깊이가 궁금해졌다. 철수가 돌멩이를 주워서 계곡 속으로 던져 넣고 시간을 재어 보았더니 4초 후에 돌이 떨어지는 소리를 들었다. 계곡의 깊이는 얼마일까?

12 동쪽으로 40m, 북쪽으로 20m, 서쪽으로 70m, 그리고 남쪽으로 20m 걸어간 사람의 시작점에 대한 변위는 얼마인가?

13 (a) x축과 θ의 각을 이루는 Vector V를 x 및 y 성분인 V_x, V_y로 분해하여 Vector V의 크기와 방향을 V_x와 V_y의 관계식으로 나타내고, (b) x축과 θ_1, θ_2의 각을 이루는 두 Vector V_1과 V_2에 대해서도 각각 x 및 y 성분 V_{1x}, V_{1y}, V_{2x}, V_{2y} 등으로 분해하고, (c) 이들의 합성 Vector $V = V_1 + V_2$의 크기와 방향을 나타내는 식을 표기하라.

14 두 벡터가 A＝(3, 4, －5) 및 B＝(－1, 2, 6)일 때 (a) 두 벡터의 크기, (b) A・B, (c) A×B 및 (d) 두 벡터의 사잇각을 구하라.

15 모든 벡터 A, B에 대하여 A・(B×A)＝0임을 보여라.

Fundamentals of Physics

2차원 및 3차원 운동

이 장에서는 제 1장에서 공부한 1차원 직선상의 운동을 일반화하여, 2차원 평면과 3차원 공간에서의 입자의 운동을 공부한다. 그러나 대부분의 3차원 공간에서 입자의 운동은 2차원 평면운동으로 기술할 수 있기 때문에, 주로 2차원 운동에 대하여 공부할 것이다. 2차원 운동의 특별한 경우인 등속 원운동에 대하여도 이 장에서 공부하기로 한다.

2.1 위치, 변위, 속도, 가속도 벡터

물체가 그림 2.1과 같이 2차원 평면상에서 구부러진 길을 따라 움직이는 경우를 생각해 보자. 위치벡터 r_1은 물체의 처음 위치 $P(x_1,\ y_1)$을 나타내고, 위치벡터 r_2는 물체의 마지막 위치 $Q(x_2,\ y_2)$를 나타낸다고 하면 벡터의 덧셈을 이용하여 $\mathrm{r}_1 + \Delta\mathrm{r} = \mathrm{r}_2$가 됨을 쉽게 알 수 있다. 따라서 **변위벡터**(displacement Vector) $\Delta\mathrm{r}$은 물체의 마지막 위치와 처음 위치의 차이이므로 다음과 같이 정의된다.

$$\Delta\mathrm{r} \equiv \mathrm{r}_2 - \mathrm{r}_1 \tag{2.1}$$

물체가 처음 위치 P에서 마지막 위치 Q로 가는 동안, 일반적으로 자동차의 속력과 방향은 일정하지 않으므로, 그 동안의 **평균속도** $\bar{v}$을 다음과 같이 정의한다.

$$\bar{v} \equiv \frac{\Delta\mathrm{r}}{\Delta t} \tag{2.2}$$

여기서 $\Delta t = t_2 - t_1$은 물체가 $P(x_1,\ y_1)$에서 $Q(x_2,\ y_2)$로 이동하는 데 걸린 시간이다. 하지만 왕복운동인 경우에는 변위벡터 $\Delta\mathrm{r}$이 0이므로 평균 속도는 0이 된다. 그림 2.2에서와 같이 점 Q가 점 P에 접근하는 경우, 즉 Δt가 0으로 접근하는 극한의 경우, $\Delta\mathrm{r}/\Delta t$의 극한값을 **순간속도** v라고 한다. 시간 t에서 입자의 위치를 $\mathrm{r}(t)$라 하고, 조금 후의 시간 $t + \Delta t$에서 물체의 위치를 $\mathrm{r}(t + \Delta t)$라 할 때 순간속도 v는 다음과 같다.

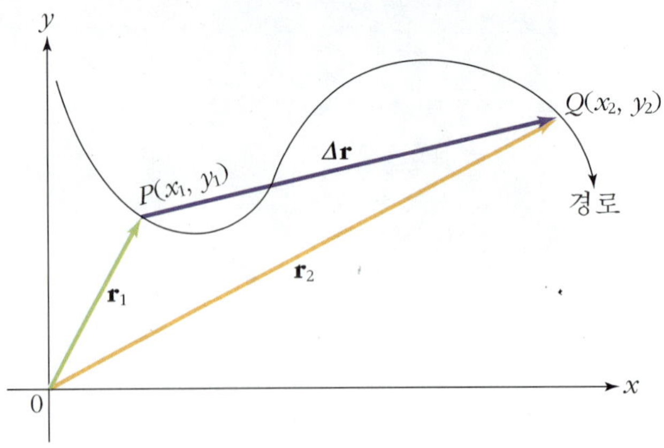

그림 2.1 처음 위치 $P(x_1,\ y_1)$에서 마지막 위치 $Q(x_2,\ y_2)$로 이동한 입자의 변위벡터 $\Delta\mathrm{r}$. $\mathrm{r}_1 + \Delta\mathrm{r} = \mathrm{r}_2$임을 주목하라.

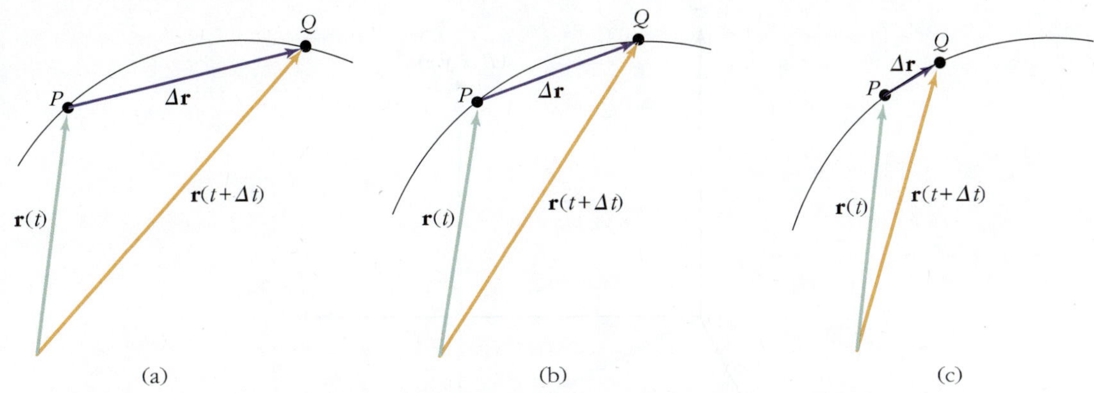

그림 2.2 그림 2.1에서 곡선 경로의 짧은 구간을 확대한 그림. 점 Q가 점 P에 점점 다가가는 극한의 경우, $\Delta\mathrm{r}/\Delta t$의 값은 극한값 $d\mathrm{r}/dt$에 접근한다. 이 때 $\Delta\mathrm{r}$ (결국 $d\mathrm{r}$)의 방향은 P점에서 곡선의 접선에 접근한다.

$$\mathrm{v} \equiv \lim_{\Delta t \to 0}\left(\frac{\Delta \mathrm{r}}{\Delta t}\right) = \frac{d\mathrm{r}}{dt} \tag{2.3}$$

속도의 국제단위는 거리(m)를 시간(s)으로 나눈 것인 m/s이다.

위치벡터 $\mathrm{r}(t)$의 수식을 알면 위치벡터를 시간 t로 한 번 미분함으로써 속도 $\mathrm{v}(t)$를 구할 수 있다. 극한값을 취할 때 변위벡터 $\Delta\mathrm{r}$이 곡선의 접선의 기울기에 접근하므로, 속도 v는 항상 운동경로의 접선방향임을 알 수 있다.

3차원 공간에서의 입자의 위치는 그림 2.3과 같은 직교좌표계를 이용하여 $(x,\ y,\ z)$로 나타낼 수 있다. 이 입자의 위치를 **위치벡터** r로 나타내면 다음과 같다.

$$\mathrm{r} = x\mathrm{i} + y\mathrm{j} + z\mathrm{k} \tag{2.4}$$

물리학에서 속도는 벡터량으로 크기(빠르기)와 방향을 가지며, 속력은 스칼라량으로 크기(빠르기)만을 나타낸다. 직교좌표계의 경우 속도벡터는 다음과 같이 표현한다.

$$\mathrm{v} = \frac{d\mathrm{r}}{dt} = \frac{dx}{dt}\mathrm{i} + \frac{dy}{dt}\mathrm{j} + \frac{dz}{dt}\mathrm{k}$$
$$\mathrm{v} = v_x\mathrm{i} + v_y\mathrm{j} + v_z\mathrm{k} \tag{2.5}$$

여기서 v_x, v_y, v_z는 각각 속도의 성분이다.

$$v_x = \frac{dx}{dt},\ v_y = \frac{dy}{dt},\ v_z = \frac{dz}{dt} \tag{2.6}$$

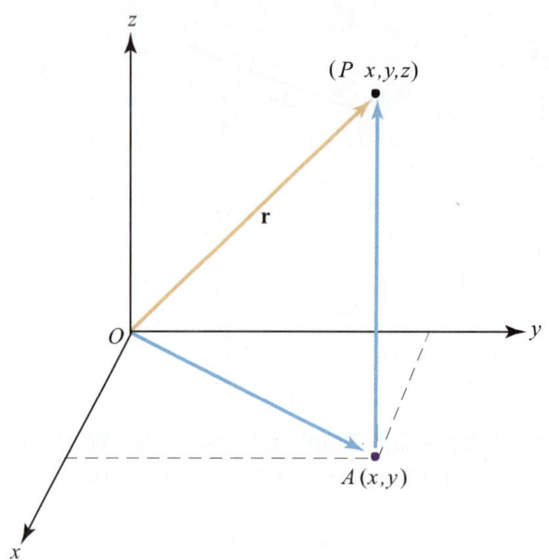

그림 2.3 3차원 상의 임의 위치를 나타내는 벡터

예제 2.1 xy평면상에서 움직이는 입자의 위치를 시간 t의 함수로 나타내면, $x = (2\,\mathrm{m/s^2})t^2$이고 $y = 16\,\mathrm{m\cdot s^2}/t^2$이다. $t = 2\,\mathrm{s}$일 때의 입자의 위치벡터와 속도벡터를 구하라.

풀이 임의의 시간 t에서 입자의 위치벡터는

$$\mathrm{r} = 2t^2(\mathrm{m/s^2})\mathrm{i} + \frac{16}{t^2}(\mathrm{m\cdot s^2})\mathrm{j}$$

이고, 식 (2.5)에 의하면 속도벡터는

$$\mathrm{v} = \frac{d\mathrm{r}}{dt} = 4t(\mathrm{m/s^2})\mathrm{i} - \frac{32}{t^3}(\mathrm{m\cdot s^2})\mathrm{j}$$

이다. $t = 2\,\mathrm{s}$일 때에 대하여 계산하면

$$\mathrm{r} = (8\mathrm{i} + 4\mathrm{j})\ \mathrm{m}$$

이고,

$$\mathrm{v} = (8\mathrm{i} - 4\mathrm{j})\ \mathrm{m/s}$$

이다.

가속도

가속도의 정의를 유도하는 과정은 앞에서 논의한 1차원의 경우와 유사하다. 그림 2.5 (a)는 구부러진 길을 따라 움직이는 입자의 두 지점에서의 속도를 나타내고 있다. 일반적으로,

그림 2.4
독수리는 엄청난 가속과 감속을 되풀이 하면서 먹이를 잡는다.

입자는 움직이는 동안 속도가 빨라지거나 느려지는데 여기서는 속도가 빨라지는 경우를 고려해 보자. 벡터 $\mathrm{v}(t)$와 $\mathrm{v}(t+\Delta t)$를 각각 시간 t와 $t+\Delta t$일 때 두 지점에서의 입자의 속도라고 하면, 두 벡터의 변화는 그림 2.5 (b)와 같이 나타낼 수 있다. 벡터의 덧셈을 이용하면 $\mathrm{v}(t)+\Delta\mathrm{v}=\mathrm{v}(t+\Delta t)$이므로, $\Delta\mathrm{v}$에 대하여 풀면 그림 2.5 (c)와 같이 $\Delta\mathrm{v}=\mathrm{v}(t+\Delta t)-\mathrm{v}(t)$이다. 그 동안의 **평균가속도** $\bar{\mathrm{a}}$을 다음과 같이 정의한다.

$$\bar{\mathrm{a}} \equiv \frac{\Delta\mathrm{v}}{\Delta t} \tag{2.7}$$

Δt가 0으로 접근하는 극한의 경우, $\Delta\mathrm{v}/\Delta t$의 극한값을 **순간가속도** a로 정의한다.

$$\mathrm{a} \equiv \lim_{\Delta t\to 0}\left(\frac{\Delta\mathrm{v}}{\Delta t}\right) = \frac{d\mathrm{v}}{dt} \tag{2.8}$$

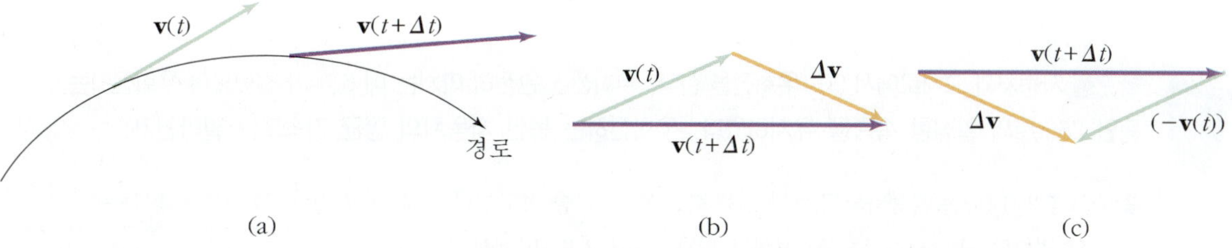

그림 2.5 시간 Δt동안 속도벡터 v가 $\Delta\mathrm{v}$ 만큼 크기와 방향이 동시에 변하고 있다.

$\mathrm{v} = \dfrac{d\mathrm{r}}{dt}$ 이므로,

$$\mathrm{a} = \frac{d\mathrm{v}}{dt} = \frac{d^2\mathrm{r}}{dt^2} \tag{2.9}$$

이다. 즉, 가속도벡터는 속도벡터 $\mathrm{v}(t)$을 시간 t로 한 번 미분하거나 위치벡터 $\mathrm{r}(t)$을 두 번 미분함으로써 구할 수 있다. 가속도의 국제단위는 거리(m)를 시간(s)으로 두 번 나눈 것인 $\mathrm{m/s^2}$이다. 직교좌표계의 경우 가속도벡터는 다음과 같이 표현한다.

$$\mathrm{a} = \frac{d\mathrm{v}}{dt} = \frac{dv_x}{dt}\mathrm{i} + \frac{dv_y}{dt}\mathrm{j} + \frac{dv_z}{dt}\mathrm{k}$$
$$a = a_x\mathrm{i} + a_y\mathrm{j} + a_z\mathrm{k} \tag{2.10}$$

여기서 a_x, a_y, a_z는 각각 가속도벡터의 성분이다.

$$a_x = \frac{dv_x}{dt}, \quad a_y = \frac{dv_y}{dt}, \quad a_z = \frac{dv_z}{dt} \tag{2.11}$$

위치벡터 r과 속도벡터 v, 가속도벡터 a는 운동학에서 가장 중요한 개념으로, 3차원 공간에서 아무리 복잡하게 움직이고 있는 입자라도 이 세 벡터를 이용하면 편리하게 그 운동을 기술할 수 있다.

위치벡터와 속도벡터, 가속도벡터는 동시에 같은 방향을 향할 필요는 없다. 예를 들면, 중력장 하에서 던져 올린 공은 포물선을 그리며 자유낙하한다. 이 때 위치벡터는 계속하여 변하고, 속도벡터는 항상 경로의 접선방향이며, 가속도벡터는 일정하며 중력으로 인하여 항상 아래 방향을 향한다. 가속도의 방향이 물체의 운동방향과 다른 것에 대하여 이상하게 생각할 필요는 없다. 가속도가 작용하고 있음에도 불구하고 던져 올린 물체는 꼭대기에서 순간적으로 정지상태를 유지하기도 한다. 고대의 그리스인들은 이러한 현상을 이해하지 못했기 때문에 자연의 운동을 잘못 기술하는 오류를 범하였다.

2.2 자동차가 교차로에서 90° 우회전을 한다. 우회전을 완전히 마치는 데 6.0s가 걸렸으며 우회전하는 동안 25m/s의 일정한 속력을 유지하였다. 우회전하는 동안 자동차의 평균 가속도는 얼마인가?

풀이 그림 2.6 (a)는 자동차의 경로와 처음 속도 v_1과 나중 속도 v_2를 나타내고 있다. 그림 2.6 (b)는 속도의 변화량 $\Delta\mathrm{v} = \mathrm{v}_2 - \mathrm{v}_1$을 보이고 있다. 그림 2.6 (b)에서,

$$\Delta v = \frac{v_1}{\cos 45°} = \frac{25\,\text{m/s}}{\cos 45°} = 35.4\ \text{m/s}$$

이다. 그러므로 평균 가속도의 크기는

$$\bar{a} = \frac{\Delta v}{\Delta t} = \frac{35.4\,\text{m/s}}{6.0\,\text{s}} = 5.9\,\text{m/s}^2$$

이고, 이 가속도의 방향은 $\mathbf{v}_2 - \mathbf{v}_1$을 향한다.

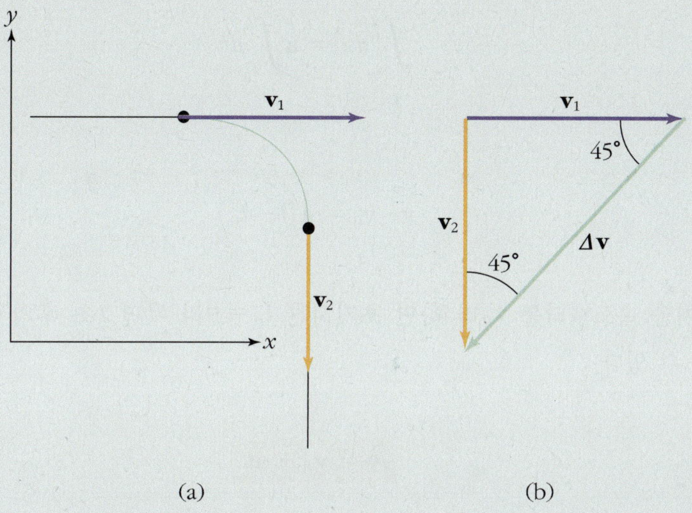

그림 2.6 (a) 자동차의 우회전 경로 (b) 처음 속도 v_1과 나중 속도 v_2에 의한 속도변화 $\Delta\mathrm{v}$

예제 **2.3** 예제 2.1에서 기술한 입자의 시간 $t = 2\,\text{s}$에서의 가속도벡터를 구하라.

풀이 임의의 시간 t에서 입자의 위치벡터와 속도벡터는

$$\mathrm{r} = 2t^2(\text{m/s}^2)\mathrm{i} + \frac{16}{t^2}(\text{m}\cdot\text{s}^2)\mathrm{j}$$

$$\mathrm{v} = 4t(\text{m/s}^2)\mathrm{i} - \frac{32}{t^3}(\text{m}\cdot\text{s}^2)\mathrm{j}$$

이므로, 가속도벡터는

$$\mathbf{a} = \frac{d\mathrm{v}}{dt} = \frac{d}{dt}\left(4t(\text{m/s}^2)\mathrm{i} - \frac{32}{t^3}(\text{m}\cdot\text{s}^2)\mathrm{j}\right) = 4(\text{m/s}^2)\mathrm{i} + \frac{96}{t^4}(\text{m}\cdot\text{s}^2)\mathrm{j}$$

이다. $t = 2\,\text{s}$일 때에 대하여 가속도를 계산하면

$$\mathbf{a} = (4\mathrm{i} + 6\mathrm{j})\ \text{m/s}^2$$

이다.

2.2 등가속도 운동

1차원 운동에서와 유사하게 3차원에서 등가속도로 운동하는 입자의 가속도, 속도, 위치, 시간 사이의 관계를 유도할 수 있다. 식 (2.7)에서 등가속도 운동의 경우 $\overline{\mathrm{a}} = \mathrm{a}$이므로, 시간 간격 Δt 동안의 속도변화 $\Delta \mathrm{v} = \mathrm{a}\ \Delta t$이다. 이 식을 적분하면

$$\int_{\mathrm{v}_0}^{\mathrm{v}} d\mathrm{v} = \mathrm{a}\int_{t_0}^{t} dt$$

즉

$$\mathrm{v} - \mathrm{v}_0 = \mathrm{a}(t - t_0)$$

이다. 처음 속도벡터를 v_0라 하면 초기시간 $t_0 = 0$라 두면 t초 후의 속도는 다음과 같이 표현할 수 있다.

$$\mathrm{v} = \mathrm{v}_0 + \mathrm{a}t \tag{2.12}$$

위의 식을 미분형으로 고쳐 보면

$$\frac{d\mathrm{r}}{dt} = \frac{d\mathrm{r}_0}{dt} + \mathrm{a}t$$

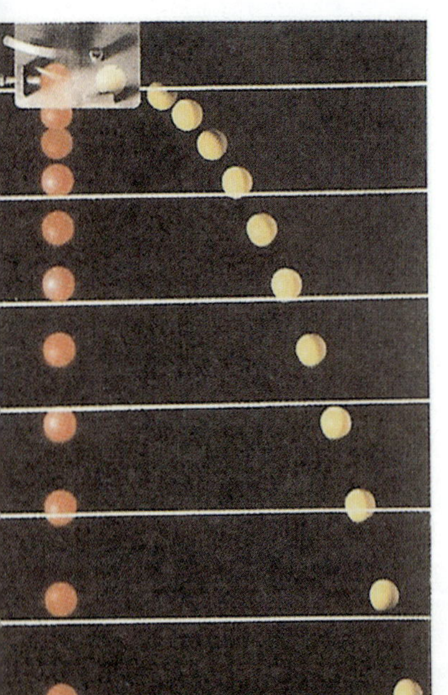

이다. 이 식을 초기조건을 대입하여 적분형으로 고쳐 적으면

$$\int_{\mathrm{r}_0}^{\mathrm{r}} d\mathrm{r} = \mathrm{v}_0\int_{t_0}^{t} dt + \mathrm{a}\int_{t_0}^{t} t\,dt$$

이므로 이 식을 적분해 주면,

$$\mathrm{r} - \mathrm{r}_0 = \mathrm{v}_0 t + \frac{1}{2}\mathrm{a}t^2 \tag{2.13}$$

그림 2.7
수평방향으로 발사된 공과 동시에 정지상태에서 가만히 놓은 두 공의 다중 노출 사진

이다. 식 (2.12)과 (2.13)의 x, y, z 성분은 각각 다음과 같다.

$$v_x = v_{0x} + a_x t$$
$$v_y = v_{0y} + a_y t \qquad (2.14)$$
$$v_z = v_0 z + a_z t$$

그리고

$$x - x_0 = v_{0x}t + \frac{1}{2}a_x t^2$$
$$y - y_0 = v_{0y}t + \frac{1}{2}a_y t^2 \qquad (2.15)$$
$$z - z_0 = v_{0z}t + \frac{1}{2}a_z t^2$$

위의 식들은 운동의 x, y, z성분이 각각 완전히 독립임을 의미하고 있다. 즉, x 방향의 가속도는 x 방향의 속도에만 영향을 미친다. 따라서 x 방향의 변위는 x 방향의 처음속도와 x 방향의 가속도만으로 결정된다. 그림 2.7은 서로 다른 운동 성분의 독립성을 보여주는 실험으로, 한 공을 정지상태에서 가만히 놓음과 동시에 다른 한 공을 수평방향으로 발사한 후 동일한 시간 간격으로 찍은 다중 노출 사진이다. 사진에서 보듯이 수평방향의 운동이 다름에도 불구하고, 두 공에 중력가속도가 똑같이 작용하므로, 아래 방향으로의 운동이 동일함을 알 수 있다.

예제 2.4 원점에 있던 입자가 시각 $t = 0$일 때, x 방향으로 20m/s, y 방향으로 −15m/s로 움직인다. 이 입자가 x 방향의 가속도 $a_x = 4.0\text{m/s}^2$를 가진다고 할 때, (a) 이 입자의 속도성분과 속도벡터를 시간의 함수로 구하라. (b) 5 초 후의 입자의 속도를 구하라.

풀이 (a) x방향으로 $v_{0x} = 20\text{m/s}$이고 $a_x = 4.0\text{m/s}^2$이므로, 속도의 x성분은

$$v_x = v_{0x} + a_x t = (20 + 4.0t/\text{s})\text{m/s}$$

이고, y 방향으로는 $v_{0y} = -15\text{m/s}$이고 $a_y = 0$이므로, 속도의 y성분은

$$v_y = v_{0y} + a_y t = -15\ \text{m/s}$$

이다. 따라서 속도벡터는

$$\mathrm{v} = v_x \mathrm{i} - v_y \mathrm{j} = [(20 + 4.0t/\text{s})\mathrm{i} - 15\mathrm{j}]\,\text{m/s}$$

이다.

(b) (a)의 결과에 $t = 5\,\mathrm{s}$를 대입하면,

$$\mathrm{v} = [(20 + 4.0 \times 5)\mathrm{i} - 15\mathrm{j}]\ \mathrm{m/s} = (40\mathrm{i} - 15\mathrm{j})\ \mathrm{m/s}$$

이다. 속도 v의 크기는,

$$v = |\mathrm{v}| = \sqrt{v_x^2 + v_y^2} = \sqrt{(40)^2 + (-15)^2}\ \mathrm{m/s} = 43\,\mathrm{m/s}$$

이다. 이 순간 입자가 움직이는 방향은 $\tan\theta = v_y/v_x$에서

$$\theta = \tan^{-1}(v_y/v_x) = \tan^{-1}[(-15\ \mathrm{m/s})/(40\ \mathrm{m/s})] = -21^\circ$$

이다.

2.3 포물선 운동

지구표면 근처에서의 중력가속도는 약 $9.80\mathrm{m/s}^2$으로 일정하다. 공기와의 마찰을 무시하면 공중으로 던져 올린 물체는 일정한 중력가속도에 의한 등가속도 운동을 하게 된다.

공중으로 던져 올린 물체(포사체)의 처음속도는 일반적으로 수평방향과 수직방향의 속도 성분을 가진다. 만일 z축을 수직방향, x축을 속도의 처음 수평방향으로 잡으면, $a_x = 0$, $a_y = 0$, $a_z = -g = -9.80\ \mathrm{m/s^2}$, $v_{0y} = 0$이다.(중력가속도가 z축의 아래 방향을 향하므로 a_z 값이 음수임을 명심하라.) 또한 문제를 간단히 하기 위하여 $x_0 = 0$, $y_0 = 0$, $z_0 = 0$으로 잡으면, 속도와 위치벡터의 각 성분은 다음과 같다.

$$v_x = v_{0x}, \quad v_y = 0, \quad v_z = v_{0z} - gt$$
$$x = v_{0x}t, \quad y = 0, \quad z = v_{0z}t - \frac{1}{2}gt^2 \tag{2.16}$$

우리가 선택한 좌표에 의해 y방향 값은 처음부터 끝까지 0이다. 따라서 포사체 운동은 xz 평면에 국한된 2차원 운동이다. 그러므로 이제부터는 포물체 운동을 다룰 때 y좌표는 완전히 배제할 것이다. 포사체의 궤적은 포물선임을 수학적으로 쉽게 증명할 수 있다. $x = v_{0x}t$에서 $t = x/v_{0x}$이므로, 이 관계식을 $z = v_{0z}t - 1/2gt^2$에 대입하면

$$z = \frac{v_{0z}}{v_{0x}}x - \frac{1}{2}\left(\frac{g}{{v_{0x}}^2}\right)x^2 \tag{2.17}$$

그림 2.8
화산분출은 분출속도가 초속도가 되는 포물선 운동의 예이다.

이 된다. 이 식은 x에 관한 2차 함수로 포사체의 궤적이 위로 볼록한 포물선이 됨을 알 수 있다(그림 2.8 참조).

공기저항을 무시할 때 어떤 수평성분과 수직성분을 갖는 처음속도로 쏘아 올린 물체는 항상 포물선 궤적을 그리며 올라갔다가 떨어진다. 일반적으로 바닥으로부터 쏘아 올린 물체의 **최고 도달높이**(maximum height), **체공시간**(flight time), **수평 도달거리**(horizontal range)를 계산하는 것은 중요하다.

발사대와 표적의 높이를 같다고 가정하고 발사지점의 좌표를 원점으로 잡는다. 포사체는 처음 수평방향 속도(v_{0x})와 수직방향 속도(v_{0z})를 가지고 출발한다. 최고점에서 v_z는 순간적으로 0이므로 최고점에 도달하는 시간을 $t_{최고점}$이라고 하면,

$$0 = v_{0z} - gt_{최고점}$$

이다. 따라서

$$t_{최고점} = \frac{v_{0z}}{g} \tag{2.18}$$

이다. 이 때 **최고 도달 높이**(maximum height) $z_{최고점}$은

$$z_{최고점} = v_{0z}t_{최고점} - \frac{1}{2}gt_{최고점}^2 = v_{0z}\left(\frac{v_{0z}}{g}\right) - \frac{1}{2}g\left(\frac{v_{0z}}{g}\right)^2$$

이므로

$$z_{최고점} = \frac{\frac{1}{2}{v_{0z}}^2}{g} = \frac{{v_{0z}}^2}{2g} \tag{2.19}$$

이다. 체공시간을 구하기 위하여 $z = v_{0z}t - \frac{1}{2}gt^2$에 $z = 0$을 대입하면

$$0 = v_{0z}t - \frac{1}{2}gt^2$$

이고, 이 방정식은 $t = 0$과 $t = \frac{2v_{0z}}{g}$ 두 근을 갖는데 이 중에서 시간이 영이라는 사실은 의미를 갖지 않으므로 나중 근이 **체공시간**을 나타낸다.

$$t_{체공시간} = \frac{2v_{0z}}{g} \tag{2.20}$$

식 (2.18)과 (2.20)를 비교해 보면 체공시간은 물체가 최고점에 도달하는 시간의 2배임을 알 수 있다. 즉 최고점까지 올라가는데 걸린 시간이나 다시 원 위치까지 낙하하는데 걸리는 시간이 같다는 의미이다. 이 결과는 포물선의 대칭성과 일치한다.

수평 도달거리는 단순히 $t = t_{체공시간}$초 후의 x값에 지나지 않는다.

$$x_{수평거리} = v_{0x}t_{체공시간} = \frac{2v_{0x}v_{0z}}{g} \tag{2.21}$$

$z_{최고점}$, $t_{체공시간}$, $x_{수평거리}$를 물체의 처음 속력 v_0와 상향각 θ로 나타낼 수 있다. 그림 2.9에서

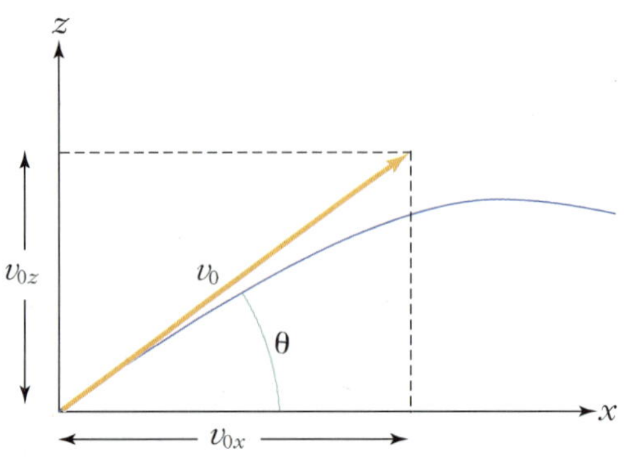

그림 2.9
처음속력 v_0와 상향각 θ로 발사된 물체의 운동

$$v_{0x} = v_0 \cos\theta$$
$$v_{0z} = v_0 \sin\theta$$

이므로, $z_{\text{최고점}}$, $t_{\text{체공시간}}$, $x_{\text{수평거리}}$는 각각 다음과 같다.

$$z_{\text{최고점}} = \frac{v_0^2 \sin^2\theta}{2g} \tag{2.22}$$

$$t_{\text{체공시간}} = \frac{2v_0 \sin\theta}{g} \tag{2.23}$$

$$x_{\text{수평거리}} = \frac{2v_0^2 \sin\theta \cos\theta}{g} \tag{2.24}$$

그런데 $\sin 2\theta = 2\sin\theta \cos\theta$이므로

$$x_{\text{수평거리}} = \frac{v_0^2 \sin 2\theta}{g} \tag{2.25}$$

이다.

식 (2.22)−(2.25)는 처음 발사지점과 나중 낙하지점이 같은 높이에 있는 경우에 유도한 식임을 명심하라.

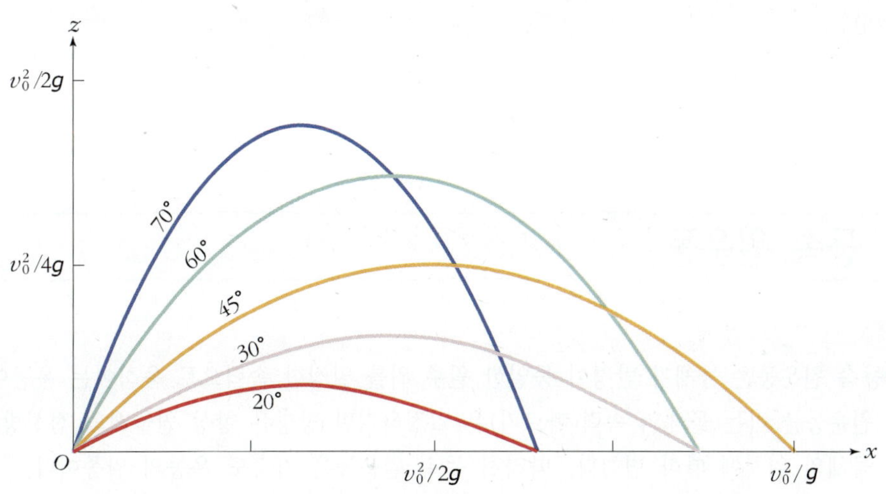

그림 2.10 처음속력이 동일한 포사체의 상향각 θ에 따른 궤적

그림 2.10은 동일한 처음속력으로 쏘아 올린 포사체의 상향각 θ에 따른 궤적을 보여주고 있다. 그림에서 $\theta = 45°$일 때 $x_{수평거리}$가 최대가 됨을 알 수 있다[식 (2.25)에서 $2\theta = 90°$일 때 $x_{수평거리}$가 최대가 되므로 $\theta = 45°$임]. 또한 45° 기준으로 상하 동일한 각도로 발사한 물체(예를 들면, 30°와 60°)의 $x_{수평거리}$가 같음을 알 수 있다.

예제

2.5 돌멩이를 지면과 30.0°각도로 처음속력 10.0m/s로 던져 올렸다.

(a) 땅에 떨어질 때까지 걸린 시간은 얼마인가?

(b) 얼마나 멀리 나가겠는가?

(c) 얼마나 높이 올라가는가?

풀이 문제에서 주어진 정보는 다음과 같다. $v_0 = 10.0\ \mathrm{m/s}$, $a_x = 0$, $a_y = -g = -9.80\ \mathrm{m/s^2}$, $\theta = 30.0°$ $\cos 30° = 0.866$, $\sin 30° = 0.500$이다.

(a) 식 (2.23)에서

$$t_{체공시간} = \frac{2v_0 \sin\theta}{g} = \frac{2(10.0\ \mathrm{m/s})(0.500)}{9.80\ \mathrm{m/s^2}} = 1.02\mathrm{s}$$

이다.

(b) 식 (2.25)에서

$$x_{수평거리} = \frac{v_0^2 \sin 2\theta}{g} = \frac{v_0^2 \sin 60.0°}{g} = \frac{v_0^2 \cos 30.0°}{g} = \frac{(10.0\mathrm{m/s})^2(0.866)}{9.80\ \mathrm{m/s^2}} = 8.84\ \mathrm{m}$$

이다.

(c) 식 (2.22)에서

$$z_{최고점} = \frac{v_0^2 \sin^2\theta}{2g} = \frac{(10.0\ \mathrm{m/s})^2(0.500)^2}{2(9.80\ \mathrm{m/s^2})} = 1.28\ \mathrm{m}$$

이다.

2.4 등속 원운동

등속 원운동은 물체가 반경이 동일한 원주 위를 일정한 속력으로 움직이는 운동이다. 등속 원운동을 하는 물체의 속력(빠르기)은 일정하지만 방향은 항상 원둘레의 접선방향으로서 물체의 위치에 따라 변한다. 따라서 등속 원운동은 가속도 운동의 일종이다.

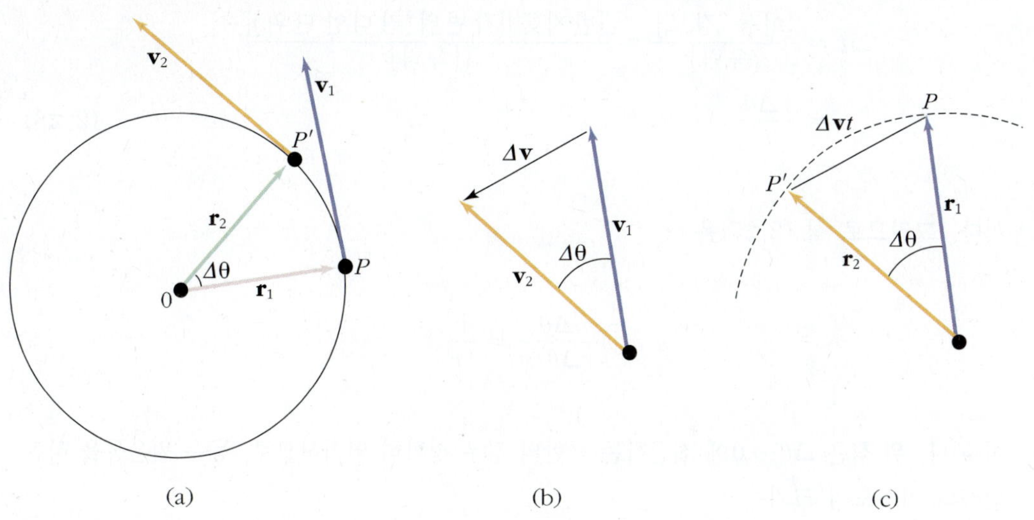

그림 2.11
(a) 시간 t와 $t+\Delta t$일 때의 위치벡터.
(b) 시간 t와 $t+\Delta t$일 때의 속도벡터. 두 속도벡터의 차이는 $\Delta \mathrm{v}$이다.
(c) $\Delta\theta$가 작으면 호의 길이는 두 속도벡터 v_1, v_2의 끝을 연결한 직선의 길이와 거의 같다.

반지름이 r인 원주 위를 일정한 속력 v로 움직이는 입자를 생각하자. 그림 2.11 (a)는 입자가 짧은 시간 간격 동안 r_1과 r_2의 위치에 있을 때의 속도를 각각 v_1, v_2로 나타내고 있다. 두 속도벡터는 각각 접선방향을 향하고 있으며 그 크기는 $|\mathrm{v}_1| = |\mathrm{v}_2| = v$이다. 두 위치벡터 사이의 각을 $\Delta\theta$라고 하면, 삼각형의 닮음 조건에 의하여 두 속도벡터 사이의 각도는 그림 2.11 (b)에서와 같이 $\Delta\theta$이다. 입자의 순간 가속도는 짧은 시간 간격 Δt 동안의 속도의 변화이다. 시간 간격 Δt가 아주 작으면 각 변위 $\Delta\theta$도 아주 작으므로, 그림 2.11 (c)에서 호의 길이와 현의 길이가 거의 같아지게 된다. 따라서 $\Delta \mathrm{v}$의 크기는 대략

$$|\Delta \mathrm{v}| \cong v\Delta\theta \tag{2.26}$$

로 나타낼 수 있다. 이 값은 $\Delta \mathrm{v} \to 0$에 접근하는 극한의 경우 정확히 일치하게 된다.

그러므로 가속도의 크기는

$$a = \frac{|\Delta \mathrm{v}|}{\Delta t} \cong v\frac{\Delta\theta}{\Delta t} \tag{2.27}$$

이다. 시간 간격 Δt는 그림 2.11 (a)에서

$$\Delta t = \frac{[\text{이동 경로}]}{[\text{속력}]} = \frac{[\text{반지름}][\text{각변위(라디안 단위)}]}{[\text{속력}]}$$
$$= \frac{r\Delta\theta}{v} \tag{2.28}$$

이다. 그러므로 식 (2.27)은

$$a \cong v\frac{\Delta\theta}{r\Delta\theta/v} = \frac{v^2}{r}$$

이 된다. 위 식은 $\Delta\theta \to 0$에 접근하는 극한의 경우 정확히 일치하므로, 등속 원운동을 하는 입자의 가속도의 크기는

$$a = \frac{v^2}{r} \tag{2.29}$$

이다.

가속도의 방향은 속도의 변화 Δv의 방향과 같으며, 그림 2.11 (b)에서 대략 원의 중심 방향을 향하고 있음을 알 수 있다. 실제로 등속 원운동을 하는 입자의 가속도의 방향은 $\Delta t \to 0$에 접근하는 극한의 경우 정확하게 원의 중심을 향하기 때문에 이를 **구심가속도**(centripetal acceleration)라고 한다.

2.6 자동차가 반지름이 50.0m인 원형 도로에 진입한다. 자동차 바퀴가 미끄러지지 않고 돌 수 있는 가속도가 $0.80g$라고 할 때, 자동차가 안전하게 회전할 수 있는 최대 속력은 얼마인가?

풀이 식 (2.29)에서

$$v^2 = ra = 50.0\text{ m} \times 0.80(9.80\text{ m/s}^2)$$
$$= 392\text{ m}^2/\text{s}^2$$

따라서

$$v = 19.8\text{ m/s} = 71.3\text{ km/h}$$

이다.

2.5 상대운동

그림 2.12 (a)와 같이 서로 다른 속력으로 달리고 있는 두 대의 자동차 A와 B를 고려해 보자. 편의상 자동차가 달리고 있는 직선 도로를 x축으로 하고, 도로 가에 서 있는 관측자 O에 대한 A의 속력을 v_{AO}, 관측자 O에 대한 B의 속력을 v_{BO}라고 하면 B에 대한 A의 상대속도 v_{AB}는

$$v_{AB} = v_{AO} - v_{BO} \tag{2.30}$$

이다. 예를 들어, v_{AO}가 60km/h이고 v_{BO}가 50km/h이면, v_{AB}는 10 km/h이다.

식 (2.30)을 일반화하기 위하여, $v_{BO} = -v_{OB}$를 이용하자.

$$v_{AB} = v_{AO} - (-v_{OB})$$

또는

$$v_{AB} = v_{AO} + v_{OB} \tag{2.31}$$

(B에 대한 A의 속도) = (O에 대한 A의 속도) + (B에 대한 O의 속도)

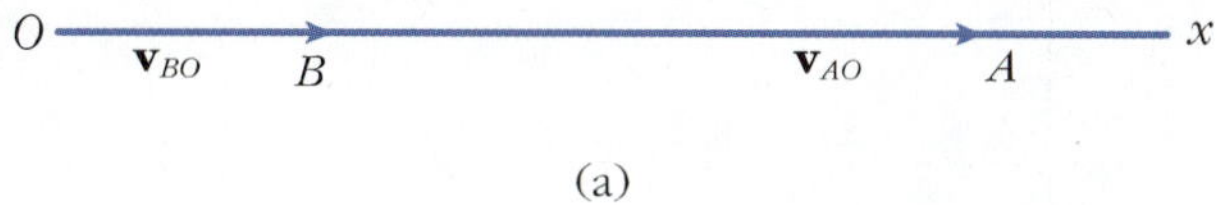

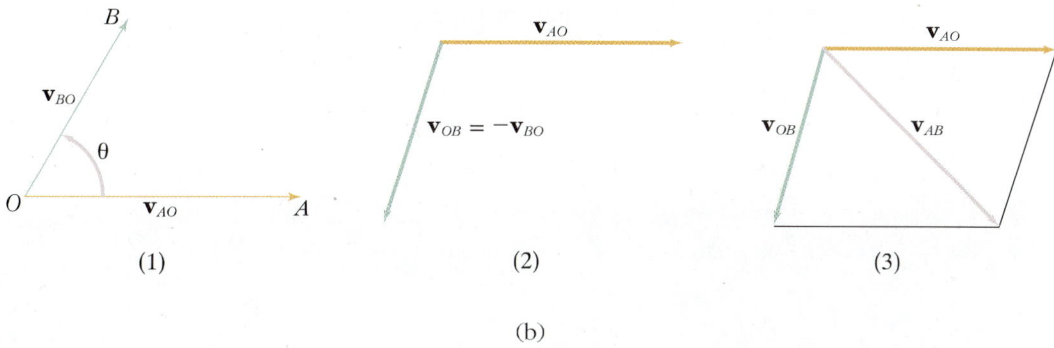

그림 2.12 B에 대한 A의 상대속도 구하기 (a) 직선상에서 움직이는 경우. (b) 각 θ를 이루며 움직이는 경우

이다. 식 (2.31)은 그림 2.12 (b)와 같이 두 자동차가 직선상에서 운동하지 않는 경우에도 유용하게 쓸 수 있다. 이 경우 그림과 같이 음(−)벡터와 벡터의 덧셈 법칙을 이용하여 B에 대한 A의 상대속도를 쉽게 구할 수 있다.

예제 **2.7** 비행기가 240km/h의 속력으로 북쪽으로 비행하고 있다. 바람이 동쪽으로 100km/h로 불 때 바람에 대한 비행기의 상대속도를 구하라.

풀이 비행기를 A, 바람을 W, 지구를 E로 나타내면, $\mathbf{v}_{AE}$ = 240km/h(북쪽)이고 $\mathbf{v}_{WE}$ = 100km/h(동쪽)이다. 따라서 바람에 대한 비행기의 속도 $\mathbf{v}_{AW} = \mathbf{v}_{AE} + \mathbf{v}_{EW} = \mathbf{v}_{AE} + (-\mathbf{v}_{WE})$이다. 그러므로 $\mathbf{v}_{AW}$의 크기와 방향은 아래와 같다(그림 2.13 참조).

$$v_{AW} = \sqrt{(240\,\mathrm{km/h})^2 + (100\,\mathrm{km/h})^2} = 260\,\mathrm{km/h}$$

$$\tan\theta = 100/240 = 0.417 \text{ 또는 } \theta = 22.6°(\text{북서쪽})$$

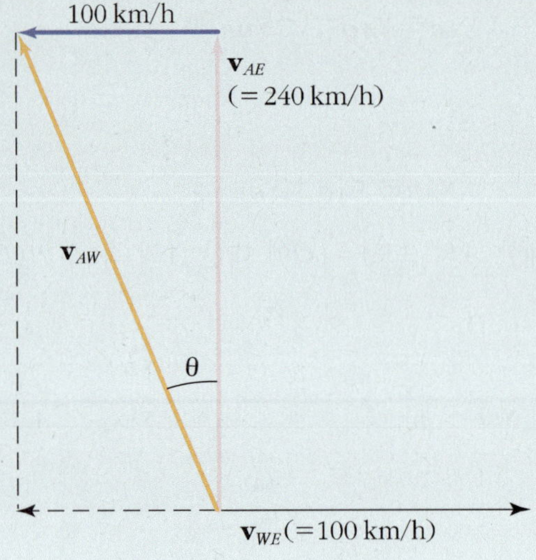

그림 2.13 비행기의 상대속도 구하기

연습문제 EXERCISES

1 그림 2.14에서와 같이 태양이 바로 머리 위에 있을 때 높이 떠 있던 송골매가 먹이를 보고 수평선에 대하여 60° 아래 방향으로 10m/s의 속력으로 내려간다. 지상에서 송골매의 그림자 속력을 구하라.

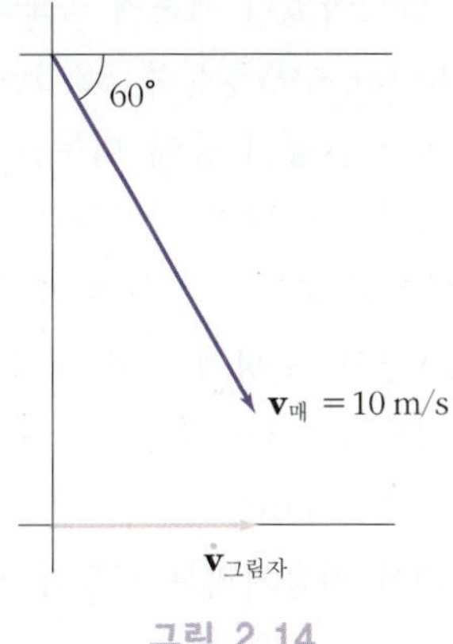

그림 2.14

2 경보선수가 남쪽으로 3m/s로 1분간 걷다가, 동쪽으로 방향을 바꾸어 4m/s로 1분간 걸었다.

(a) 경보선수의 알짜 변위는 얼마인가?
(b) 경보선수의 평균 속력은 얼마인가?
(c) 경보선수의 평균 속도는 얼마인가?

3 수영선수가 50.0m 길이의 수영장을 20.0s 만에 헤엄쳐 갔다가 처음 위치로 22.0s만에 되돌아 왔다. 다음 각 경우에 대한 평균 속도를 구하라. (a) 처음 구간, (b) 두 번째 구간, (c) 왕복 구간

4 자동차의 속력이 5.6m/s인 상태에서 가속되어 4.0s 후 그 차의 속도는 +8.0 m/s 였다. 이 차의 4.0s 동안의 평균 가속도를 구하라.

5 스키선수가 100m 길이의 경사면을 따라 바닥에 내려왔을 때 속도가 20m/s였다. 이 경사면의 기울기를 구하라.

6 입자의 속도 함수가 $v = kt^2$ m/s로 주어진다. 여기서 k는 상수이다. $t = 0$일 때의 초기 위치는 $x_0 = -9.0\,\text{m}$이다. $t_1 = 3.0$ s일 때 입자는 9.0 m에 위치한다. 이 조건들로부터 k의 값을 구하라. 적절한 k의 단위를 같이 표시하라.

7 어떤 물체의 처음 속도가 x축 방향으로 3.0 m/s이다. 물체의 가속도가 x축 방향으로 $a_x = -1.0\text{m/s}^2$, y축 방향으로 $a_y = -0.5\text{m/s}^2$일 때,

(a) 속도벡터를 시간의 함수로 나타내어라.
(b) 3 초 후의 속도를 구하라.
(c) 3 초 후의 위치를 구하라.

8 그림 2.15는 $t = 0$일 때 정지상태에서 출발한 입자의 가속도 그래프이다. 시간이 $t = 0$s, 2s, 4s, 6s 그리고 8s일 때의 속도를 구하라.

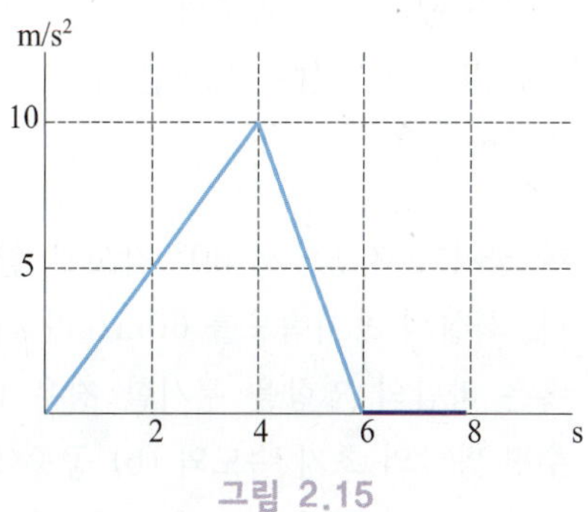

그림 2.15

9 입자의 시간에 따른 위치가
$x = (2t^3 - 9t^2 + 12)$m로 주어진다.
a) $v = 0$m/s가 되는 시간은 언제인가?
b) $v = 0$가 되는 시각일 때 입자의 위치와 가속도를 구하라.

10 화산이 폭발하면서 사방으로 바위를 쏘아 올린다. 바위의 속력이 700m/s라고 할 때, 바위의 (a) 최대 높이와 (b) 최대 수평거리를 구하라. 단, 공기의 저항은 무시한다.

11 건물 옥상 끝에서 수평방향으로 6m/s의 속력으로 돌멩이를 던졌더니 벽으로부터 10m 되는 곳에 떨어졌다. 건물 옥상의 높이는 얼마인가?

12 동생이 4.00m 높이의 창문 위에 서 있는 형에게 공을 던졌다. 형이 1.50s 후 공을 잡았다.
(a) 공의 초속도를 구하라.
(b) 형이 공을 잡는 순간 공의 속도는 얼마인가?

13 한 궁사가 지면에서 30° 각도로 활을 쏘았다. 화살의 초기속도를 60m/s라 하고 공기 혹은 바람의 영향을 무시할 경우 (a) 수직 수평 방향의 초기 속도와 (b) 공중에 머무는 시간 및 (c) 화살이 도달할 수 있는 거리를 계산하여라.

14 한 궁사가 지면에서 60° 각도로 활을 쏘았다. 화살의 초기속도를 60m/s라 하고 공기 혹은 바람의 영향을 무시할 경우 (a) 수직 수평 방향의 초기 속도와 (b) 공중에 머무는 시간 및 (c) 화살이 도달할 수 있는 거리를 계산하여라.

15 한 궁사가 지면에서 45° 각도로 활을 쏘았다. 화살의 초기속도를 60m/s라 하고 공기 혹은 바람의 영향을 무시할 경우 (a) 수직 수평 방향의 초기 속도와 (b) 공중에 머무는 시간 및 (c) 화살이 도달할 수 있는 거리를 계산하여라.

16 수평에서 30도 위로 포탄을 발사했다. 포탄의 초기 속도는 100m/s이지만, 각도를 이루며 발사하였기 때문에 속도의 수직성분은 50.0m/s, 수평성분은 86.6m/s이다.
(a) 포탄이 공기 중에 머무는 시간은?
(b) 포탄의 수평거리는 얼마인가?
(c) 다음의 조건으로 위의 계산을 반복하라. 포탄이 수평에서 60도로 발사되어서, 속도의 수직성분은 86.6m/s이고, 수평성분은 50m/s이다. 앞의 결과와 비교해서 이동거리는 어떻게 되는가?

17 그림 2.16과 같이 50° 각도로 쏘아 올린 포사체가 표적에 명중하였다. 포사체의 처음 속력을 구하라.

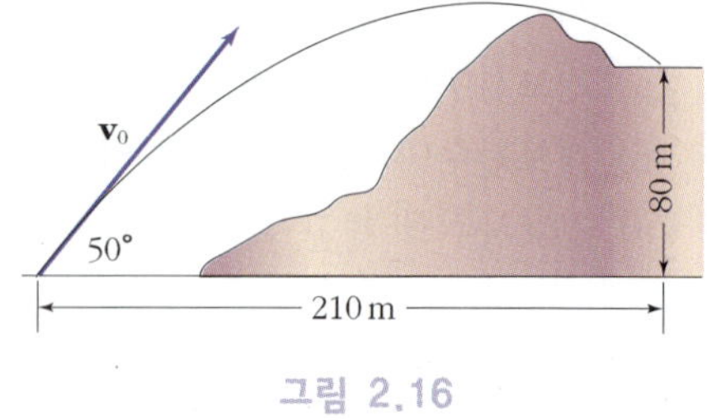

그림 2.16

18 테니스 선수가 네트에서 12.6m 떨어진 곳에서 수평면과 3.00°의 각도로 공을 쳐서 0.33m 높이의 네트를 넘기고자 한다. 네트 위치가 공의 궤적 최고점 높이라 한다면 공의 수평 비행거리는 얼마일까?

19 포사체의 수평 도달거리는 $R = v_0^{\,2}\sin 2\theta / g$ 이다. 발사 각도가 얼마이면 수평 도달거리가 반으로 줄어들까?

20 헬리콥터가 이륙하기 위하여 날개를 300rpm으로 회전시키고 있다. 날개의 길이가 4m이면 날개 끝의 속력은 얼마인가?

21 자동차가 반지름이 80m인 커브 길을 10m/s의 속력으로 달리고 있다.
(a) 자동차의 가속도를 구하라.
(b) 자동차가 일정하게 감속하여 6s만에 정지하였다. 이 시간 동안의 접선가속도를 구하라.

22 자동차가 빗속을 25m/s로 달리고 있다. 빗방울이 수직으로 10m/s로 내린다면 자동차에 대한 빗방울의 속도는 얼마인가?

23 폭이 30m 되는 강을 건너가기 위하여 배가 1.2m/s의 속도로 목표방향인 정북으로 노를 저었다. 그런데 강물의 흐름은 1.5m/s의 속력으로 정 동쪽으로 흐르고 있다.
(a) 실제로 배가 나아가는 방향과 속도를 구하여라.
(b) 배가 건너편 언덕에 다다랐을 때 원래 목표지점에서 얼마나 떨어져 있을까?

24 폭이 30m 되는 강을 건너가기 위하여 배가 1.2m/s의 속도로 목표방향인 정북으로 노를 저었다. 그런데 강물의 흐름은 0.8m/s의 속력으로 정 동쪽으로 흐르고 있다.
(a) 실제로 배가 나아가는 방향과 속도를 구하여라.
(b) 배가 건너편 언덕에 다다랐을 때 원래 목표지점에서 얼마나 떨어져 있을까?

25 폭이 70m 되는 강의 맞은 편 포구에 도착하고자 한다. 강물은 서에서 동으로 12m/min의 속도로 흐르고 배는 24m/min 의 속도를 낼 수 있다고 한다.
(a) 배가 건너편에 가장 빨리 도달할 수 있는 시간은 얼마인가?
(b) 이 경우 실제로 배가 나가야 할 방향을 나타내어라.

26 어떤 사람이 길이가 18m인 정지상태의 에스컬레이터를 걸어 올라가는 데 60초가 걸렸고, 움직이는 에스컬레이터에 가만히 서서 올라가는 데는 45초가 걸렸다. 이 사람이 움직이는 에스컬레이터를 걸어 올라가는 데 걸리는 시간은 얼마인가?

27 바람이 북서 20° 방향 10m/s의 속도로 불고 있는 기상 조건 아래 비행기는 지면에서 보기에 정북 방향으로 45.0m/s의 속도로 비행하고 있다. (a) 이 경우 작용하는 각각의 속도를 그림으로 나타내고 (b) 실제로 비행기가 기수를 잡고 있는 방향과 (c) 속도를 계산하여라.

28 속도가 일정하지 않다는 것을 전제로 할 때, (a) 속도(velocity)의 미분학적 표현 및 이로부터 물체의 이동거리(s)를 나타내는 식을 표시하라. (b) 가속도(acceleration)의 개념을 미분식으로 표시하고 가속도가 일정할 경우 시간 t 동안의 속도의 변화를 나타내는 식을 유도하여라.

29 속도가 일정하지 않다는 것을 전제로 할 때, (a) 가속도(a)를 미분학적으로 표현하고, (b) 가속도가 일정할 경우 시간 t 동안의 속도의 변화를 나타내는 식을 표시하라. (c)

속도(v)의 개념을 미분식으로 나타내고, (d) 이로 인한 변위(s)를 나타내는 식을 표시하라. (e) 이들로부터 속도(v)와 거리(s)의 관계식을 유도하여 보아라.

30 어떤 사람이 수직 상공으로 총을 쏘았는데 발사 당시 총알의 속도는 500m/s였다.

(a) 얼마 후 총알이 떨어질까?

(b) 총알은 얼마만큼의 높이까지 올라갔다 떨어지는 것일까? 단, 공기 중에서는 마찰이 없다고 가정한다.

31 자전거경주 선수가 골인 지점을 앞에 두고 마지막 힘을 쏟아 $0.5m/s^2$의 가속을 시작했다. 초기 속도는 11m/s였고 7초 동안 가속하여 마지막 속도로 계속해서 달렸다.

(a) 가속한 후 7초 후에 속도는 얼마인가?

(b) 가속을 하는 동안 달린 거리는 얼마나 될까?

(c) 가속을 시작할 때 골인 지점에서 200m 떨어져 있었다면 가속하지 않았을 때에 비해서 얼마의 시간을 단축했을까?

32 질량 1,500kg의 자동차가 72km/h의 속도로 달리고 있다가 앞의 물체를 보고 갑자기 Brake를 밟았다. Brake를 밟았을 때 자동차가 서기까지 걸린 시간이 2.9초였다면 이 자동차의 (a) 가속도(혹은 감속도)는 얼마가 되겠으며, (b) 제동거리는 얼마가 되겠는가?

33 어떤 순간에 10kg의 돌이 공기저항력 30N을 받으면서 높은 벼랑에서 떨어지고 있다. 돌의 가속도의 크기와 방향은 어떻게 되는가?

Fundamentals of Physics

03

운동의 법칙

1장과 2장에서는 직선과 평면에서 위치벡터 $\mathbf{r}$, 속도 $\mathbf{v}$, 가속도 $\mathbf{a}$를 사용하여 단순히 입자의 운동상태만을 기술하였다. 이 장에서는 입자의 운동상태가 변화하는 원인이 되는 힘의 개념을 도입하여 운동을 설명하고자 하는데, 이를 **동역학**(dynamics)이라 부른다. 뉴턴은 질량 m, 가속도 $\mathbf{a}$, 힘 $\mathbf{F}$에 바탕을 둔 세 가지 운동법칙을 이용하여 역학현상을 설명하였다. 뉴턴의 운동법칙을 이용하면 광속(3.0×10^8 m/s)에 비하여 느린 속력으로 움직이는 거시적인 물체들의 운동을 완벽하게 기술할 수 있다. 뉴턴의 운동법칙들을 바탕으로 거시적인 역학현상들을 기술하는 이론을 **고전역학**이라 부른다. 물체의 속력이 광속에 근접하여 빠르게 움직이는 경우에는 상대성 이론의 입장에서 다루어야 하고, 물체의 크기가 원자의 크기(약 10^{-10}m) 이하인 미시적인 입자들의 운동에 대해서는 양자론을 사용하여 기술하여야 한다. 그렇지만 뉴턴의 운동법칙들을 바탕으로 하는 고전역학은 거시적인 역학현상들은 물론 물리학의 많은 분야들을 이해하는 데 기본적인 토대가 된다.

이 장에서 우리는 물체에 작용되는 **알짜 외부 힘**이 없으면 물체가 계속 정지해 있거나 일정한 속도로 운동을 계속하게 된다는 사실을 알게 될 것이다. 그리고 물체에 알짜 외부 힘이 작용하면 이 힘에 의하여 물체가 가속되는데, 그 가속도의 크기는 물체에 작용된 알짜 외부 힘의 크기에 비례하고 물체의 질량에 반비례하며 알짜 외부 힘의 방향으로 가속된다는 것을 배우게 될 것이다. 또한 물체에 작용되는 힘들은 항상 크기가 같고 방향이 반대인 한 쌍으로 존재하여 서로에게 영향을 미친다는 것을 알게 될 것이다.

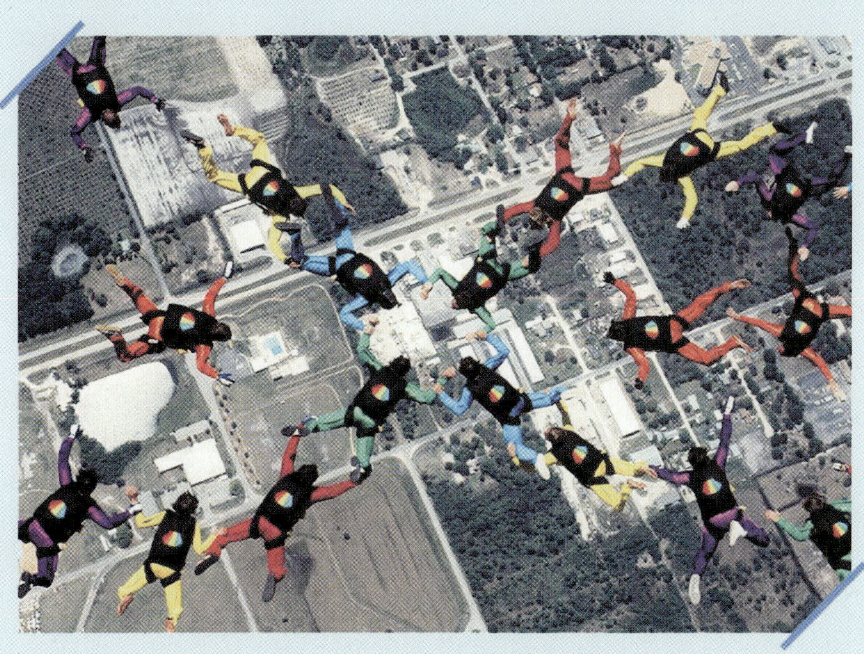

3.1 힘의 개념

우리는 일상생활의 경험을 통하여 힘의 개념을 기본적으로 알고 있다. 어떤 물체를 밀거나 끌어당길 때 우리는 그 물체에 힘을 가한다. 공을 던지거나 발로 찰 때에도 그 공에 힘을 가한다. 그림 3.1 (a)와 같이 여러분이 용수철을 당기면 용수철이 늘어난다. 그림 3.1 (b)와 같이 어린이가 손수레를 끌면 수레가 움직인다. 그림 3.1 (c)와 같이 축구공을 발로 차면 공은 발과 접촉하는 극히 짧은 시간동안만 모양이 변형되다가 곧 원래의 모습으로 복원되어 날아간다. 이러한 힘들은 두 물체 사이의 물리적 접촉에 의하여 만들어지는 **접촉력**(contacting force)의 예들이다.

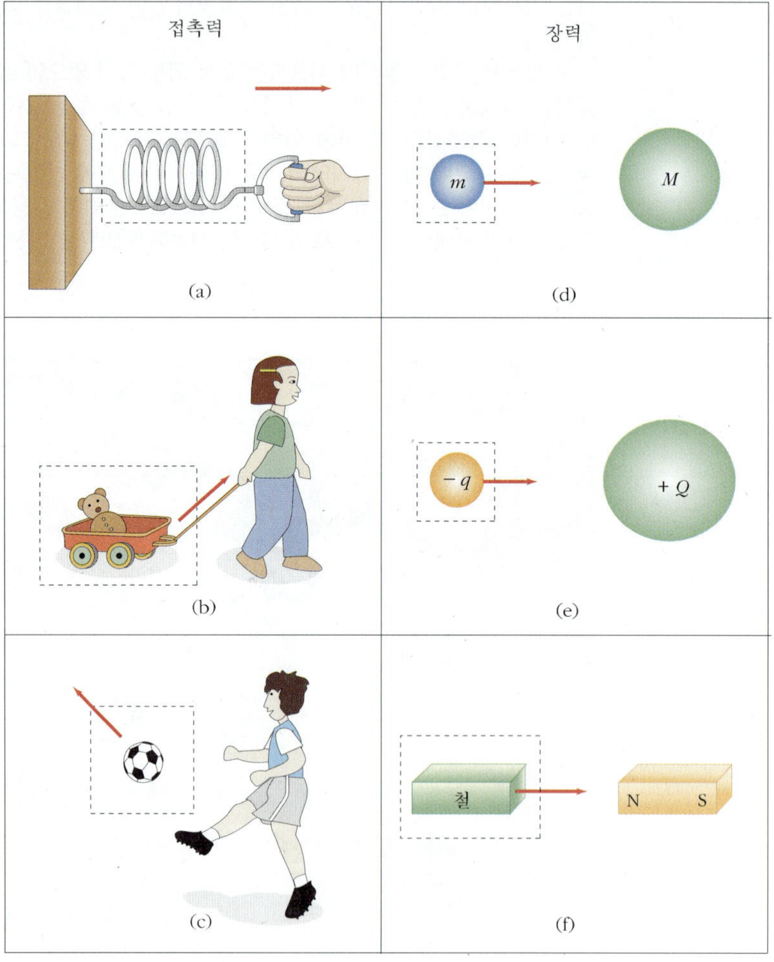

그림 3.1 여러 물체에 작용되는 힘의 예. 각각의 경우에 힘은 점선으로 둘러싸인 물체에 작용되며, 점선의 바깥에 있는 상대가 물체에 힘을 준다.

자연계에는 두 물체가 물리적으로 접촉해 있는 경우뿐만 아니라 물체가 서로 떨어져 있는 경우에도 힘이 작용하는 것을 많이 볼 수 있다. 패러데이(Faraday)는 서로 떨어져 있는 물체들 사이에 작용하는 힘의 개념을 정립하기 위하여 **장**(field)의 개념을 처음으로 도입하였으며, 장을 매개체로 하여 작용하는 힘을 **장력**(field force)이라 부른다. 그림 3.1 (d)에서처럼 질량 M인 물체가 주위에 중력장을 만들고 이 중력장을 통하여 질량 m인 물체와 중력에 기인하는 상호작용을 하게 된다. 이런 중력의 영향 때문에 물체가 지구의 인력권 안에서만 움직이게 된다. 태양계의 행성들이 궤도운동을 하면서 태양계를 벗어날 수 없는 것도 이 **중력**(혹은 **만유인력**) 때문이다.

그림 3.1 (e)는 전하량 Q인 입자가 주위에 전기장을 만들고 이 전기장을 통하여 $-q$인 전하에 전기력을 미치는 모습을 보여주고 있다. 또한 그림 3.1(f)는 막대자석이 주위에 자기장을 만들고 이 자기장을 통하여 철 조각에 자기력을 미치는 모습을 나타낸다. 이러한 전기력과 자기력은 중력과 같은 장력의 다른 예들이다. 앞에서 예로든 접촉력들(그림 (a), (b), (c))은 사람 몸의 근육의 작용에 의하여 나오는 것인데, 미시적인 관점에서 보면 이러한 힘들의 원천은 각 근육을 구성하고 있는 분자들 사이에 작용하는 전자기적 힘이다.

오늘날 자연계에 존재하는 기본적인 힘은 모두 장력으로 이해되고 있으며, 이는 크게 네 종류로 구분된다. 이들 힘의 특성을 표 3.1에 크기 순서로 요약하여 놓았다. 네 가지의 힘은 첫째 원자핵을 구성하는 입자들 사이에 작용하는 **강력**(강한 핵력), 둘째 정지해 있는 전하들이나 움직이는 전하들 사이에 작용하는 **전자기력**, 셋째 방사성 붕괴가 일어날 때 작용하는 **약력**(약한 핵력), 넷째 질량이 있는 물체 사이에 작용하는 **중력**이다. 이러한 네 종류의 힘을 하나로 통일하려는 시도가 **대통일 이론**(grand unification theory)을 통하여 계속 탐구되고 있다. 우주 탄생의 초창기처럼 극히 높은 밀도와 온도에서는 전자기력과 약한 핵력이 서로 구분될 수 없으며, 두 힘은 **전기약력**(electro-weak force)이라는 하나의 힘이 다르게 나타난 것으로 간주되고 있다. 따라서 네 가지의 힘을 세 종류의 힘으로 구분하기도 한다. 그러나 모든 힘을 통일하는 것은 더 이상의 진전을 기대하기가 어렵게 되었다. 특히 중력은 다른 힘들이 존재하는 시간과 공간에 영향을 미치므로 중력을 다른 힘들과 포괄하는 데 어려움이 있다.

표 3.1 자연에 존재하는 네 가지 기본적인 힘의 특성

힘의 종류	상대적 크기	힘의 작용범위	힘에 대한 설명
강력	1	단거리($\approx 10^{-15}$m)	원자핵 내에서 입자들의 구속력
전자기력	10^{-2}	원거리($\propto 1/r^2$)	전하들 사이의 전자기력
약력	10^{-13}	단거리($< 10^{-18}$m)	원자핵 붕괴를 일으키는 힘
중력	10^{-38}	원거리($\propto 1/r^2$)	무거운 물체들 사이의 만유인력

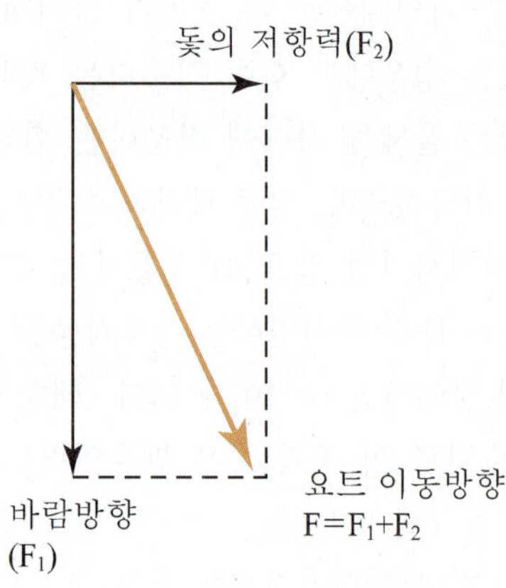

그림 3.2 요트 조정. 바람방향과 돛의 방향을 잘 이용하면 요트진행방향을 조절할 수 있다.

물체가 힘을 받아 움직일 때 물체의 운동은 힘의 크기와 방향에 의해 정해지므로 힘은 벡터량이다. 여러 힘들이 어떻게 합해져서 하나의 물체에 작용되는지는 일상적인 경험을 통하여 잘 알 수 있다. 그림 3.2에서처럼 돛의 방향을 적절하게 조절해 주면 바람의 방향과 돛의 방향의 합 벡터 방향으로 요트가 진행하게 된다. 바람의 세기와 방향(F_1)은 자연의 힘이므로 조절이 되지 않지만 돛의 방향(F_2)을 임의로 조절하여 요트가 앞으로 나아가게 만든다.

3.2 뉴턴의 제 1 법칙 : 관성의 법칙

교실 바닥에서 아이스하키 퍽을 밀면 얼마간 미끄러지다가 이내 멈춘다. 만약 얼음판 위에서 퍽을 밀면 더 멀리 가다가 멈출 것이다. 갈릴레오(Galileo) 이전에는 물체가 일정한 속도로 움직이기 위해서는 물체를 끌어당기거나 밀어내는 힘이 필요하다고 생각하였다. 그러나 갈릴레오 이후부터 물체의 속도가 느려지는 것은 물체가 운동하는 동안 바닥 면과의 마찰과 공기저항 때문이라는 것을 알게 되었다. 만약 마찰력과 공기 저항력을 줄이면 물체는 더 먼 거리를 미끄러져 갈 것이다. 그리고 물체의 속도를 방해하는 외부적인 요인이 없다면 마찰이 거의 없는 평면 위에서 움직이는 물체는 속도변화가 없이 운동상태를 그대로 계속 유지할 것이라고 갈릴레오는 추론하였다. 뉴턴은 갈릴레오의 이런 생각을 수식으로 표현하여 뉴턴의 제 1 법칙으로 정리하였다.

그림 3.3
관성의 법칙을 보여주는 예. 움직이는 총알에 비해 카드는 정지상태를 유지하고자 하기 때문에 총알이 카드를 가르면서 전진한다.

뉴턴의 제 1 법칙
물체에 작용되는 알짜 외부 힘이 없으면, 정지해 있는 물체는 계속 정지해 있고 움직이는 물체는 일정한 속도로 계속 운동한다. 이를 수식으로 나타내면, 외부 힘들의 합 $\sum F = 0$일 때 물체의 가속도 $a = 0$($v = 0$ 또는 속도 = 일정)이다.

관성과 질량

넓은 잔디밭에 골프공과 야구공이 놓여 있을 때 알짜 외부 힘이 작용되지 않으면 뉴턴의 제 1 법칙에 의하여 두 공은 계속해서 정지상태로 있을 것이다. 이제 골프채로 각각의 공을 때려 외부 힘을 가하면 두 공 모두 정지상태의 변화에 저항한다. 우리는 같은 힘으로 각각의 공을 때릴 경우에 가벼운 골프공이 무거운 야구공보다 멀리 날아가는 것을 알고 있다. 이는 무거운 야구공이 가벼운 골프공보다 운동상태의 변화에 더 크게 저항하는 것을 나타낸다. 즉, 골프공보다 무거운 야구공이 처음의 운동상태인 정지상태를 유지하려는 성질이 크다는 것을 의미한다. 이와 같이 **운동상태의 변화에 저항하는 물체의 성질을 관성**(inertia)이라 부른다. 그리고 **관성의 크기를 물리적으로 측정한 양**이 물체의 **질량**(mass)이다. 야구공의 관성이 골프공보다 커서 야구공이 골프공보다 멀리 날아가지 못하는 것은 야구공의 질량이 골프공보다 크기 때문이다.

관성 기준틀

뉴턴의 운동 제 1 법칙은 알짜 외부 힘이 계에 작용되지 않으면 물체의 운동상태가 변화되지 않는다는 의미에서 **관성의 법칙**이라 부르기도 한다. 관성의 법칙은 정지하여 있는

물체와 일정한 속도로 운동하는 물체를 구별하지 않는다. 물체가 정지하여 있거나 일정한 속도로 운동하는 것은 그 물체를 관찰하는 **기준틀**(reference frame)에 달려 있다.

직선의 레일을 따라 일정한 속도로 달리는 기차의 손잡이를 생각해 보자. 기차의 기준틀에서 보면 손잡이는 정지하여 있지만, 지면에 정지된 기준틀에서 보면 손잡이는 기차와 같은 속도로 운동하고 있다. 관성의 법칙에 따라 기차의 기준틀에서 보면 기차의 손잡이는 계속 정지된 상태로 있을 것이며, 지면의 기준틀에서 보면 기차와 같은 속도로 계속 움직일 것이다. 이와 같이 관성의 법칙이 성립되는 기준틀을 **관성 기준틀**(inertial reference frame)이라 부른다. 정지하여 있는 지면의 기준틀이나 일정한 속도로 움직이는 기차의 기준틀 모두 관성 기준틀이다. 그리고 관성 기준틀에 대하여 일정한 속도로 움직이는 어떤 기준틀 또한 관성 기준틀이다.

이제 기차가 속도를 올리면서 앞쪽으로 가속된다고 가정하자. 손잡이에 작용되는 외부 힘이 없지만 손잡이는 기차의 뒤쪽으로 기울어질 것이다. 외부 힘이 손잡이에 작용되지 않았음에도 불구하고 기차의 기준틀에서 보면 손잡이는 기차의 뒤쪽으로 가속된다. 이와 같이 **가속되는 기차의 기준틀에서는 관성의 법칙이 성립되지 않는다.** 관성 기준틀에 대하여 가속되는 기준틀은 관성 기준틀이 아니다. 지구 표면에 설치된 기준틀은 지구의 자전과 공전 효과에 의하여 가속되므로 엄밀하게는 관성 기준틀이 아니다. 그러나 지구의 이러한 가속도는 그 크기가 0.03m/s^2 이하이고, 지구 표면 가까이에서 자유낙하 운동이나 포물선 운동을 다룰 때에는 중력가속도의 변화를 무시할 수 있으므로 지면에 정지된 기준틀을 관성 기준틀로 간주할 수 있다.

3.3 뉴턴의 제 2 법칙

뉴턴의 제 1 법칙은 물체에 작용되는 알짜 외부 힘이 0이면 물체는 정지하여 있거나 일정한 속도로 계속 운동을 한다는 것을 나타낸다. 이를 바꾸어 보면 제 1 법칙은 알짜 외부 힘이 존재할 때 물체의 운동상태가 변화됨을 암시하고 있다. 그러면 알짜 외부 힘(외력)은 무엇을 의미하는가? **외력**(external force)은 **계의 외부에서 작용되는 힘**이다. 예를 들면 그림 3.4에서 계는 수레와 그 속에 있는 아이이다. 계에 작용되는 외부 힘들은 다른 두 아이가 수레를 미는 힘 F_1과 F_2 그리고 수레와 아이의 무게 W 및 지면이 수레바퀴에 작용하는 마찰력 f가 있다. 계의 무게 W와 지면이 계를 떠받치는 힘 N은 서로 상쇄된다. **알짜 외부 힘은 외력들을 벡터 방법으로 합한 것**이다. 계의 구성 요소들 사이에 작용하는 힘들은 **내력**(internal forces)이라 부른다. 그림 3.4에서 수레 속의 아이가 수레를 잡아당기는 힘과

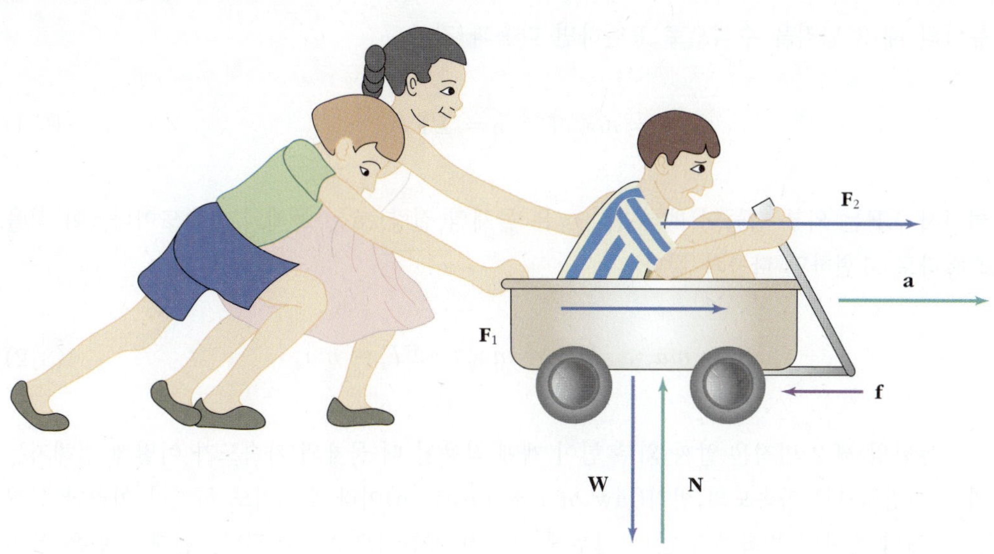

그림 3.4
계에 작용되는 외부 힘들. 알짜 외부 힘은 두 아이들이 수레를 미는 힘 F_1과 F_2 및 지면이 수레바퀴에 작용하는 마찰력 f를 벡터적으로 합한 것이다. 계의 무게 W와 지면이 계를 지탱하는 힘 N은 서로 상쇄된다.

반대로 수레가 아이를 끌어당기는 힘은 내력이며, 이 힘들은 3.4절에서 배울 뉴턴의 제 3 법칙에 의하여 서로 상쇄된다. 마찬가지로 수레 속의 아이가 수레에 작용하는 무게와 수레가 아이를 지탱하는 힘도 서로 상쇄된다.

뉴턴의 제 2 법칙은 알짜 외부 힘이 계에 작용될 때 물체의 운동상태가 어떻게 변화되는가를 설명한다. 알짜 외부 힘은 물체의 운동상태를 변화시키는 일 즉 물체를 가속시키는 요인이다. 마찰이 거의 없는 경사면 위에 얼음 조각을 놓으면 경사면에 나란한 중력 성분에 의하여 얼음 조각이 미끄러져 내려간다. 경사면의 각도를 높이면 경사면에 나란한 중력 성분이 증가하여 얼음 조각은 더 빠르게 가속된다. 즉, 물체의 가속도는 물체에 작용하는 알짜 외부 힘에 비례한다.

얼음판 위에서 가벼운 꼬마 아이가 탄 썰매와 무거운 큰 아이가 탄 썰매를 각각 일정한 힘으로 밀면 꼬마 아이의 썰매가 더 빠르게 가속되어 멀리 미끄러져 간다. 또한 골프채로 골프공과 야구공을 각각 일정한 힘으로 때리면 가벼운 골프공이 무거운 야구공보다 더 크게 가속되어 멀리 날아간다. 이와 같이 물체의 가속도는 물체의 질량에 반비례한다.

뉴턴의 제 2 법칙

물체의 가속도는 물체에 작용된 알짜 외부 힘에 비례하고 물체의 질량에 반비례하며, 가속도의 방향은 알짜 외부 힘의 방향과 같다.

뉴턴의 제 2 법칙을 수식으로 표현하면 다음과 같다.

$$\Sigma \mathrm{F} = m\mathrm{a} \text{ 또는 } \mathrm{a} = \Sigma \mathrm{F}/m \tag{3.1}$$

여기서 ΣF는 외부 힘들의 벡터 합, m은 물체의 질량, a는 물체의 가속도이다. 이 식을 스칼라로 표현하면 다음과 같다.

$$\Sigma F_x = ma_x\,, \quad \Sigma F_y = ma_y\,, \quad \Sigma F_z = ma_z \tag{3.2}$$

뉴턴의 제 2 법칙은 알짜 외부 힘이 계에 작용될 때 물체의 가속도가 어떻게 정해지는가를 설명하므로 **가속도의 법칙**(law of acceleration)이라 부르기도 하지만 이러한 표현은 물체의 질량이 변화하지 않는 경우에 한하여 제한적으로 사용된다. 원래 뉴턴은 운동 제 2 법칙을 제 7 장에서 배우게 될 운동량 ($\mathrm{p} = m\mathrm{v}$)을 사용하여 물체에 작용된 알짜 외부 힘이 운동량의 시간 변화율과 같다$\left(\Sigma \mathrm{F} = \dfrac{d\mathrm{p}}{dt}\right)$라고 정의하였다. 운동을 시간에 대하여 미분하면 $\Sigma \mathrm{F} = m\mathrm{a} + \mathrm{v}\dfrac{dm}{dt}$로 물체의 질량이 변화하는 경우에는 ΣF는 ma에 질량의 시간 변화 효과 $\left(\mathrm{v}\dfrac{dm}{dt}\right)$를 더한 것과 같음을 알 수 있다. $\Sigma \mathrm{F} = m\mathrm{a}$라는 식은 오일러(Euler)가 표현한 것으로서 물체의 질량이 일정한 경우에 한하여 적용되는 것이다. 즉, $\Sigma \mathrm{F} = m\mathrm{a}$는 물체의 질량이 변화하지 않는 대부분의 문제에서 사용될 수 있으며, 물체의 속력이 광속에 가깝거나 로켓의 경우와 같이 질량이 변화하는 문제에서는 $\Sigma \mathrm{F} = \dfrac{d\mathrm{p}}{dt}$를 사용하여야 한다.

관성질량과 중력질량

같은 힘을 가하여 하키퍽과 야구공을 각각 그림 3.5와 같이 각자의 채로 때리면 하키퍽이 야구공보다 더 크게 가속되는데, 그 이유는 하키퍽의 질량이 야구공보다 가볍기 때문이다. 질량이 각각 m_1, m_2인 물체에 같은 힘을 가하여 각각 a_1, a_2의 가속도를 얻을 때, 두 물체의 질량 비율은 가속도 크기의 비율에 반비례한다.

$$\frac{m_1}{m_2} = \frac{a_2}{a_1} \tag{3.3}$$

예로서 질량이 1kg인 표준 질량의 물체가 힘을 받아 $6\mathrm{m/s^2}$의 가속도를 얻는다면, 질량이 2kg인 물체는 같은 힘을 받아 $3\mathrm{m/s^2}$의 가속도를 얻게 될 것이다. 이와 같이 **질량이 다른 물체에 같은 힘을 가할 때 각 물체가 얻는 가속도 크기의 비율로부터 측정한 질량**을 물체의 **관성질량**(inertial mass)이라 부른다.

그림 3.5 하키퍽과 야구공은 질량이 서로 다르기 때문에 가속되는 정도에 차이가 생긴다.

지구 표면 가까이에서 물체를 떨어뜨리면 물체는 지면 쪽으로 가속된다. 이 가속도는 물체를 지구의 중심 방향으로 끌어당기는 지구의 중력 때문에 나타난다. 물체에 작용하는 **중력**(force of gravity)을 물체의 **무게**(weight)라고 부른다. 공기의 저항을 무시할 수 있으면 모든 물체는 그림 3.6과 같이 동일한 중력가속도 g로 지면을 향해 자유낙하한다. 물체의 질량이 m이면 뉴턴의 제 2 법칙을 적용하여 물체의 무게 W는 다음과 같이 정의된다.

$$\mathrm{W} = mg \tag{3.4}$$

벡터 g는 지구가 **물체에 작용하는 단위 질량당의 힘**으로서 지구의 **중력장**(gravitational field)이라고 부른다. 지구 표면에서의 중력장(중력가속도)의 크기 g값은 통상적으로 9.81N/kg = 9.81m/s^2 = 32.2ft/s^{2}으로 잡는다. 그러나 g값이 지구 중심으로부터의 거리 제곱에 반비례하므로 엄밀하게는 지구의 위도와 바다 표면으로부터의 높이에 따라 달라진다. 남극과 북극 바다 표면에서의 중력가속도 값(9.83m/s^2)은 적도 바다 표면에서의 값 (9.78m/s^2)보다 0.05 m/s^{2}만큼 크다. 이 값은 지구의 극반지름(6,357km)과 적도반지름(6,378km)의 차이에 의한 효과가 0.02m/s^{2}이고, 나머지 0.03m/s^2 는 지구 자전에 의한 원심가속도 때문에 나타나는 것이다.

한편 중력가속도가 동일한 같은 장소에서 용수철저울이나 천칭으로 물체들의 무게를 측정하여 비교하면 물체들의 질량을 알 수 있다. 질량이 각각 m_1, m_2인 물체들의 무게를 측정하면 각 물체의 무게는 $\mathrm{W}_1 = m_1 g$, $\mathrm{W}_2 = m_2 g$이며, 두 물체의 질량 비율은 무게 크기의 비율에 비례한다.

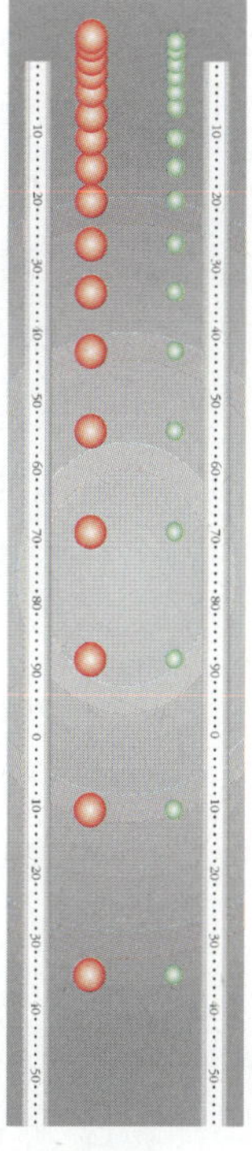

그림 3.6
공기의 저항을 무시할 수 있을 때는 질량이 다른 물체들이 동일한 중력가속도로 자유낙하한다.

그림 3.7
지구와 달의 크기 차이 즉 질량의 차이 때문에 중력의 크기가 다르다.

$$\frac{m_1}{m_2} = \frac{W_1}{W_2} \tag{3.5}$$

이와 같이 **물체들의 무게 비율로부터 측정한 질량**을 **중력질량**(gravitational mass)이라 부른다.

달 표면에서의 중력가속도 값은 지구표면에서의 약 1/6이기 때문에 지구에서 무게가 696N(=71.0kg중)인 사람이 달에서 무게를 측정하면 116N으로 줄어들지만, 이 사람의 질량은 달에서도 지구에서와 같이 여전히 71.0kg이다. 중력가속도가 장소에 따라 변화하므로 물체의 무게는 장소에 따라 달라지지만, 질량은 어떤 외부 환경이나 장소와 그것을 측정하는 방법에 무관하게 일정한 그 물체의 고유 성질이다.

이와 같이 무게와 질량은 전혀 다른 물리량이므로 일상생활에서 무게와 질량을 혼동하여 사용하는 것은 잘못이다.

아인슈타인(Einstein)은 일반상대성원리에서 **관성질량**(Inertial mass)**과 중력질량**(gravitational mass)**이 동등**한 것임을 보여 주었다. 지구 주위의 원형궤도를 선회하는 인공위성은 지구중심을 향하여 가속되므로 중력가속도로 자유낙하 운동을 하게 된다. **무중력**(weightlessness) 상태에서는 물체의 **겉보기 무게**(apparent weight)가 0이므로 중력질량을 측정할 수 없지만, 대신에 관성질량을 측정하면 이것이 바로 중력질량과 같은 것이다. 또한 질량은 산술적으로 더하고 뺄 수 있는 스칼라의 물리량이다. 예로서 질량이 70kg인 사람이 질량이 20kg인 아이를 업으면 질량이 90kg으로 늘어나고 아이를 내려놓으면 다시 70kg으로 줄어들 것이다.

힘과 질량의 단위

힘의 국제단위는 뉴턴의 업적을 기념하여 **뉴턴**(N)을 사용한다. 1N은 질량이 1kg인 물체에 작용하여 1m/s^2의 가속도를 내게 하는 힘의 크기이다. 즉, 뉴턴의 제 2 법칙으로부터 1N은 질량(kg), 길이(m)와 시간(s)의 기본 단위들을 사용하여 다음과 같이 정의된다.

$$1\text{N} \equiv 1\ \text{kg} \cdot \text{m/s}^2 \tag{3.6}$$

길이, 질량, 시간의 기본 단위들이 각각 cm, g, s인 cgs 단위계에서는 힘의 단위로서 **다인**(dyne)을 사용한다. 또한 1dyne은 질량 1g의 물체를 1cm/s^2으로 가속시키는 힘이다. $1\text{kg} = 10^3\text{g}$이고 $1\text{m/s}^2 = 10^2\text{cm/s}^2$이므로 $1\text{N} = 10^5\text{dyne}$이다. 질량, 가속도, 힘의 단위들을 단위계별로 정리하여 표 3.2에 나타내었다.

표 3.2 여러 단위계에서 질량, 가속도, 힘의 단위들

단위계	질량	가속도	힘
SI	kg	m/s^2	$\text{N} = \text{kg} \cdot \text{m/s}^2$
cgs	g	cm/s^2	$\text{dyne} = \text{g} \cdot \text{cm/s}^2$

3.4 뉴턴의 제 3 법칙 : 작용·반작용의 법칙

한 물체가 다른 물체와 접촉할 때에 두 물체 사이에는 서로 힘이 작용한다. 예로서 그림 3.8과 같이 축구선수가 발로 공을 차는 순간을 생각해보자. 발등으로 공을 차면 발의 운동속력이 줄어들면서 축구공이 그 에너지를 받아서 튀어나간다. 그러나 발등과 공이 충돌하는 순간을 생각해보면 공은 발등에 동등한 크기의 반발력을 가해준다는 것이다. 뉴턴은 이러한 상황을 뉴턴의 제 3 법칙으로 기술하였다.

뉴턴의 제 3 법칙

두 물체가 상호 작용할 때는 서로 같은 크기의 힘을 주고 받는다. 즉, 물체 2가 물체 1에 작용하는 힘은 물체 1이 물체 2에 작용하는 힘과 크기가 같고 방향이 반대이다.

그림 3.8
뉴턴의 제 3 법칙. 축구선수의 발등이 축구공에 미치는 힘은 축구공이 발등에 미치는 힘과 작용–반작용 관계이다.

뉴턴의 제 3 법칙을 수식으로 표현하면 다음과 같다.

$$\mathbf{F}_{12} = -\mathbf{F}_{21} \tag{3.7}$$

두 물체가 상호 작용할 때 **힘들은 고립되어 존재할 수 없고 항상 쌍으로 존재함**을 알 수 있다. 즉, 한 물체가 다른 물체에 힘을 작용하면서 다른 물체로부터 힘을 받지 않을 수 없다. 한 물체가 다른 물체에 작용하는 힘을 **작용력**(action force)이라 하고, 반대로 한 물체가 다른 물체로부터 받는 힘을 **반작용력**(reaction force)이라 부른다. **작용력과 반작용력은 서로 크기가 같고 방향이 반대이며, 어떤 경우에도 작용력과 반작용력은 항상 서로 다른 물체에 작용된다.** 이와 같이 뉴턴의 제 3 법칙은 **힘들이 항상 작용력과 반작용력의 쌍으로 존재하는 자연계의 대칭성**을 나타내므로 제 3 법칙을 **작용 · 반작용의 법칙**이라 부르기도 한다.

그림 3.9와 같이 바위가 다른 바위 위에 놓여 있을 때 바위에 작용되는 지구의 중력은 $\mathbf{F}_g$이다. $\mathbf{F}_g$에 대한 반작용력은 지구에 바위가 작용하는 힘 $\mathbf{F}_g'$인데 바위는 다른 바위 위에 놓여 있기 때문에 가속되지 않는다.

이 경우에 바위는 바위에 **수직항력**(normal force)이라 부르는 접촉면에 수직한 작용력 $\mathbf{F}_n$을 미친다. 이 수직항력이 바위의 무게와 균형을 이루어 바위를 평형상태에 있게 한다. 수직항력에 대한 반작용력은 바위가 밑의 바위에 미치는 힘 $\mathbf{F}_n'$이다. 따라서 $\mathbf{F}_g = -\mathbf{F}_g'$이며, $\mathbf{F}_n = -\mathbf{F}_n'$이다. 힘 $\mathbf{F}_n$과 $\mathbf{F}_n'$은 크기가 같고, 밑의 바위가 부서지지 않는 한 $\mathbf{F}_g$의 크기와도 같다. 그림 3.9에 표시한 바와 같이 바위에 작용되는 힘은 $\mathbf{F}_g$와 $\mathbf{F}_n$이다. 나머지 두 반작용력 $\mathbf{F}_g'$과 $\mathbf{F}_n'$은 바위가 아닌 다른 물체에 작용되고 있음을 주목하여야 한다. 바위가 평형상태에 있으므로 $F_g = F_n = mg$의 관계가 성립된다.

물체가 어떻게 움직이는지를 고찰하면 뉴턴의 운동 제 3 법칙이 어떻게 적용되는지를 알 수 있다.

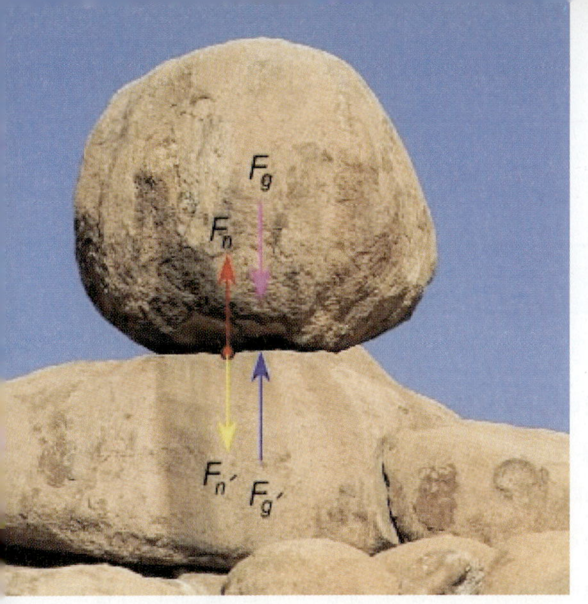

그림 3.9
바위가 바위 위에 놓여 있을 때 바위에 작용되는 힘은 그림에 나타낸 중력 $\mathbf{F}_g$와 수직항력 $\mathbf{F}_n$이다. 그림에서 $\mathbf{F}_g$에 대한 반작용력은 지구가 바위에 가하는 힘 $\mathbf{F}_g'$이고, $\mathbf{F}_n$에 대한 반작용력은 바위가 바위에 가하는 힘 $\mathbf{F}_n'$이다.

헬리콥터는 그림 3.10과 같이 공기를 아래쪽으로 밀어서 위쪽으로 반작용력을 얻는다. 흔히 보는 헬리콥터는 동체 위에서 수평으로 회전하는 큰 날개와 뒤에서 수직으로 회전하는 작은 날개가 있다. 헬리콥터의 엔진이 큰 날개를 회전시키면 뉴턴의 제 3 법칙에 의하여 날개도 반대방향의 힘을 몸체에 작용하여 헬리콥터를 회전하게 한다. 따라서 뒤쪽의 작은 날개가 헬리콥터의 평형을 유지시키기 위하여 몸체가 회전하려는 힘과 반대방향의 힘을 제공하는 것이다. 서로 반대 방향으로 회전하는 두 조의 큰 날개를 가진 헬리콥터의 경우에는 엔진이 두 날개에 반대방향으로 힘을 가하여 몸체를 회전시키는 힘이 서로 상쇄되도록 하고 있다.

뉴턴의 제 3 법칙의 또 다른 예들을 쉽게 찾아볼 수 있다. 사람이 도로를 걸을 때 사람은 도로 바닥에 뒤쪽으로 힘을 작용하고 바닥이 사람에게 앞쪽으로 나가도록 반작용력을 미친다. 비슷하게 승용차 바퀴가 지면을 뒤로 밀고 그 반작용으로서 지면이 바퀴를 앞으로 밀어서 승용차가 가속된다. 자갈밭에서 승용차 바퀴가 돌 때 돌이 뒤로 튀는 것을 보면 바퀴가 지면을 뒤로 미는 것을 알 수 있다. 로켓은 빠른 속력으로 배기가스를 뒤쪽으로 배출시켜서 앞으로 나아간다. 이것은 로켓이 연소실의 기체에 큰 힘을 뒤쪽으로 작용하고 기체가 로켓에 큰 반작용력을 앞쪽으로 미치는 것을 의미한다. 로켓이 땅을 밀거나 뒤에 있는 공기를 밀어서 추진되는 것이 아님은 배기가스를 쉽게 배출시킬 수 있는 진공 중에서 로켓이 더 효과적으로 작동되는 것으로부터 알 수 있다.

그림 3.10
헬리콥터는 공기를 아래쪽으로 밀어서 위쪽으로 반작용을 얻는다.

3.5 뉴턴의 운동법칙의 적용

이 절에서는 일정한 외부 힘에 의해 움직이는 물체에 대하여 뉴턴의 운동법칙을 적용하는 몇 가지 예들을 알아보고자 한다. 물체를 입자로 가정함으로써 회전운동을 무시하고, 또 접촉면에서 마찰이 없다고 가정함으로써 마찰의 효과를 무시할 것이다. 또한 물체의 운동에 초점을 맞추기 위하여 물체에 연결된 줄이나 용수철, 도르래 등의 질량도 무시한다. 문제를 푸는 첫 단계는 문제에서 주어진 운동에 대하여 고찰의 대상이 되는 물체가 어떤 것인가를 먼저 파악하는 것이다. 다음으로 물체의 주변 환경(줄, 용수철, 경사면, 지구 등)이 물체에 가하는 외부 힘들에 대하여 명확히 알아야 한다.

그림 3.11에 나타낸 바와 같이 스키선수가 스키를 타고 산을 내려오는 모습을 생각해 보자. 스키선수에게 작용하는 힘의 종류를 살펴보자. 슬로프와 나란하게 좌표축을 설정해 주자.

그림 왼쪽 하단에 그려 둔 이 계에 작용하는 모든 힘들을 살펴볼 수 있는데 이런 그림을 **자유 물체도**(free body diagram)라고 한다.

뉴턴의 제 2 법칙의 x축 성분은

$$\Sigma F_x = F = ma_x$$

이므로 썰매의 가속도는

$$a_x = F/m = g\sin\theta$$

이다. 수직방향으로는 썰매가 가속되지 않으므로 F_n과 N의 크기는 같아야 한다. 즉, 제 2 법칙의 y축 성분은

그림 3.11
슬로프를 타고 내려오는 스키선수. 왼쪽 하단의 그림은 이 계에 작용하는 힘의 종류를 보여주는 자유물체도이다.

$$\Sigma F_y = F_n - N = 0 \text{ 또는 } F_n = N$$

이다.

지구 중심 방향으로 mg라는 중력이 작용할 것이고 이 중력은 슬로프와 θ의 각도를 이루고 있으므로 스키바닥이 지표면을 미는 힘은 $mg\cos\theta$가 되고 이 힘은 지표면의 수직항력 N과 등가를 이룬다.

이 간단한 예에서 수평 가속도 a_x와 얼음판이 썰매에 가하는 수직항력 $F_n(= N)$의 크기를 알 수 있었다.

물체가 정지해 있거나 일정한 속도로 움직일 때 물체가 평형상태에 있다고 말한다. 뉴턴의 제 1 법칙은 물체가 평형상태를 이루기 위한 하나의 조건을 기술한 것이다. 즉, 평형상태에 있는 물체에 작용되는 모든 힘들의 벡터 합은 0이다. 이를 식으로 표현하면

$$\Sigma \mathrm{F} = 0 \tag{3.8}$$

이다. 2 차원 문제에서 위의 식은 x축과 y축 방향의 외부 힘의 합이 각각 0임을 나타낸다. 즉, 물체가 평형상태에 있을 때 $\Sigma F_x = 0$과 $\Sigma F_y = 0$을 만족한다. 이 식들을 첫 번째 **평형조건**(first condition for equilibrium)이라 한다. 이를 3차원의 문제로 확장하려면 세 번째 식 $\Sigma F_z = 0$을 첨가하면 된다.

뉴턴의 운동법칙을 적용하여 문제를 푸는 일반적인 방법은 다음과 같다.

1. 문제에 기술된 상황을 그림으로 그린다.
2. 고찰의 대상이 되는 물체를 분리하고, 주변 환경이 물체에 작용하는 모든 외부 힘들을 기호로 나타내어 자유 물체도를 그린다. 대상이 되는 물체가 여럿일 경우에는 각각의 물체에 대하여 자유 물체도를 그린다.
3. 각 물체에 대하여 편리한 좌표계를 선택하고, 모든 힘들을 x축과 y축의 성분으로 분해한다. 가속되는 물체에 대해서는 가속도의 방향에 나란하게 좌표축을 선택하고, 다른 좌표축은 이에 수직하게 선택한다.
4. 힘의 성분들의 부호를 고려하면서 평형상태의 물체에 대해서는 식 $\Sigma F_x = 0$과 $\Sigma F_y = 0$을 적용한다. 가속되는 물체에 대해서는 x축과 y축 방향으로 식 $\Sigma F_x = ma_x$와 $\Sigma F_y = ma_y$를 각각 적용한다.
5. 각 성분의 식들을 연립하여 미지의 값을 구한다. 필요하면 2장에서 배운 등가속도 운동 방정식들을 이용한다.
6. 결과가 정확한 단위를 가지는지 확인한다. 풀이에 극단적인 값을 대입하여 풀이과정의 오류를 확인해보는 것도 좋은 방법이다.

예제 **3.1** 정지상태의 추

그림 3.12 (a)와 같이 질량 15kg의 추가 지지대에 고정된 두 줄의 연결점에 수직으로 매달려 있다. 위의 두 줄이 수평과 각각 37.0°와 53.0°의 각도를 이루고 있을 때, 세 줄에 걸리는 장력을 각각 구하라.

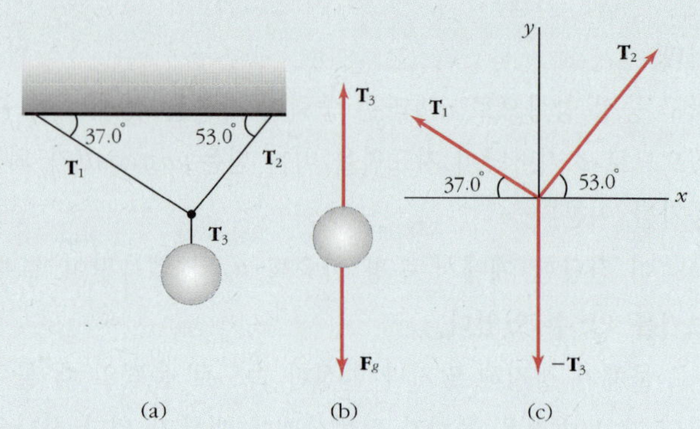

그림 3.12
(a) 줄에 매달려 있는 추 (b) 줄의 연결점에 대한 자유 물체도

풀이 추의 무게는 $F_g = 15\,\text{kg} \times 9.80\,\text{m/s}^2 = 147\,\text{N}$이며, 그림 3.12 (b)에서 $T_3 = F_g = 147\,\text{N}$임을 알 수 있다. 그림 3.12 (c)와 같이 좌표축들을 선택하고, 힘들을 x축과 y축 성분으로 분해하면 다음과 같다.

힘	x 성분	y 성분
T_1	$-T_1 \cos 37.0°$	$T_1 \sin 37.0°$
T_2	$T_2 \cos 53.0°$	$T_2 \sin 53.0°$
T_3	0	−147N

첫 번째 평형조건으로부터 다음 식들을 얻는다.

$$\Sigma F_x = T_2 \cos 53.0° - T_1 \cos 37.0° = 0 \quad (1)$$

$$\Sigma F_y = T_1 \sin 37.0° + T_2 \sin 53.0° - 147\,\text{N} = 0 \quad (2)$$

식 (1)로부터 $\mathbf{T}_1$과 $\mathbf{T}_2$의 수평 성분들은 크기가 같아야 하고,
식 (2)로부터 $\mathbf{T}_1$과 $\mathbf{T}_2$의 수직 성분들의 합은 벨의 무게와 균형을 이루어야 함을 알 수 있다. 식 (1)에서 T_2를 T_1의 함수로 풀면 다음과 같다.

$$T_2 = T_1\left(\frac{\cos 37.0°}{\cos 53.0°}\right) = T_1\left(\frac{0.799}{0.602}\right) = 1.33\,T_1$$

이 T_2를 식 (2)에 대입하면

$$T_1 \sin 37.0° + (1.33\,T_1)(\sin 53.0°) - 147\,\text{N} = 0$$

이다. 따라서

$$T_1 = 88.3\,\text{N}$$

$T_2 = 1.33\,T_1 = 117\,\text{N}$을 얻는다.

예제 **3.2** 경사면의 썰매

그림 3.13 (a)와 같이 눈 덮인 마찰이 없는 언덕 경사면에서 썰매가 미끄러져 내려가지 않도록 소년이 썰매를 붙잡고 있다. 썰매의 무게가 10kg 중일 때, 소년이 줄에 가하는 힘과 언덕 경사면이 썰매에 가하는 힘을 구하라. 경사면의 각도가 달라지면 수직항력은 어떻게 변화되는가?

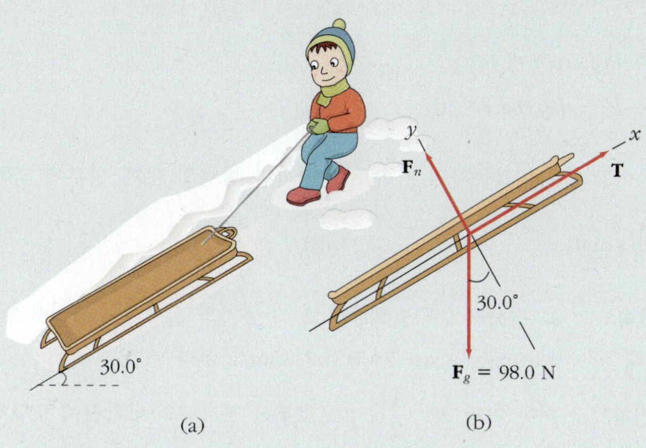

그림 3.13
(a) 마찰이 없는 경사면에서 썰매를 붙잡고 있는 소년
(b) 썰매에 대한 자유 물체도

풀이 그림 3.13(b)에서 보는 바와 같이 썰매에 작용되는 힘들은 줄의 장력 T, 썰매의 무게 $\mathbf{F}_g$, 언덕 경사면이 썰매를 떠받치는 힘 $\mathbf{F}_n$이 있다. 썰매의 무게는 F_g = 10kg 중 = 10kg × 9.80m/s^2= 98.0N이며, 썰매가 정지하여 있으므로 첫 번째 평형조건을 적용하면 다음과 같은 결과를 얻는다.

$$\Sigma F_x = T-(98.0\ \mathrm{N})(\sin 30.0°) = 0$$

$$T = 49.0\ \mathrm{N}$$

$$\Sigma F_y = F_n-(98.0\ \mathrm{N})(\cos 30.0°) = 0$$

$$F_n = 84.9\ \mathrm{N}$$

경사면이 썰매를 떠받치는 힘(수직항력)의 크기는 $F_n = mg\cos\theta$이므로 경사각 θ가 증가할수록 수직항력은 감소한다. $\theta = 0°$인 수평면에서 F_n이 최대로 썰매의 무게 mg와 같고, $\theta = 90°$일 때 최소로 $F_n = 0$이다.

예제 **3.3** 미끄러지는 자동차

그림 3.14 (a)와 같이 질량이 m인 자동차가 경사각이 20.0°인 빙판의 경사면에 놓여 있다. 경사면과 자동차 사이에 마찰이 없다고 가정하여 미끄러지는 자동차의 가속도를 구하라. 경사면의 길이가 30.0m이고 자동차가 경사면의 정상에서 정지상태로부터 미끄러진다면 경사면의 바닥끝에 얼마의 시간이 걸려 얼마의 속력으로 도달하겠는가?

풀이 그림 3.14 (b)에서 보는 바와 같이 자동차에 작용되는 힘들은 자동차의 무게 F_g와 경사면이 자동차를 떠받치는 수직항력 F_n이 있다. 경사면의 방향을 x축, 경사면에 수직한 방향을 y축으로 잡으면, 자동차의 무게는 $+x$축 방향의 성분 $mg\sin\theta$와 $-y$축 방향의 성분 $mg\cos\theta$로 분해된다. 자동차가 y축 방향으로는 가속될 수 없으므로 $a_y = 0$을 사용하여 뉴턴의 운동 제 2 법칙을 성분별로 적용하면 다음과 같다.

$$\Sigma F_x = mg\sin\theta = ma_x \qquad (1)$$

$$\Sigma F_y = F_n - mg\cos\theta = 0 \qquad (2)$$

식 (1)로부터 미끄러지는 자동차의 가속도는 경사면 방향의 무게 성분에 의하여 생긴다.

$$a_x = g\sin\theta \qquad (3)$$

식 (3)에서 가속도 a_x는 경사각 θ에만 의존하고, 자동차의 질량에 무관함을 알 수 있다. 경사각이 $\theta = 20.0°$일 때 $a_x = 9.80\text{m/s}^2 \times \sin 20.0° = 3.35\text{m/s}^2$이다.

가속도가 일정하므로 이동 거리 $d = \frac{1}{2}a_x t^2$으로부터 경사면의 바닥끝에 도달하는 데 걸리는 시간은 다음과 같다.

$$t = \sqrt{\frac{2d}{a_x}} = \sqrt{\frac{2d}{g\sin\theta}} \qquad (4)$$

따라서 경사각이 $\theta = 20.0°$이고 길이가 $d = 30.0$ m인 경사면을 미끄러져 내려오는 데 $t = 4.23\text{s}$의 시간이 걸린다. 경사면의 정상에서 정지상태로부터 미끄러지면 바닥끝에 도달할 때의 속력은 $v_x = v_{x0} + a_x t = 0 + (3.35\text{m/s}^2)(4.23\text{s}) = 14.2\text{m/s}$이다. 시간 t와 속력 v_x는 자동차의 질량에 역시 무관하다. 이러한 사실로부터 마찰이 없는 경사면을 이용하여 g를 간단히 측정하는 방법을 생각할 수 있다. 경사면의 각도, 물체가 미끄러지는 거리와 바닥끝에 도달하는 데 걸리는 시간을 측정하면 식 (4)로부터 g값을 계산할 수 있다.

그림 3.14 (a) 빙판의 경사면에서 미끄러지는 자동차 (b) 자동차에 대한 자유 물체도

예제

3.4 도르래에 매달린 두 물체

그림 3.15 (a)와 같이 질량이 다른 두 물체가 가벼운 줄의 양끝에 묶여 마찰이 없고 가벼운 도르래에 수직으로 매달려 있다. 이 장치는 실험실에서 중력가속도를 측정하는 데 종종 사용된다. 두 물체의 가속도와 줄의 장력을 구하라.

풀이 그림 3.15 (b)에서 보는 바와 같이 각각의 물체에 작용되는 힘들은 줄을 따라 위로 작용되는 장력 T와 아래 방향의 중력이 있다. 두 물체가 같은 줄에 매달려 있으므로 가속도의 크기는 같다. $m_2 > m_1$이라 가정하면 m_1은 위로, m_2는 아래로 가속될 것이다. 위의 방향을 $+y$축으로 선택하여 m_1과 m_2에 각각 뉴턴의 운동 제 2 법칙을 적용하면

$$\Sigma F_y = T - m_1 g = m_1 a \qquad (1)$$

$$\Sigma F_y = T - m_2 g = -m_2 a \qquad (2)$$

를 얻는다. 식 (2)의 −부호는 m_2가 아래로 가속됨을 의미한다. 식 (1)에서 식 (2)를 빼서 T를 소거하면 가속도

$$a = \left(\frac{m_2 - m_1}{m_1 + m_2}\right)g \qquad (3)$$

를 얻는다. 식 (3)을 식 (1)에 대입하면 줄의 장력은 다음과 같다.

$$T = \left(\frac{2m_1 m_2}{m_1 + m_2}\right)g \qquad (4)$$

특별히 $m_1 = m_2$일 때는 평형을 이루므로 $a = 0$이고, $T = m_1 g = m_2 g$이다. $m_2 \gg m_1$일 때는 $a \approx g$로 거의 자유낙하하므로 $T \approx 2m_1 g$가 된다.

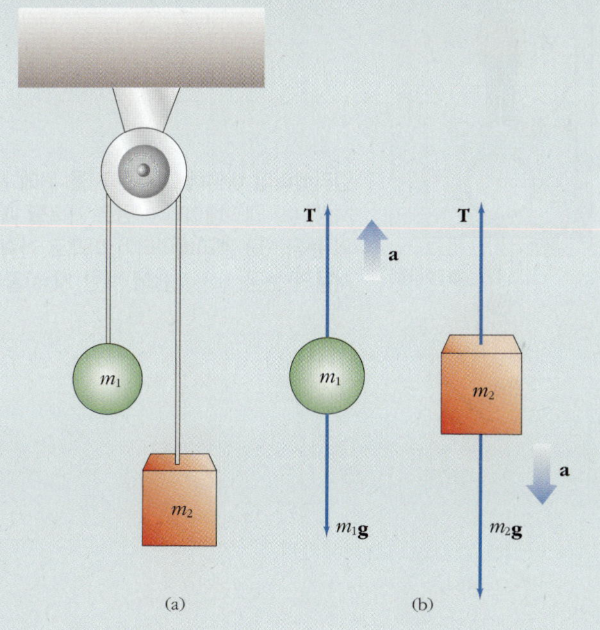

그림 3.15
(a) 마찰이 없고 가벼운 도르래의 줄 양끝에 매달린 두 물체
(b) 두 물체에 대한 자유 물체도

예제 **3.5** 엘리베이터에서 무게 측정

질량이 70kg인 사람이 엘리베이터 바닥에 고정된 저울 위에 서있다. 저울의 눈금은 N의 단위로 표시되어 있다. 엘리베이터가 (a) 4.0m/s^2로 위로 가속, (b) 4.0m/s^2로 아래로 가속, (c) 위로 움직이면서 속력이 2.0m/s^2의 비율로 감소, (d) 아래로 움직이면서 속력이 2.0m/s^2의 비율로 감소될 때, 각각 저울의 바늘은 어느 눈금을 가리키겠는가?

풀이 저울의 바늘이 가리키는 눈금은 저울이 사람을 떠받치는 수직항력 F_n의 크기이다. 사람은 엘리베이터와 같이 움직이므로 사람과 엘리베이터의 가속도는 같다. 사람에게 아래쪽으로 작용하는 중력 mg와 저울이 위쪽으로 작용하는 수직항력 F_n의 합성력으로부터 사람의 가속도를 구할 수 있다. 그림 (c)에서처럼 위쪽 방향을 $+y$축으로 선택한다.

(a) 사람에 대하여 뉴턴의 운동 제 2 법칙을 적용하여 F_n을 구하면, 이 값이 사람의 겉보기 무게이다.

$$\Sigma F_y = ma_y$$

$$F_n - mg = ma$$

$$F_n = mg + ma = (70\text{ kg})(9.80\text{ m/s}^2) + (70\text{ kg})(4.0\text{ m/s}^2) = 966\text{ N}$$

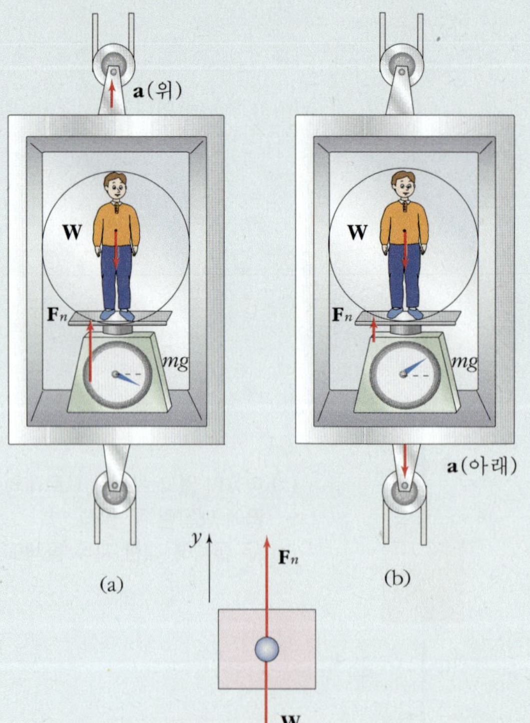

그림 3.16
엘리베이터 바닥에 고정된 저울 위에 서있는 사람. (a) 엘리베이터가 위로 가속될 때 저울의 눈금. (b) 엘리베이터가 아래로 가속될 때 저울의 눈금. (c) 사람에 대한 자유 물체도.

(b) 엘리베이터가 아래로 가속되므로 $a_y = -a'$를 대입하여 F_n을 구한다.

$$F_n - mg = ma_y = m(-a')$$

$$F_n = mg - ma' = (70\text{ kg})(9.80\text{ m/s}^2) - (70\text{ kg})(4.0\text{ m/s}^2)$$

$$= 406\text{ N}$$

(c) 엘리베이터가 위로 움직이지만 속력이 감소하므로 가속도의 방향은 아래쪽이다. −값으로 가속도를 대입하여 F_n을 구한다.

$$F_n - mg = ma_y = (70\text{ kg})(-2.0\text{ m/s}^2)$$

$$F_n = (70\text{ kg})(9.80\text{ m/s}^2) + (70\text{ kg})(-2.0\text{ m/s}^2) = 546\text{ N}$$

(d) 엘리베이터가 아래로 움직이면서 속력이 감소하면 가속도의 방향은 위쪽이다. 따라서 (a)와 같은 방법으로 F_n을 구한다.

$$F_n - mg = ma$$

$$F_n = mg + ma = (70\text{ kg})(9.80\text{m/s}^2) + (70\text{ kg})(2.0\text{ m/s}^2) = 826\text{ N}$$

우리는 엘리베이터가 위로 가속될 때 ma에 의하여 겉보기 무게가 mg보다 크게 나타나는 것을 경험한다. 마치 중력가속도가 g에서 $g+a$로 증가하는 것과 같다. 엘리베이터가 아래로 가속될 때는 $-ma'$에 의하여 mg보다 작게 나타난다. 마치 중력가속도가 $g-a'$인 것처럼 가벼워지는 것을 느낀다. $a' = g$로서 엘리베이터가 자유낙하하면 무게를 느끼지 못한다. 따라서 사람의 겉보기 무게는 엘리베이터의 운동방향과 속도에는 무관하고, 가속도의 방향과 크기에만 의존하는 것을 알 수 있다.

연습문제 EXERCISES

1 그림 3.17에 나타낸 계들에 대하여 줄의 질량을 무시할 때 각각의 줄에 작용되는 장력을 구하라.

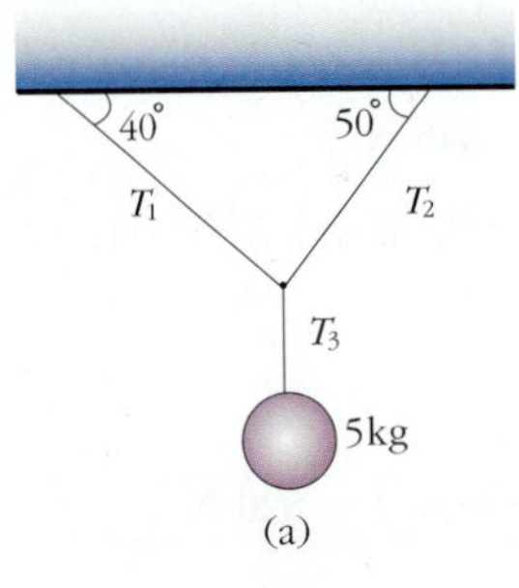

(a)

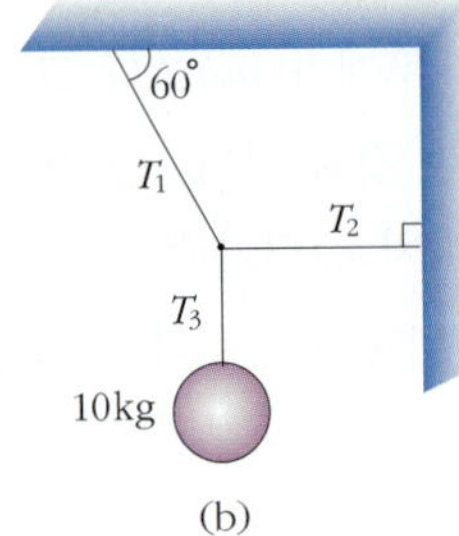

(b)

그림 3.17

2 달에서의 중력가속도는 지구에서의 약 1/6이다. 지구에서 732N의 무게를 가진 우주비행사가 달의 표면에서 이동하고 있다. 달과 지구에서 측정한 우주비행사의 질량은 각각 얼마인가? 달에서 우주비행사의 무게는 얼마인가?

3 질량이 200kg인 요트에 바람이 북쪽으로 400N의 풍력을 작용하며, 바닷물은 요트에 동쪽으로 300N의 힘을 작용한다.

(a) 요트의 가속도는 얼마인가?

(b) 시간 $t=0$일 때 요트가 정지상태로부터 출발하여 6.0초의 시간이 지나면 요트는 어느 위치를 얼마의 속력으로 움직이고 있겠는가?

4 질량이 3.0kg인 물체가 경사면에서 0.60초 동안에 정지상태로부터 88.2cm의 거리를 미끄러져 내려간다. 경사면을 따라 물체에 가해지는 알짜 힘은 얼마이며, 경사면의 경사각은 얼마인가?

5 그림 3.18에서와 같이 마찰이 없는 수평의 책상 위에서 질량 $m_1=4.00$kg의 물체가 도르래에 걸쳐진 줄에 연결되어 질량 $m_2=10.0$kg의 물체에 의해 끌리고 있다. 두 물체의 가속도와 줄의 장력을 구하라.

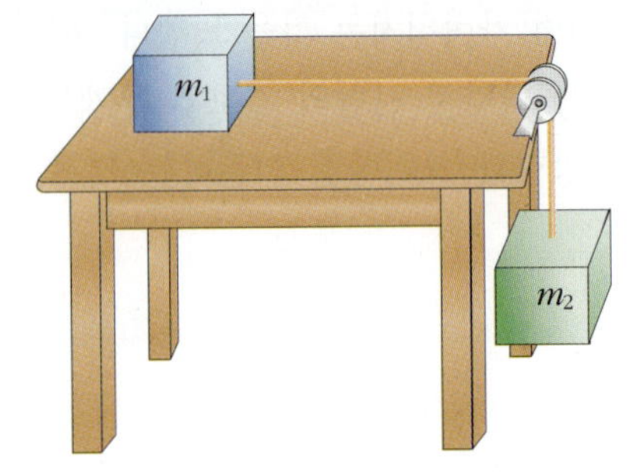

그림 3.18

6 2,000kg의 차가 500kg의 트레일러를 2.40m/s^{2}의 가속도로 끌고 갈 때 트레일러에 작용되는 마찰력을 무시하면 (a) 차에 작용되는 알짜 힘, (b) 트레일러에 작용되는 알짜 힘, (c) 트레일러가 차에 작용하는 힘, (d) 차가 도로에 작용하는 힘을 구하라.

7 그림 3.19에서와 같이 마찰이 없는 도르래에 걸쳐진 줄의 양끝에 두 물체가 연결되어

있다. 경사면은 마찰이 없고 $m_1 = 4.00\,\text{kg}$, $m_2 = 6.00\,\text{kg}$이며, $\theta = 60.0°$이다. (a) 물체들의 가속도, (b) 줄의 장력, (c) 정지상태로부터 출발하여 2.00초가 지날 때 물체들의 속력을 구하라.

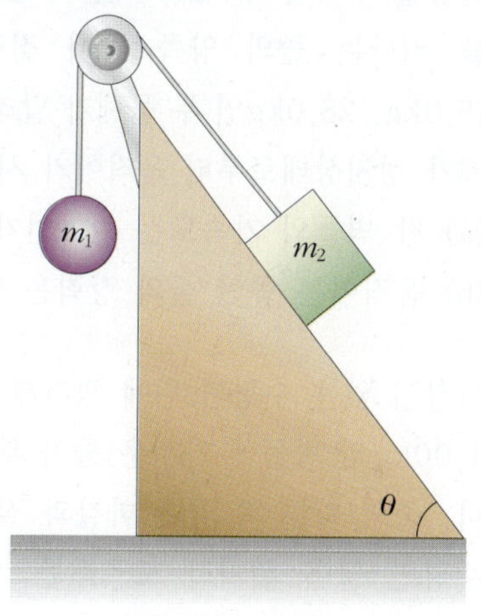

그림 3.19

8 그림 3.20에서와 같이 마찰이 없는 수평의 책상 위에서 질량 m_1인 물체가 가벼운 도르래 P_1과 고정된 가벼운 도르래 P_2를 통하여 질량 m_2인 물체와 연결되어 있다. (a) m_1과 m_2의 가속도를 각각 a_1과 a_2라고 하면 이들 사이의 관계는 어떻게 되는가? m_1= 5.0kg이고 m_2= 8.0kg일 때, (b) 가속도 a_1과 a_2 및 (c) 줄들의 장력을 구하라.

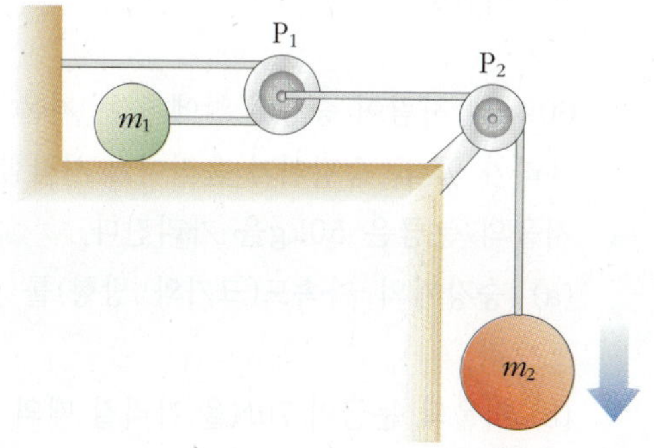

그림 3.20

9 그림 3.21에서와 같이 마찰이 없는 수평면 위에서 두 물체들이 서로 접촉되어 있다. 왼쪽으로부터 힘 F가 m_1의 물체에 작용될 때

(a) 물체들의 가속도와 접촉력을 F와 m_1 및 m_2의 함수로 구하라.

(b) F = 9.6N, m_1= 3.0kg, m_2= 9.0kg일 때 가속도와 접촉력을 구하라.

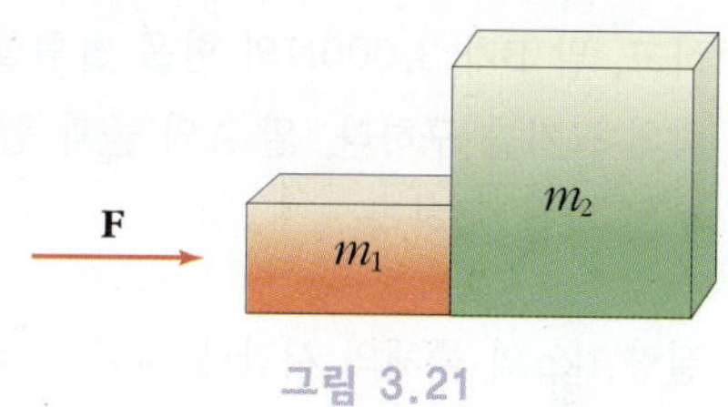

그림 3.21

10 그림 3.22에서와 같이 질량 2.0kg의 물체가 매달린 용수철저울이 엘리베이터 천장에 걸려 있다. 엘리베이터가 정지상태로부터 출발하여 처음 2.0초 동안 $5.0\,\text{m/s}^2$로 위로 가속되고, 다음 2.0초 동안 10.0m/s의 일정한 속도로 올라가며, 마지막 2.0초 동안 속력이 일정하게 감소하여 정지한다. 시간 간격 $0 < t < 6.0$초 동안 용수철저울의 눈금 변화를 N의 단위로 설명하라.

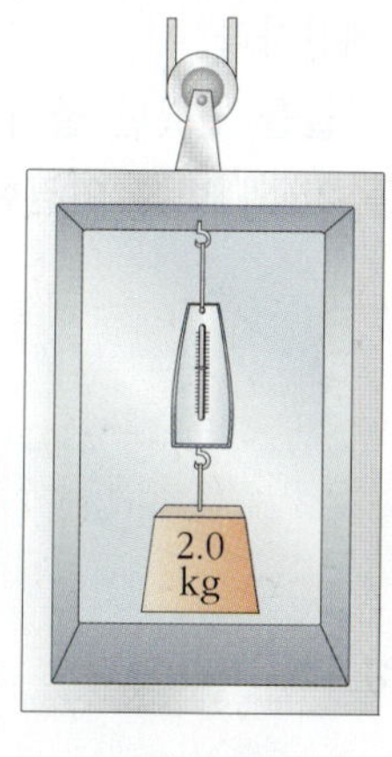

그림 3.22

11 두 힘이 동일한 크기 F를 가지고 있다. (a) 두 벡터합의 크기가 $\sqrt{2}F$일 때, (b) 합의 크기가 $2F$일 때, (c) 합의 크기가 영일 때, 각각 두 벡터 사이의 각도는 얼마인가?

12 두 마리의 말이 기둥에 매어진 두 개의 줄을 수평으로 잡아당기고 있다. 두 줄 사이의 각은 60.0°이다. 말 A가 2,000N의 힘을 발휘하고, 말 B가 3,000N의 힘을 발휘할 때, 합력의 크기를 구하라. 말 A의 줄과 합력이 이루는 각을 구하라.

13 질량 1kg의 물체의 시간에 따른 x축 위치가 $x(t) = At - Bt^3$로 주어진다. 시간의 함수로서 물체에 가해진 알짜힘을 계산하라.

14 밧줄에 묶여 천장에 매달린 도르래에 질량이 2kg인 두 물체가 마찰을 무시할 수 있는 가벼운 줄로 연결되어 있다.
(a) 가벼운 줄의 장력은 얼마인가?
(b) 밧줄의 장력은 얼마인가?

15 그림 3.23에서와 같이 각각의 무게가 w, $2w$인 두 벽돌이 마찰이 없는 경사면에서 서로 연결되어 있다. w와 경사각 α로 다음의 장력을 계산하라.
(a) 두 벽돌을 연결한 줄의 장력,
(b) 벽돌 $2w$와 벽을 연결한 줄의 장력.

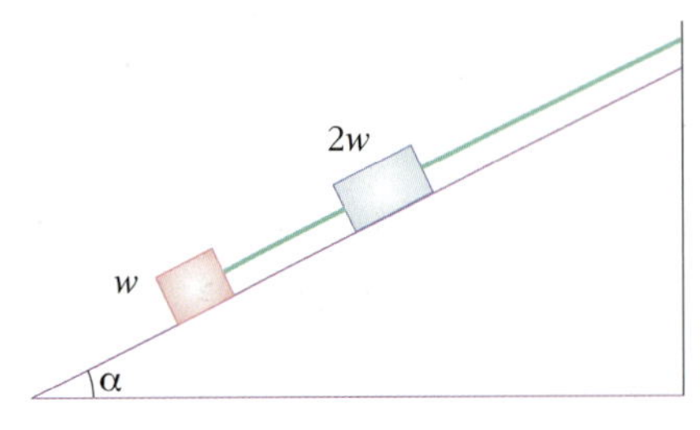

그림 3.23

(c) 경사면이 각각의 벽돌에 미치는 힘의 크기를 계산하라.
(d) $\alpha = 0$와 $\alpha = 90°$인 경우에 대하여 여러분의 답을 해석하라.

16 질량을 무시할 수 있고 마찰이 없는 도르래를 지나는 줄의 양쪽 끝에 질량이 각각 15.0kg, 28.0kg인 두 물체가 달려 있다. 이 계가 정지상태로부터 움직이기 시작하였다.
(a) 각 벽돌의 가속도는 얼마인가?
(b) 움직이는 동안 줄의 장력은 얼마인가?

17 마찰이 없는 수평면 위에 정지해 있는 질량 4.00kg의 벽돌에 가벼운 줄이 부착되어 있다. 줄의 다른 쪽 끝은 마찰과 질량이 없고 수평면 끝에 위치한 도르래를 지나, 질량 8kg인 벽돌을 수직으로 매달고 있다.
(a) 벽돌들의 가속도는 얼마인가?
(b) 줄의 장력은 얼마인가?

18 질량이 각각 4.00kg, 6.00kg인 두 물체가 가벼운 줄에 연결되어, 마찰이 없는 얼음판에 놓여 있다. 6.00kg인 물체의 한쪽 끝을 $2.50\mathrm{m/s^2}$의 가속도로 움직이도록 힘 F로 수평으로 잡아당기고 있다.
(a) 힘 F의 크기는 얼마인가?
(b) 두 상자를 연결한 줄의 장력 T는 얼마인가?

19 60kg의 사람이 승강기 안에 있는 저울 위에 올라가 있다. 승강기가 움직이기 시작할 때, 저울의 눈금은 50kg을 가리킨다.
(a) 승강기의 가속도(크기와 방향)를 구하라.
(b) 저울의 눈금이 70N을 가리킬 때의 가속도는 얼마인가?

20 70.0kg인 남자가 승강기 안에서 체중계 위에 서 있다. (a) 승강기가 위로 1.50m/s^2으로 가속될 때, (b) 승강기가 아래로 1.50m/s^2으로 가속될 때, (c) 승강기가 위로 일정한 속력 3m/s로 올라갈 때, 각각 체중계가 가리키는 눈금은 어떤 값을 가리키겠는가?

21 그림 3.24에서와 같이 질량이 각각 1.20kg, 1.00kg인 두 물체가 마찰이 없는 고정된 도르래를 통과하는 가볍고 휘기 쉬운 줄로 그림과 같이 연결되어 있다. 두 물체가 1.2m/s의 등속으로 운동하고 있다면 접촉면 사이의 운동마찰계수는 얼마인가? 줄의 장력은 얼마인가?

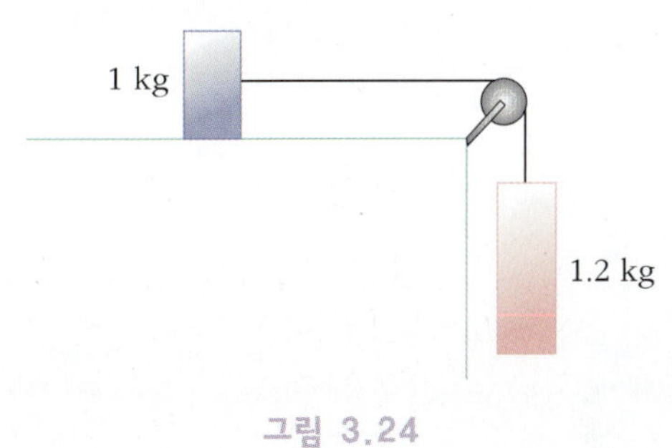

그림 3.24

22 50.0kg의 곡예사가 밧줄을 잡고 올라가고 있다.

(a) 일정한 속력으로 오르고 있다면, 밧줄의 장력은 얼마인가?

(b) 위쪽으로 1.00m/s^2의 가속도로 올라가고 있다면, 밧줄의 장력은 얼마인가?

(c) 아래쪽으로 1.00m/s^2의 가속도로 내려가고 있다면, 밧줄의 장력은 얼마인가?

23 75kg의 배구 선수가 스파이크를 하기 위하여 똑바로 서서 1.00m를 점프하였다. 그의 발이 땅을 떠나기 전의 점프시간이 0.250 초라면, 그가 땅에 작용하는 평균의 힘은 얼마인가?

24 Newton의 운동 법칙과 관련하여 (a) 제1법칙을 간단히 서술하고 질량과 관성의 관계를 설명하라. (b) 제2법칙을 수식으로 표현하고 그 의미를 설명하라. (c) 제3법칙을 기술하고 설명하여 보아라.

25 엘리베이터 안에 있는 저울에 질량 10kg의 물체가 놓여 있다. (a) 엘리베이터가 3m/s^2의 가속도로 올라갈 때 저울의 눈금은 얼마로 나타나겠으며, (b) 엘리베이터가 10m/s의 일정속도가 되었을 때 저울이 나타내는 값과 (c) 3m/s^2의 가속도로 내려갈 때의 저울의 눈금은 어떻게 되겠느냐?

04 뉴턴의 운동법칙의 응용

앞장에서 뉴턴의 운동법칙과 이를 적용한 몇 가지 1차원 선형운동에 대하여 공부하였다. 이 장에서는 힘의 종류에 대해서 알아보고, 특히 마찰력이 있는 경우와 원운동의 동역학에 뉴턴의 운동법칙을 적용하고자 한다. 그리고 마지막 부분에서 동역학에 이용되는 수치해석법에 대하여 간단히 기술할 것이다.

4.1 힘의 종류

3장에서 언급한 물리학의 기본적인 힘인 중력, 전자기력, 강력, 약력의 구분 외에 작용하는 힘의 원인, 전달방식 등 그 형태에 따라 무게, 양력, 추진력, 마찰력, 장력 등 관습적으로 다양하게 힘들을 표현하고 있다.

중력과 무게

중력(Gravitational force)은 만유인력이라 하기도 하는데 질량을 가진 입자 사이의 상호작용을 일반적으로 뜻한다. 그러나 좁은 의미의 중력은 지구표면 근처에 지구가 어떤 물체에 작용하는 힘을 뜻하기도 한다. 즉, 갈릴레이가 공기 저항이 없는 경우 모든 물체는 똑같은 가속도 $g(9.8\mathrm{m/s^2})$로 움직인다고 증명하는 실험을 수행하였는데 이 때 질량이 m인 어떤 물체에 작용하는 중력의 크기는 mg로 표시할 수 있다. 이런 좁은 의미의 중력을 흔히 무게(weight)라고 부르며 지구표면 근처에서는 중력에 의한 가속도의 크기가 일정하기 때문에 질량과 혼돈하여 사용되기도 한다. 그러나 질량과 무게는 엄연히 다른 것이며 무게를 질량의 크기로만 표현하고 싶을 때는 몇 **kg · 중**이라는 단위를 확실히 나타내어야 한다.

예제 4.1 달에서 무게와 질량

달 표면에서 물체의 낙하 가속도를 측정하면 지구표면에서 측정한 값의 1/6배이다. 여러분의 몸무게를 달에서 잰다면 얼마나 되겠는가? 여러분의 질량은 지구와 달에서 각각 얼마나 되겠는가?

풀이 몸무게는 지구 또는 달로부터 몸에 작용하는 힘이므로 질량에 중력가속도를 곱한 값이다. 따라서 달에서 잰 몸무게는 지구에서 잰 값의 1/6이다. 질량은 각 물체에 정의된 고유의 값이므로 어디서나 똑같다.

그림 4.1 지구와 달의 크기 비교 사진

수직항력

일반적으로 어떤 물체의 무게를 잰다고 할 때는 사실 어떤 물체의 질량을 측정한다는 말이며, 실제로 무게를 잴 때에는 여러 가지 형태의 저울을 사용하게 된다. 저울에 오른 물체는 정지해 있으므로 그 물체는 작용・반작용의 법칙에 의해 저울을 누르는 그 물체의 무게와 크기는 같고 방향이 반대인 힘을 저울로부터 받는다. 물체와 저울이 정지해 있는 상태를 유지하기 위해서는 이런 힘은 물체와 저울이 접촉하고 있는 면에 항상 수직으로 작용하게 되며 이 때 반작용으로 작용하는 힘을 **수직항력**(normal force)이라 하며 기호 N으로 표시한다.

마찰력

어떤 물체를 밀어 움직이고자 할 때 그 물체의 질량이나 물체와 바닥 사이의 접촉면 상태에 따라 쉽게 움직일 수도 있고 그렇지 못할 수도 있다. 어떤 물체를 운동시키고자 할 때 주위의 다른 물체 혹은 계 사이의 접촉이 그 물체의 운동을 방해할 때 그 방해하는 힘을 **마찰력**(force of friction) 또는 **저항력**이라 부른다.

마찰력은 물체의 운동을 방해하므로 그 방향은 운동방향과 항상 반대방향으로 접촉면에 나란하게 작용한다. 이런 마찰력은 물체의 상태에 따라 물체가 정지해 있을 때 접촉면에 작용하는 정지마찰력과 물체가 움직이고 있을 때 작용하는 운동마찰력으로 나눌 수 있다. 일반적으로 최대**정지마찰력**(force of static friction)은 **운동마찰력**(force of kinetic friction) 보다 크다. 이것은 우리가 무거운 물체를 움직일 때 쉽게 관측할 수 있다. 즉, 처음에 정지해 있는 물체를 밀 때 큰 힘이 들지만 일단 움직이기 시작하면 힘이 적게 든다.

또한 물체를 쉽게 움직이기 위해 기름칠을 하기도 하여 마찰력을 줄이는 노력도 한다. 따라서 마찰력은 접촉면의 상태에 따라 아주 달라진다. 한편 똑같은 조건의 접촉면에 무거운 물체와 가벼운 물체를 놓고 각각 밀어 보면 가벼운 물체를 쉽게 움직일 수 있다. 따라서 마찰력은 접촉면에 물체가 가하는 힘 혹은 반작용으로 나타나는 수직항력의 크기에 비례함을 관측하게 된다. 이를 정리하면 마찰력 f는

$$f = \mu N$$

로 표현할 수 있다. 여기서 μ는 두 물체 접촉면 상태를 나타내는 마찰계수이며 N은 두 물체 사이에 작용하는 수직항력이다. 그러나 위 식은 정지마찰력과 운동마찰력이 서로 다를 수 있으므로 서로 구별하여 정확히 표현할 필요가 있다.

물체 사이의 운동이 없을 경우, 정지마찰력의 크기 f_s는

$$f_s \leq f_{s,\max} = \mu_s N \tag{4.1}$$

로 표현할 수 있다. 여기서 $f_{s,\,\max}$는 최대 정지마찰력이고 μ_s는 **정지마찰계수**(Coefficient of static friction)이다. 이 식이 의미하는 바는 정지마찰력의 최대값이 $f_{s,\,\max}$이며, 움직이기 전까지는 정지마찰력이 영에서 $f_{s,\,\max}$까지 증가한다는 의미로 어떤 물체를 운동할 수 있게 가해주는 힘의 최대값이 $f_{s,\,\max}$라는 것에 대응한다. 즉, 아무 힘을 가해 주지 않으면 원래 상태를 그대로 유지하여 정지해 있으므로 정지마찰력은 0이 되며, 움직이기 직전까지는 역시 정지해 있으므로 가해주는 힘의 크기와 같은 마찰력이 반대로 작용해야 한다. 그리고 가해 주는 힘이 최대 정치마찰력보다 크게 되면 그 때 그 물체가 움직이기 시작하게 된다.

운동마찰력의 크기 f_k는

$$f_k = \mu_k N \tag{4.2}$$

으로 표현할 수 있으며 μ_k는 **운동마찰계수**(Coefficient of kinetic friction)이다. 이 때 정지해 있는 경우와는 달리 운동마찰력의 크기 f_k는 일정하다. 정지마찰계수와 운동마찰계수를 나타낸 표 4.1에서 보듯이 운동마찰계수는 정지마찰계수보다 항상 작다. 이를 종합하여 접촉면에서의 어떤 물체에 작용하는 마찰력을 그림 4.2에 나타내었다.

표 4.1 여러 가지 물질 사이의 정지마찰계수와 운동마찰계수를 나열하였다(경우에 따라 값이 조금씩 달라질 수 있다).

상대적 크기	정지마찰계수	운동마찰계수
철판과 철판	0.75	0.55
윤활유를 칠한 철판과 철판	0.05	0.03
철판과 구리	0.53	0.36
철판과 알루미늄	0.6	0.47
마른 콘크리트와 고무	1.0	0.7
젖은 콘크리트와 고무	0.7	0.5
나무와 금속	0.5	0.32
나무와 나무	0.5	0.3
유리와 유리	0.94	0.4
젖은 눈과 왁스칠한 나무	0.14	0.1
얼음과 얼음	0.1	0.03
테프론과 테프론	0.04	0.04
나무와 신발	0.9	0.7
얼음과 신발	0.1	0.05
얼음과 철판	0.4	0.02
사람의 관절점	0.015	0.005

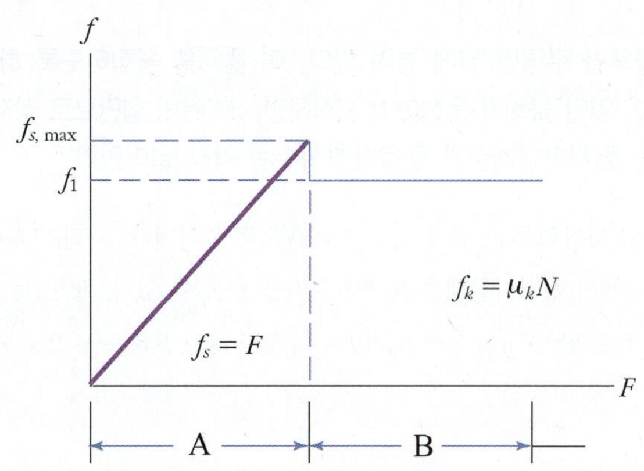

그림 4.2 마찰력 f는 물체의 운동 방향과 반대로 작용한다. A로 표시된 영역은 힘을 가해도 물체가 움직이지 않는 영역으로 이 때 마찰력은 가해준 힘의 크기와 같다. 그러나 가해주는 힘을 증가시키면 그 힘의 크기가 $f_{s,\max}$와 같아지는 순간부터 움직이기 시작한다. 즉, B 영역은 운동하는 영역으로 마찰력은 일정하다.

예제 **4.2** 얼음판 위에서 하키 퍽에 20.0m/s의 초기속력이 주어졌다. 퍽은 얼음 위에서 100m를 미끄러져 정지하였다. 얼음과 퍽 사이의 마찰계수를 구하라.

풀이 먼저 가속도를 계산하자. 마찰력은 일정하기 때문에 등가속도운동임을 알 수 있다. 이 경우 식 $v^2 - v_0^2 = 2a(x - x_0)$을 이용할 수 있다. $v_0 = 20\,\mathrm{m/s}$, $v = 0$, $x - x_0 = 100\,\mathrm{m}$이므로 $a = -2.00\,\mathrm{m/s^2}$이다. 음의 가속도는 마찰력은 운동방향에 항상 반대방향으로 작용하므로 당연한 결과이다. 따라서 마찰력은 그 크기만 비교하면 $f_k = \mu_k mg = ma$이므로 $a = \mu_k g$로부터 $\mu_k = 0.204$를 얻게 된다.

예제 **4.3** 한 짐꾼이 m=20.0kg의 짐 상자에 밧줄을 연결하여 30.0°의 방향으로 F=100.0N의 힘을 가하여 상자를 끌어당기고 있다. 상자와 마루 사이의 운동 마찰계수가 0.500라면 가속도는 얼마인가? (편의상 중력가속도 g를 $10\mathrm{m/s^2}$으로 가정하라.)

풀이 이 계에 작용하는 힘을 모두 고려해보면 상자의 중력 mg, 바닥에서 상자에 작용하는 수직항력 N, 외부의 100.0N의 힘이다. 외부의 힘은 수직방향 및 수평방향의 두 힘으로 나눌 수 있다. 상자는 수직방향으로는 움직이지 않으므로 수직방향의 총 힘의 합은 영이 되며, 수평방향으로는 외부 힘의 수평 성분과 마찰력에 의해 운동이 결정된다. 먼저 수직방향의 총 힘은 $F_\perp = F\sin 30° + N - mg = 0$이므로 수직항력은 $N = mg - F\sin 30°$로부터 구할 수 있다. 즉, N=150(N)이다. 그리고 수평방향의 총 힘은 $F_\parallel = F\cos 30° - \mu_k N = ma$가 된다. 따라서 $ma = F\cos 30° - \mu_k N = 100\cos 30° - 0.500 \cdot 150 = 11.6(\mathrm{N})$이다. 그러므로

$$a = \frac{11.6\ \mathrm{N}}{20.0\ \mathrm{kg}} = 0.58\,\mathrm{m/s^2}$$

이다.

예제 **4.4** 질량이 100kg인 물체가 수평면 위에 놓여 있다. 이 물체를 움직이도록 하려면, 수평방향으로 500N의 힘으로 끌어야 한다. 일단 물체가 움직이기 시작하면, 300N의 힘만으로 상자를 일정한 속력으로 계속 움직이게 할 수 있다. 정지마찰계수와 운동마찰계수는 각각 얼마인가?

풀이 물체가 정지해 있을 때의 마찰력은 $f_s \le f_{s,\max} = \mu_s N$으로 주어진다. 따라서 $500\,\mathrm{N} = \mu_s N = \mu_s mg = \mu_s 100\,\mathrm{kg} \cdot 9.8\,\mathrm{m/s^2}$에서 정지마찰계수 $\mu_s = 0.510$을 얻을 수 있다. 또한 움직이는 동안 마찰력은 $f_k = \mu_k N$으로 주어지므로 $300\,\mathrm{N} = \mu_k N = \mu_k mg = \mu_k 100\,\mathrm{kg} \cdot 9.8\,\mathrm{m/s^2}$으로부터 $\mu_k = 0.306$을 얻게 된다.

지금까지는 움직이는 물체와 표면 사이의 상호작용, 즉 마찰력의 크기가 일정한 경우를 기술하였다. 그러나 액체나 기체 속을 움직일 경우 저항력은 속력과 복잡한 관계를 가질 수 있다. 속력이 작을 때 마찰력은 주로 속력에 비례하나 속력이 크게 되면 속력의 제곱에 비례하기도 한다.

물체의 속력에 비례하는 저항력

예를 들면 빗방울이 떨어질 때 공기와 마찰이 없으면 뉴턴의 제2법칙에 따라 속도는 계속 증가하지만 공기와 마찰 때문에 속도가 증가하다가 결국에는 지상에서 거의 변하지 않게 된다. 그림 4.3에 보인 것과 같은 빗방울에 작용하는 저항력은 속도의 크기에 비례하며 운동방향과 반대방향으로 작용한다. 즉, 이 때 저항력은

$$\mathrm{F}_r = -b\mathrm{v} \tag{4.3}$$

로 나타낼 수 있다. 여기서 v는 물체의 속도이고 b는 상수인데, 매질의 성질, 물체의 크기와 모양에 의해 결정된다. 물체가 구형인 경우 b는 반지름에 비례하게 된다.

그림 4.3
액체 속으로 낙하하는 물체에 작용하는 공기의 저항력

예를 들어 지상으로 떨어지는 구형의 빗방울을 생각해 보자. 이 때 빗방울에는 중력 mg와 저항력 $-b$v, 두 힘이 작용하고 있다. 뉴턴의 제 2법칙을 수직 운동에 적용하자. 빗방울이 떨어지는 아래쪽을 양의 방향으로 잡으면 $F_y = mg - bv$이므로, $ma = mg - bv$로 쓸 수 있고 이 때 가속도의 방향은 아래쪽이다. 간단히 하면, 가속도 $a = dv/dt$이므로 미분방정식

$$\frac{dv}{dt} = g - \frac{b}{m}v$$

로 나타낼 수 있다.

이 미분방정식을 초기조건 $v_0 = 0$을 가정해서 풀면

$$v = \frac{mg}{b}(1 - e^{-bt/m}) = v_t(1 - e^{-t/\tau}) \qquad (4.4)$$

를 얻을 수 있다. 즉, 초기에는 속도가 0이므로 빗방울에 작용하는 힘은 중력 밖에 없으나 속도가 증가함에 따라 저항력이 점점 커져 중력의 크기와 같아지면 속도는 일정하게 유지된다. 이 때의 속도를 **종속도**(terminal velocity)라 부르며 $v_t = mg/b$로 주어진다.

그러나 위의 미분방정식을 풀지 않고도 종속도를 쉽게 구할 수 있다. 낙하하는 빗방울이 위로 다시 올라갈 수 없기 때문에 저항력의 크기는 중력보다 커질 수 없다. 즉, 속도가 커져 마찰력이 중력과 같아지면 빗방울에 작용하는 힘은 0이 된다. 즉 $mg - bv_t$=0이므로 위의 종속도를 얻을 수 있다.

시간의 변화에 따른 속력을 그려보면 그림 4.4와 같이 나타낼 수 있다.

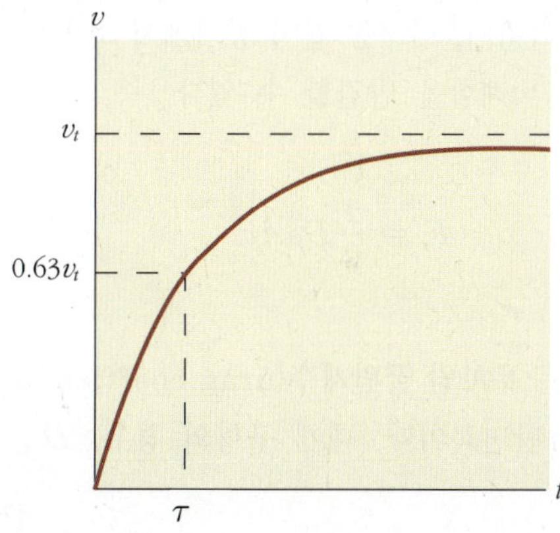

그림 4.4

점성 액체 내에서 낙하하는 물체의 속력-시간 그래프. 물체는 시간이 증가함에 따라 최대 속력 또는 종속도 v_t에 도달하게 된다. τ는 물체의 속력이 종속도 값의 $\left(1 - \frac{1}{e}\right)$, 즉 0.63에 도달할 때까지 걸린 시간이다.

예제 **4.5** 빗방울이 지상으로 떨어지고 있다. 이 때 공기와 빗방울 사이에 속력에 비례하는 저항력이 작용하고 있다. 식 (4.3)의 상수가 약 $0.7g/\mathrm{s}$ 라면 1g의 빗방울의 종속도는 얼마인가?

풀이 빗방울이 낙하할 때 중력에 의해 그 속도의 크기가 증가하지만 만약 속력에 비례하는 저항력이 있으면 그 속력은 계속 증가할 수 없다. 왜냐하면 속력의 증가에 따라 저항력도 계속 증가하기 때문이다. 따라서 더 이상 속력이 증가할 수 없고 일정한 속력을 유지하게 된다. 이 경우 속도가 일정하므로 빗방울에 작용하는 총 힘은 영이 된다. 따라서 빗방울에 작용하는 중력과 저항력은 서로 상쇄되어야 한다. 즉 $F = mg - bv_t = 0$이다. 이 식에 빗방울의 질량과 b의 값을 대입하면 $v_t = 14\mathrm{m/s}$를 얻게 된다. 보다 자세히 계산하기 위해서는 $F = mg - bv = ma$의 미분방정식을 이용하여 시간에 따른 속도를 구해야 한다. 그 결과에 $t = \infty$의 경우를 고려하면 같은 결과를 얻게 된다.

예제 **4.6** 기름 안에서 낙하하는 입자

질량이 1.00g인 입자가 기름 표면에서 낙하하기 시작하여 종속도 4.00cm/s에 도달하였다. 계수 b와 입자의 속력이 종속도의 63%에 도달하는 데 걸리는 시간을 구하라.

풀이 종속도는 $v_t = mg/b$이므로 계수 b는

$b = mg/v_t$로 주어진다.

즉, $b = \dfrac{(1.00\,\mathrm{g})(980\,\mathrm{cm/s^2})}{4.00\,\mathrm{cm/s}} = 245\,\mathrm{g/s}$ 이며, 따라서 종속도의 63%에 도달하는 시간이 시간상수 τ 이므로

$\tau = \dfrac{m}{b} = \dfrac{1.00\,\mathrm{g}}{245\,\mathrm{g/s}} = 4.08\times 10^{-3}\mathrm{s}$가 된다.

속도의 제곱에 비례하는 저항력

한편, 비행기, 스카이 다이버, 야구공 같이 공기에서 고속으로 움직이는 경우 저항력은 근사적으로 속력의 제곱에 비례함을 발견할 수 있다. 즉,

$$F_r = \frac{1}{2} D\rho A v^2 \tag{4.5}$$

으로 쓸 수 있고 이 때 D는 무차원 **끌림계수**(drag coefficient), ρ는 공기의 밀도, A는 물체의 운동방향에 수직한 단면적이다. 대개 구형의 경우, D는 약 0.5이며 모양에 따라 2까지 주어지기도 한다.

빠른 속도로 자유낙하하는 스카이다이버를 생각해 보자. 스카이다이버에 작용하는 총 힘은 아래쪽으로 향하는 중력 mg와 윗방향의 저항력 $F_r = \frac{1}{2}D\rho A v^2$이다. 이 경우 위 방향으로 향하는 부력도 있지만 무시하기로 한다. 알짜힘의 크기는

그림 4.5
스카이다이버들이 낙하산을 펼치기 전에 자유낙하를 하고 있다.

$$F_{net} = ma = mg - \frac{1}{2}D\rho A v^2 \tag{4.6}$$

으로 주어진다. 이 또한

$$a = \frac{dv}{dt} = g - \frac{D\rho A}{2m}v^2$$

의 미분방정식이다. 이 미분방정식은 어느 정도 조작을 하면 풀 수 있다. 그러나 종속도만을 구하고 싶다면, 앞의 경우와 마찬가지로 저항력의 크기가 중력보다 클 수 없기 때문에 스카이다이버에 작용하는 알짜힘이 0이 되는 조건을 생각하면 된다. 따라서

$$g - \frac{D\rho A}{2m}v_t^2 = 0$$

으로부터 종단속도 $v_t = \sqrt{\dfrac{2mg}{D\rho A}}$ 를 얻을 수 있다.

표 4.2에 공기 중에서 낙하하는 몇 가지 물체의 종속도를 나타내었다.

표 4.2 공기 중에서 낙하하는 여러 물체의 종속도[a]

물체	질량(kg)	단면적(m^2)	v_t(m/s)
스카이다이버	75.0	0.70	60
야구공(r=3.7cm)	0.145	4.2×10^{-3}	33
골프공(r=2.1cm)	0.046	1.4×10^{-3}	32
우박(r=0.50cm)	4.8×10^{-4}	7.9×10^{-5}	14
빗방울(r=0.20cm)	3.4×10^{-5}	1.3×10^{-5}	9

a 끌림계수 D는 0.5라 가정하였다.

장력

장력(tension)이란 밧줄이나 케이블 같은 유연한 물체에 길이 방향으로 작용하는 힘을 말한다. 예를 들면 어떤 물체를 실로 묶어 천정에 매달았다고 할 때 그 물체는 지구로부터 중력을 받고 있으나 정지해 있다. 이 때 중력을 상쇄하는 힘이 줄을 통해 물체에 작용하는데 이 힘이 장력이다. 이 때 문제를 간단히 하기 위해 줄의 질량은 무시할 수 있을 정도로 작으며 줄은 늘어나지도 않는다고 가정하기도 한다. 고무줄처럼 늘어나는 경우는 문제가 복잡해져 길이의 수축에 따른 힘을 고려하여야 하는데 스프링처럼 후크의 법칙을 적용할 수 있을 것이다.

4.2 등속 원운동

그림 4.6에서 보는 것처럼 질량 m인 물체를 길이 r인 실에 매달아 수평면 위에서 물체의 속력을 일정하게 하여 원운동시키는 경우를 생각해보자. 물체에 아무 힘이 작용하지 않는다면 물체는 직선 운동을 하려하지만 실로부터 힘을 받아 궤도를 바꾸어 원운동하게 된다. 이 경우는 속력은 일정하지만 속도의 방향이 달라지는 것이다. 이 때 작용하는 힘은 실의 장력으로 그 방향은 항상 원의 중심을 향하고 있다. 즉, **구심력**이다.

2장에서 등속 원운동하는 경우 물체의 가속도의 크기가

$$a_r = \frac{v^2}{r} \tag{4.7}$$

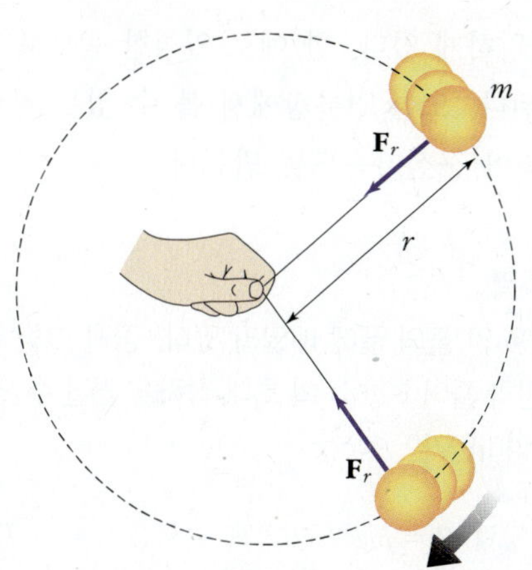

그림 4.6 수평면 위에서 원궤도로 움직이는 공을 위에서 본 그림. 중심을 향하는 힘 F_r이 공을 일정한 속력으로 원운동 하도록 한다.

이 됨을 배웠다. 이 때 가속도의 방향이 언제나 원의 중심을 향하고 있으므로 **구심가속도** (Centripetal acceleration)라 하며 항상 속도의 방향과 수직하게 된다. 따라서 구심력의 크기는

$$F_r = ma_r = m\frac{v^2}{r} \tag{4.8}$$

이 된다. 만약 물체가 원운동 하다가 실이 끊어지게 되면 그 순간 물체는 그림 4.7에서 보는 것과 같이 직선 운동을 하게 된다.

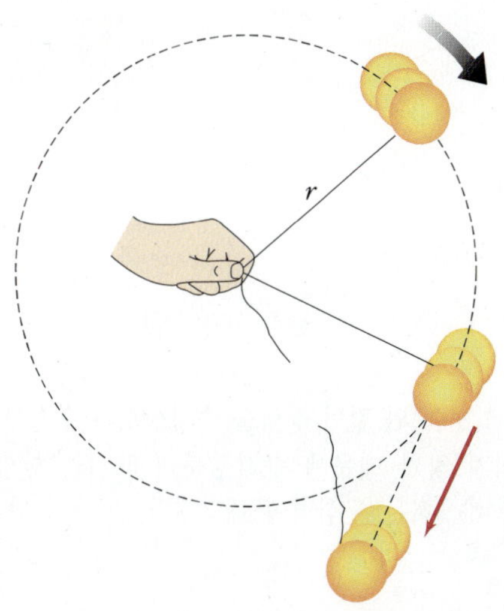

그림 4.7 실이 끊어지면 공은 원궤도에 접하는 직선을 따라 움직인다.

등속 원운동의 예는 다양하게 있다. 한 예로 일정한 속도로 지구 주위를 도는 인공위성의 경우 중력이 구심력이 된다. 또한 경륜장에서 볼 수 있는 커브길을 도는 자전거의 경우 바퀴와 노면 사이의 마찰력이 구심가속도를 만든다.

예제 4.7 실에 매달린 공의 최대 속력

질량이 1.00 kg인 공이 길이 2.00m인 줄의 끝에 매달려 있다. 공을 그림 4.6에서 같이 수평 원궤도를 그리며 회전 운동하도록 하였다. 만약 줄이 50.0N 의 최대 장력을 견딜 수 있다면, 줄이 끊어지기 직전에 공이 가질 수 있는 최대 속력은 얼마인가?

풀이 구심력은 줄이 공을 당기는 장력 $T = mv^2/r$이므로 속력은 $v = \sqrt{Tr/m}$으로 주어진다. 따라서 최대 속력은 장력이 최대치일 때 얻어진다.

$$v_{\max} = \sqrt{(50.0\,\mathrm{N})(2.00\,\mathrm{m})/1.00\,\mathrm{kg}} = 10.0\,\mathrm{m/s}$$

예제 4.8 원추 진자

질량이 m인 작은 물체가 길이 L인 실에 매달려 있다. 이 물체는 그림 4.8 (a)와 같이 반경 r인 수평 원궤도 상에서 일정한 속력 v로 회전한다(실이 원추형 표면을 휩쓸기 때문에 이 시스템을 원추 진자라고 한다). 이 물체의 속력과 회전 주기 T_p를 L과 θ 및 중력가속도 g로 나타내 보아라. $L = 2.00\,\mathrm{m}$, $\theta = 30°$일 때 속력과 회전 주기의 값을 구하라.

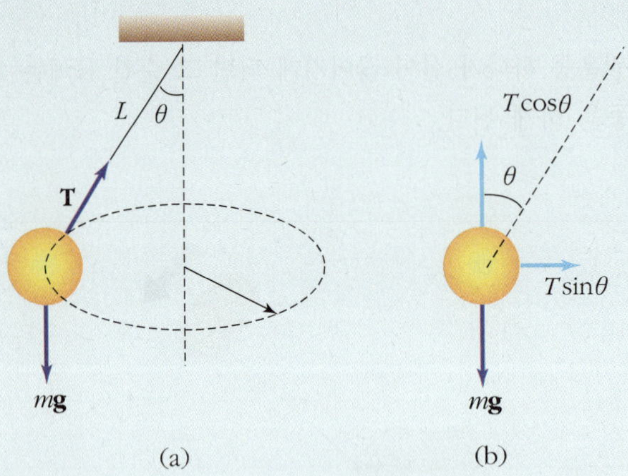

그림 4.8 원추 진자의 힘

풀이 문제를 쉽게 풀기 위해 그림 4.8 (b)와 같이 장력을 수평성분과 수직성분으로 분해하자. 수직성분은 물체가 위 아래로 움직이지 않기 때문에 수직성분의 크기는 중력과 같고 방향은 반대이다. 수평성분은 물체가 원운동을 하게하는 구심력에 해당된다. 따라서 다음이 성립한다.

$$T\cos\theta = mg \qquad (1)$$

$$T\sin\theta = ma_r = mv^2/r \qquad (2)$$

식 (2)를 식 (1)로 나누면 $\tan\theta = v^2/rg$를 얻고 $r = L\sin\theta$이므로 속력은

$$v = \sqrt{rg\tan\theta} = \sqrt{Lg\sin\theta\tan\theta}$$

가 된다.

회전 주기는 물체가 $2\pi r$ 만큼 움직이는 데 걸리는 시간이므로 회전 주기는 다음과 같다.

$$T_p = 2\pi r/v = \frac{2\pi L\sin\theta}{\sqrt{Lg\sin\theta\tan\theta}} = 2\pi\sqrt{\frac{L\cos\theta}{g}}$$

예제 4.9 자동차의 최대 속력은 얼마인가?

질량이 2,000kg인 자동차가 그림 4.9처럼 반경 50.0 m인 커브 길을 운행한다. 만약 타이어와 마른 노면 사이의 정지마찰계수가 0.500이라면, 안전하게 운행할 수 있는 자동차의 최대 속력은 얼마인가?

그림 4.9 호의 중심을 향하는 방향의 정지 마찰력이 자동차가 원궤도 운동을 하도록 한다.

풀이 이 경우 자동차가 원형 궤도 위를 움직이도록 하는 정지마찰력은 구심력과 크기가 같다. 자동차가 안전하게 운행할 수 있는 최대 속력은 자동차가 궤도를 이탈하지 않으면서 가질 수 있는 최대 속력이며 이 때 최대 정지마찰력을 갖는다. 수직항력의 값은 자동차의 무게와 같으므로

$$f_{s,\max} = \mu_s N = \mu_s mg = (0.500)(2{,}000)(9.80) = 9{,}800(\mathrm{N})$$

이며 이 값을 $f_s = mv^2/r$에 대입하면 $v_{\max} = \sqrt{\dfrac{r\cdot f_{s,\max}}{m}} = 15.7\,\mathrm{m/s}$를 얻을 수 있다.

4.3 속력이 일정하지 않은 원운동

등속 원운동의 경우는 속도의 방향만을 바꾸는 구심가속도 a_r만 있다는 것을 앞에서 배웠다. 그러나 원운동의 경우라도 속도의 크기가 바뀌는 경우는 접선 방향의 속도를 증가 혹은 감소시키는 접선가속도 a_t가 있어야 한다. 따라서 그림 4.10에서 보는 것처럼 접선성분, 반경성분의 힘이 작용해야 한다. 즉, 입자의 총 힘은 $\mathbf{F} = \mathbf{F}_r + \mathbf{F}_t$이고, 따라서 총 가속도는 $\mathbf{a} = \mathbf{a}_r + \mathbf{a}_t$이다. 여기서 $\mathbf{F}_r$은 구심력이고 $\mathbf{F}_t$는 접선방향의 힘이다.

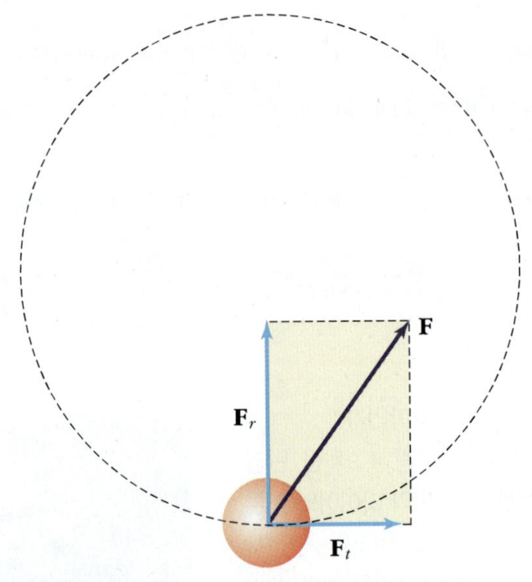

그림 4.10
원궤도 상에서 움직이는 입자에 작용하는 힘이 접선성분 $\mathbf{F}_t$를 가지면 그 속력이 변한다. 입자에 작용하는 총 힘은 원 궤도의 중심을 향하는 성분 $\mathbf{F}_r$도 갖는다. 따라서 총 힘은 $\mathbf{F} = \mathbf{F}_t + \mathbf{F}_r$이다.

예제

4.10 곡예 비행

질량이 m인 조종사가 제트기를 몰고 그림 4.11 (a)에서 보는 것처럼 수직 원궤도를 그리며 곡예비행을 한다. 원의 반경은 3.0km이고 비행기의 속력은 200m/s로 일정하다. 의자가 조종사에게 가하는 힘을 (a) 비행기가 원의 최저점에 있을 때와 (b) 최고점에 있을 때 각각에 대하여 조종사의 무게 mg로 나타내어라.

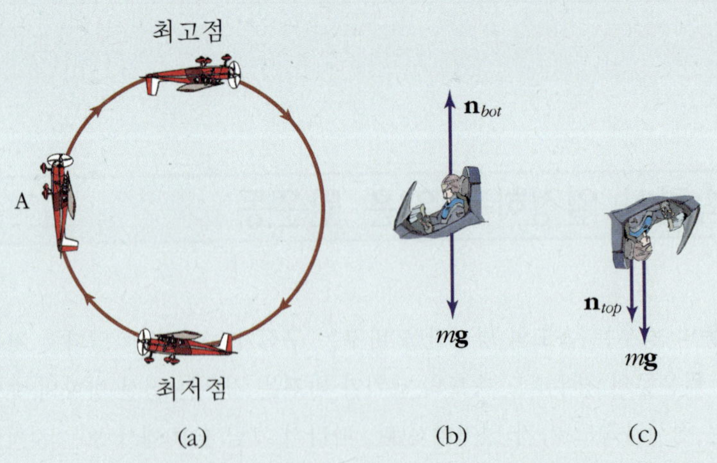

그림 4.11 수직방향으로 원운동을 하고 있는 비행기의 조종사가 느끼는 힘의 방향

풀이 (a) 비행기가 원의 최하점에 있을 때 조종사가 받는 힘을 그림 4.11 (b)에 보였다. 조종사에게 작용하는 힘은 중력 mg와 의자가 가하는 위 방향 힘 $\mathbf{n}_{\text{bot}}$ 밖에는 없다. 알짜 위 방향 힘인 $n_{\text{bot}} - mg$가 구심력에 해당되므로 반경방향의 뉴턴의 제 2법칙에 의하여

$$n_{\text{bot}} - mg = mv^2/r$$

$$n_{\text{bot}} = mg + mv^2/r = mg(1 + v^2/rg)$$

를 얻는다. 속력과 반경의 값을 대입하면

$$n_{\text{bot}} = mg\left[\frac{(200\ \text{m/s})^2}{(3{,}000\ \text{m})(9.80\ \text{m/s}^2)} + 1\right] = 2.36\,mg$$

가 되며, 따라서 의자가 조종사에게 가하는 힘은 몸무게의 2.36배나 된다. 즉, 조종사는 자기 몸무게가 2.36배로 증가한 것처럼 느끼게 될 것이다.

(b) 원의 최고점에서 조종사가 받는 힘을 그림 4.11 (c)에 보였다. 이 지점에서는 중력과 의자가 가하는 힘, $\mathbf{n}_{\text{top}}$이 둘 다 아래 방향으로 작용하며, 따라서 구심력은 $n_{\text{top}} + mg$의 크기를 갖는다. 뉴턴의 제 2법칙을 적용하면

$$n_{\text{top}} + mg = mv^2/r$$

$$n_{\text{top}} = mv^2/r - mg = mg(v^2/rg - 1)$$

을 얻는다. 속력과 반경의 값을 대입하면

$$n_{\text{top}} = mg\left[\frac{(200\ \text{m/s})^2}{(3{,}000\ \text{m})(9.80\ \text{m/s}^2)} - 1\right] = 0.36\ mg$$

이 경우에는 의자가 조종사에게 주는 힘은 몸무게의 0.36배이다. 그러므로 조종사는 자신의 몸무게가 훨씬 가벼워짐을 느낄 것이다.

예제 **4.11** 회전하는 공

그림 4.12 (a)에서 보는 것처럼 질량이 m인 작은 공이 길이가 R인 줄 끝에 매달려 고정된 점 O를 중심으로 수직원을 그리며 회전하고 있다. 공이 수직과 이루는 각도가 θ이고 속력이 v일 때 줄의 장력을 구하여라. 이 예제는 예제 4.10과 유사하며 임의의 위치에서 물체가 받는 힘을 구하는 것이다.

풀이 먼저 구의 무게로부터 기인된 접선성분의 가속도 때문에 공의 속력이 일정하지 않음을 주의하라. 그림 4.12 (a)에 있는 힘 그림을 보면 질량 m에 작용하는 힘은 중력 mg와 줄이 작용하는 힘 $\mathbf{T}$이다. 여기서 mg를 접선성분 $mg\sin\theta$와 반경성분 $mg\cos\theta$로 분해하자. 힘의 접선성분에 대하여 뉴턴의 제 2 법칙을 적용하면

$$\Sigma F_t = mg\sin\theta = ma_t$$

$$\text{즉 } a_t = g\sin\theta$$

을 얻는다. $a_t = dv/dt$이므로 속도 v는 시간에 따라 변한다. 반경성분에 대해서는

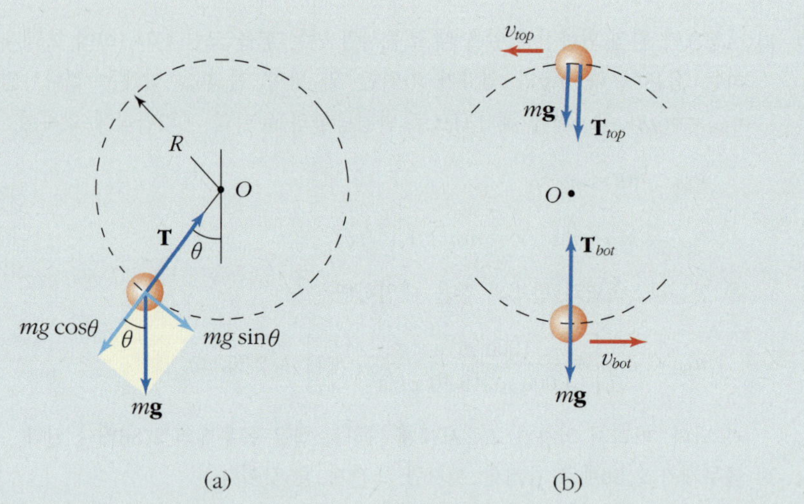

그림 4.12 (a) 길이 R인 줄에 매달려 점 O를 중심으로 수직원 상을 회전하는 질량 m인 공에 작용하는 힘 (b) 공이 원의 꼭대기와 바닥에 있을 때 공에 작용하는 힘. 바닥에서 장력은 최대이고 꼭대기에서 최소임을 유의하라.

$$\Sigma F_r = T - mg\cos\theta = \frac{mv^2}{R} = ma_r$$

즉,

$$T = m\left(g\cos\theta + \frac{v^2}{R}\right)$$

을 얻는다. 여기서 장력은 구심력에 해당되고, 극한의 경우 궤도의 꼭대기, 즉 $\theta = 180°$ 지점과 궤도의 바닥, 즉 $\theta = 0$ 지점에서는 장력을 구하면 앞의 예제와 같은 값이 됨을 확인할 수 있다.

4.4 동역학에서의 수치 계산법

우리는 어떤 힘이 주어졌을 때 입자의 속도와 가속도, 위치를 시간의 함수로 기술하는 운동학을 배웠다. 이들 사이에는 인과관계가 성립한다. 즉, 속도는 위치가 변하도록하고 가속도는 속도가 변하도록하며 가속도는 가한 힘의 직접적인 결과이다. 따라서 운동을 알아보기 위해서는 입자에 작용하는 알짜 힘을 알아내는 것으로부터 시작할 수가 있다.

이 절에서는 1차원에서의 운동만을 고려할 것이다. 질량 m인 입자가 알짜힘 F의 영향하에서 움직일 경우 뉴턴의 제 2 법칙에 따라서 가속도는 $\mathrm{a} = \mathrm{F}/m$이 된다. 그러면, 일반적으로 다음과 같은 과정을 거쳐서 동역학 문제를 풀 수 있다.

1. 입자에 작용하는 모든 힘을 더해서 알짜 힘 F를 얻는다.
2. 이 힘을 이용해서 가속도 $\mathrm{a} = \mathrm{F}/m$을 구한다.
3. 이 가속도를 이용해서 $d\mathrm{v}/dt = \mathrm{a}$관계를 이용하여 속도를 구한다.
4. 이 속도를 이용해서 $d\mathrm{x}/dt = \mathrm{v}$관계를 이용하여 위치를 구한다.

4.1절 물체의 속력에 비례하는 저항력 부분을 바로 위에 기술한 순서에 따라 다시 한 번 생각해 보자.

1. 중력 $F_g = mg$, 저항력 $F_r = -bv$, 알짜 힘 $F_y = mg - bv$
2. $ma = mg - bv$, 즉 $a = g - bv/m$,
3. $a = dv/dt$ 이므로 미분 방정식 $\dfrac{dv}{dt} = g - \dfrac{b}{m}v$를 초기조건 $v_0 = 0$을 가정해서 풀면 $v = \dfrac{mg}{b}(1 - e^{-bt/m}) = v_t(1 - e^{-t/\tau})$
4. $v = dy/dt$이므로 미분 방정식 $v = \dfrac{mg}{b}(1 - e^{-bt/m})$을 초기조건 $y = y_0$을 가정해서 풀면

$$y = y_0 + \frac{mg}{b}\left(t + \frac{m}{b}e^{-bt/m}\right) = y_0 + v_t(t + \tau e^{-t/\tau})$$

위에서 설명한 과정은 몇 가지 물리적 상황 아래서는 쉽게 적용된다. 그러나 실제 세계에서는 많은 복잡한 문제들이 발생해서 기초 물리학을 듣는 대부분의 학생들의 수학적 능력으로는 해석적인 해를 구할 수 없게 된다. 위의 예를 들어도 미분 방정식을 풀 수 있는 학생이 많지는 않을 것이다. 예를 들어서, 중력가속도가 높이에 따라 달라지는 경우와 같이 힘이 위치에 따라 변하는 문제를 만날 수 있다. 액체나 기체 안에서 움직이는 물체의 경우에서처럼 힘이 속도에 따라 달라지는 경우도 있다. 공기 중에서 떨어지는 물체의 경우에는 힘이 속도와 위치(공기밀도)에 따라 달라지기도 한다. 로켓 운동에서는 질량이 시간에 따라 변하고 따라서 힘이 일정하다고 하더라도 가속도는 그렇지 않게 된다.

또 다른 복잡성의 요인은 가속도와 속도, 그리고 위치와 시간을 연관 짓는 방정식이 그냥 대수적 방정식이 아니라 미분 방정식이라는 데에 있다. 미분 방정식은 적분 계산을 포함한 특별한 기술들을 이용해서 풀 수 있는데, 이것은 독자들에게 아직 익숙하지 않을 수도 있고 어떤 경우에는 적분 계산을 할 수 없는 경우도 있다.

따라서 고급 수학을 사용하지 않고 어떻게 실제 세계의 문제를 풀 수 있을까가 문제가 된다. 한 가지 방법은 기본적인 수치 해석법을 이용해서 개인용 컴퓨터로 그런 문제들을 풀 수가 있다. 이 방법 중에 가장 간단한 것은 스위스의 수학자인 오일러(Leonhard Euler; 1707-1783)의 이름을 딴 오일러의 방법이다.

오일러의 방법

오일러의 방법(Euler Method)은 미분 방정식을 풀기 위하여 미분을 유한한 차로 근사한다. 작은 시간 증가분 Δt를 고려하면 속력과 가속도의 관계를 다음과 같이 근사적으로 나타낼 수 있다.

$$a(t) = \frac{\Delta v}{\Delta t} = \frac{v(t+\Delta t) - v(t)}{\Delta t}$$

그러면 시간이 Δt만큼 지난 후 입자의 속력은 그 기간 시작점의 속력에다 그 기간 동안의 가속도에 Δt를 곱한 값을 더한 것과 근사적으로 같다. 즉,

$$v(t + \Delta t) = v(t) + a(t)\Delta t \tag{4.9}$$

가속도는 시간의 함수이기 때문에 $v(t + \Delta t)$의 추정값은 시간 간격 Δt가 충분히 작아서 그 동안의 가속도 값이 매우 작을 때에만 정확하다.(나중에 더 논의함)

위치도 같은 방법으로 구할 수 있다.

$$v(t) = \frac{\Delta v}{\Delta t} = \frac{x(t+\Delta v) - x(t)}{\Delta t}$$

$$x(t + \Delta t) = x(t) + v(t)\Delta t \tag{4.10}$$

여기에 $\frac{1}{2}a(\Delta t)^2$을 더해서 잘 알고 있는 운동학의 방정식과 같이 보이도록 만들고 싶을지도 모르지만, 이 항은 오일러의 방법에는 포함되지 않는데 그 이유는 Δt가 너무 작아서 $(\Delta t)^2$은 거의 영이기 때문이다.

만약에 어떤 순간 t에 대해서도 가속도를 알게 되면 입자의 속도와 위치는 식 (4.9)와 (4.10)으로부터 구할 수 있다. 그러면 계산은 다음 단계로 계속 반복 적용되어 그 후의 어떤 시간에 대해서도 속도와 위치를 알 수 있게 된다. 가속도는 물체에 작용하는 알짜힘에 의해서 다음과 같이 결정되며, 그것은 위치, 속도, 그리고 시간에 의해 결정될 수 있다.

$$a(x, v, t) = \frac{F(x, v, t)}{m} \tag{4.11}$$

이런 종류 문제에 대한 수치적 해는 각 단계의 계산을 표에 작성하면 편리하다. 표 4.3은 이것을 잘 정돈된 형태로 수행하는 방법을 보인 것이다. 이 표에 나타난 방정식은 스프레드시

트에 입력시키고 계산은 한 줄씩 수행하여 속도, 위치, 그리고 가속도를 시간의 함수로 구한다. 계산은 BASIC, PASCAL, FORTRAN 등의 프로그램을 사용하거나 MATHEMATICA와 같은 응용프로그램을 이용해도 된다. 컴퓨터를 이용하면 수많은 작은 증가분들을 써서 정확한 결과를 얻을 수 있다. 운동을 시각화하기 위해서는 속도 대 시간, 혹은 위치 대 시간의 그래프를 그려볼 수도 있다.

오일러 방법의 장점은 동역학의 메커니즘이 모호해지지 않고 가속도와 힘, 속도와 가속도, 그리고 위치와 속도의 기본적인 관계들이 명백하고 확실하다는 데 있다. 실제로, 이런 관계들이 계산의 핵심을 이룬다. 기본적 물리가 동역학을 결정하고 고급 수학이 필요하지 않은 것이다.

오일러의 방법은 극한적으로 작은 시간 증가분을 사용한다면 정확한 해답을 주지만, 실제적인 이유로 유한한 시간 증가분을 사용해야만 한다. 식 (4.9)와 같은 유한한 시간 근사가 성립하기 위해서는 시간 증가분이 충분히 작아서 증가분 동안에 가속도가 일정하다는 근사를 취하는 것이 가능해야 한다. 주어진 문제에 따라 시간 증가분의 대략적 크기를 결정하는 것이 가능하여 운동이 진행되는 동안 시간 증가분의 크기를 바꾸는 것도 필요하다. 그러나 실제로는 한 값을 취하여 끝까지 쓰는 경우가 많다.

시간 증가분의 크기가 결과의 정확도에 영향을 미치지만 비교할 수 있는 해석적인 해가 없으면 오일러의 방법만으론 결과의 정확도를 결정할 수가 없다. 수치적 해의 정확도를 결정하는 한 방법은 보다 작은 시간 증가분을 사용해서 계산을 반복해 보는 것이다. 만약 그 결과가 어떤 유효 숫자 내에서 일치하면 그 결과들은 그 유효 숫자 내에서 정확하다고 볼 수 있다.

표 4.3 운동학 문제를 푸는 오일러의 방법

스텝	시간	위치	속도	가속도
0	t_0	x_0	v_0	$a_0 = F(x_0,\ v_0,\ t_0)/m$
1	$t_1 = t_0 + \Delta t$	$x_1 = x_0 + v_0\,\Delta t$	$v_1 = v_0 + a_0\,\Delta t$	$a_1 = F(x_1,\ v_1,\ t_1)/m$
2	$t_2 = t_1 + \Delta t$	$x_2 = x_1 + v_1\,\Delta t$	$v_2 = v_1 + a_1\,\Delta t$	$a_2 = F(x_2,\ v_2,\ t_2)/m$
3	$t_3 = t_2 + \Delta t$	$x_3 = x_2 + v_2\,\Delta t$	$v_3 = v_2 + a_2\,\Delta t$	$a_3 = F(x_3,\ v_3,\ t_3)/m$
.	.	.	.	.
.	.	.	.	.
.	.	.	.	.
n	t_n	x_n	v_n	a_n

연습문제
EXERCISES

1 45°의 경사면에서 64.0kg의 사람이 스키를 타고 내려오고 있다. 장비의 질량은 1.0kg이다.

(a) 마찰이 없을 때, 스키어의 가속도는 얼마인가?

(b) 마찰력이 40.0N일 때, 스키어의 가속도는 얼마인가?

2 80kg의 사람이 20kg의 짐을 줄에 매어 수평으로 끌고 있다.

(a) 사람이 길에 100N의 힘을 가하면서 $0.250\mathrm{m/s^2}$의 가속도를 낸다면, 사람과 짐의 운동을 방해하는 총 힘은 얼마인가?

(b) 짐이 방해하는 힘의 60%를 받고 있다면, 줄에 걸리는 장력은 얼마인가?

3 수직면에서 반지름 R로 회전하고 있는 관람차가 일정한 속력 v로 돌고 있다. 원의 최고점과 최하점을 지날 때 차에 타고 있는 승객에 작용하는 힘에 관한 식을 유도하라.

4 자동차가 반지름이 200m인 평평한 곡선도로를 25.0m/s의 속력으로 돌고 있다. 미끄러지지 않을 최소 마찰계수는 얼마인가?

5 젖은 콘크리트 바닥 위에 10kg의 고무상자가 있다.

(a) 고무상자가 움직이지 않도록 하고 고무상자에 가할 수 있는 수평방향의 최대의 힘은 얼마인가?

(b) 고무상자가 미끄러지기 시작할 때에 계속하여 이 힘을 작용한다면, 가속도는 얼마가 되겠는가?

6 마찰이 있는 경사면에 놓여있는 물체가 미끄러져 내려오지 않을 최대 경사각이 $\theta = \tan^{-1}\mu_s$인 것을 증명하라.

7 지구 주위를 한 인공위성이 지구표면 위 500km 상공을 10km/s로 등속원운동하고 있다. 인공위성의 질량은 1,000kg이다.

(a) 인공위성의 가속도의 크기는 얼마인가?

(b) 지구로부터 받는 힘의 크기는 얼마인가?

8 수평면 위에 구멍을 뚫어 질량이 m인 물체를 놓고 실을 통하여 질량이 M인 물체를 수직방향으로 연결하여 질량 m인 물체를 반지름이 r인 원궤도 위를 등속 원운동 시켰다. 질량 M인 물체가 움직이지 않기 위해서 질량 m의 속도는 얼마로 유지해야 하는가?

9 들통에 물을 담아 반경 1m의 수직원을 이루면서 돌리고 있다.

(a) 물이 쏟아지지 않도록 하기 위한 최저 속력은 얼마인가?

(b) 가속도의 최대값과 최소값의 비는 얼마인가?

10 어떤 사람이 100kg의 마차를 견인하려 한다.

(a) 마차 바퀴의 정지마찰계수 및 운동마찰계수가 각각 1.0 및 0.5일 때 $0.05\mathrm{m/s^2}$의 가속도로 움직이게 하려면 초기에 얼마의 힘을 가해야 하는가?

(b) 출발한 후 같은 힘으로 견인할 때 가속도는 어떻게 되며, (c) 이때 연결부위에 작용하는 장력은 얼마인가?

11 3ton의 질량을 가진 견인차가 1,000kg의 자동차를 견인하려 한다.

(a) 자동차 바퀴의 정지마찰계수가 1.0일 때 0.05m/s^{2}의 가속도로 움직이게 하려면 견인차는 최초에 얼마의 힘을 가해야 하는가?

(b) 견인차와의 연결 부위에 작용하는 최대 장력은 얼마가 되겠는가?

12 질량 3ton의 견인차가 1,000kg의 자동차를 견인하려 한다.

(a) 자동차 바퀴의 정지마찰계수 및 운동마찰계수가 각각 1.0 및 0.7일 때 0.05m/s^{2}의 가속도로 움직이게 하려면 견인차는 최초에 얼마의 힘을 가해야 하는가?

(b) 견인차와의 연결 부위에 작용하는 최대 장력은 얼마가 되겠는가?

(c) 출발한 후 연결부위에 작용하는 장력은 얼마인가?

13 질량 1,500kg의 자동차가 72km/h의 속도로 달리고 있다가 앞의 물체를 보고 갑자기 Brake를 밟았다. Brake를 밟았을 때 자동차와 콘크리트 지면의 운동마찰계수를 0.7이라고 한다면 이 자동차의 (a) 가속도(혹은 감속도)는 얼마가 되겠으며, (b) 제동거리는 얼마인가?

14 질량이 10kg 되는 교통 신호등이 줄의 가운데에 매달려 있다.

(a) 두 줄이 이루는 각도가 120°일 경우 신호등의 무게로 인하여 각각의 줄에 걸리는 장력을 구하여라.

(b) 만약에 줄의 질량이 5kg이었다고 한다면 실제 걸린 장력은 얼마였을까?

(c) 그런데 신호등의 높이가 낮아서 위로 올려주기 위하여 줄을 더 팽팽하게 당겨서 두 줄이 이루는 각도가 170°가 되었을 때 줄을 걸고 있던 고리가 떨어져 나갔다. 대체 얼마의 장력이 걸렸기에 고리가 떨어졌을까?

15 질량이 10kg 되는 교통 신호등이 줄의 가운데에 매달려 있다.

(a) 두 줄이 이루는 각도가 120°일 경우 신호등의 무게로 인하여 각각의 줄에 걸리는 장력을 구하여라.

(b) 만약에 줄의 질량이 20kg이었다고 한다면 실제 걸린 장력은 얼마였을까?

(c) 그런데 줄이 견딜 수 있는 최대 장력이 1,000N이라면 두 줄이 이루는 각도가 얼마가 될 때까지 줄을 더 팽팽하게 당길 수 있을까?

16 질량이 100kg 마차의 손잡이가 수평과 30°의 각을 형성하고 있다. 바퀴에 작용하는 정지 마찰계수를 1.0이라고 가정할 때 (a) 손잡이의 각도와 나란히 700N의 힘으로 밀 때의 마찰력은 얼마이며, (b) 손잡이의 각도와 나란히 당길 때의 마찰력을 계산하고 (c) 이 차이가 어디에서 기인하는지 설명하라.

17 질량이 10kg 되는 교통 신호등이 줄에 매달려 있다. 두 줄이 수직방향과 이루는 각도가 각각 50°와 70°일 경우 신호등의 무게로 인하여 각각의 줄에 걸리는 장력을 구하여라.

Fundamentals of Physics

05 일과 에너지

에너지와 일이라는 말은 일상적인 용어로써 우리가 흔히 사용하고 있지만 물리적으로는 한정적인 의미로 정의되어 있다. 그러므로 에너지와 일이라는 용어에 대하여 일상적인 의미가 아닌 물리적 정의를 확실하게 파악하는 것이 중요하다. 대체적으로 일이나 에너지의 일상적인 의미와 물리적인 정의가 어느 정도 겹친다. 그러나 특수한 상황에서는 일상적으로는 일을 많이 하였다고 말하더라도 물리적으로는 일을 하지 않은 경우도 있고, 에너지를 많이 소비하였다거나 에너지를 절약하였다거나 말하더라도 물리적으로는 무의미한 경우도 있기 때문이다.

이 장에서는 우선 일에 대한 물리적 정의를 설명하고 그 다음 에너지에 대한 물리적 정의를 설명할 것이다. 이 장에서 다루는 에너지는 특히 역학적 에너지라고 부르는 형태의 에너지다. 그리고 일과 역학적 에너지와의 관계에 대하여 설명할 것이다. 이 일과 역학적 에너지의 관계는 매우 중요한 개념이므로 여러 상황에서의 관계정립을 논의할 것이다.

5.1 일정한 힘이 하는 일

우리는 물체에 힘이 작용하면 물체에 가속도가 생기고 속도가 변화한다는 것을 배웠다. 정지해 있던 물체에 힘이 작용하면 물체는 움직이기 시작하고 점점 빨라진다. 또는 일정한 속도로 움직이던 물체에 마찰력 등이 작용하면 물체의 속도가 느려지고 마침내 멈추게 된다. 이처럼 물체에 힘이 작용하면 물체에 가속도가 생긴다는 것과 물체의 속도에 변화가 생긴다는 것을 알 수 있다. 그리고 물체의 속도가 0이 아닌 한, 물체의 위치도 변한다.

여기서 물체에 작용하는 힘부터 가속도, 속도, 위치까지 이르는 일련의 연쇄적인 상관관계를 넘어서 힘과 위치와의 관계를 생각하기로 한다. 사실, 물체에 힘이 작용하지 않더라도 물체가 일정한 속도로 움직이면 물체의 위치가 변화한다. 그러나 힘이 작용하면 달라지는 것이 있다. 그것을 주목하고자 한다.

일단, 물체에 어떤 힘이 지속적으로 일정하게 작용한다고 가정한다. 예를 들면 그림 5.3처럼 마찰이 없는 비탈 위에 놓여 있는 물체가 중력의 영향으로 미끄러지고 있는 상황을 생각하면 된다. 물체에 작용하는 힘을 F라 하고, F가 작용하는 동안 물체가 비탈면을 따라 s만큼 움직인다고 하자. 그런데, 물체에 작용하는 힘의 방향과 물체가 움직인 변위의 방향이 같지 않고 θ만큼의 각도를 이룬다고 하자. 즉, 물체가 움직이는 방향과 물체에 작용하는 중력의 방향은 다르다.

어떤 물체에 일정한 크기의 힘(F)이 작용하여 물체가 s 만큼 이동했다면 힘이 물체에 한 일의 량(Work)(W)은 다음과 같이 주어진다.

그림 5.1
미래형 자동차. 휘발유를 연소하여 역학적 에너지로 전환하는 대표적인 예이다.

그림 5.2
빙벽을 오르는 등산가. 밑에서 현 위치에 이르기까지 얼마나 많은 역학적 에너지를 사용하였을까?

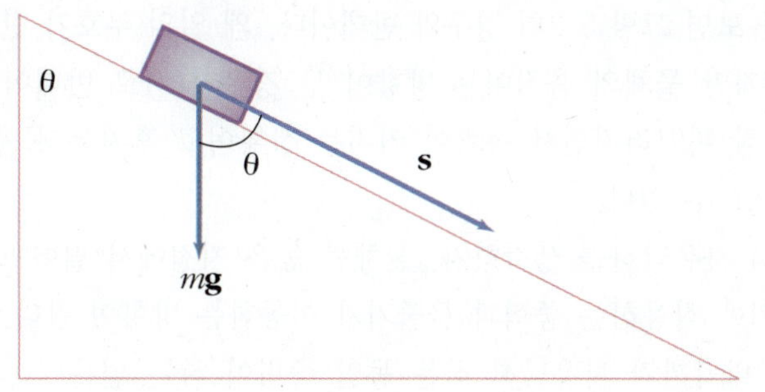

그림 5.3 마찰이 없는 비탈면을 중력에 의하여 미끄러지고 있는 물체

$$W = Fs\cos\theta \tag{5.1}$$

여기서 θ는 힘(F)과 변위(s) 사이의 각이다. 그림 5.3에서 물체에 작용하는 힘은 중력이므로 $F = mg$이고, 중력이 한 일은 곧 $W = mgs\cos\theta$이다. 일의 국제단위는 영국의 물리학자 주울의 업적을 기념하여 주울(J)을 사용한다. 1J은 1N의 힘으로 물체를 1m 이동시킬 때의 일이다.

한편, 그림 5.4와 같은 상황을 보자. 물체가 어떤 속도로 마찰이 없는 비탈면을 거슬러 올라가고 있다. 다른 힘이 없고 오직 중력만 작용한다면 이 물체는 속력이 떨어져서 점점 느려질 것이다. 그래도 우리가 관찰하는 동안 물체가 s만큼 움직인다면 그동안 중력이 한 일을 계산할 수 있다. 정의에 따라, 힘, 이동거리, 사이각을 각각 대입하면

$$W = Fs\cos(180° - \theta) = mgs\cos(180° - \theta) = -mgs\cos\theta \tag{5.2}$$

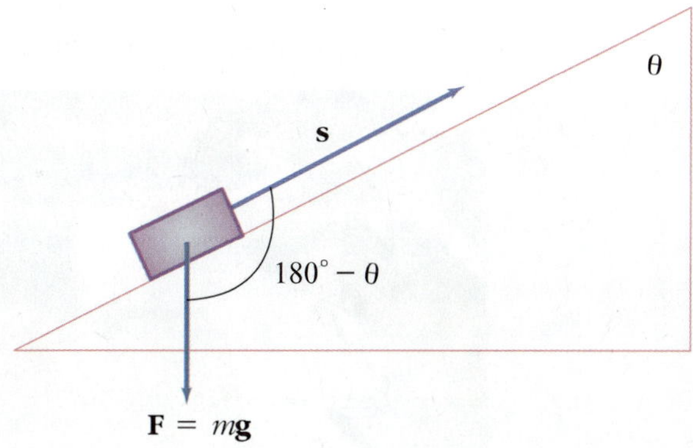

그림 5.4 마찰이 없는 비탈면을 어떤 속도로 올라가는 물체

이다. 일의 부호를 보면 그림 5.3의 경우와 반대이다. 왜 일의 부호가 반대일까? 그 이유는 중력의 방향은 같지만 물체의 움직이는 방향이 두 경우가 서로 반대이기 때문이다. 또한 전자는 물체가 점점 미끄러지면서 속력이 커지는 상황이고 후자는 물체가 점점 느려지는 상황이라는 것을 알 수 있다.

특수한 예로서 자유낙하를 생각하자. 물체를 높은 지점에서 떨어뜨린다고 하자. 그림 5.5를 보면 물줄기에 작용하는 중력과 물줄기가 이동하는 방향이 같다. 그래서 물체가 높이 h인 지점에서 바닥까지 자유낙하 하는 동안 중력이 하는 일은

$$W = Fs = mgh \qquad (5.3)$$

이다.

일정한 크기의 힘이 하는 일의 마지막 경우로써 수평면과 물체 사이에 작용하는 운동 마찰력에 의한 일을 고려하자(비탈면이 마찰이 있는 경우에는 중력도 일을 하지만 운동 마찰력도 일을 하게 된다). 그림 5.6과 같이 야구선수가 홈에 슬라이딩을 하는 경우를 보자. 선수의 신발과 운동장 바닥 사이의 마찰력(μN)은 이동방향과 마주보는 힘이고, 그리고 야구선수의 체중에 의한 무게는 운동장 바닥이 밀어주는 수직항력과 균형을 이룬다.

물체에 이처럼 여러 힘이 작용하지만 일의 정의에 따르면 일을 하는 힘은 운동 마찰력뿐이다. 중력이나 수직항력이나 모두 물체가 움직이는 방향과 수직이므로 $\cos 90^{\circ} = 0$이 되어 일이 0이다. 단지 운동마찰력은 물체의 이동방향과 반대이므로 $\cos 180^{\circ} = -1$이고 물체가 s만큼 이동하는 동안 운동마찰력이 한 일은

$$W = Fs\cos 180^{\circ} = -\mu Ns = -\mu mgs \qquad (5.4)$$

그림 5.5
폭포에서 자유낙하 하는 물줄기(나이아가라 폭포)

그림 5.6
야구선수가 슬라이딩 할 때 마찰력이 작용함을 보여주는 그림

그림 5.7
지구 주위를 선회하며 과학 탐사를 수행중인 인공위성

가 된다. 지금의 경우도 일의 부호가 음이라는 점을 인식한다면 물체의 속력이 점점 느려질 것이라고 예측할 수 있다. 모름지기, 일의 부호가 음이면 물체는 운동에너지를 잃고 속력이 줄어들게 되는 것이다. 반대로 일의 부호가 양이면 물체의 운동에너지는 커지게 되고 속력은 증가한다. 중력은 지금의 경우 아무 일도 하지 않는다.

그림 5.7에서 보는 인공위성은 만유인력에 의하여 지구 주위를 원운동하고 있다. 이 경우에 인공위성의 이동방향과 만유인력의 방향은 항상 수직이다. 따라서 만유인력이 인공위성에 대하여 하는 일은 0이다.

예제 **5.1** 무거운 짐을 한참동안 들고 있었다면 한 일은 얼마인가?

풀이 물체가 움직이지 않았으므로($s=0$) 물리적으로 한 일($W=Fs\cos\theta$)이 0이다. 가령 한 병사가 무게 40 kg의 군장을 하고 평지 길을 걸어서 10 km을 행군하였다고 해도 중력이 한 일은 0이다. 그 병사의 움직인 방향과 그 병사의 군장에 가한 중력은 서로 방향이 수직이기 때문이다.

일의 스칼라곱 표현

우리는 식 (5.1)에서와 같이 물체에 작용하는 힘 F가 물체가 s만큼 이동하는 동안 한 일을

$$W = F s \cos\theta$$

와 같이 정의하였다. 수학적으로 표현된 이 정의식에는 힘과 이동거리와 그 사이의 각이 등장한다. 그런데, 힘과 거리는 벡터라는 수학적 도구로 표현할 수 있으므로 이 식 전체를 벡터의 식으로 다시 표현할 수 있다. 두 벡터 사이의 각의 cosin 함수로 표현할 수 있는 경우에 위의 W의 정의식은

$$W = \mathbf{F} \cdot \mathbf{s} \tag{5.5}$$

와 같이 표현할 수 있다. 일을 힘과 이동변위의 스칼라곱(scalar product or dot product)으로 정의하듯이, 벡터로 표현할 수 있는 모든 물리량들끼리 필요한 경우 이와 같은 스칼라곱을 정의할 수 있다. 이 때 스칼라곱으로 표현되는 물리량은 벡터가 아니라 스칼라이다.

예제 **5.2** 어떤 힘이 (2i+2j) N으로 질량 5kg인 물체에 일정하게 작용하고 있다. 이 힘에 의하여 물체가 원점에서 x 방향으로 4m 이동하였다면, 그 힘이 한 일은 얼마인가?

풀이 식 (5.5)를 사용하여 계산하면

$$\mathrm{W} = \mathbf{F} \cdot \mathrm{s} = (2\mathrm{i}+2\mathrm{j}) \cdot (4\mathrm{i}) = 8\,\mathrm{J}$$

을 얻는다.

5.2 변하는 힘이 하는 일

지금까지는 힘의 크기나 방향이 일정한 경우에 그 힘이 하는 일을 구하였다. 그러나 실제로는 힘의 크기나 방향이 일정하지 않고 변하는 경우가 허다하다. 이러한 상황에서 일은 어떻게 정의하며 구해야 하는가를 공부하자. 물체가 이동함에 따라 물체에 작용하는 힘이 계속 변하는 상황은 물체의 속도가 계속 변할 때 물체가 움직인 거리를 구하는 것과 유사하다. 가령 물체의 속도 v가 일정할 때 물체가 시간 t 동안 움직인 거리는

$$s = vt$$

로 주어진다. 그런데 물체의 속도가 변한다면 물체가 움직인 거리는

$$s = \int v\, dt$$

가 된다. 이와 마찬가지로, 일정한 힘 F가 물체가 s만큼 이동할 때 하는 일이

$$W = \mathrm{F} \cdot \mathrm{s}$$

로 주어지므로, 힘이 변하는 경우에 하는 일은

$$W = \int \mathrm{F} \cdot d\mathrm{s} \tag{5.6}$$

이다.

식 (5.6)은 보다 엄밀하게 유도할 수 있다. 그림 5.8과 같이 물체가 움직인다면 물체의 이동 경로를 잘게 나누어 생각할 수 있다. 이 때 일은 잘게 나누어진 경로마다 구해야 한다. 작은 경로를 이동하는 동안에는 힘이 거의 변하지 않는다고 가정하면(힘이 급격하게 변하는 경우 더욱 작은 경로로 나누어야 할 것이다.) 그 작은 경로를 이동하는 동안에 힘이 하는 일은

$$dW = \mathrm{F} \cdot d\mathrm{s}$$

가 된다. 따라서 주어진 경로를 이동하는 동안에 힘이 하는 일은

$$W = \sum dW = \sum \mathrm{F} \cdot \mathrm{ds} \tag{5.7}$$

가 되며, 매우 많은 수의 아주 작은 경로로 나눈다면 그 극한에서 적분으로 표현된다. 즉,

$$W = \int \mathrm{F} \cdot d\mathrm{s}$$

가 된다.

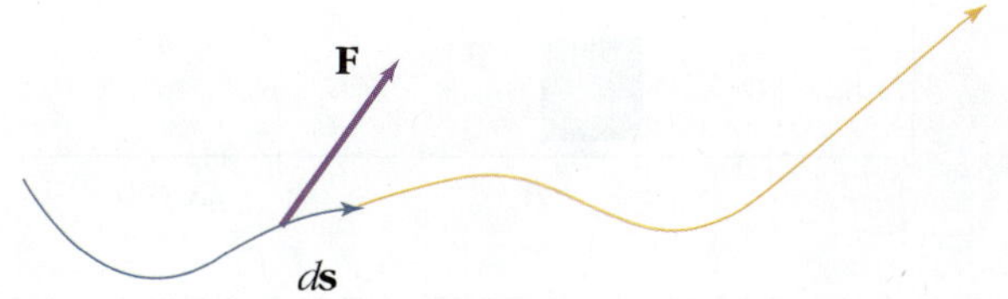

그림 5.8 물체가 변하는 힘에 의하여 이동한다면 이동 경로를 작은 변위들의 합으로 생각할 수 있다.

힘이 변하는 가장 대표적이고 이해하기 쉬운 예가 용수철이다. 용수철은 늘리면 늘릴수록 당기는 힘이 강해진다. 그리고 누르면 누를수록 튀어나오는 힘이 강해진다. 즉, 용수철은 원래의 길이보다 길어지거나 짧아지면 원래의 길이가 되려는 힘이 생기는데, 그 힘의 크기는 원래의 길이보다 얼마나 길어지거나 짧아지느냐에 비례한다. 이렇게 원래의 상태로 돌아가려는 힘을 복원력(restoring force)이라고 한다. 용수철의 복원력은 후크의 법칙으로 표현된다. 즉, 용수철이 원래의 길이보다 x만큼 길어지거나 짧아지면 그때 용수철이 발휘하는 복원력 F는

$$F = -kx \tag{5.8}$$

로 주어진다. 마이너스 부호는 원래의 상태로 돌아가려는 복원력의 성질을 나타내고 있다. 그리고 k는 용수철상수(spring constant)라고 부르는 양인데, k가 크면 탄력이 탱탱한 용수철이며 k가 작으면 탄력이 느슨한 용수철이다.

용수철은 이와 같은 성질이 있으므로 어떤 물체를 용수철에 매달아 움직이게 하면 물체에 작용하는 용수철의 힘은 물체가 이동하면서 변할 것이다. 그림 5.9를 보자. 마찰이 없는 바닥에 물체를 용수철에 매달고 그림과 같이 용수철을 원래의 길이보다 A만큼 눌러 놓았다. A앞의 부호가 마이너스인 것은 원래의 위치에서 왼쪽으로 이동하였다는 것을 뜻한다. 손으로 용수철을 누르는 동안에 우리가 한 일은 일단 고려하지 않는다. 이제, 손을 떼면 용수철은 반발력으로 물체를 밀 것이다. 이 때 용수철이 원래의 길이가 될 때까지 하는 일을 생각하자. 용수철 상수가 k라고 하면 물체가 $x=-A$에서 $x=0$까지 A만큼 이동하는 동안 용수철이 물체를 미는 힘이 한 일은

$$W = \int \mathrm{F} \cdot d\mathrm{s} = \int_{-A}^{0} (-kx)dx = \frac{1}{2}kA^2 \tag{5.9}$$

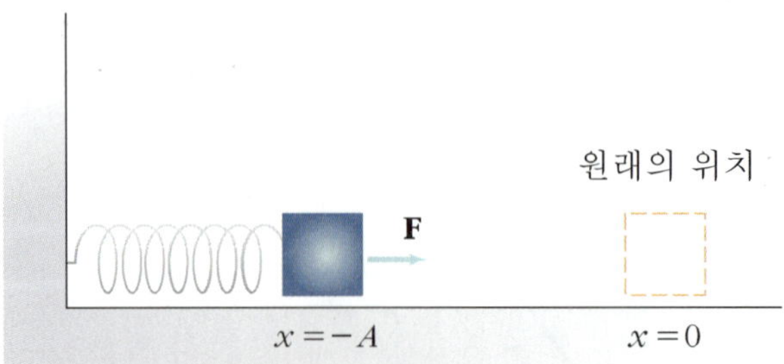

그림 5.9 용수철에 매달린 물체를 A 만큼 눌렀다가 놓는다.

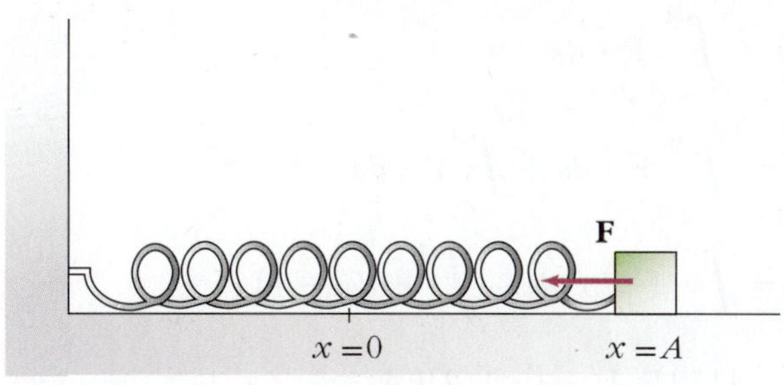

그림 5.10 용수철에 매달린 물체를 A만큼 당겼다가 놓는다.

이 된다. 이 때, 용수철의 힘은 $+x$방향으로 작용하는데 x의 값이 음이므로 용수철의 힘을 $-kx$라고 써야 하며, 물체가 움직이는 방향과 물체에 작용하는 힘의 방향이 같으므로 $\cos 0 = 1$을 사용하였다.

이번에는 그림 5.10과 같이 용수철에 매달린 물체를 A만큼 당겼다가 가만히 놓자. 그러면 용수철은 물체를 잡아당길 것이다. 용수철이 물체에 하는 일은 얼마인가? 이 때 물체는 $x = A$에서 $x = 0$로 움직이는데, 용수철의 힘은 $-x$방향으로 작용하는데 x의 값이 양이므로 용수철의 힘을 $-kx$라고 써야 하며, 물체가 움직이는 방향과 물체에 작용하는 힘의 방향이 같으므로 $\cos 0 = 1$을 사용해야 한다. 그러므로 $\cos 0 = 1$을 대입하여

$$W = \int \mathbf{F} \cdot d\mathbf{s} = \int_A^0 (-kx)dx = \frac{1}{2}kA^2 \tag{5.10}$$

이 나온다. 결국, 용수철을 잡아당기거나 누르거나 용수철이 한 일의 양은 같다.

용수철에 매달린 물체의 운동은 사실 여기서 끝나지 않는다. 경험상 알다시피, 물체는 용수철에 매달린 채 왕복으로 운동할 것이다. 즉, 원래의 위치를 중심으로 진폭이 A인 진동을 한다. 그림 5.9처럼 운동을 시작한 물체는 용수철이 반발력으로 물체를 밀기 때문에 속력이 점점 빨라진다. 그래서 원래의 위치에 도달하였을 때 정지하지 못한다. 이 점에 대하여 나중에 자세히 설명할 것이다. 한 가지 더 중요한 사실은 용수철에 무거운 물체가 매달려 있든 가벼운 물체가 매달려 있든 용수철이 하는 일은 그 물체의 질량과 무관하고 단지 용수철이 얼마나 늘어나거나 줄어들거나 하는 변위에만 관계한다는 것이다.

일단, 용수철에 매달린 물체가 왕복운동을 한다고 받아들인다면 다음과 같은 계산도 가능하다. 용수철을 눌러서 물체의 위치가 $x = -A$되게 한 다음에 손을 놓는다면 물체는 용수철에 의하여 $x = 0$을 지나 $x = A$까지 움직일 것이다. 그동안 용수철이 한 일은 얼마나 될까? 계산해 보면

$$\begin{aligned} W &= \int_{-A}^{A} \mathbf{F} \cdot d\mathbf{s} \\ &= \int_{-A}^{0} \mathbf{F} \cdot d\mathbf{s} + \int_{0}^{A} \mathbf{F} \cdot d\mathbf{s} \\ &= \int_{-A}^{0} (-kx)dx + \int_{0}^{A} kx dx(-1) \\ &= (1/2)kA^2 + (-1/2)kA^2 \\ &= 0 \end{aligned} \tag{5.11}$$

이 되는 것을 알 수 있다. 여기서 주의할 것은 각 적분구간에서 힘 F의 방향과 크기, 변위 ds^2의 방향과 크기를 잘 고려해야 한다. 아무튼 물체가 $x = -A$부터 $x = A$까지 움직이는 동안 용수철이 한 일은 0이다. 그리고 이 때, 물체가 $x = -A$에 있을 때에도 물체의 속력은 0이며, 물체가 $x = A$에 있을 때에도 물체의 속력은 0이라는 사실이다.

이상의 여러 가지 예를 들어 알아낸 바로는 일정한 힘이든 변하는 힘이든 그 힘이 한 일이 양이면 물체의 속력은 증가하고, 그 힘이 한 일이 음이면 물체의 속력은 감소하며, 만일 그 힘이 한 일이 0이면 물체의 속력은 변하지 않는다는 점인데, 이는 우리가 다룬 예에 국한하여 성립하는 특수한 상황이 아니라 보편적인 사실이다.

예제 5.3 만일 인공위성이 지구를 하나의 초점으로 하는 타원 모양의 궤도를 돈다면 지구와 인공위성 사이의 만유인력이 인공위성에 대하여 하는 일은 어떻게 되는가? 단, 인공위성의 타원궤도의 모양은 일정하다고 가정한다.

그림 5.11 인공위성

풀이 인공위성의 궤도가 원이라면 만유인력의 방향과 궤도방향이 항시 수직이므로 매 순간 일의 양은 0이지만, 이 경우에는 인공위성의 이동방향과 만유인력의 방향이 항상 수직이라고 볼 수 없다. 그리고 인공위성이 타원궤도를 돌고 있으므로 만유인력의 크기도 항상 일정하지 않다. 그러므로 일이 항상 0이 아니라 양일 수도 있고 음일 수도 있다. 그러나 일정한 모양의 타원궤도를 선회하고 있으므로 한 바퀴 선회하면 그 양의 일과 음의 일의 합은 서로 상쇄되어 버린다. 결국, 한 바퀴 선회하여 제 자리로 돌아오는 동안 만유인력이 인공위성에 한 일은 궤도가 타원이라도 0이다. 왜냐하면 인공위성이 원래의 자리로 돌아오면 그 속력이 같아야 한다. 만일 속력이 원래와 같지 않게 되면 새로운 궤도를 따라 움직일 것이고 궤도의 모양이 달라질 것이다.

5.3 운동에너지와 일 - 운동에너지 정리

어떤 물체의 운동에너지(kinetic energy)는 그 물체의 속력의 제곱에 그 물체의 질량을 곱한 양으로 정의한다. 즉, 그 물체의 질량이 m이고 속력이 v라면 그 물체의 운동에너지 K는

$$K = \frac{1}{2}mv^2 \tag{5.12}$$

으로 주어진다. 앞 절에서 어떤 외부의 힘이 그 물체에 일을 하게 되면 그 물체의 속력에 변화가 생긴다는 것을 알았다. 즉, 외부에서 가해진 힘에 의하여 그 물체의 속력이 변한다는 것은 뉴턴의 운동법칙을 이용하면 금방 알 수 있지만 그 힘에 의한 일에 의하여 물체의 운동에너지가 변한다는 것도 알 수 있다. 즉, 물리적인 개념의 흐름은

힘 —— 가속도 —— 속도의 변화 —— 운동에너지의 변화 (5.13)

및 동시에

힘 —— 위치의 변화 —— 일 (5.14)

이 되므로 일과 운동에너지의 변화는 직접적인 관계가 있는 것이다. 앞에서의 논의를 종합하면

그림 5.12
지구 인력작용에 의해 생긴 파도가 서핑보드를 타는 사람에게 힘을 작용하여 운동에너지를 증가하게 만든다.

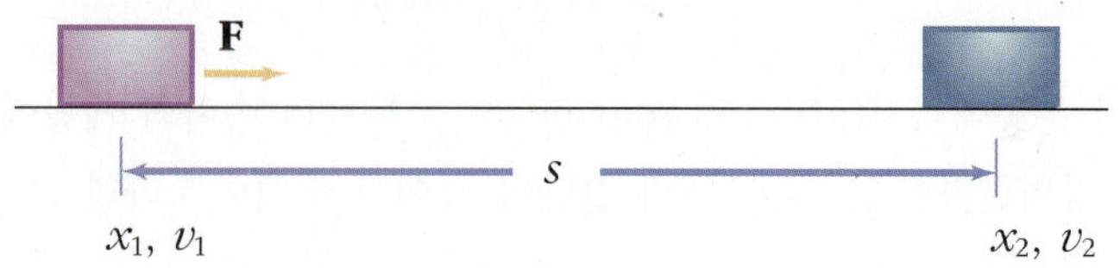

그림 5.13 물체가 힘 F를 받으면서 $x = x_2 - x_1$만큼 움직인다.

$$\begin{aligned} W > 0 &\rightarrow \Delta K > 0 \\ W = 0 &\rightarrow \Delta K = 0 \\ W < 0 &\rightarrow \Delta K < 0 \end{aligned} \tag{5.15}$$

이다. 문제는 어떤 비례관계가 있는가를 찾아내야 한다.

일정한 힘이 작용하는 경우를 고려하자. 마찰이 없는 평평한 바닥에 물체가 일정한 속력으로 움직이고 있는데 어떤 일정한 힘이 작용하기 시작하였다. 그림 5.13을 보자. 힘이 작용하기 시작할 때의 위치와 속력이 주어져 있고 어느 정도 시간이 지난 후의 위치와 속력이 주어져 있다.

운동학에서 등가속도 운동을 하는 물체의 가속도와 움직인 거리의 관계는 다음과 같음을 알고 있다(식 (1.10) 참조).

$$2as = v_2^2 - v_1^2 \tag{5.16}$$

이 관계식에 $a = F/m$과, $s = x_2 - x_1$과 $v_2^2 - v_1^2 = (2/m)(K_2 - K_1)$를 각각 대입하자.(단, 운동에너지의 정의식에서 $v_2^2 = (2/m)K$이다.) 그러면

$$2\frac{F}{m}(x_2 - x_1) = \frac{2}{m}(K_2 - K_1) \tag{5.17}$$

이 되고, 정리하면

$$F(x_2 - x_1) = K_2 - K_1 \tag{5.18}$$

가 된다. 그런데, 좌변의 $F(x_2 - x_1)$는 다름 아닌 일정한 힘 F가 한 일이다.

$$W = \int \mathrm{F} \cdot ds = F\int_{x_1}^{x_2} ds$$
$$= F(x_2 - x_1) \qquad (5.19)$$

그러므로

$$W = K_2 - K_1 = \Delta K \qquad (5.20)$$

와 같은 관계식이 성립한다. 이 관계식을 일-운동에너지 정리(work-kinetic energy theorem)라고 부른다. 이 관계식은 뉴턴의 운동법칙에서 유도되는 식이다. 그러므로 뉴턴의 운동법칙으로써 물체의 운동을 모두 기술할 수 있지만, 이 관계식을 사용하면 간단하게 물체의 운동에 관한 정보를 얻을 수 있고, 또한 그 정보가 물체의 운동을 핵심적으로 나타낸다.

예제 5.4 물체가 높이 h인 곳에서 중력에 의하여 자유낙하 한다면 바닥에 도달할 때의 속력은 얼마가 되는가?

풀이 우리는 앞서 이 문제를 공부하였다. 물체가 높이 h인 곳에서 중력에 의하여 자유낙하하면 중력이 한 일은 mgh가 된다고 하였다. 한편 물체가 높이 h인 곳에 있을 때의 속력은 0이므로 그때의 운동에너지는 0이다. 따라서 $W = mgh = \Delta K = K_2 - K_1 = \frac{1}{2}mv^2$가 된다. 여기서 K_2는 물론 물체가 바닥에 도달할 때의 운동에너지이다. 그러므로 바닥에서의 속력은

$$v = (2gh)^{1/2}$$

가 된다. 이 결과는 예상했던 것이다.

이제, 물체에 여러 힘이 동시에 작용하는 경우를 생각해 보자. 앞서 마찰력에 의한 일을 계산해 본 적이 있지만 하나의 물체에 중력과 마찰력이 동시에 작용할 수 있다. 심지어 중력과 마찰력과 사람이 끄는 힘까지 복합적으로 물체에 작용하는 경우도 있다. 이 경우, 우리는 각각의 힘이 한 일을 계산할 수 있다. 이들 일을 W_1, W_2, W_3 등이라고 하자. 이 때, 어떤 힘에 의한 일은 양일 수도 있고 다른 힘에 의한 일은 음일 수도 있다. 그 일들의 대수합 $W_1 + W_2 + W_3 + \cdots$을 W라고 하면 역시

$$W = K_2 - K_1 = \Delta K$$

가 성립한다. 그런데 마찰력에 의한 일은 항상 음이다. 그렇기 때문에 마찰력이 존재하면 물체는 항상 운동에너지를 잃게 된다. 여러 힘이 동시에 복합적으로 물체에 작용하더라도 마찰력이 없을 때보다 마찰력이 있을 때의 운동에너지가 작게 된다.

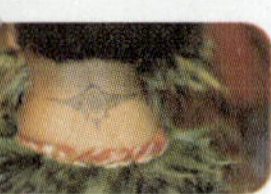

5.4 일 률

어떤 힘이 단위 시간에 하는 일의 양을 일률(power)이라 한다. 물체에 어떤 힘이 짧은 시간에 작용하여 한 일과 다른 힘이 긴 시간을 두고 한 일이 같다면 어떤 힘의 일률이 좋은가? 같은 일이라도 당연히 짧은 시간에 한 일의 일률이 좋다. 노동자가 건축자재를 옮긴다고 하자. 이 때, 같은 시간이라도 많은 일을 하는 사람을 쓰게 마련이다. 일률이 크기 때문이다. 일률의 정의식은

$$P = \frac{\Delta W}{\Delta t} \tag{5.21}$$

이다. 이 식에서 보듯이 Δt가 같으면 ΔW가 클수록, ΔW가 같으면 Δt가 작을수록 P가 큰 것이다. 일률 P의 국제단위는 영국의 물리학자 와트의 업적을 기념하여 와트(W)를 사용한다. 1W는 1초에 1J의 일을 할 때의 일률이다. 어떤 기계의 성능이 4000W라고 하면 매 초당 4000J의 일을 수행한다는 뜻이다. 그림 5.14에 나오는 크레인은 한 번에 35톤의 물체를 40m까지 들어 올릴 수 있으므로 한 번에 하는 일이 약 1,400,000J = 1.4MJ이다. 여기서 M은 메가(mega)의 기호로서 10^6을 나타낸다. 이를 1분에 들어 올린다고 하면 일률은 약 0.023MW, 또는 23kW가 된다.

일률의 다른 단위로는 마력(horse power)이 있다. 1마력은 1hp라고 한다. 영국과 미국에서 주로 사용하는 단위인데, 1마력의 크기가 두 나라 사이에 조금 다르다. 대략 1hp = 746W를 정확히 정의할 필요가 있다. 위의 크레인의 일률은 약 30마력이다.

힘이 운동하는 물체에 작용할 때(힘과 속도가 항상 수직이 아니면) 그 힘은 물체에 일을 한다. 이에 대응하는 일률은 이 때 작용한 힘과 속도로 나타낼 수 있다. 힘 F가 작용하여 변위 ds 만큼 움직인 물체가 있다고 하자. 그러면 그 때의 일률은

$$P = \frac{F\Delta s}{\Delta t} = F\frac{\Delta s}{\Delta t} = Fv \tag{5.22}$$

그림 5.14
삼성 크롤러 크레인(모델명: CX 350C). 35톤의 물체를 40m까지 들어 올릴 수 있다.

인데 이를 스칼라 곱으로 나타내면

$$P = \mathbf{F} \cdot \mathbf{v} \tag{5.23}$$

이다.

예제 **5.5** 건설현장에서 어떤 사람이 벽돌 20개씩 짊어지고 공사현장에서 5m 높이의 2층으로 옮기고 있다. 벽돌 한 개의 무게는 2kg이다. 이 사람은 3분에 한 번씩 옮기고 있다면 그 일률은 대략 얼마인가? 중력가속도는 10m/s^2이라고 하자.

풀이 3분 동안에 하는 일은 40kg의 벽돌, 즉, 400N(=$40\text{kg} \times 10\text{m/s}^2$)의 힘으로 5m를 이동하는 셈이므로 약 2,000J이다. 따라서 매 초당 하는 일은 11J이므로 일률은 11W가 된다. 사람이 일일이 건축자재를 짊어지고 옮기는 것보다 오른쪽 사진에서 보듯이 기계를 사용하는 것이 훨씬 효율적이다.

그림 5.15
건설 현장에서는 건축자재를 올려야 하는 경우가 많다.

연습문제 EXERCISES

1 피라미드 건설자들이 $1m^3$ 정육면체 모양의 석재를 옮기고 있다. 석재는 마찰이 있는 평면에서 매우 천천히 움직이다가 사람들이 손을 놓자 그 자리에 섰다. 평면에 평행한 힘을 가하여 석재를 50m 이동시킨다면 이들이 하는 일은 얼마인가? 석재의 질량은 1톤, 운동 마찰계수는 0.3이다. 중력가속도는 $10m/s^2$이라고 하자.

2 어떤 물체가 마찰이 없는 평면 위에 놓여 있다. 물론 중력은 $-z$ 방향으로 작용하고 있다. 사람이 그 물체에 $F = (2i + 4k)N$ 의 힘을 가하자 그 물체는 미끄러지면서 $s = (6i + 8j)m$ 만큼 움직였다. 이 때 그 사람이 한 일은 얼마인가? 그 물체의 질량은 3kg이고 중력가속도는 $10m/s^2$이라고 할때. 사람이 손을 떼면 그 물체의 속력은 얼마인가?

3 용수철에 어떤 물체가 매달려 있는데 그 물체를 5cm 잡아당기는 데 드는 일이 25J이다. 이 물체를 5cm 잡아당긴 후 다시 10cm를 더 잡아당긴다면, 10cm를 더 잡아당기는 데 드는 일은 얼마인가?

4 이번에는 어떤 용수철을 천정에 매달고 늘어뜨렸다. 이 용수철은 1cm 잡아당기는 데 2N의 힘이 필요하다. 이 용수철에 4kg의 물체를 매달고 손으로 받치고 있다가 손을 천천히 밑으로 내렸다. 그랬더니 용수철이 원래보다는 좀 더 늘어나더니 물체가 손바닥에서 떨어졌다. 용수철은 얼마나 늘어났는가? 중력가속도는 $10m/s^2$이라고 하자.

5 질량 10kg의 어떤 물체가 x축 방향으로 4m/s의 속도로 일정하게 움직이고 있는데, 어떤 힘이 작용하기 시작하였다. 그 힘이 사라진 후에 물체의 속도를 보니 y축 방향으로 6m/s이었다. 물체에 작용한 힘이 한 일은 얼마인가?

6 마찰이 있는 평면에 어떤 물체를 가지고 실험을 한다. 그 물체를 2m/s의 속도로 밀었더니 5m를 움직인 후 정지하였다. 같은 물체를 6m/s의 속도로 민다면 얼마나 이동한 후에 정지하는가?

7 어떤 자동차는 정지상태에서 출발하여 10초 후에 시속 60km가 되는 반면에 어떤 자동차는 출발하여 4초 후에 시속 100km가 된다. 이처럼 자동차의 운동에너지가 증가하는 것을 단순히 엔진이 하는 일로 생각하기로 하자. 두 자동차의 무게가 같다면 두 자동차의 엔진의 일률의 비는 얼마인가?

8 다음의 탄성계수들이 사용되기 위한 수식을 알기 쉽게 나타내어라. (a) Hooke's 법칙, (b) 영률(γ; Young's Modulus), (c) 층밀리기 탄성률(S; Shear Modulus), (d) 체적 탄성률(B; Bulk Modulus), (e) 용수철의 Potential Energy(PE).

9 운동하는 물체의 평형과 관련하여 (a) 평형이 이루어지기 위한 힘의 작용 조건 2가지를 열거하고 (b) 평형의 안정성 및 불안정성에 대해서 설명하라.

10 우리 고유의 전통 막대저울은 Torque 원리를 잘 이용하고 있는 기구이다. 전체의 길이가 60cm이고 질량이 100g인 막대의 한 쪽에 질량이 50g인 받침대가 달려 있고 여기서 7cm 위치에 저울을 들기 위한 손잡이가 달려 있으며 다른 쪽에 질량이 300g인 추를 움직이면서 평형을 맞추어 물건의 질량을 재는 기구이다. 이 저울의 받침대에 질량 M인 어떤 물체를 놓고 손잡이로 들어 올린 후 추로 조절한 결과 손잡이에서 45cm 멀어진 곳에서 저울이 수평을 이루었다.

(a) 이 상태에서 저울의 무게중심은 어디에 있는가?

(b) 물체의 질량(M)은 얼마일까?

(c) 손잡이에서 들어 올리고 있는 총 힘의 크기는 얼마인가?

11 전체의 길이가 60cm이고 질량이 100g인 막대저울의 한 쪽에 질량이 50g인 받침대가 달려 있고 여기서 10cm 위치에 저울을 들기 위한 손잡이가 달려 있다. 이 저울의 받침대에 질량 M인 어떤 물체를 놓고 손잡이로 들어 올린 후 손잡이에서 40cm인 곳에 300g의 추로 저울이 수평을 이루었다.

(a) 이 상태에서 저울의 무게중심은 어디에 있는가?

(b) 물체의 질량(M)은 얼마일까?

(c) 손잡이에서 들어 올리고 있는 총 힘의 크기는 얼마인가?

12 높이가 7m 되는 깃발을 20cm 깊이의 땅 속에 꼽아 놓았는데 강풍이 불면서 90N에 달하는 힘으로 깃발을 쓰러뜨리려 한다. 땅이 깃발을 지탱해주는 힘은 1,000N 인데 이 사람이 1.5m 높이에서 깃발을 붙잡으려고 하면 어느 쪽으로 얼마의 힘을 가지고 깃대를 밀어야 할까?

13 길이 1m 되는 질량 50g 막대기의 20cm 되는 곳마다 길이의 수치에 해당하는 gram 단위 질량의 추가 매달려 있다.

(a) 이 막대기의 무게 중심이 어디에 있는지 밝혀 보아라.

(b) 막대의 무게를 무시하면 무게 중심이 어떻게 되는가?

Fundamentals of Physics

06 퍼텐셜에너지와 에너지 보존

5장에서 물체의 운동과 관련된 운동에너지 개념을 도입하였다. 이 장에서는 **퍼텐셜에너지**라 불리는 또 다른 형태의 역학적 에너지를 도입한다. 계의 퍼텐셜에너지는 운동에너지 혹은 다른 형태의 에너지로 변환될 수 있는 축적된 에너지를 의미하며 **보존력**이라고 하는 특별한 종류의 힘에만 적용할 수 있다. 예를 들어 어떤 계에 중력이나 용수철 힘과 같은 내부 보존력만이 작용한다고 하면 이러한 계에서는 운동에너지와 퍼텐셜에너지의 합은 변하지 않는다, 이것을 **역학적 에너지 보존법칙**이라 한다.

6.1 퍼텐셜에너지

중력 퍼텐셜에너지

우리는 일상생활에서 물체가 떨어지면 물체의 속력이 증가하는 현상을 쉽게 관찰할 수 있다. 물체가 중력장 내에서 자유낙하 하는 현상은 중력장이 물체에 힘을 가하여 물체에 어떤 양의 일을 해주는 것이다. 중력장이 물체에 일을 한 결과로 물체의 운동 에너지가 증가한다. 그림 6.1에서와 같이 높이 y_i에 있는 질량 m의 벽돌을 생각해 보자. 잡고 있던 벽돌을 놓으면 벽돌이 땅으로 떨어지면서 속력이 증가하여 운동에너지를 얻게 된다. 높은 곳에 있는 벽돌이 낮은 곳에 있는 벽돌보다 더 많은 일을 할 수 있는 능력을 가지고 있다. 이렇게 공간상의 질량을 가진 물체의 위치로 인해 일을 할 수 있는 능력을 **위치에너지**(potential energy)라고 한다. 벽돌의 공간상의 위치가 낮아짐에 따라 벽돌의 위치에너지는 운동에너지로 변환된다. 벽돌이 땅에 도달했을 때, 벽돌은 못에 일을 해주어 널빤지에 못을 박을 수 있다. 지구와 물체(여기서는 벽돌)로 구성된 계의 퍼텐셜에너지를 **중력 퍼텐셜에너지**(gravitational potential energy)라고 한다.

이러한 퍼텐셜에너지를 수학적으로 표현하여 보자. 그림 6.1을 다시 상기 하자. 공기 저항을 무시하면 물체가 떨어질 때 받는 힘은 오직 중력 $F_g = mg$뿐이다. 물체가 아래 방향(중력장 방향)으로 s 만큼 떨어지면 중력이 한 일은

$$W_g = mgs = mgy_i - mgy_f \tag{6.1}$$

이다. 여기서 mgy를 중력 퍼텐셜에너지 PE로 정의한다.

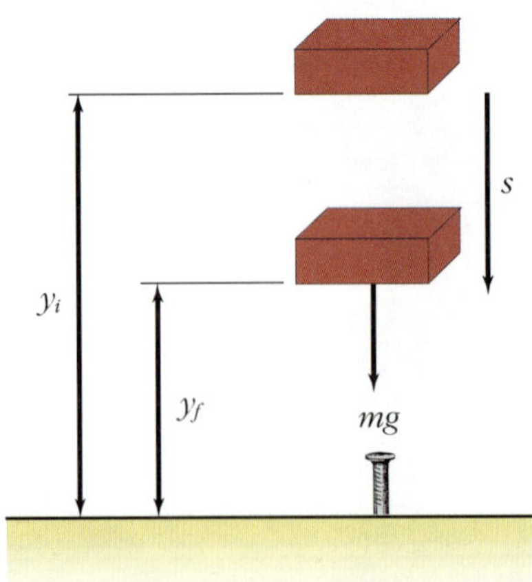

그림 6.1 벽돌이 높이 y_i로부터 y_f로 떨어질 경우 중력이 한 일은 $mgy_i - mgy_f$와 같다.

$$PE = mgy \tag{6.2}$$

물체의 중력 퍼텐셜에너지는 물체의 무게(mg)와 물체의 수직좌표를 곱한 것과 같다. 중력 퍼텐셜에너지의 기준점에서 자세히 설명을 하겠지만, 좌표의 기준점은 편의상 어떤 곳으로 잡아도 좋다. 식 (6.2)를 식 (6.1)에 대입하면

$$W_g = PE_i - PE_f \tag{6.3}$$

이다. 즉, 중력이 물체에 한 일은 물체의 처음 퍼텐셜에너지와 나중 퍼텐셜에너지의 차이와 같다. 중력 퍼텐셜에너지의 단위는 일의 단위와 같은 **주울**(J) 또는 **에르그**(erg)이다.

중력 퍼텐셜에너지의 기준점

중력 퍼텐셜에너지와 관련된 문제를 풀기 위해서는 중력 퍼텐셜에너지가 0이 되는 기준점을 반드시 선택해야 한다. 중요한 것은 두 점 사이의 퍼텐셜에너지의 차이이고, 이 차이는 기준점의 위치와 무관하기 때문에 기준점은 임의로 선택할 수 있다(예제 6.1 참조). 본질적인 것은 아니지만 편의상 지구표면을 중력 퍼텐셜에너지가 0인 기준점으로 선택한다. 대부분의 경우 문제의 설명 안에 사용하기 편리한 기준점이 제시되어 있다. 예를 들어 그림 6.2와 같이 축구공이 놓일 수 있는 여러 가지 위치에 대해서 생각해 보자. 먼저 축구공이 책상 위 A 점에 있을 때에는 책상위의 평면을 중력 퍼텐셜에너지가 0이 되는 기준점으로 잡는 것이 좋다. 그러나 축구공이 B 점에 있다면, 마루바닥을 기준점으로 잡는 것이 더 좋다. 마지막으로 축구공이 창 밖에 있는 경우라면, C 점을 중력 퍼텐셜에너지가 0이 되는 기준점으로 잡는다. 그러나 이렇게 중력 퍼텐셜에너지의 기준점을 다르게 선택하는 것은 아무런 차이를 주지 않는다.

그림 6.2 축구공의 중력 퍼텐셜에너지를 측정하기 위해서는 어느 기준점이나 사용할 수 있다.

예제 **6.1** 몸무게가 60.0kg인 스키선수가 비탈면의 꼭대기에 서있다. 출발점은 도착점에 대해 높이가 수직으로 30m 위에 위치하고 있다.
(a) 중력 퍼텐셜에너지가 0인 점을 도착점으로 잡을 경우, 두 점간의 퍼텐셜에너지의 차이를 구하라.
(b) 출발점을 중력 퍼텐셜에너지가 0인 기준점으로 잡았을 경우 두 점간의 퍼텐셜에너지 차이를 구하라.

풀이 (a) $PE_i = mgy_i = (60.0\text{kg})(9.80\text{m/s}^2)(30\text{m}) = 17{,}640\text{J}$, $PE_f = 0$이므로 퍼텐셜에너지의 차이는 $\Delta PE = PE_i - PE_f = 17{,}640\ \text{J}$이다.

(b) $PE_i = 0$, $PE_f = mgy_f = (60.0\text{kg})(9.80\text{m/s}^2)(-30\text{m}) = -17{,}640\ \text{J}$이므로 퍼텐셜에너지의 차이는 $\Delta PE = PE_i - PE_f = 17{,}640\text{J}$이다.

6.2 보존력과 비보존력

우리가 자연에서 발견할 수 있는 힘은 크게 보존력과 비보존력으로 나눌 수 있다. 이 절에서는 보존력과 비보존력의 특징에 대해서 알아보도록 한다.

보존력

물체에 힘을 가하여 물체를 이동시켜 일을 하는 경우, 이 물체가 받은 일이 단지 처음 위치와 나중 위치에만 의존한다면 이 때 물체에 가해진 힘을 **보존력**(conservation force)이라 한다. 그러므로 보존력은 물체가 이동한 경로에 무관하며, 폐경로를 따라 한 일은 자연스럽게 0이 된다.

앞에서 언급한 중력의 경우를 생각해 보자. 지표면 근처의 임의의 두 점 사이를 이동하는 벽돌에 작용한 중력이 한 일은

$$W_g = mgs = mgy_i - mgy_f \tag{6.4}$$

이다. 이 식으로부터 W_g가 벽돌의 초기위치 y_i와 최종위치 y_f에만 의존하고 경로에는 무관함을 알 수 있다. 폐경로의 경우 벽돌이 다시 원 위치로 돌아오는 것이므로 중력이 벽돌에 한 일은 0이 된다.

보존력과 퍼텐셜에너지를 연관시켜 보자. 식 (6.2)에서 퍼텐셜에너지 $PE = U = mgy$로 정의하였다. 그러므로 식 (6.1)-(6.4)로부터 보존력에 의해서 한 일 W_c는

$$W_c = U_i - U_f \tag{6.5}$$

로 표현할 수 있다.

보존력의 또 다른 예는 용수철에 의한 힘, 즉 탄성력이다. 용수철에 의한 힘은 후크의 법칙으로부터 $F=-kx$로 표현할 수 있다. 또한 탄성 퍼텐셜에너지는 힘과 퍼텐셜에너지의 관계식으로부터(뒤에 보존력과 퍼텐셜에너지에서 자세히 설명할 것임)

$$PE = \frac{1}{2}kx^2 \tag{6.6}$$

으로 정의되며, 탄성력이 한 일은

$$W_s = U_i - U_f = \frac{1}{2}kx_i^2 - \frac{1}{2}kx_f^2 \tag{6.7}$$

이다. 이 때 길이 x는 용수철이 압축되지 않은 상태로부터 측정한 것이다.

용수철의 경우 퍼텐셜에너지와 운동에너지 사이의 관계는 그림 6.3에서 쉽게 이해할 수 있다. 맨 위의 그림처럼 용수철이 평형상태에 있고, 물체가 정지해 있으면 퍼텐셜에너지도 운동에너지도 없다. 용수철을 길이 x만큼 압축을 시키면 물체는 $(1/2)kx^2$의 퍼텐셜에너지를 가지고, 정지 상태이므로 운동에너지는 없다. 물체를 놓는 순간 용수철이 원래의 상태로 되돌아가면서 퍼텐셜에너지는 운동에너지로 전환되면서 물체는 $(1/2)mv^2$의 운동에너지를 가지게 된다. 용수철의 퍼텐셜에너지는 $(1/2)kx^2$ 이므로 x의 부호에 영향을 받지 않는다.

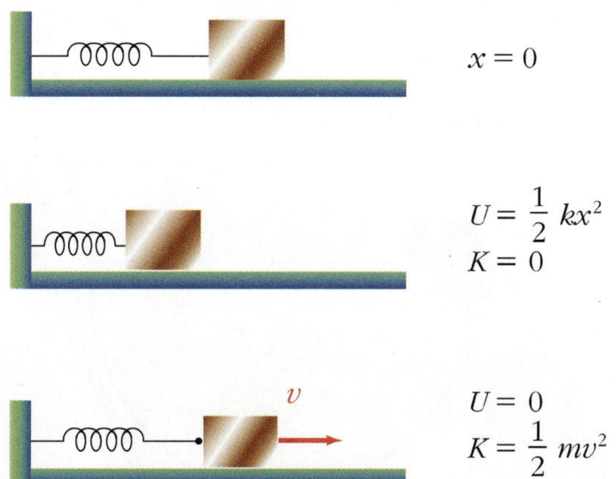

그림 6.3 마찰력이 없는 수평면.
위에 질량 m이 물체가 용수철에 의한 힘에 의해 가지는 퍼텐셜에너지와 운동에너지 사이의 관계

용수철이 평형상태에서 길이 x만큼 압축될 경우나 팽창되는 경우 모두 같은 퍼텐셜에너지를 갖는다. 그러므로 퍼텐셜에너지와 운동에너지 사이에 에너지가 전환되는 것은 용수철을 압축시킬 경우뿐만 아니라 용수철을 늘였을 경우에도 똑같이 적용할 수 있다.

보존력과 퍼텐셜에너지

앞에서 보존력이 물체에 한 일은 물체의 초기와 최종위치만의 함수이고, 퍼텐셜에너지는 다른 에너지로 전환할 수 있는 저장에너지라 하였다. 따라서 보존력이 물체에 한 일을 물체의 퍼텐셜에너지의 감소로 정의할 수 있다. x축을 따라 이동하는 물체에 보존력 F가 한 일은

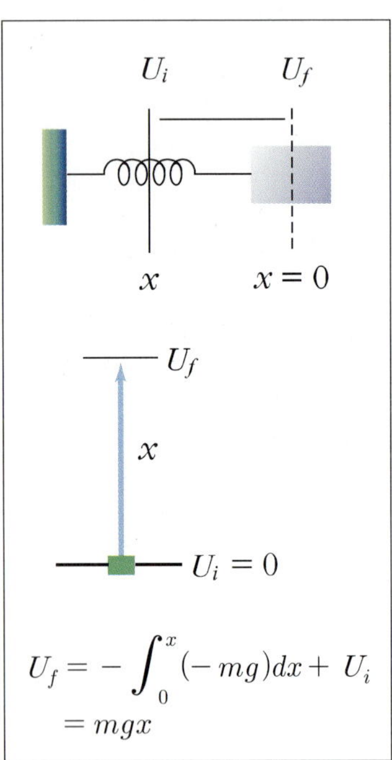

$$W_c = \int_{x_i}^{x_f} F_x dx = U_i - U_f = -\Delta U \qquad (6.8)$$

로 표현된다. 식 (6.8)로부터 퍼텐셜에너지의 변화 ΔU는

$$\Delta U = U_f - U_i = -\int_{x_i}^{x_f} F_x dx \qquad (6.9)$$

로 표현할 수 있다. 이러한 경우 기준점에 되는 위치 x_i를 설정하고, 그 점에 대한 퍼텐셜에너지의 차이를 구하는 것이 편리하므로 (6.9)식을

$$U_f = -\int_{x_i}^{x_f} F_x dx + U_i \qquad (6.10)$$

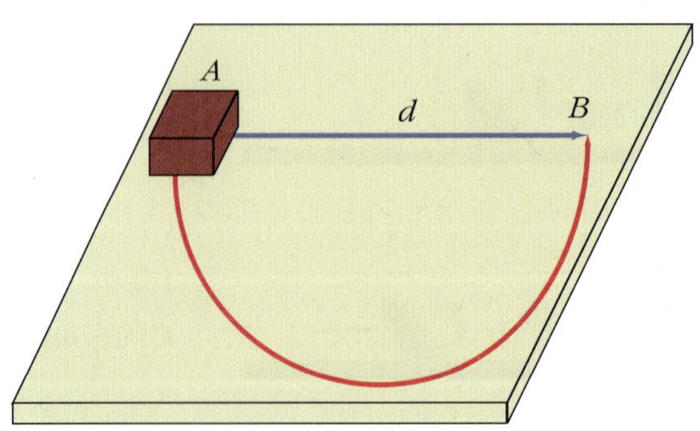

그림 6.4 마찰력에 의한 상자의 역학적 에너지 감소는 상자가 움직인 경로에 의존한다.

로 표현하는 것이 적절하다. 대부분의 경우 기준이 되는 점에서의 퍼텐셜에너지 U_i를 0이 되게 정한다. 예제 6.1에서도 살펴보았지만, U_i가 어떤 값을 갖는지는 실제로 문제가 되지 않는다. 즉, 물리적으로 의미가 있는 것은 퍼텐셜에너지의 절대값이 아니라 퍼텐셜에너지의 변화이다.

예를 들어 마루바닥에 있는 상자를 폐경로를 따라 이동할 때 에너지가 소모되는 것을 우리는 일상생활에서 경험할 수 있다. 비보존력이 한 일의 양은 보존력의 경우와는 달리 물체가 움직인 경로에 따라 다르다. 그림 6.4에서와 같이 상자를 지점 A에서 지점 B로 이동시킬 경우, 마찰력의 크기를 f라 하면, 직선경로를 따라 이동할 때 마찰력이 한 일은 $-fd$가 된다. 여기서 음의 기호는 마찰력은 변위 방향과 반대 방향이기 때문이다. 반원을 그리며 돌아서 이동시킬 때 마찰력이 한 일은 $-f(\pi d/2)$이다. 이와 같은 마찰력이 있으면 폐경로를 따라 이동한 물체에 작용한 힘이 한 일은 0이 될 수 없다. 역학적 에너지를 소모시키는 이러한 힘을 **비보존력**(unconservation force)이라 한다.

6.2 앞의 예제 6.1에서 스키 선수의 스키와 바닥과의 마찰력을 무시했을 경우, 이 선수가 도착점을 통과할 때의 속력은 얼마인가?

풀이 퍼텐셜에너지의 차이가 운동에너지로 바뀌었다고 하면,

$$\frac{1}{2}mv^2 = \Delta PE$$

이다. 그러므로, $v = \sqrt{2(\Delta PE)/m} = \sqrt{2(17{,}640\ \text{J})/(60.0\,\text{kg})} = 24.25\,\text{m/s}$ 이다.

6.3 역학적 에너지 보존

이 절에서는 물리학에서 매우 중요한 보존법칙중의 하나인 역학적 에너지 보존에 대해 살펴본다. 비보존력에 의해 소모되는 에너지가 없다고 가정하면, 앞의 용수철의 경우와 같이 감소하는 퍼텐셜에너지의 양($-\Delta U$)만큼 운동에너지가 증가($+\Delta K$)하는 현상을 살펴보았다. 운동에너지와 퍼텐셜에너지의 합인 역학적 에너지 E는 항상 일정하다는 것을 알 수 있다. 이것이 **역학적 에너지 보존법칙**(conservation of mechanical energy)이다.

$$E = K + U \tag{6.11}$$

즉, 역학적 에너지 보존법칙은 보존력에 의해서만 상호작용하는 물체로 구성된 고립계에서 총 역학적 에너지가 항상 일정하게 유지되어야 함을 요구한다. 즉, $E_i = E_f$의 형태로 역학적 에너지 보존법칙을 적용할 수 있으므로, 다음의 관계식이 성립한다.

$$K_i + U_i = K_f + U_f \tag{6.12}$$

역학적 에너지가 항상 일정하다는 것은 $dE/dt = 0$을 의미한다. 즉,

$$\frac{dE}{dt} = 0 = \frac{dK}{dt} + \frac{dU}{dt} \tag{6.13}$$

이고, $K = (1/2)mv^2$을 이용하면,

$$\frac{dK}{dt} = \frac{d}{dt}\left(\frac{1}{2}mv^2\right) = mv\frac{dv}{dt} = mva = F_x v \tag{6.14}$$

이고, 퍼텐셜에너지의 시간 도함수에 미분의 연쇄법칙을 이용하면,

$$\frac{dU}{dt} = \frac{dU}{dx}\frac{dx}{dt} = \left(\frac{dU}{dx}\right)v \tag{6.15}$$

이다. 식 (6.14)와 (6.15)를 역학적 에너지 보존식 (6.13)에 대입하면 $F_x v + \left(\frac{dU}{dx}\right)v = 0$가 되므로 다음과 같은 중요한 식을 얻게 된다.

$$F_x = -\left(\frac{dU}{dx}\right) \tag{6.16}$$

즉, 계에 작용하는 보존력은 퍼텐셜에너지의 음의 미분값과 같다. 이러한 관계식은 앞에서 살펴보았던 중력과 탄성력의 경우를 이용하여 확인할 수 있다. 중력퍼텐셜에너지는 $U_g = mgx$이므로, $F_g = -mg$임을 알 수 있고(음의 부호는 중력이 아랫방향으로 작용함을 의미한다), 탄성퍼텐셜에너지는 $U_s = \frac{1}{2}kx^2$이므로 $F_s = -kx$임을 확인할 수 있다. 이러한 관계식은 앞에서 구한 퍼텐셜에너지와 보존력과의 관계식인 식 (6.10)에서도 확인할 수 있다(연습문제 6.2 참조). 역학적 에너지 보존의 중력과 탄성력에 대한 표현을 정리하면 다음과 같다.

$$\frac{1}{2}mv_i^2 + mgx_i = \frac{1}{2}mv_f^2 + mgx_f \quad (\text{중력}) \tag{6.17}$$

$$\frac{1}{2}mv_i^2 + \frac{1}{2}kx_i^2 = \frac{1}{2}mv_f^2 + \frac{1}{2}kx_f^2 \quad (\text{탄성력}) \tag{6.18}$$

예제 6.3 에너지 보존법칙

그림과 같이 높이 $h = 10.0\text{m}$에 질량이 $m = 100.0\text{g}$인 공이 놓여있다.

(a) 이 공과 궤도와의 마찰력을 무시한다면, 이 공이 정지 상태에서 궤도를 따라 움직여 궤도의 바닥에 닿았을 때의 속력이 얼마인가?

(b) 만약, 이 공을 높이 20.0m까지 올리고 싶다면, 초기에 이 공을 얼마의 속력으로 출발시켜야 하는가?

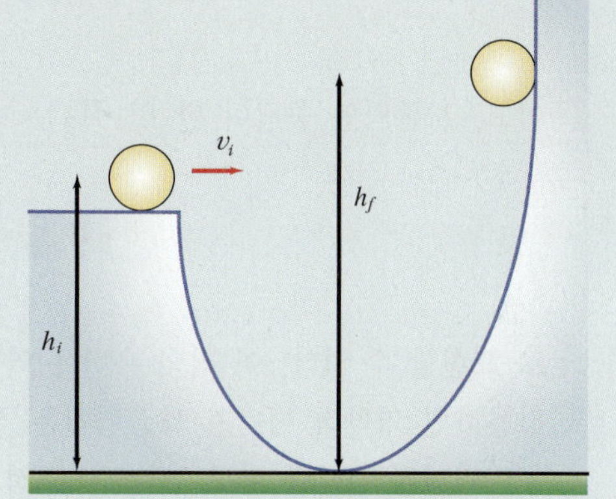

풀이 (a) 역학적 에너지 보존법칙 $K_i + U_i = K_f + U_f$로 부터, 초기 운동에너지 $K_i = 0$이고, 공이 바닥에 닿았을 때 위치에너지 $U_f = 0$이므로 $0 + mgh = \frac{1}{2}mv_f^2 + 0$ 에서 바닥에 닿았을 때 속도를 구하면

$$v_f = \sqrt{2gh} = \sqrt{2(9.80)(10.0)} = 14.0\text{m/s}$$

이다.

(b) $K_i + U_i = K_f + U_f$의 에너지 보존법칙으로 부터, $\frac{1}{2}mv_i^2 + mgh_i = 0 + mgh_f$ 에서 공의 초기속도는 $v_i = \sqrt{2g(h_f - h_i)}$ 이므로 $v_i = 14.0\text{m/s}$ 이다.

6.4 비보존력에 의한 일과 일반적인 에너지 보존법칙

앞에서 살펴본 에너지 보존법칙에 따르면 계에 작용하는 힘이 보존력이면 계의 총 역학적 에너지는 일정하다. 계에 보존력 이외의 비보존력이 동시에 작용할 경우에는 어떤 현상이 일어나는지 이 절에서 살펴보고자 한다.

외력이 한 일

어떤 물체에 보존력의 하나인 중력 이외에 비보존력인 외력, F_{app}이 같이 작용한다고 하자. 물체가 외력에 의해 이동하였을 경우 외력은 물체에 W_{app}라는 일을 하고 동시에 중력도 물체에 W_g의 일을 하게 된다. 앞 장에서 배운 일-운동에너지 사이의 관계(5.3절 참조)에 의하면, 물체에 가해진 일의 합은 물체의 운동에너지 변화와 같으므로,

$$W_{app} + W_g = \Delta K \tag{6.19}$$

이고, 보존력인 중력이 한 일 W_g는 $-\Delta U$와 같으므로, 위의 식은

$$W_{app} = \Delta K + \Delta U \tag{6.20}$$

로 표현할 수 있다. 이 식의 우변은 역학적 에너지 변화라는 점에 주목한다면, 비보존력이 작용하면 역학적 에너지 보존법칙은 성립하지 않는다.

이러한 결과를 비보존력의 대표적인 예인 마찰력을 외력의 한 예로써 살펴보자. 그림 6.5에서 볼 수 있듯이 책상위에 있는 책이 마찰이 있는 책상 면에서 초기속도 v_0로 오른쪽으로 움직인다고 하자. 마찰력은 책의 운동방향과 반대방향으로 작용하므로 책에 대하여 음의 일을 한다. 이러한 결과로 책은 점점 속도가 줄어들어 길이 d만큼 이동한 후 정지하게 된다. 마찰력이 한일은 $-f_k d$ 이므로 식 (6.20)에서

$$\Delta K + \Delta U = -f_k d \tag{6.21}$$

와 같고, 책이 같은 높이에서 움직이므로 $\Delta U = 0$가 되어서 운동에너지 변화는

$$\Delta K = -f_k d$$

로 된다.

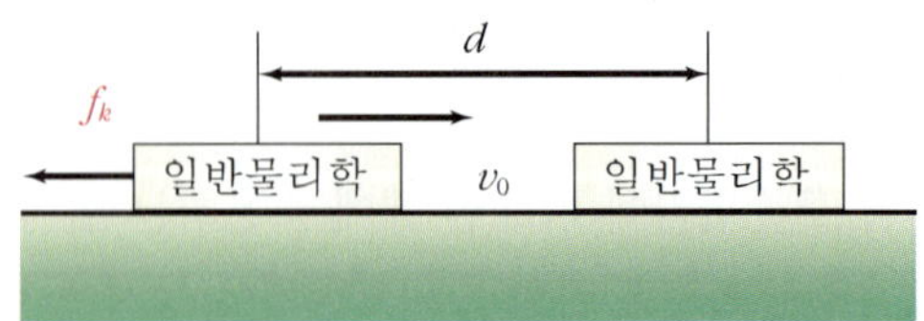

그림 6.5
수평선 위에 초기속도 v_0로 움직이는 책은 마닥과의 마찰력에 의해 거리 d를 이동한 후 멈추게 된다.

일반적인 에너지 보존법칙

운동에너지와 위치에너지의 합을 역학적 에너지라 하고, 비보존력이 계에 일을 하지 않을 때 역학적 에너지는 보존된다는 것을 살펴보았다. 만약에 비보존력이 계에 일을 하면 그만큼 계의 총 역학적 에너지는 줄어듬도 알았다. 계의 역학적 에너지 감소분은 어디로 갔을까? 에너지는 기본적으로 보존되는 양이므로, 역학적 에너지 감소분은 없어지는 것이 아니며 단지 다른 형태의 에너지로 변환되었을 것이다. 예를 들어 물체와 바닥과의 마찰력이 한 일은 열에너지로 변환된다. 이와 같이, 역학적 에너지 이외의 다양한 에너지를 모두 포함하여 고려한다면, 계의 총 에너지는 항상 일정하다고 할 수 있다. 즉, 에너지는 결코 소멸되거나 생성되지는 않고, 한 형태로부터 다른 형태로 변환될 수는 있으나 고립된 계의 총 에너지는 항상 일정하다. 이러한 개념을 좀 더 큰 계로 확장시킨다면, 우주의 총 에너지는 일정하다.

예제 6.4 비보존력이 한 일

질량이 $m = 20.0\,\mathrm{kg}$인 어린이가 놀이동산에 있는 높이 $h = 10\,\mathrm{m}$의 불규칙한 곡선의 물미끄럼틀을 타고 있다. 어린이가 물미끄럼틀의 꼭대기로 부터 정지상태에서 출발한다고 하자.

(a) 물 때문에 어린이와 미끄럼틀 바닥사이에 마찰이 없다고 하면, 어린이가 하단에 도착했을 때의 속력을 구하여라.

(b) 갑자기 놀이동산의 물공급에 문제가 생겨 어린이가 물이 없는 상태에서 미끄럼을 탔다고 할 경우, 어린이가 하단에 도착했을 때의 속력이 $v_f = 8.00\,\mathrm{m/s}$ 이었다고 하면, 얼마만큼의 에너지가 소모되었는가? 또한 어떠한 방법으로 이 에너지가 소모되었겠는가?

풀이 (a) 보존력인 중력만 작용하므로 계의 역학적 에너지가 보존된다. 그러므로

$$K_i + U_i = K_f + U_f$$

이고, 어린이가 출발할 때와 바닥에 도착하였을 때 각각, $K_i = 0$, $U_f = 0$이므로

$$0 + mgh = \frac{1}{2}mv_f^2 + 0,\ \ v_f = \sqrt{2gh}$$

이다. 그러므로,

$$v_f = \sqrt{2(9.80\,\mathrm{m/s^2})(10.0\,\mathrm{m})} = 14\,\mathrm{m/s}$$

이다.

(b) 마찰력에 의한 역학적 에너지 손실은

$$\Delta E = E_f - E_i = 1/2mv_f^2 - mgh$$

이다. 그러므로,

$$\Delta E = \frac{1}{2}(20.0\,\mathrm{kg})(8.00\,\mathrm{m/s})^2 - (20.0\,\mathrm{kg})(9.8\,\mathrm{m/s^2})(10.0\,\mathrm{m}) = -1320\,\mathrm{J}$$

이다. 또한 이러한 에너지는 어린이와 미끄럼틀 사이의 마찰열로 소모되었다고 볼 수 있다.

6.5 중력 퍼텐셜에너지의 재음미

중력 퍼텐셜에너지

6.2절에서 살펴본 보존력과 퍼텐셜에너지 사이의 관계식인 식 (6.9)로부터 중력 퍼텐셜에너지와 중력가속도 g를 다른 각도에서 살펴보자.

물체가 지구표면 근처에 있다면 물체에 작용하는 중력은 $F=-mg$이고 **중력퍼텐셜에너지**(gravitational potential energy)는 $U=mgy$로 표현할 수 있다. 지구의 질량을 M이라 하고, 지구의 반경을 R, 그리고 지구의 중심으로부터 물체까지의 거리를 r이라 하면, 이 물체와 지구 사이에 존재하는 만유인력은 다음과 같다.

$$\mathbf{F}_g = -G\frac{Mm}{r^2}\hat{\mathbf{r}} \tag{6.22}$$

여기서 $\hat{\mathbf{r}}$은 지구 중심에서 물체로 향하는 단위벡터이며, 음의 부호는 물체와 지구 사이의 상호작용이 인력임을 나타낸다. 식 (6.9)를 이용하면, 낙하하는 물체의 중력 퍼텐셜에너지의 차이는

$$U_f - U_i = -\int_{r_i}^{r_f} F(r)\,dr = GMm\int_{r_i}^{r_f}\frac{dr}{r^2} = -GMm\left[\frac{1}{r_f}-\frac{1}{r_i}\right] \tag{6.23}$$

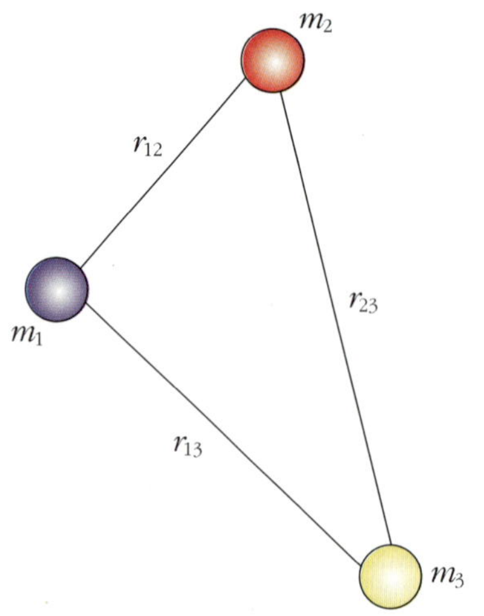

그림 6.6 서로 상호작용하는 3개의 물체

이다. 항상 퍼텐셜에너지에 대한 기준점의 선택은 임의적이므로, $r_i = \infty$ 에서 $U_i = 0$이 되도록 약속하면 지구중심에서 거리 r 만큼 떨어진 지점에서의 중력 퍼텐셜에너지는 다음과 같이 표현할 수 있다.

$$U_g(r) = -G\frac{Mm}{r} \tag{6.24}$$

이 표현식은 $r > R$인 경우에 성립하며, 물체가 지구의 내부에 존재하는 $r < R$인 경우에는 성립하지 않는다.

식 (6.24)의 물리적 의미는 거리 r만큼 떨어져 있는 두 물체 사이에 작용하는 중력 퍼텐셜에너지는 $1/r$에 비례하여 감소한다는 것이다. 즉, 두 물체 사이의 거리를 멀리 떨어뜨리기 위해서는 이에 해당하는 일을 해 주어야 한다. 그러므로 식 (6.24)로 정의된 중력퍼텐셜에너지는 두 물체 M과 m 사이에 작용하는 결합에너지의 일종으로 생각하는 것이 편리하다. 2개 이상의 물체가 존재할 때도 결합에너지를 구할 수 있다. 그림 6.6과 같이 3개의 물체들 사이의 결합에너지는 다음과 같이 표현할 수 있다.

$$U_{tot} = U_{12} + U_{23} + U_{13} = -G\left(\frac{m_1 m_2}{r_{12}} + \frac{m_2 m_3}{r_{23}} + \frac{m_3 m_1}{r_{13}}\right) \tag{6.25}$$

예제 6.5 지구표면에서 물체가 작은 수직거리 Δr만큼 움직일 경우 중력 퍼텐셜에너지의 변화는

$$\Delta U_g = -GMm\left(\frac{1}{r_f} - \frac{1}{r_i}\right)$$

또는 $\Delta U_g = mg\Delta r$로 표현할 수 있다. 이 두 식의 표현이 같음을 보여라.

풀이 $\Delta U_g = -GMm\left(\frac{1}{r_f} - \frac{1}{r_i}\right) = -GMm\left(\frac{r_i - r_f}{r_f r_i}\right)$

이다.

$r_f - r_i = \Delta r$이고, 물체가 지구표면에 가까이 있다고 하였으므로, $r_f \simeq r_i \simeq R$이다. 그러므로 $\Delta U_g \simeq GMm\,\Delta r/R^2$이고, 중력가속도는 $g = GM/R^2$이므로 $\Delta U_g = mg\Delta r$가 되어 두 표현식은 서로 같다.

6.6 퍼텐셜에너지의 그림 및 안정성

계의 운동 특성은 계의 퍼텐셜에너지 곡선을 분석함으로써 정성적으로 이해할 수 있다. 앞에서 예를 든 용수철의 탄성력 $F = -kx$에 의한 퍼텐셜 에너지 $U_s = \frac{1}{2}kx^2$을 고려해 보자. 그림 6.7(a)에서 볼 수 있듯이 평형위치 $x = 0$에 있던 물체는 평형위치에서 이동을 하더라도, 용수철의 복원력에 의해 항상 원 위치로 돌아오게 된다. 6.3절의 역학적 에너지 보존에서 살펴 보았듯이 평형위치를 벗어난 경우, 물체의 운동에너지와 퍼텐셜에너지의 합은 항상 같다. 즉, 용수철을 늘려서 $x = \pm x_m$의 위치에 물체가 있을 경우에는 운동에너지는 없고, 퍼텐셜에너지가 최대값을 가지며, 이 물체가 평형위치 $x = 0$을 통과할 경우에는 퍼텐셜에너지는 없고, 운동에너지가 최대가 된다. 평형점에서 퍼텐셜에너지는 극소값을 갖는다. 즉, $F(x = \text{평형점}) = -(dU/dx)_{x = \text{평형점}} = 0$이 된다. 이 점에서는 힘이 주어지지 않으므로 정지하고 있는 물체는 정지한 채 머물러 있을 것이다. 이 점에서 물체의 속도가 0이 아니면 운동에너지를 가지고 있고, 운동에너지와 위치에너지는 서로 교환하면서 평형점 부근을 진동하게 된다. 이와 같은 평형위치를 **안정평형점**이라 한다.

물체에 작용하는 힘이 $F = kx$로 상호작용하는 힘이 인력이 아니고 척력인 경우를 생각해 보자. 식 (6.6)으로부터 퍼텐셜 에너지는 $U = -\frac{1}{2}kx^2$이 되고, 그림 6.7(b)에서처럼

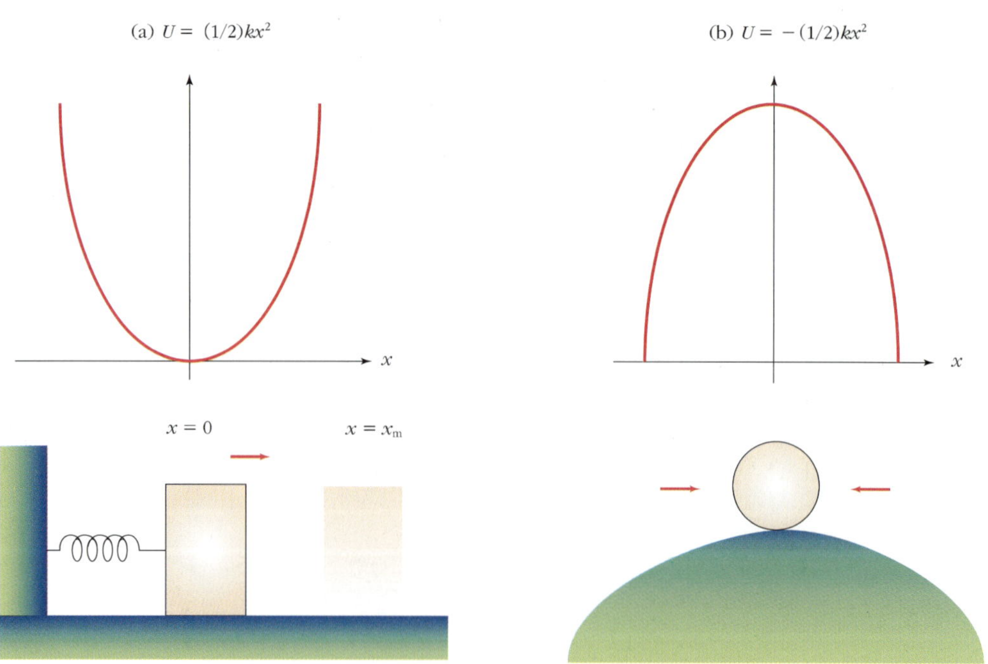

그림 6.7 안정 및 불안정 평형위치에서 퍼텐셜에너지

퍼텐셜에너지 곡선은 위로 볼록하다. 평형위치 (이 그림에서는 $x=0$)에서 이동을 하게 되면, 물체는 평형위치에서 점점 멀어져 가는 운동을 하게 된다. 이 공에 아무런 힘이 작용하지 않으면 평형위치에 있으나, 조그만 힘이 작용하더라도 평형위치를 벗어나 곡면을 따라 떨어지게 된다. 즉 물체가 이 점으로부터 약간이라도 변위되면, 힘 $F(x) = -dU/dx$는 물체를 평형점으로부터 멀리 밀어내는 방향으로 작용하게 된다. 이러한 평형점을 **불안정평형점**이라 한다.

연습문제 EXERCISES

1 무게가 1,000kg인 자동차가 속력 $v = 360$km/h로 달리고 있다. 자동차가 100m 전방에 갑자기 나타난 장애물을 발견하고 정지하기 위해서 급제동을 걸었다. 이 자동차가 장애물 바로 앞에서 정지할 수 있는 바퀴와 도로 사이의 마찰계수를 구하라. 이 경우 바퀴와 도로 사이의 마찰에 의해서 소모된 에너지는 얼마인가?

2 $U_f = -\int_{x_i}^{x_f} F_x dx + U_i$의 관계식을 이용하여, 탄성력 $F = -kx$에 대한 퍼텐셜에너지를 계산하라. 이 경우 초기상태의 퍼텐셜에너지 U_i의 의미는 무엇인가?

3 질량 m_1과 m_2 사이에 작용하는 인력은 다음과 같이 주어진다.

$$F = k\frac{m_1 m_2}{x^2}$$

k는 양의 상수이고, x는 두 입자 사이의 거리이다.

(a) 퍼텐셜에너지 함수와

(b) 이 두 질량을 $x = x_1$에서 $x = x_1 + d$로 떼어 놓는데 필요한 일을 구하라.

4 10kg의 탄환이 500m/s의 속력으로 위로 곧게 발사된다.

(a) 궤적의 정상에서 탄환의 퍼텐셜에너지는 얼마인가?

(b) 탄환이 45° 각도로 발사된다면 최대 퍼텐셜에너지는 얼마인가?

5 육상경기에서 몸무게 99kg인 투창 선수가 질량이 1kg인 투창을 가지고 전력 질주하여 속력 $v = 5$m/s의 속력으로 달려오다 정지하며 45° 각도로 투창을 던졌다. 역학적 에너지가 보존된다고 가정하여 이 투창이 날아갈 수 있는 비행거리를 계산하라. 얻은 답과 실제 육상기록과의 차이를 어떻게 설명할 수 있는가?

6 레스링 경기를 하는 도중 몸무게 100kg인 레스링 선수가 로프의 반동을 이용하기 위해서 72km/h의 속력으로 달려와 로프에 기대었다. 이 때 링의 로프가 평형상태에서 2m 뒤로 이동하였다면, 이 로프의 탄성계수는 얼마인가? (이 경우, 로프도 스프링과 같이 퍼텐셜에너지를 $\frac{1}{2}kx^2$으로 표현할 수 있다고 가정한다.)

7 2.0kg의 물체가 0.50m의 높이에서 용수철 위로 떨어졌다. 탄성계수 $k = 1900$N/m인 용수철이 최대로 압축될 수 있는 길이를 구하라.

8 몸무게 70.0kg인 사람이 20kg의 배낭을 메고 해발 700m인 산을 등산하였다. 이 등산객이 다시 집으로 돌아왔을 때, 중력이 배낭에 대해 한 일은 얼마인지를 계산하라. 만약 등산객이 30kg의 배낭을 메고 같은 등산을 하였다고 하면, 중력이 배낭에 한 일의 차이는 어떠한가?

9 6.6절의 안정평형과 불안정 평형의 경우 나타나는 현상을 물체에 작용하는 힘을 기준으로 다시 설명하라.

10 농촌에서 가뭄에 대비하기 위해 기계화된 우물을 개발하려 한다. 100L의 물을 1m/s의 속도로 길어올릴 수 있는 펌프를 설치하고자 할 때, 필요한 펌프의 일률은 얼마인가?

11 지상에서 1200kg의 차를 운전하는 운전자가 6.0s 동안 20.0m/s에서 30m/s로 가속한다. 공기저항을 무시하고 엔진이 그 시간 동안 공급해야하는 평균 역학적 일률을 W로 계산하라.

12 고속도로에는 브레이크 고장에 대비하여 내리막길에 안전충돌장치가 설치되어 있다. 이 장치는 충격을 잘 흡수할 수 있는 모래나 완충기 등을 설치하여 자동차가 이 장치로 진입할 경우 자동차를 정지시킬 수 있도록 한 장치이다. 20m/s의 일정한 속도로 달려오던 질량 1,000kg의 자동차가 브레이크 고장으로 30m 아래에 있는 안전충돌장치에 부딪쳐 10m를 이동한 후 정지하였다. 이 때, 안전충돌장치에 의해 자동차에 작용된 비보존력은 얼마인가?

13 지렛대에 의해서 수직하향으로 힘을 가하면 지렛대의 반대편에 있는 물체를 수직상향으로 움직일 수 있다. (이 경우 지렛대에 의해 소모되는 에너지는 없다고 가정한다.) 이러한 지렛대를 이용하여 70kg인 사람을 10m 높이의 나무위로 올리기 위해서 100kg의 돌을 최소한 얼마의 높이에서 지렛대로 떨어뜨려야 하는가?

14 4.0kg의 물체가 132J의 운동에너지를 가지고 30° 경사면을 올라가기 시작한다. 마찰계수가 0.30이라면 경사면을 얼마나 미끄러져 올라가겠는가?

15 질량 m이 1,000kg인 자동차가 5.00m/s의 속력으로 달려와 스프링 상수가 200N/m인 스프링에 부딪쳐 10m를 이동한 후 잠시 정지하였다가 다시 스프링에 저장된 탄성 퍼텐셜에너지에 의해 튕겨나갔다. 자동차와 바닥과의 마찰에 의해 소모된 에너지는 얼마인가? 자동차가 다시 되튕겨나갈 때, 자동차의 속력은 얼마인가? (자동차와 바닥과의 마찰력은 스프링과 접촉할 때에만 작용된다고 가정한다.)

16 한 사람이 수평과 30°의 각을 형성하고 있는 잔디깎이 손잡이에 70N의 힘을 손잡이 방향으로 가하여 기계를 밀며 50m의 잔디를 깎았다.

(a) 이 사람이 한 일은 얼마인가?

(b) 이 기계의 질량이 10kg이라고 할 때 기계를 수평으로 밀 때에 비해 마찰력이 얼마나 증가하겠는가?

17 어떤 펌프를 사용하여 1시간 동안에 10m 높이의 탱크에 3톤의 물을 퍼 올렸다. 물의 마찰에 의한 에너지 손실을 무시할 경우, (a) 펌프가 한 일의 양은 얼마인가? (b) 이 시간 동안 펌프는 얼마의 동력(power)으로 일을 한 셈인가?

18 어떤 펌프를 사용하여 10m 높이의 탱크에 5톤의 물을 퍼 올려야 한다. 물의 마찰에 의한 에너지 손실을 무시할 경우, (a) 펌프가 해야 할 일의 양은 얼마인가? (b) 펌프의 동력(power)이 200W이고 효율이 60%라면 몇 시간을 퍼 올려야 하는가?

19 질량 2,000kg의 roller-coaster가 지상 70m 높이의 마찰을 무시할 수 있는 궤도에서 활강을 시작하였다.
(a) 이 roller-coaster가 15m 높이의 궤도에 도달하였을 때 속도는 얼마가 될 것이며, (b) 다시 55m 높이의 궤도를 넘어갈 때의 속도는 얼마가 되겠는가? (c) 만일 궤도에서 초기에 가지고 있던 에너지의 20%를 마찰로 소모하였다면 다시 원래의 위치로 돌아가기 위해서 얼마의 일을 필요로 하는가?

Fundamentals of Physics

07

운동량과 충돌

운동량은 질량, 에너지와 함께 가장 중요한 물리량의 하나로서, 물체의 동역학을 이해하는 열쇠가 된다. 특히, 물체와 물체의 가장 직접적인 상호작용인 충돌현상을 정량적으로 기술하고, 나아가 충돌 전후의 운동량 보존법칙은 범 우주적인 중요한 보존법칙 중의 하나임을 이해하게 될 것이다. 이 장에서는 과연 충돌이 무엇인가라는 가장 현실적인 접근에서부터, 충돌 전후 물체의 운동을 기술하고 예측할 수 있는 기본적인 물리법칙을 다룰 것이다. 또한 이러한 이해를 바탕으로 일상적인 자연현상 및 기계 작용에 대한 충돌현상의 구체적인 응용을 살펴보고자 한다.

7.1 충 돌

충돌(Collision)이라는 물리 현상은 일반적으로 생각할 수 있는 것보다 훨씬 더 광범위한 상호작용을 일컫는 말이다. 우리가 흔히 충돌을, 자동차 사고나, 당구대 위의 두 당구공의 충돌 정도에 국한해서 상상하곤 하지만, 실제로 일상에서 충돌현상은, 우리의 시각이 마주하는 모든 곳에서 미시적으로 일어나고 있다. 도선을 흐르는 전자들도 거의 끊임없이 도선내의 원자핵들과 충돌을 일으키고 있으며 그 결과로서 전기 시설물들이 작동하고 있는 것이다. 그림 7.1은 다양한 규모의 충돌현상을 담은 사진들이다. 충돌현상은 10^{-27}kg의 미립자의 세계에서부터, 10^{40}kg의 은하에 이르기까지 범 우주적으로 일반적인 물리 현상이며, 우리의 일상에서 목격하는 일들은 그 중에서 극히 일부다.

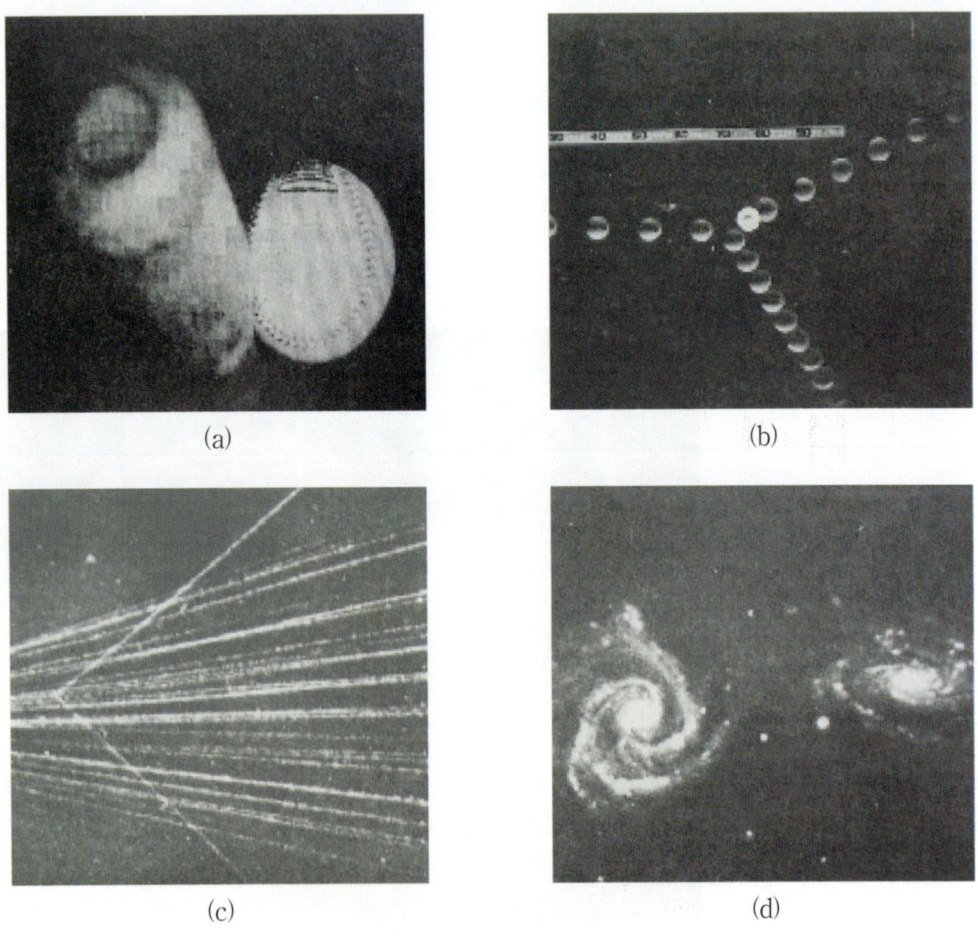

(a) (b) (c) (d)

그림 7.1 (a) 야구 방망이에 충돌하는 순간의 야구공 (b) 연속촬영한 당구공의 충돌 (c) 안개상자에 검출된 입사된 알파입자와 상자 안의 헬륨핵과의 충돌 (d) 충돌 직전의 두 은하

그러면 도대체 이 충돌현상은 구체적으로 어떻게 이해될 수 있는지, 이 현상을 보다 구체적으로 살펴보도록 하자. 야구선수가 야구방망이로 투수가 던진 공을 힘껏 때렸다. 이 때 무슨 일이 일어났는가? 물론, 우리가 야구장에서 보게 되는 광경은 야구 방망이에 두드려 맞은 야구공이 힘차게 솟구쳐 오르는 것이겠지만, 이 장면을 느리게 관찰하여 그림 7.1에서처럼 야구방망이와 공이라는 두 물체에 초점을 맞추어 살펴보면, 그렇게 장쾌하게 뻗은 공이 무엇에 기인했는지를 보다 구체적으로 살필 수 있다. 타자가 온 몸의 회전을 이용해 공에 가한 힘은 비교적 짧은 시간 내에 날아오던 공에 전해지고, 공을 투수가 던진 방향의 반대방향으로 솟구쳐 나가게 하는 것이다. 이 때 힘이 짧은 시간동안에 방망이로부터 공으로 전달되면서 변화해가는 과정을 정량적으로 측정하는 일은 쉽지 않은 일이다. 방망이나 공이나 이 충돌과정 동안에 모양의 변형도 일어난다. 이렇게 비교적 짧은 시간동안에 두 물체에 작용하는 힘을 **충격력**(impulsive force)이라고 한다.

이제 우리가 새로운 물리량들을 도입하여 충돌현상을 보다 정량적으로 고찰해보고자 하는 것은, 두 물체가 충돌 후에 어떤 경로로 얼마나 빠르게 움직여 갈 것인지를 정확하게 예측하는 것이다. 이렇듯 충돌현상에 대한 정밀한 계산과 측정은, 바로 거대입자 가속기를 통하여 가속된 소립자들의 충돌과 같은 미시세계에서부터, 끝없는 미지의 우주로 쏘아 올려 보내는 우주선의 운동, 그리고 은하와 같은 거대 천체의 충돌과 같은 거시세계에 이르기까지 대단히 광범위한 현상에 대한 이해를 제공하게 될 것이다.

7.1 자연계의 충돌현상

스케일을 달리하여 자연계에 존재하는 충돌현상들을 예로 들고, 각각의 경우 충격력과 그것이 가해지는 시간에 대하여 조사하라.

풀이 앞서 본문의 예에서 야구방망이로 투수가 던진 공을 가격하는 경우, 이 충돌에 걸리는 시간은 약 0.01초이며, 이 때 가해지는 평균적인 충격력은 보통 수천 뉴턴이 된다. 이밖에도 우리가 여러 가지 스케일로 생각할 수 있는 운석의 지구충돌이나 소립자의 충돌들의 경우를 각자 조사해보고 이야기를 나누어 보도록 하자.

7.2 충격량과 운동량

충돌현상을 정량적으로 살펴보기 위하여 몇 가지 물리량을 아래와 같이 정의한다. 충돌현상이 일어나는 시간(Δt) 동안 가해지는 힘을 충격력이라 하고, 시간에 대해 변하는 **충격력** $\mathrm{F}(t)$를 충돌시간 $\Delta t = t_f - t_i$에 대하여 적분한 양을 **충격량** I(impulse)라고 정의한다.

$$\mathrm{I} \equiv \int_{\mathrm{t_i}}^{\mathrm{t_f}} \mathrm{F}\, dt \tag{7.1}$$

식 (7.1)에 $\mathrm{F} = \dfrac{d\mathrm{p}}{dt}$를 대입하면,

$$\mathrm{I} = \int_{\mathrm{t_i}}^{\mathrm{t_f}} \frac{d\mathrm{p}}{dt}\, dt = \int_{t_i}^{t_f} d\mathrm{p} = \mathrm{p}(t_f) - \mathrm{p}(t_i) = \Delta \mathrm{p} \tag{7.2}$$

가 된다. 이 식으로부터 **충격량은 운동량의 변화량과 같음**을 알 수 있다.

충격량-운동량 정리(impulse-momentum theorem)라고 불리는 이 식은 사실상 그 의미면에서 뉴턴의 제2법칙인 힘의 정의와 동일하다. 즉, 식 (7.2)에서 충돌이 일어나는 시간 $t_f - t_i = \Delta t$가 무한소일 때, 양변을 그 시간에 대해 미분한 양이 바로 힘이 된다. 여기서 우리가 주목할 것은, 운동량의 순간변화율이 힘인데 반해, 운동량의 변화량 자체가 충격량이라는 것이다. 동시에 **충격량은 어떤 물체 하나가 외부와 독립적으로 갖는 고유양이 아니라, 그 물체의 운동량을 변화시키는 외부의 힘이 전달된 정도**를 뜻하며, 이것은 힘이 전달되는 시간에 비례함을 알 수 있다.

따라서 충돌현상이란 거시적으로는 물체와 물체가 직접적으로 맞닿아 서로 간에 힘을 전달하는 현상으로 보이지만, 실제로는 충돌시간 동안 미시적인 소립자들 간의 상호작용에 의해 일어나는 것인데, 이 문제에 대해서는 7.6절에서 정량적으로 살펴보도록 하겠다.

예제 **7.2** 완충작용

무거운 공을 딱딱한 표면에 떨어뜨릴 경우와, 푹신푹신한 바닥에 떨어뜨릴 경우 바닥에 가해지는 충격량을 비교하고, 완충효과가 어떻게 일어나는가를 논하라.

풀이 바닥이 무르고 딱딱한 정도는 외부에서 힘이 가해지는 동안 바닥의 모양이 변형되었다가 다시 복원되는 속도를 의미한다. 즉, 딱딱한 바닥은 힘이 가해질 때 그 모양이 일그러졌다가 금방 다시 제 모양으로 돌아와, 그 변형 자체를 목격하기가 쉽지 않은 반면, 무른 바닥은 그 변형을 쉽게 목격할 수 있는 것이다. 따라서 같은 정도로 무거운 공이 딱딱한 바닥과 무른 바닥에 떨어져서 최종적으로 멈추었다고 할 때, 이 공으로부터 바닥에 전달된 운동량의 변화는 딱딱한 바닥이든, 무른 바닥이든 같다. 식 (7.2)에서 보듯이, 바로 충격량 자체는 바닥에 전달된 운동량의 변화이므로, 두 경우에 동일하게 된다. 단지 두 경우의 차이는, 순간적으로 많은 힘이 가해지는가, 아니면 오랫동안 지속적으로 힘이 가해지는가의 차이가 있을 뿐이다. 즉, 완충의 의미는 충격량 자체를 줄이는 것이 아니라, 같은 충격을 오랜 시간에 걸쳐서 받게 함으로서 시간당 가해지는 최대 충격력을 작게 하는 것이다.

7.3 운동량 보존

질량 m과 속도 v의 곱으로 정의되는 **운동량**(momentum, 원래 이 개념을 도입한 뉴턴은 quantity of motion으로 정의했었다.)은, 말 그대로 움직이는 물체가 갖고 있는 어떤 양을 뜻한다. 따라서 운동량은 물체의 움직임에 따라, 직선운동을 하는 물체가 갖는 **선운동량**(linear momentum)과 회전하는 물체가 갖는 **각운동량**(angular momentum)으로 나눌 수 있으며, 각운동량은 그 물체가 회전하는 회전반경(r)과 선운동량(p)의 벡터곱으로 정의된다.

선운동량 : $\mathrm{p} = m\mathrm{v}$

각운동량 : $\mathrm{L} = \mathrm{r} \times \mathrm{p} = \mathrm{r} \times m\mathrm{v}$

일반적으로 선운동량이 그 물체가 운동하는 방향과 같은 방향의 벡터량인 반면, 각운동량 벡터의 방향은 그 물체가 회전운동을 하는 평면에 수직이다.

일반적으로 충돌현상을 물체들 사이에서 일어나는 현상이라고 볼 때, 회전 운동하는 두 물체의 충돌도 미시적으로는 선형 운동을 하는 두 물체로 생각할 수 있으므로, 여기서 다루는 운동량은 선운동량으로 한정하도록 하자.

우리가 식 (7.2)에서 살펴보았듯이 충격량이란 일정한 시간동안 한 물체가 외부로부터 힘을 전달받아 일어난 운동량의 변화를 의미한다. 이제 한 물체의 운동량의 변화를 살피던 계에서 확장하여, 이 물체에 작용한 외부 힘의 주체인 제 2의 물체까지도 이 계에 포함시켜 생각해 보도록 하자.

그림 7.2에서 보듯이, 물체 1이 물체 2에 가한 힘 $\mathrm{F}_{1\to2}$는 이 힘에 의하여 변화하는 물체 2의 운동량의 순간 변화율이 되고, 물체 2가 물체 1에 작용시킨 힘 $\mathrm{F}_{2\to1}$은 마찬가지로 이 힘에 의하여 변화하는 물체 1의 운동량의 순간 변화율이 된다. 즉,

$$\mathrm{F}_{1\to2} = \frac{d\mathrm{p}_2}{dt} \qquad \mathrm{F}_{2\to1} = \frac{d\mathrm{p}_1}{dt} \tag{7.3}$$

이다. 여기에서 뉴턴의 제3법칙인 작용・반작용의 법칙을 상기한다면, 서로 주고받는 힘은 서로 크기는 같으면서, 방향만 반대이므로 즉, $\mathrm{F}_{1\to2} = -\mathrm{F}_{2\to1}$이 되며, 따라서 다음이 성립한다.

$$\mathrm{F}_{1\to2} + \mathrm{F}_{2\to1} = 0$$

$$\frac{d\mathrm{p}_1}{dt} + \frac{d\mathrm{p}_2}{dt} = \frac{d}{dt}(\mathrm{p}_1 + \mathrm{p}_2) = 0 \tag{7.4}$$

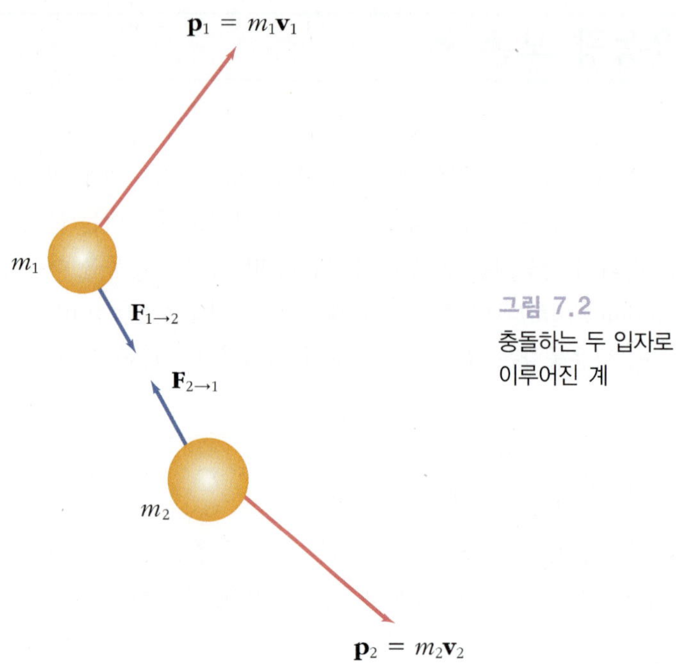

그림 7.2
충돌하는 두 입자로 이루어진 계

즉, 두 물체의 총 운동량 $p_{tot} = p_1 + p_2$는 시간에 대하여 변하지 않고 보존되는 양이 된다. 두 물체가 서로 충돌(상호작용)하기 이전의 상태(첨자 i)와 이후의 상태(첨자 f)로 나누어 생각해 보면,

$$p_{1i} + p_{2i} = p_{1f} + p_{2f} = \text{상수} \tag{7.5}$$

가 되고, 충돌하기 이전의 두 물체의 운동량의 합과 충돌 이후의 운동량의 합이 시간에 대해 보존됨을 뜻하며, 이를 **선운동량 보존법칙**(law of conservation of linear momentum)이라고 한다. 하나의 고립된 계가 외부로부터 힘을 받지 않는 한 항상 그 계의 총 운동량은 보존되어야 한다는 것으로 뉴턴의 제 1법칙의 확장이라고 볼 수 있는, 역학의 가장 기본적인 보존법칙이다.

또한, 일반적으로 외부로부터 고립된 두 물체의 충돌에서 운동량은 항상 보존되는 것이지만, 두 물체가 충돌(상호작용)하면서 어떻게 변화하느냐에 따라, 두 물체의 총 운동에너지가 충돌 이전과 이후에 변하기도 한다. 총 운동에너지가 충돌 전후에 보존되는 경우를 **탄성충돌**(elastic collision), 총 운동에너지가 충돌 전후에 보존되지 않는 경우를 **비탄성충돌**(inelastic collision)이라고 한다.

앞 절에서도 지적했듯이, 일반적으로 충돌이라고 부르는 것은 엄밀히 말해서 물체를 이루는 입자들 사이에서 일어나는 것이기 때문에, 입자들의 덩어리인 거시적인 물체들의 충돌의 경우, 그 사이에 존재하는 미시적인 변화들을 다 고려하지 않고서는 비탄성충돌일 수밖에 없으며, 진정한 탄성충돌은 소립자 간에만 일어날 수 있다.

또한, 7.4절에서 구체적인 응용을 살펴보겠지만, 탄성충돌은 에너지 보존이라는 조건이 하나 더 있으므로, 두 물체의 초기조건(초기 질량과 속도)을 알면, 충돌 후 두 물체의 운동을 정확히 다 계산해 낼 수 있지만, 비탄성충돌의 경우에는 계산에 분명한 한계가 따른다.

예제 **7.3** 운동 만들어내기

현재 나는 마찰이 없는 빙판 한가운데에 버려졌다. 어떻게 내가 빙판을 탈출할 수 있을까? 진공과 무중력의 우주 한가운데에 내가 우주복을 입은 채로 작업을 하다가 근처에 아무 지지대도 없이 움직이고 싶다. 어떻게 해야 하는가?

풀이 마찰이 없으므로, 바닥을 당길 만큼의 지지대가 존재하지 않고, 또한 우주공간에서 역시 밀거나 당길 힘을 주고받을 대상이 없는 상태에서 혼자 아무리 발버둥을 쳐도 그 자리에서 운동을 만들어 낼 수는 없다. 하지만, 운동량 보존의 법칙을 사용한다면, 바로 다음의 경우를 생각해 볼 수 있다. 즉, 내가 현재 질량이 m인 채로 속도 0으로 존재하고 있는 상황에서, 내가 그 무엇이든 몸으로부터 분리해서 집어던질 수 있다면, 분리되어 떨어져나가는 물체의 운동량과 그 나머지인 내 몸의 운동량의 합이 분리해 내기 이전의 운동량인 0과 같아지기 위하여, 반드시 던져지는 물체와 반대방향으로 나는 움직여야 할 것이다.

$$\mathrm{p} = m \cdot 0 = m_1 \mathrm{v}_1 + m_2 \mathrm{v}_2$$

에 의하여, 내가 침을 뱉든가, 옷을 벗어 던지든가 내 몸으로부터 떨어져 나가는 물체의 운동량을 크게 할수록 내가 반대방향으로 밀려가는 운동량은 커진다.

일반적으로 우주선의 추진력은 제트엔진에 의해 연속적으로 연소하며 분출되는 연료로부터 기인한다. 즉, 그림 7.3에서 보듯이 추진 이전과 이후의 운동량 보존은 다음 식과 같다.

$$\Delta v = -\frac{\Delta M}{M} v_m$$

이 되고, 이로부터 우주선의 추진 이전 속도 v_i와 이후 속도 v_f, 그리고 최초의 질량과 추진 후의 질량을 각각 M_i, M_f로 놓고 적분을 하면,

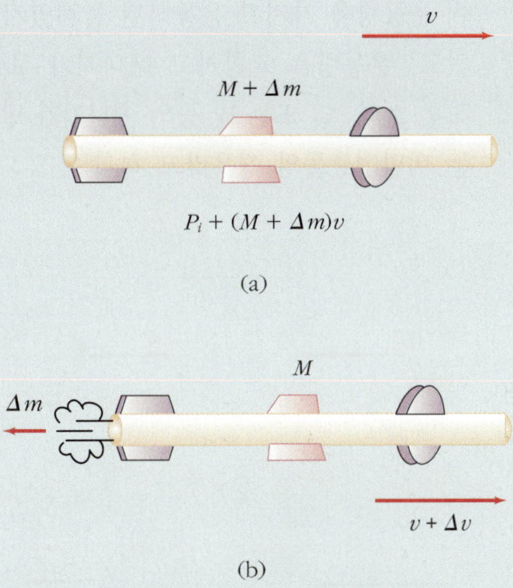

v

$M + \Delta m$

$P_i + (M + \Delta m)v$

(a)

M

Δm

$v + \Delta v$

(b)

그림 7.3 로케트의 추진원리

$$(M + \Delta m)v = M(v + \Delta v) + \Delta m(v - v_m)$$

이다. 따라서 추진되는 속도와 역추진되는 연료의 관계 $\Delta m = -\Delta M$을 고려하면 Δv는

$$\int_{v_i}^{v_f} dv = -v_m \int_{M_i}^{M_f} \frac{dM}{M}$$

$$v_f - v_i = v_m \ln\left(\frac{M_i}{M_f}\right)$$

를 얻는다. 이것이 로케트 추진에 관한 기본식이다. 이 때 로케트의 추진력은

$$M\frac{dv}{dt} = \left|v_m \frac{dM}{dt}\right|$$

이 된다. 즉, 로케트의 추진력은 방출되는 배기 기체의 속도와 시간당 연소량에 비례한다.

7.4 1차원 충돌

7.3절까지에서 도입한 개념을 통하여, 구체적인 충돌문제를 고찰해 보는 데 우선 가장 단순한 경우인 1차원 충돌에 대하여 살펴보도록 하자.

그림 7.4에 제각기 운동량을 지닌 두 물체의 충돌을 나타내었다. 두 물체는 충돌 이전에 운동량을 가지고 운동하던 물체였지만, 그림 7.4 (a)는 충돌 후 각 물체의 질량 변화가 없고, 운동량을 교환하고 에너지가 보존되는 완전탄성충돌인 반면, 그림 7.4 (b)는 충돌 직후 소리, 열 또는 빛 등의 에너지가 발생하면서 두 물체가 한 물체로 결합되어 함께 움직이는 비탄성충돌의 경우라고 하자.

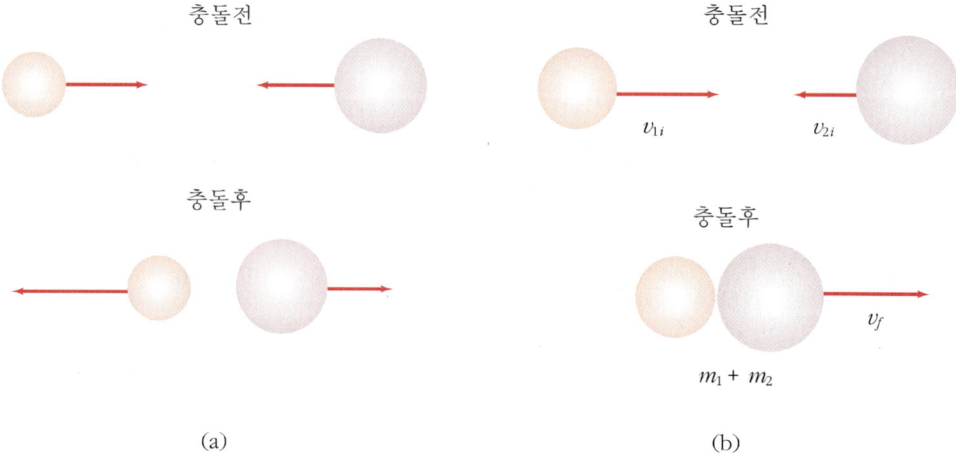

그림 7.4 (a) 탄성충돌 하는 두 물체의 충돌 전후 (b) 비탄성충돌 하는 두 물체의 충돌 전후

운동량 보존원리와 더불어, 그림 7.4 (a)의 완전탄성충돌의 경우, 에너지 보존이라는 또 하나의 조건식이 성립하게 된다.

$$m_1 v_{1i} + m_2 v_{2i} = m_1 v_{1f} + m_2 v_{2f} \tag{7.6}$$

$$\frac{1}{2} m_1 v_{1i}^2 + \frac{1}{2} m_2 v_{2i}^2 = \frac{1}{2} m_1 v_{1f}^2 + \frac{1}{2} m_2 v_{2f}^2 \tag{7.7}$$

충돌전후의 속도가 변하였다고 가정하면($v_{1i} \neq v_{1f}$이고 $v_{2i} \neq v_{2f}$), 이 식들로부터 다음의 관계를 얻을 수 있다.

$$v_{1i} - v_{2i} = -(v_{1f} - v_{2f}) \tag{7.8}$$

즉 식 (7.8)이 의미하는 것은 바로 충돌 이전 물체 1과 물체 2의 속도가 충돌을 통해 서로 뒤바뀌었다는 것이다. 식 (7.6)과 (7.7)로부터 충돌 후의 속도들을 충돌 이전의 속도들로 다 풀어쓸 수 있으며 그 결과는 다음과 같다.

$$v_{1f} = \left(\frac{m_1 - m_2}{m_1 + m_2}\right) v_{1i} + \left(\frac{2m_2}{m_1 + m_2}\right) v_{2i} \tag{7.9}$$

$$v_{2f} = \left(\frac{2m_1}{m_1 + m_2}\right) v_{1i} + \left(\frac{m_2 - m_1}{m_1 + m_2}\right) v_{2i} \tag{7.10}$$

현재 1차원 문제를 다루고 있으므로, 음의 속도를 가진 물체가 움직이는 방향은 양의 값을 가진 것과 반대이다.

그림 7.4 (b)의 비탄성충돌의 경우,

$$m_1 v_{1i} + m_2 v_{2i} = (m_1 + m_2) v_f \tag{7.11}$$

가 성립하므로, 충돌후의 속도 v_f는 다음과 같다.

$$v_f = \frac{m_1 v_{1i} + m_2 v_{2i}}{m_1 + m_2} \tag{7.12}$$

충돌전의 물체들이 가진 에너지의 일부는 충돌하면서 빛, 열 및 소리 에너지 등으로 방출되므로, 충돌 전후의 운동에너지는 보존되지 않는다.

물론 비탄성충돌은 에너지가 감소할 뿐만이 아니라, 증가되는 경우도 포함한다. 즉, 정지해 있던 한 입자가 두 입자로 붕괴되는 경우도 이에 해당한다. 이 경우, 붕괴되기 이전의 한 입자는 정지해 있었으므로, 운동에너지는 0이지만, 붕괴 후 두 입자의 운동에너지는 0보다 커지게 된다.

예제 **7.4** 1차원 완전탄성충돌

질량 m_1의 중성자가 정지상태의 원자핵(질량 m_2)과 충돌했을 때 잃어버리는 에너지 비율은 얼마나 되는가? 납(중성자에 대한 질량비 = 206), 탄소(중성자에 대한 질량비 = 12), 수소(중성자에 대한 질량비 = 1)의 경우에 대하여 각각 계산하라.

풀이 충돌 이전과 이후의 중성자의 속도를 각각 v_1, v_f라고 할 때, 그 운동에너지는 $K_i = \frac{1}{2}m_1 v_i^2$이고, 충돌 후의 운동에너지는 $K_f = \frac{1}{2}m_1 v_f^2$이 된다. 따라서 처음 운동에너지에 대한 잃어버린 운동에너지의 비율이

$$\frac{K_i - K_f}{K_i} = \frac{v_i^2 - v_f^2}{v_i^2} = 1 - \frac{v_f^2}{v_i^2}$$

가 되고, 식 (7.9)에 의해 충돌후의 중성자의 속도를 구해서 대입하면,

$$\frac{K_i - K_f}{K_i} = 1 - \frac{v_f^2}{v_i^2} = 1 - \left(\frac{m_1 - m_2}{m_1 + m_2}\right)^2 = \frac{4m_1 m_2}{(m_1 + m_2)^2} = \frac{4(m_2/m_1)}{(1 + m_2/m_1)^2}$$

이다. 이제 각각 납, 탄소, 수소의 경우를 구해보면,

납의 경우 : $\frac{4 \times 206}{207^2} = 0.02 = 2\%$

탄소의 경우 : $\frac{4 \times 12}{12^2} = 0.28 = 28\%$

수소의 경우 : $\frac{4 \times 1}{2^2} = 1 = 100\%$

가 된다. 바로 이것이 원자로에서 중성자의 감속재로서 수소를 담고 있는 물을 사용하는 이유이다.

7.5 2, 3차원 충돌

속도는 벡터량이므로 2, 3차원에서 일어나는 충돌에서 운동량보존원리는 다음과 같다.

$$m_1 \mathbf{v}_{1i} + m_2 \mathbf{v}_{2i} = m_1 \mathbf{v}_{1f} + m_2 \mathbf{v}_{2f} \tag{7.13}$$

벡터로 나타난 식을 2차원, 혹은 3차원의 각 성분으로 나누는 일은 벡터 분석법을 이용하면 된다. 자세한 것은 예제에서 다루도록 하겠다.

또한 완전탄성충돌의 경우, 속도의 제곱은 스칼라량이 되므로, 에너지 보존 관계식인 식 (7.7)을 그대로 적용하여 사용할 수 있다.

예제 **7.5** 콤프턴 산란

입자 검출기에 광자가 입사하여 검출기 내부의 정지해 있는 전자와 충돌하면, 광자 에너지의 일부는 전자에게 전달된다. 이 때 광자가 산란되는 각 ϕ와 광자가 잃어버린 에너지와의 상관관계를 구하라. 단 입사하는 광자의 에너지는 $E_r = h\nu = hc/\lambda$ (h는 플랑크 상수, ν와 λ는 각각 광자의 진동수와 파장, c는 광속임)이고, 그 운동량은 $p_\gamma = h\nu/c = h/\lambda$이다.

풀이 그림 7.5에서 정의한 산란각을 이용하여 각 성분별로 운동량 보존을 적용하면,

$$x: \frac{h\nu}{c} + 0 = \frac{h\nu'}{c}\cos\phi + p_e\cos\theta$$

$$y: 0 = \frac{h\nu'}{c}\sin\phi - p_e\sin\theta$$

가 되고, 두 식의 양변에 c를 곱하고, 제곱하여 두 식을 더하면, 각 θ가 소거된다. 즉,

$$p_e^2c^2 = (h\nu)^2 - 2(h\nu)(h\nu')\cos\phi + (h\nu')^2 \quad (1)$$

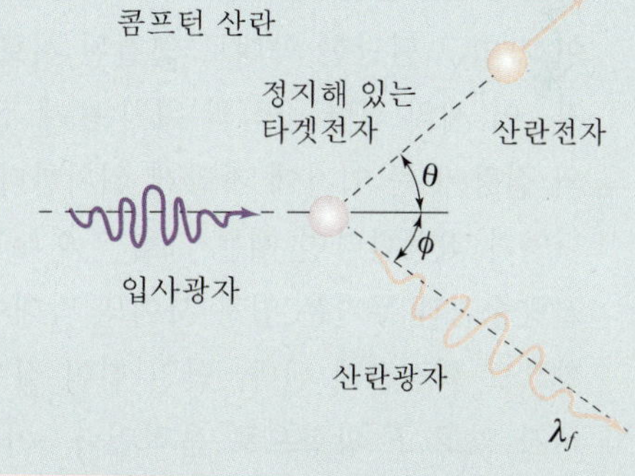

그림 7.5
파장 λ의 광자가 입사해서 정지해 있는 전자에 충돌하는 경우

이 때 광자에 의해 운동에너지를 얻은 전자의 총 에너지는 다음과 같다. (아직 상대론적인 에너지를 익히지 않은 독자들은 26.7절을 참고하였으면 한다.)

$$E = KE + mc^2 = \sqrt{p^2c^2 + m^2c^4}$$

또한, 전자가 얻은 운동에너지 $KE = h\nu - h\nu'$이므로, 대입하여 정리하면,

$$p^2c^2 = (h\nu)^2 - 2(h\nu)(h\nu') + (h\nu')^2 + 2mc^2(h\nu - h\nu')$$

이 된다.

이 식을 위의 식 (1)과 같게 놓고, $\nu = c/\lambda$ 관계를 이용해서 정리하면, 최종적으로

$$\lambda' - \lambda_0 = \frac{h}{mc}(1 - \cos\phi)$$

를 얻는다. 이것은 1920년대 초 콤프턴(Arthur H. Compton)에 의해 유도된 콤프턴 효과를 나타내는 식이다. 여기서 h/mc는 상수로서 콤프턴 파장이라고 알려져 있으며 그 값은 2.426pm가 된다. 이것은, ϕ가 90° 일 때의 파장의 변화를 나타낸다. 나중에 뒷부분에서 알게 되겠지만, 콤프턴 효과는 빛의 입자적 성질을 입증한 역사적으로 중요한 발견이다.

7.6 질량 중심

이 절에서는 역학계의 운동을 계의 질량중심(center of mass)이라는 특별한 관점에서 기술한다. 여기서 역학계란 용기에 담겨 있는 원자들과 같은 입자계일 수도 있고 공중으로 뛰어오르는 체조 선수와 같은 크기를 가진 물체일 수도 있으며 불꽃놀이를 할 때 불꽃 전체일 수도 있다. 이러한 역학적인 계의 운동은 마치 모든 질량이 질량중심 한 곳에 모여 있는 것과 같이 움직이는 것을 알게 될 것이다. 더욱이 계에 작용하는 전체 외력이 $\sum F_{\text{ext}}$이고 계의 전체 질량이 M이라면 질량중심은 $a=\dfrac{\sum F_{\text{ext}}}{M}$으로 주어지는 가속을 받게 된다. 즉, 계는 마치 전체 외력이 질량중심에 있는 질량 M인 단일 입자에 작용한 것처럼 움직인다. 이 움직임은 계의 회전이나 진동과 같은 다른 운동과 별개로 일어난다. 그림 7.6과 같이 가볍고 단단한 막대로 연결된 서로 질량이 다른 한 쌍의 입자로 된 역학계를 생각해 보자. 이 계의 질량 중심의 위치는 계 질량의 평균위치로 기술되며, 입자들을 연결하는 선상의 질량이 큰 입자에 가깝게 위치한다. 만일 힘이 질량중심과 가벼운 입자 사이의 막대 어디엔가 작용한다면 계는 그림 7.6 (a)와 같이 시계 방향으로 회전하게 된다. 반대로, 힘이 질량중심과 무거운 입자 사이의 막대에 작용한다면 계는 그림 7.6 (b)와 같이 시계반대 방향으로 회전하게 된다. 만일 힘이 질량 중심에 작용한다면 계는 그림 7.6 (c)와 같이 회전하지 않고 F 방향으로 움직인다. 이와 같은 방법으로 질량중심을 쉽게 알아낼 수 있다.

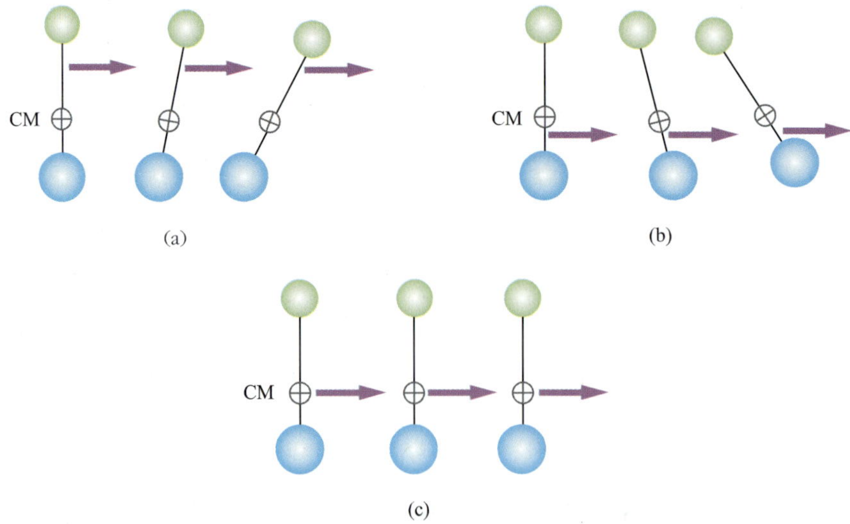

그림 7.6 두 개의 서로 다른 질량을 가진 입자들이 가볍고 단단한 막대로 연결되어 있다. (a) 힘이 질량 중심과 가벼운 입자 사이에 작용하면 계는 시계 방향으로 회전하게 된다. (b) 힘이 질량 중심과 무거운 입자 사이에 작용하면 계는 시계반대 방향으로 회전하게 된다. (c) 힘이 질량 중심에 작용하면 계는 회전하지 않고 힘의 방향으로 움직인다.

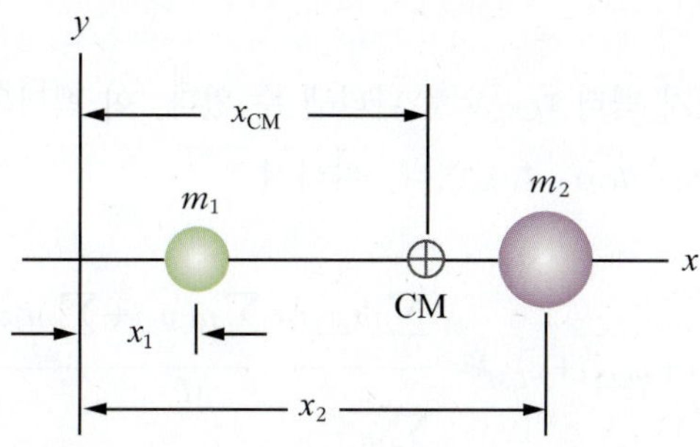

그림 7.7 x축 위에 놓여 있는 질량이 다른 두 입자에 대한 질량 중심은 x_{CM}에 위치한다. 이 점은 두 입자 사이에 있고 큰 질량 쪽에 가깝다.

그림 7.7과 같이 x축 위에 놓여있는 두 입자에 대한 질량 중심은 x축 상에서 입자 사이의 어딘가에 놓여 있다. 그 x좌표 값은 다음과 같이 정의된다.

$$x_{CM} = \frac{m_1x_1 + m_2x_2}{m_1 + m_2} \tag{7.14}$$

예를 들어, $x_1 = 0$, $x_2 = d$이고, $m_2 = 2m_1$이라면, $x_{CM} = \frac{2}{3}d$가 된다. 즉, 질량중심이 더 무거운 입자에 가깝다. 만일 질량이 같다면 질량중심은 입자 사이의 정 가운데에 놓이게 된다.

이러한 질량 중심의 개념을 3차원의 많은 입자들로 이루어진 계로 확장할 수 있다. n개 입자의 질량 중심의 x좌표는 다음과 같이 정의된다.

$$\begin{aligned} x_{CM} &= \frac{m_1x_1 + m_2x_2 + m_3x_3 \cdots + m_nx_n}{m_1 + m_2 + m_3 \cdots + m_n} \\ &= \frac{\sum_i m_ix_i}{\sum_i m_i} = \frac{\sum_i m_ix_i}{M} \end{aligned} \tag{7.15}$$

여기서 x_i는 i번째 입자의 x좌표이고 m_i는 i번째 입자의 질량이며, $\sum m_i$는 계의 전체 질량이다. 편의상 전체 질량을 $M = \sum_i m_i$로 표시하는데, 이때 합은 n개 입자 모두에 대한 것이다. 질량 중심의 x, y 좌표에 대해서도 같은 방법으로

$$y_{CM} \equiv \frac{\sum_i m_iy_i}{M} \quad \text{그리고} \quad z_{CM} \equiv \frac{\sum_i m_iz_i}{M} \tag{7.16}$$

로 정의된다.

질량중심은 또한 위치 벡터 $\mathbf{r}_{CM}$으로 나타낼 수 있다. 이 벡터의 직교좌표는 식 (7.15)와 (7.16)에 정의된 x_{CM}, y_{CM}, z_{CM}이다. 따라서

$$\mathbf{r}_{CM} = x_{CM}\hat{i} + y_{CM}\hat{j} + z_{CM}\hat{k} = \frac{\sum_i m_i x_i \hat{i} + \sum_i m_i y_i \hat{j} + \sum_i m_i z_i \hat{k}}{M}$$
$$r_{CM} = \frac{\sum_i m_i r_i}{M} \tag{7.17}$$

가 된다. 여기서 r_i는 i번째 입자의 위치 벡터

$$r_i \equiv x_i\hat{i} + y_i\hat{j} + z_i\hat{k} \tag{7.18}$$

로 정의된다.

크기가 있는 물체의 경우 질량중심을 구하는 것이 좀 더 복잡하지만 앞에서와 같은 기본 개념은 여전히 적용된다. 크기가 있는 물체는 그림 7.8과 같이 아주 많은 입자로 구성된 계로 볼 수 있다. 그러나 입자 사이의 간격이 매우 작으므로 물체의 질량 분포가 연속적인 것으로 간주할 수 있다. 물체를 x_i, y_i, z_i 좌표에 있는 질량 요소 Δm_i들로 나누면, 질량중심의 x성분은 대략

$$x_{CM} \approx \frac{\sum_i x_i \Delta m_i}{M}$$

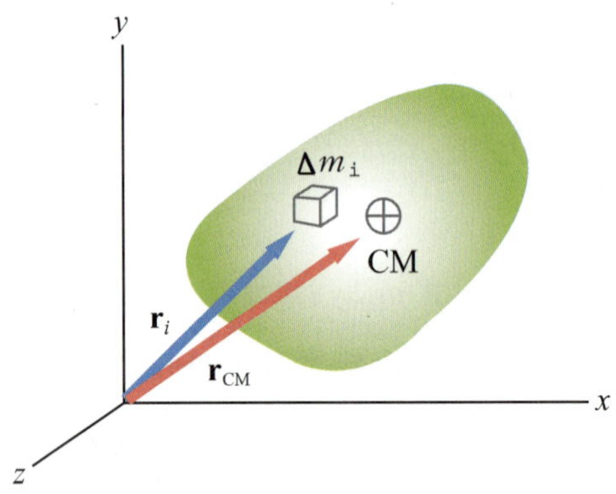

그림 7.8 크기가 있는 물체는 수많은 질량 요소 Δm_i로 분포되어 있는 것으로 생각할 수 있다. 질량 중심은 x_{CM}, y_{CM}, z_{CM}의 성분을 가진 벡터 $\mathbf{r}_{CM}$의 위치에 있다.

가 되고 y_{CM}, z_{CM}도 같은 형태로 주어진다. 만일 질량 요소의 수 n을 무한대로 키우면 x_{CM}은 정확한 값이 된다. 이러한 극한에서 합을 적분으로 바꾸고 Δm_i를 미분 요소 dm으로 바꾸면

$$x_{\mathrm{CM}} = \lim_{\Delta m_i \to 0} \frac{\sum_i x_i \Delta m_i}{M} = \frac{1}{M}\int x dm \tag{7.19}$$

이 된다. 마찬가지로 y_{CM}, z_{CM}은

$$y_{\mathrm{CM}} = \frac{1}{M}\int y dm \text{ 그리고 } z_{\mathrm{CM}} = \frac{1}{M}\int z dm \tag{7.20}$$

가 된다. 크기가 있는 물체의 질량 중심의 위치 벡터는

$$r_{\mathrm{CM}} = \frac{1}{M}\int r dm \tag{7.21}$$

으로 주어진다. 이는 식 (7.19)와 (7.20)과 같은 표현이다.

대칭성을 갖고 있는 물체의 질량 중심은 대칭축과 대칭면 위에 놓인다. 예를 들면, 질량이 균일하게 분포되어 있는 막대의 질량 중심은 막대 양끝으로부터 같은 거리인 한가운데에 있다. 구나 육면체의 질량 중심은 기하학적 중심에 있다.

렌치같이 불규칙한 모양을 가진 물체의 질량 중심은 그림 7.9와 같이 먼저 물체의 한 점에서 걸어 매달고, 다시 다른 점에 걸어 매달아 봄으로써 구할 수 있다. 렌치를 먼저 점 A에 걸어 매달아 흔들리지 않게 될 때 수직선 AB를 그린다(수직선은 납이 달린 줄을 사용하여 구할 수 있다). 그 다음으로 점 C에 매달아 두 번째 수직선 CD를 그린다. 질량 중심은 이 두 직선이 만나는 점이 된다. 일반적으로 렌치가 임의의 점에 걸려 자유롭게 매달려 있으면, 그 점을 지나는 수직선은 반드시 질량 중심을 지나게 된다.

크기가 있는 물체는 질량이 연속으로 분포되어서 각각의 작은 질량 요소에 중력이 작용한다. 이들 힘의 총체적인 결과는 무게중심(center of gravity)이라 하는 한 점에 작용하는 단일 힘 Mg의 효과와 같다. 크기를 가진 물체를 무게 중심 위에다 받쳐 세우면 물체는 어떤 자세로도 균형을 이룬다.

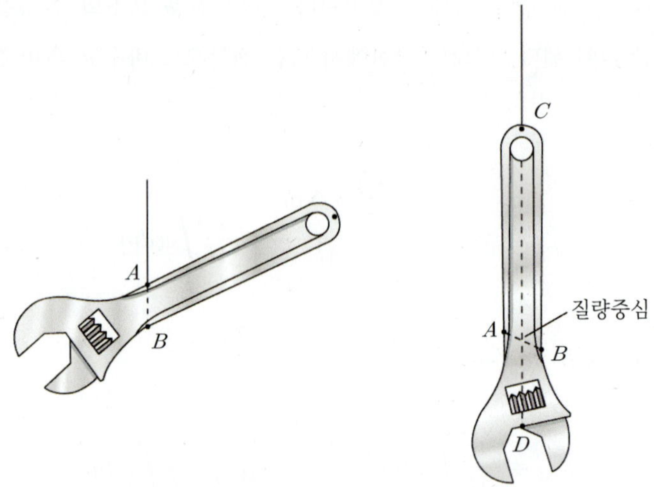

그림 7.9 렌치의 질량 중심을 실험적으로 찾아내는 방법. 렌치를 두 개의 다른 점 A, C에 걸어 자유롭게 매단다. 두 개의 수직선 AB, CD의 교차점이 질량 중심이다.

예제

7.6 세 개 입자의 질량중심

입자 세 개가 그림 7.10 (a)와 같이 놓여 있다. 입자 세 개의 질량은 $m_1 = m_2 = 1.0\ \text{kg}$, $m_3 = 2.0\ \text{kg}$이다. 이 계의 질량중심을 구하라.

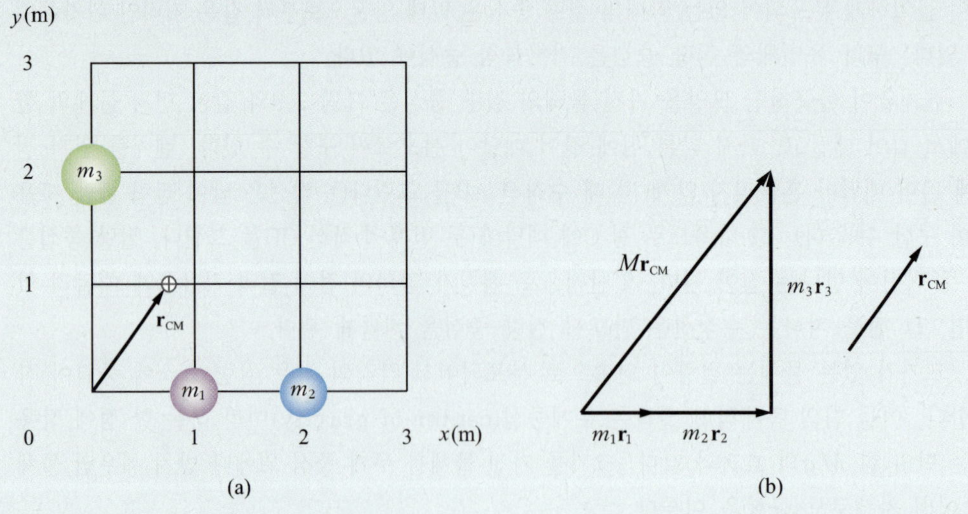

그림 7.10
(a) 1.0kg의 두 개 입자는 x축 위에 그리고 2.0kg의 한 개 입자는 y축에 위치한다. 이 계의 질량 중심을 벡터로 표현한다. (b) $m_i\mathbf{r}_i$의 벡터합을 $\mathbf{r}_{CM}$으로 표현한다.

풀이 질량중심에 좌표에 관한 기본 식을 사용하여, $z_{CM}=0$이므로

$$x_{CM}=\frac{\sum_i m_i x_i}{M}=\frac{m_1x_1+m_2x_2+m_3x_3}{m_1+m_2+m_3}$$
$$=\frac{(1.0\text{ kg})(1.0\text{ m})+(1.0\text{ kg})(2.0\text{ m})+(2.0\text{ kg})(0)}{1.0\text{ kg}+1.0\text{ kg}+2.0\text{ kg}}$$
$$=\frac{3.0\text{ kg}\cdot\text{m}}{4.0\text{ kg}}=0.75\text{ m}$$
$$y_{CM}=\frac{\sum_i m_i y_i}{M}=\frac{m_1y_1+m_2y_2+m_3y_3}{m_1+m_2+m_3}$$
$$=\frac{(1.0\text{ kg})(0)+(1.0\text{ kg})(0)+(2.0\text{ kg})(2.0\text{ m})}{4.0\text{ kg}}$$
$$=\frac{4.0\text{ kg}\cdot\text{m}}{4.0\text{ kg}}=1.0\text{ m}$$

이다. 따라서 원점으로부터 질량중심까지의 위치 벡터는

$$\mathrm{r}_{CM}\equiv x_{CM}\,\hat{i}+y_{CM}\,\hat{j}=(0.75\,\hat{i}+1.0\,\hat{j})\text{ m}$$

와 같다. 이는 $m_1r_1+m_2r_2+m_3r_3$의 벡터합에 전체 질량 M을 나눈다는 사실을 그림 7.10(b)에서 벡터 도형적으로 증명할 수 있다.

예제 **7.7** 막대의 질량 중심

(A) 질량이 M이고 길이가 L인 막대의 질량중심이 양 끝 사이의 정 중간에 있음을 보여라. 막대의 질량 분포는 단위 길이당 질량이 균일하다고 가정한다.

(B) 만일 막대가 균일하지 않다면 즉, 단위 길이당 질량이 $\lambda=\alpha x$(α는 상수)로 변할 때 질량중심의 좌표를 구하라.

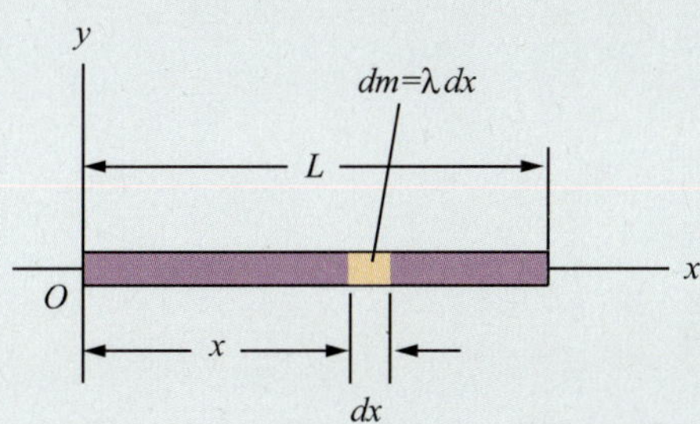

그림 7.11 질량이 균일하게 분포되어 있는 막대의 질량 중심을 발견하기 위한 기하학적 모양

풀이 (a) 막대가 그림 7.11과 같이 x축 위에 놓여 있다고 하면 $y_{CM}=z_{CM}=0$이다. 단위 길이당 질량을 λ(선질량밀도)라 하면 균일한 막대에서 선질량밀도는 $\lambda=M/L$이다. 만일 막대를 길이가 dx인 무수히 많은 조각으로 나눈다면 이때 각 조각의 질량은 $dm=\lambda dx$이다. 식 (7.19)은

$$x_{\mathrm{CM}}=\frac{1}{M}\int x dm=\frac{1}{M}\int_0^L x\lambda dx=\frac{\lambda}{M}\left[\frac{x^2}{2}\right]_0^L=\frac{\lambda L^2}{2M}$$

이 된다. $\lambda=M/L$이므로

$$x_{\mathrm{CM}}=\frac{L^2}{2M}\left(\frac{M}{L}\right)=\frac{L}{2}$$

이다.

(b) 이 경우 dm은 λdx이다 그러나 λ는 상수가 아니다. 그러므로 x_{CM}은

$$x_{CM}=\frac{1}{M}\int x\,dm=\int_0^L x\lambda\,dx=\frac{1}{M}\int_0^L x\,\alpha x dx$$

$$=\frac{\alpha}{M}\int_0^L x^2 dx=\frac{\alpha L^3}{3M}$$

이다. 전체 질량은 다음 관계식으로 α와 관련시킬 수 있다.

$$M=\int dm=\int_0^L \lambda dx=\int_0^L \alpha x dx=\frac{\alpha L^2}{2}$$

이 식을 대입하면 x_{CM}은

$$x_{CM}=\frac{\alpha L^3}{3\alpha L^2/2}=\frac{2}{3}L$$

이다.

연습문제

EXERCISES

1 v의 속력을 갖는 질량 m의 물체가 45°의 각으로 강철판을 때린 후 같은 속력, 같은 각으로 되튀었다. 이 물체가 강철판에 가한 충격량은 얼마인가?

2 질량이 0.05kg인 탄환이 400m · s^{-1}의 속도로 날아가 땅에 견고하게 부착된 나무토막 속으로 0.1cm 박히었다. 가속되는 힘은 일정하다고 가정하고 다음을 계산하여라. (a) 탄환의 가속도, (b) 가속되는 힘 (c) 가속시간 (d) 충격량.

3 그림 7.12에서와 같이 길이 l의 두 흔들이가 처음에는 그림과 같이 m_1이 d만큼 높이 들려 있다. m_1을 놓아주었더니 내려가서 m_2를 때린다. 충돌이 완전탄성적이고 줄의 질량은 무시되며 마찰효과도 없다고 하자. 질량중심은 얼마나 올라가겠는가?

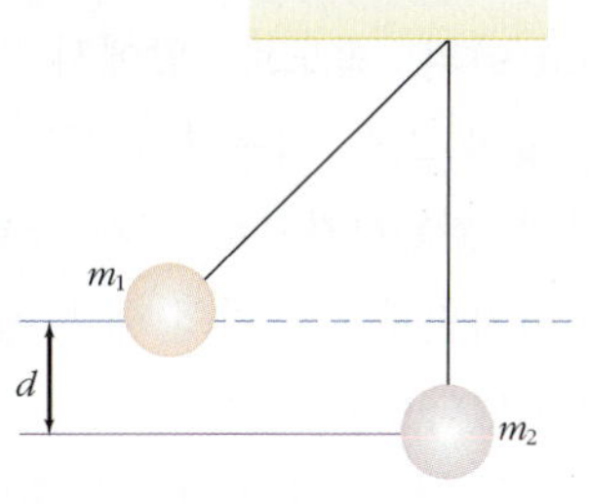

그림 7.12

4 그림 7.13은 총알 속도 측정계인 탄동진자를 보여준다. 질량 m인 총알이 진자처럼 매달려 있는 질량 M인 나무토막에 충돌하여 완전 비탄성 충돌을 한다. 총알의 충격 후 나무토막은 최대 높이 y로 상승한다. 주어진 y, m, M을 이용하여 총알의 처음속도 v를 구하라.

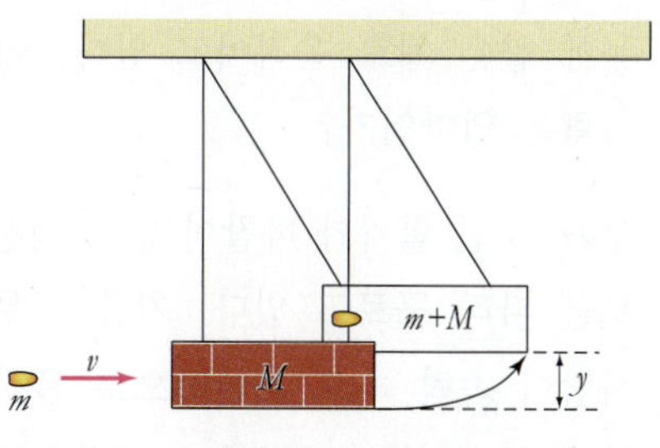

그림 7.13 탄동진자

5 10.0g 질량의 총알이 350m/s의 속력으로 정지해 있는 6.00kg 질량의 탄동진자에 발사된다. 탄동진자의 끈의 길이는 70.0cm이다.

(a) 충돌 후 탄동진자가 솟아오르는 수직 높이를 계산하라.

(b) 총알이 탄동진자에 박힌 직후의 총알과 탄동진자의 운동에너지를 구하라.

6 수평방향으로 날아가는 질량 5g의 탄환이 수평면 위에 정지하고 있는 질량 3kg의 나무토막에 박혀 나무토막은 수평면을 따라 25cm 미끄러져 정지하였다. 나무토막과 수평면 사이의 마찰계수는 0.20이다, 이 탄환의 속도는 얼마였는가?

7 질량 m인 전자가 정지하고 있는 질량 M의 한 원자와 충돌한 결과 일정량의 에너지 E가 원자 내부에 저장된다. 전자가 가져야 할 최소의 속력 v_0는 얼마인가?

8 지상에서 발사된 로케트가 처음의 1초간에 그 질량의 1%를 2000m/s의 속력으로 분사한다. 처음 1초간의 평균 가속도를 구하라.

9 70kg의 사람이 마찰이 없는 연못의 얼음판을 3m/s의 속도로 미끄러지고 있다. 이 사람이 운동방향과 수직으로 무게 200g, 속도 30m/s의 눈덩어리에 얻어맞아, 눈덩어리가 몸에 붙은 채로 움직이고 있다. 이 사람의 속력은 얼마인가?

10 무게 W인 활차가 마찰이 없는 직선 수평철로를 따라 구르고 있다. 처음에 무게 w인 사람이 속력 v_0로 오른쪽으로 움직이는 차 위에 서 있다. 그 사람이 왼쪽으로 달려서 왼쪽 끝에서 뛰어 내리기 직전에 그 사람의 차에 대한 상대속력이 v'이면 차의 속도 변화는 얼마나 되는가?

11 질량 m, 속력 v인 한 물체가 무중력 공간에 두 개의 같은 조각으로 폭발하여 한 조각은 정지하였다면 이 계에 얼마의 운동 에너지가 첨가되었는가?

12 짐을 싣지 않은 질량 10,000kg 무게의 화물차가 1m/s의 속도로 마찰이 없는 수평궤도를 따라 미끄러져 가고 있다. 연직하방으로 비가 내리고 있다. 이 화물차가 충분히 오랫동안 달려 1,000kg의 빗물이 괴었을 때의 속도는 얼마인가?

13 정지해 있는 한 핵이 세 입자로 분해되었다. 그 중 두 입자는 서로 수직으로 질량과 속도가 각각 17×10^{-27}kg, 6.0×10^{6}m/s 와 8.0×10^{-27}kg, 8.0×10^{6}m/s로 움직이는 것이 검출되었다. 이 때 질량이 12×10^{-27}kg으로 알려진 제 3의 입자의 운동량은 얼마나 되는가?

14 두 물체가 일직선상에서 충돌할 때, (a) 운동량 보존의 법칙을 수식으로 나타내고, (b) 뉴튼의 가속도 법칙($F=ma$)으로부터 충돌시간에 대한 운동량의 변화식으로 나타낸 다음, (c) 충격력이 어떻게 나타나는지 설명하라.

15 질량 3kg의 총으로부터 30g의 총알이 발사될 때 속도가 500m/s이다.

(a) 총의 반동속도는 얼마가 되는가?
(b) 총이 갖게 되는 운동에너지는 얼마인가?
(c) 이 총이 총을 잡고 있는 사람의 어깨를 10cm 밀어내고 있다면 어깨를 치는 힘은 얼마인가?

16 질량 500kg의 포를 이용하여 3kg의 포탄이 발사될 때 속도가 50m/s이다.

(a) 포의 반동속도는 얼마가 되는가?
(b) 포가 갖는 운동에너지는 얼마인가?
(c) 이 포가 반동으로 바닥을 10cm 밀어내고 있다면 바닥에 작용하는 평균 힘은 얼마인가?

17 121km/h(33.6m/s)의 속력으로 달리던 질량 1,400kg의 중형 자동차가 81km/h(22.5m/s)의 속도로 앞에서 달리던 질량 700kg의 소형 자동차를 들이 받았다. 1초 동안의 충돌시간으로 인해 소형차가 30cm 우그러지면서 두 차의 운동에너지가 40% 소멸되었다면,

(a) 충돌 시 두 차에 가해진 힘(충격력)은 얼마인가?
(b) 충돌 후 두 자동차의 속도는 어떻게 될까?
(c) 충돌 후 중형차 및 소형차의 가속도는 각각 얼마였는가?
(d) 완전 탄성의 경우였다면 충돌 후 두 자동차의 속도는 어떻게 될까?

08 회전운동

이장에서는 원형 경로를 따라 움직이는 입자 및 입자계 그리고 고정된 축 주위를 회전하는 강체의 각변위, 각속도 및 각가속도와 같은 운동학을 설명하고, 회전운동의 원인이 되는 **돌림힘**을 다룬다. 그리고 **각운동량**과 **회전운동 에너지**에 관한 물리적 정의를 하고, 이 물리량들의 보존원리를 다룬다. 이 장에서 유도된 결과들은 우리 주위의 환경에서 언제나 접할 수 있는 다양한 물체들의 회전운동을 이해할 수 있도록 해줄 것이다.

8.1 각속도와 각가속도

이 절에서는 강체의 회전운동만을 생각한다. 물과 같은 비강체의 회전운동은 매우 복잡하므로 생략하고, 회전축 주위로 물체가 회전하는 경우만을 취급한다. 그림 8.1에 강체 내의 벡터 r의 종점 P가 그리는 원주를 나타내었다. 그리고 점P가 이동한 각 θ와 원호의 길이 s도 나타내었다. 회전하는 물체에 고정되어 있는 점 P는 원점을 중심으로 반지름 r을 갖는 원을 그린다. 회전하는 물체내의 임의의 점 P의 위치만 알면 물체를 구성하는 모든 질점들의 위치를 정확히 말할 수 있다. 그러므로 회전운동학의 문제에 대해서는 원을 그리는 한 점의 운동만 생각해도 된다.

관습상 회전의 +방향은 시계 반대방향이다. 따라서 θ는 시계 반대방향 회전에 대해서는 증가하고 시계 방향의 회전에 대해서는 감소한다. 그리고 그림 8.1에 나타낸 점 P가 이동한 각 θ를 식 (8.1)과 같이 **라디안**(rad)이라는 물리량으로 정의할 수 있다.

$$\theta = \frac{s}{r}\,\mathrm{rad} \tag{8.1}$$

라디안은 두 길이의 비이므로 물리적 차원이 없는 순수한 수이다. 반지름 r인 원의 둘레는 $2\pi r$이므로 1회 회전에 대해서는 2π 라디안이다. 따라서 1회 회전 = 2π 라디안 = $360°$이므로 1라디안 = $57.3°$이다.

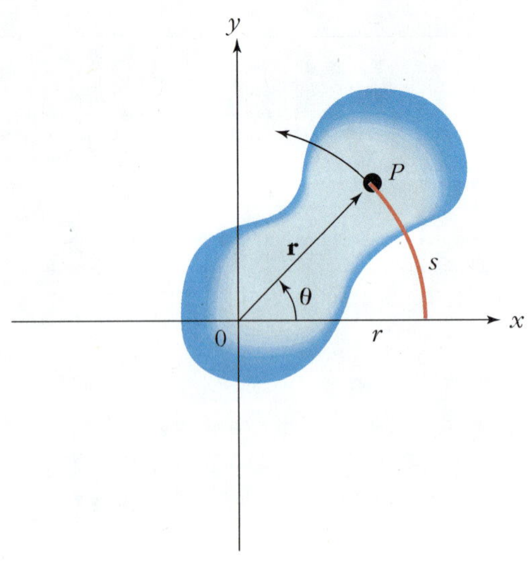

그림 8.1 회전하는 물체

각속도

그림 8.2에서 물체가 반시계 방향으로 회전한다고 하자. 시간 t_1에서 점 $P(t_1)$의 각도로 나타낸 위치는 θ_1이고, 조금 후 시간 t_2에서 각도로 나타낸 위치는 θ_2이다. 다시 말하면 $P(t_1)$에 있는 입자가 $\Delta t(= t_2 - t_1)$ 시간동안 $P(t_2)$로 이동하므로 Δt 시간동안에 **각 변위**(angular displacement)는 $\Delta\theta(= \theta_2 - \theta_1)$이다. 평균 각속도 $\bar{\omega}$는 Δt 시간 동안에 변화된 각변위 $\Delta\theta$의 비로 정의한다.

$$\bar{\omega} \equiv \frac{\theta_2 - \theta_2}{t_2 - t_1} = \frac{\Delta\theta}{\Delta t} \tag{8.2}$$

실용적인 측면에서 어떤 순간에서 각속도를 정의할 필요가 있다. 순간 각속도 ω는 Δt가 0으로 접근할 때 $\Delta\theta$와 Δt의 비가 접근하는 극한값으로 식 (8.3)과 같이 정의한다.

$$\omega \equiv \lim_{\Delta t \to 0} \frac{\Delta\theta}{\Delta t} = \frac{d\theta}{dt} \tag{8.3}$$

회전하는 물체가 강체이면, 물체 내의 각 점은 같은 **각속도**(angular velocity) ω로 회전한다. 그리고 각속력의 단위는 초당 휩쓸고 지나간 라디안 각으로, rad/s로 나타내거나 또는 초당 회전수인 rev/s로 나타낸다. 또한 라디안 각의 단위는 차원이 없으므로 각속도는 시간의 역차원(T^{-1})을 가진다.

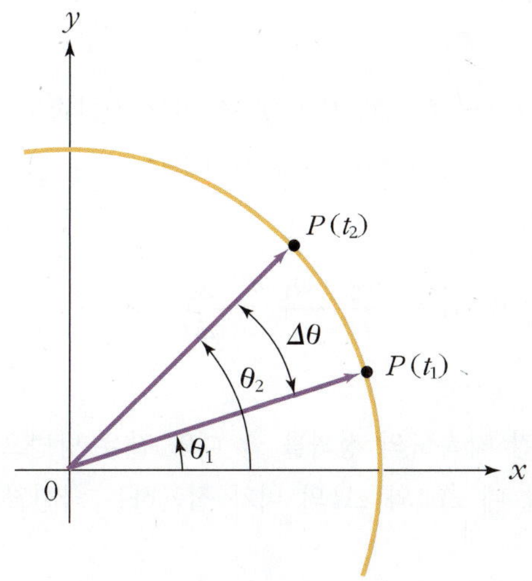

그림 8.2 회전하는 입자의 각변위와 시각

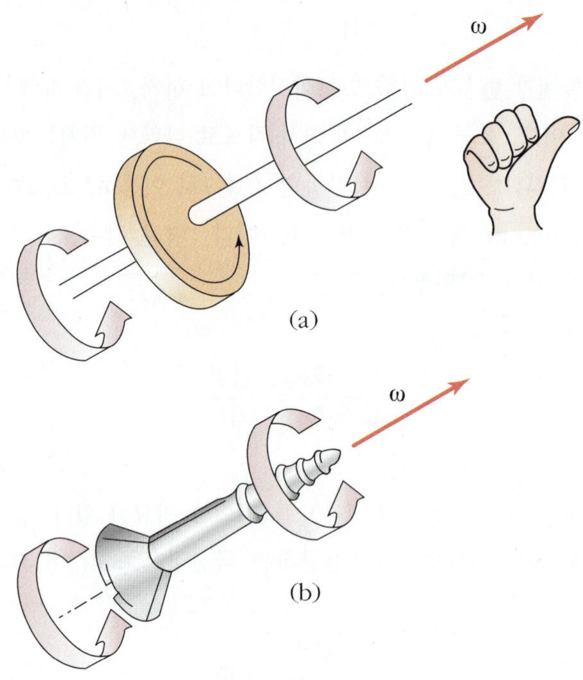

그림 8.3 각속도 ω의 방향을 나타내는 그림
(a) 각속도 방향을 결정하기 위한 오른손 법칙. (b) ω의 방향은 오른손 나사의 진행 방향이다.

각속도 ω는 벡터이므로 크기와 방향을 가진다. 크기는 식 (8.3)에 정의된 양이며, 방향은 오른손 법칙에 따른다. 그림 8.3은 각속도 벡터의 방향을 결정하기 위한 **오른손 법칙**(right hand rule)을 나타내는 그림이다.

각가속도

각속도가 일정하지 않으면 회전체 상의 한 점 P는 각가속도를 가진다. ω_1과 ω_2를 시간 t_1과 t_2에서의 순간 각속도이라 하면 평균 **각가속도**(average angular acceleration) $\overline{\alpha}$는 다음과 같이 정의한다.

$$\overline{\alpha} \equiv \frac{\omega_2 - \omega_1}{t_2 - t_1} = \frac{\Delta\omega}{\Delta t} \tag{8.4}$$

순간 각가속도도 순간 각속도의 정의를 할 때와 같은 방법으로 한다. 순간 **각가속도** α는 Δt가 0으로 접근할 때 $\Delta\omega$와 Δt의 비가 접근하는 극한값으로 정의한다.

$$\alpha \equiv \lim_{\Delta t \to 0} \frac{\Delta\omega}{\Delta t} = \frac{d\omega}{dt} \tag{8.5}$$

각가속도(angular acceleration)의 차원은 시간 제곱의 역수(T^{-2})로, 그 단위는 rad/s^2 또는 rev/s^2으로 표시한다. 각가속도 α도 벡터이므로 크기와 방향을 가진다. 크기는 각속도의 시간 변화율에 비례하고, 방향은 각속도가 증가하면 ω와 같은 방향이고, 각속도가 감소하면 ω와 반대방향이다.

예제 **8.1** 한 입자가 회전하고 있다. 입자가 시각이 2초일 때 0.5라디안의 위치에 있는 $P(t_1)$를 지나고, 4초일 때 1.5 라디안의 위치에 있는 $P(t_2)$를 통과한다. 평균 각속도를 구하라.

풀이 2초일 때 $P(t_1)$를 지나고 4초일 때 $P(t_2)$를 지나므로 두 지점을 통과하는데 걸린 시간은

$$\Delta t = t_2 - t_1 = 4\mathrm{s} - 2\mathrm{s} = 2\mathrm{s}$$

가 되고, $\Delta t(-2s)$ 동안에 휩쓸고 간 각은

$$\Delta\theta = \theta_2 - \theta_1 = 1.5\,\mathrm{rad} - 0.5\,\mathrm{rad} = 1.0\,\mathrm{rad}$$

이 된다. 따라서 평균 각속도는

$$\overline{\omega} = \frac{\Delta\theta}{\Delta t} = \frac{1\,\mathrm{rad}}{2s} = 0.5\,\mathrm{rad/s}$$

가 된다.

8.2 회전 운동학

이 절에서는 입자가 회전운동을 할 때 나타나는 각위치, 각속도, 각가속도 및 시간 사이의 관계를 이어주는 관계식을 유도하여 보자. 여기서 기술하고자 하는 회전운동 관련식은 각가속도가 변하지 않은 일정 각가속도 회전운동에만 한정한다.

각속도, 각가속도, 시간과의 관계식

각속도, 각가속도 및 시간이 관련된 운동에 관한 식을 유도하기 위하여 식 (8.5)를 고쳐 쓰면

$$d\omega = \alpha dt$$

가 된다. 이 식의 양변을 적분하면

$$\int_{\omega_0}^{\omega} d\omega = \alpha \int_0^t dt \tag{8.6}$$

로 나타내어진다. $t = 0$일 때 초기 각속도는 ω_0이고, 임의의 시간 t일 때 **각속도**를 ω로 두었다. 그리고 **각가속도** α가 적분기호 밖으로 나와 있는 것은 각가속도가 일정한 상수 값을 가지기 때문이다. 식 (8.6)을 계산하면

$$\omega = \omega_0 + \alpha t \tag{8.7}$$

가 된다. 식 (8.7)은 초기 각속도 ω_0와 각가속도 α를 알 경우 임의의 시간 t에서 각속도 ω를 구하는 공식이다.

각위치, 초기 각속도, 각가속도 및 시간과의 관계식

각위치, 초기 각속도, 각가속도 및 시간에 관련된 식을 유도하기 위하여 식 (8.3)에서 양변에 dt를 곱하여 정리하면

$$d\theta = \omega\, dt \tag{8.8}$$

가 되므로 양변을 적분하면 다음과 같다.

$$\int_{\theta_0}^{\theta} d\theta = \int_0^t \omega\, dt \tag{8.9}$$

여기서, 시간 $t = 0$일 때 초기의 각위치는 θ_0이고, 임의의 시간 t일 때 각위치는 θ으로 두었다. 미소 각변위 벡터 $d\theta$의 방향은 ω의 방향과 같다. 식 (8.9)에서 ω는 시간의 함수이므로 적분기호 밖으로 나올 수 없다. 식 (8.9)의 ω 대신에 식 (8.7)을 대입하여 정리하면

$$\int_{\theta_0}^{\theta} d\theta = \int_0^t (\omega_0 + \alpha t) dt \tag{8.10}$$

가 되므로, 이 식을 적분하면

$$\theta = \theta_0 + \omega_0 t + \frac{1}{2}\alpha t^2 \tag{8.11}$$

이 된다.

각위치, 각속도, 시간과의 관계식

식 (8.11)에서 각가속도를 소거하기 위해서는 식 (8.7)을 이용하여 각가속도 α에 관한 식으로 정리하면

$$\alpha = \frac{\omega - \omega_0}{t} \tag{8.12}$$

이 된다. 식 (8.12)를 식 (8.11)에 대입하여 정리하면

$$\theta = \theta_0 + \frac{1}{2}(\omega_0 + \omega)t \tag{8.13}$$

이다. 식 (8.13)은 초기 각위치 θ_0, 초기 각속도 ω_0, 시간 t와 그 때 각속도 ω를 알 경우 각위치를 구하는 공식이다.

각위치, 각속도, 각가속도와의 관계식

시간을 포함하지 않는 회전운동 관계식을 만들기 위하여 식 (8.7)을 다음과 같이 변경한다.

$$\alpha t = \omega - \omega_0 \tag{8.14}$$

식 (8.11)을 정리한 후, 이 식에 각가속도 벡터를 스칼라 곱을 취하면

$$(\theta - \theta_0) \cdot \alpha = \omega_0 \cdot \alpha t + \frac{1}{2}(\alpha t) \cdot (\alpha t) \tag{8.15}$$

가 된다. 식 (8.15)에 식 (8.14)를 대입하면

$$\omega \cdot \omega - \omega_0 \cdot \omega_0 = 2\alpha \cdot (\theta - \theta_0) \tag{8.16}$$

이다. 식 (8.16)에서 임의의 평면 내에서 일정 각가속도 회전운동을 한다면 모든 벡터량은 같은 방향을 가진다. 따라서 식 (8.16)은

$$\omega^2 - \omega_0^2 = 2\alpha(\theta - \theta_0) \tag{8.17}$$

이 된다.

식 (8.7), (8.11), (8.13) 및 (8.16)은 일정 각가속도 회전운동에 관한 운동관련식이다. 이들을 직선운동에 관한 관련식들과 비교하여 표 8.1에 나타내었다.

표 8.1 일정 선가속도 운동과 일정 각가속도 회전운동에 대한 방정식들의 비교

일정 가속도 직선운동	일정 각가속도 회전운동	포함된 변수들			
위치 ; r 속도 ; v 가속도 ; a 시간 ; t	각위치 ; θ 각속도 ; ω 각가속도 ; α 시간 ; t	각 위치	각속도	각가속도	시간
$v = v_0 + at$	$\omega = \omega_0 + \alpha t$	×	√	√	√
$r = r_0 + v_0 t + \frac{1}{2}at^2$	$\theta = \theta_0 + \omega_0 t + \frac{1}{2}\alpha t^2$	√	×	√	√
$r = r_0 + \frac{1}{2}(v_0 + v)t$	$\theta = \theta_0 + \frac{1}{2}(\omega_0 + \omega)t$	√	√	×	√
$v \cdot v - v_0 \cdot v_0$ $= 2a \cdot (r - r_0)$	$\omega \cdot \omega - \omega_0 \cdot \omega_0$ $= 2\alpha \cdot (\theta - \theta_0)$	√	√	√	×

예제 8.2 그라인더가 3.0rad/s^{2}의 일정한 각가속도를 가지고 있다. 정지 상태에서부터 회전하기 시작하여 2.0s 후 (a) 각위치와 (b) 각속도를 구하여라.

풀이 (a) α와 t가 주어지고, θ를 구하는 문제이다. 따라서 식 (8.11)의 크기만을 나타내는 식

$$\theta = \theta_0 + \omega_0 t + \frac{1}{2}\alpha t^2$$

을 이용한다. 주어진 값

$$\theta_0 = 0\,\text{rad}$$

$$\omega_0 = 0\,\text{rad/s}$$

$$\alpha = 3.0\,\text{rad/s}^2$$

$$t = 2.0\,\text{s}$$

을 위식에 대입하면

$$\theta = (0\,\text{rad}) + (0\,\text{rad/s}) \times (2.0\,\text{s}) + \frac{1}{2} \times (3.0\,\text{rad/s}^2) \times (2.0\,\text{s})^2 = 6.0\,\text{rad}$$

이 된다. 회전수로 나타내면

$$\theta = \frac{6.0\,\text{rad}}{2\pi\,\text{rad}} = 0.96\,\text{rev}$$

가 된다.

(b) α와 t가 주어지고, ω를 구하는 문제이다. 따라서 식 (8.7)의 크기만을 나타내는 식

$$\omega = \omega_0 + \alpha t$$

를 이용한다. 앞에서 주어진 값 ω_0과 α를 대입하면

$$\omega = (0\ \text{rad/s}) + (3.0\,\text{rad/s}^2) \times (2.0\,\text{s}) = 6.0\ \text{rad/s}$$

가 된다.

8.3 원운동 하는 입자의 구심가속도와 접선가속도

강체가 회전축을 중심으로 회전할 때 그 안의 모든 입자들은 원을 그린다. 이러한 입자의 운동은 선형운동을 나타내는 선변수와 각운동을 나타내는 각변수로 기술할 수 있다. 그림 8.4 (a)에서와 같이 회전축 O로부터 거리 r에 있는 강체 내의 한 입자 P를 생각해 보자. 이 입자는 물체가 회전하면 반지름 r인 원을 그리게 된다. 물체가 기준 위치 Ox로부터 각도 θ만큼 회전하면, 그 입자는 원호를 따라 거리 s만큼 이동한다. 즉, θ가 라디안으로 표현된 각이면

$$s = r\theta \tag{8.18}$$

이다. 접선속력과 각속력의 관계식을 구하기 위하여 반지름 r이 일정한 점을 고려하여 식 (8.18)의 양변을 시간으로 미분하면

$$\frac{ds}{dt} = r\frac{d\theta}{dt} \tag{8.19}$$

이다. 여기서 ds/dt는 P에서의 입자의 **접선속력**(Tangential speed) v이고, $d\theta/dt$는 회전하는 물체의 각속력 ω이므로

$$v = r\omega \tag{8.20}$$

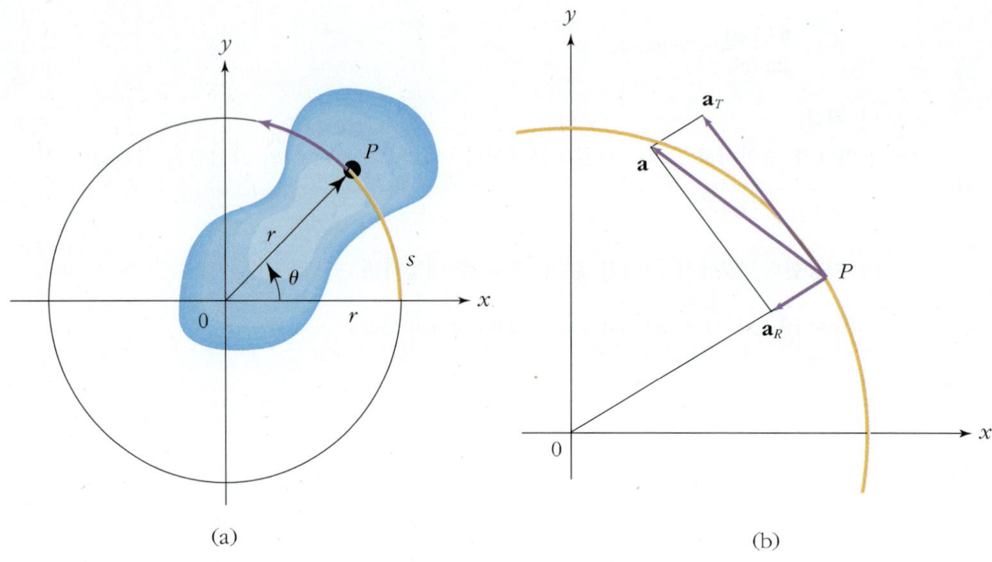

그림 8.4
(a) O점을 중심으로 회전하는 점 P는 각 θ와 관련된 호 s를 그린다.
(b) 점 P의 가속도 a는 $a_T = \alpha r$인 a_T성분과 $a_R = v^2/r = \omega^2 r$인 a_R성분의 합이다.

인 관계가 유도된다. 이것이 접선속도와 각속도의 크기에 대한 관계식이다. 만일 식 (8.20)에서 v가 m/s의 단위가 나오도록 하고 싶다면 r을 m로, ω를 rad/s로 표시하여야 한다.

접선가속력(Tangential acceleration)과 각가속력의 관계식을 얻기 위해서는 식 (8.20)을 시간으로 미분하면

$$\frac{dv}{dt} = \frac{d\omega}{dt} r \tag{8.21}$$

이다. 여기서 dv/dt는 입자의 가속도의 접선성분의 크기이고, $d\omega/dt$는 회전하는 물체의 각가속도의 크기이므로

$$a_T = \alpha r \tag{8.22}$$

이다. 만일 식 (8.22)에서 a_T의 단위가 $\mathrm{m/s^2}$이 되게 하고 싶다면 r을 m로, α를 $\mathrm{rad/s^2}$으로 표시하여야 한다.

원운동을 하는 입자의 구심가속도의 크기가

$$a_R = \frac{v^2}{r} \tag{8.23}$$

이라는 사실은 이미 알고 있다. 식 (8.23)에 식 (8.20)을 대입하면 구심가속도와 각속력과의 관계가 다음과 같이 만들어진다.

$$a_R = \omega^2 r \tag{8.24}$$

P점의 합성 가속도는 그림 8.4 (b)에서 볼 수 있다.

8.3 회전하는 그라인더의 반지름이 0.50m일 때 2.0s 후의 그라인더 가장자리의 (a) 접선속력, (b) 접선가속도, (c) 구심가속도를 구하라. 단, 그라인더가 3.0rad/s^{2}의 일정한 각가속도를 가지고 있고, 정지상태로부터 출발한다.

풀이 (a) 2s 후의 접선속력을 구하기 위하여 먼저 각속도를 구하여야 한다. 따라서

$$\omega = \omega_0 + \alpha t$$

의 관계식에 주어진 값

$$\omega_0 = 0,\ \alpha = 3.0\,\text{rad/s}^2,\ t = 2.0\,\text{s}$$

를 대입하면

$$\omega = (0\ \text{rad/s}) + (3.0\,\text{rad/s}^2) \times (2.0\text{s}) = 6.0\,\text{rad/s}$$

이다. 또 $r = 0.50\,\text{m}$ 이므로 접선속력은 식 (8.20)에 의해

$$v = \omega r = (6.0\,\text{rad/s})(0.50\,\text{m}) = 3.0\,\text{m/s}$$

가 된다.

(b) 접선가속도는 식 (8.22)에 의해

$$a_T = (3.0\,\text{rad/s}^2) \times (0.50\,\text{m}) = 1.5\,\text{m/s}^2$$

이 된다.

(c) 구심가속도는 식 (8.24)에 의해

$$a_R = v^2/r = \omega^2 r = (6.0\,\text{rad/s})^2 \times (0.50\,\text{m}) = 18\,\text{m/s}^2$$

이다.

8.4 돌림힘

직선운동에서 운동을 일으키는 원인은 힘이다. 이와 비슷하게 회전운동을 일으키는 원인을 돌림힘이라 한다. 그림 8.5는 관성기준틀 내의 점 P에 위치한 단일입자에 작용하는 하나의 힘 $\mathbf{F}$를 보여준다. 그림 8.5에서 원점 O를 회전축의 기준점으로 선택하면 이 축에 대한 "회전효과"가 나타나고, 이 회전효과를 유발시키는 물리량을 **돌림힘**(torque)이라 한다. 그림 8.5에서처럼 기준점 O에 관하여 힘 $\mathbf{F}$에 의하여 생긴 돌림힘 τ을 다음과 같이 정의한다.

$$\boldsymbol{\tau} = \mathbf{r} \times \mathbf{F} \tag{8.25}$$

이 식에서 벡터 $\mathbf{r}$은 기준점 O로부터 힘이 미치는 점 $\mathbf{F}$까지 이어진 위치벡터이다. 돌림힘은 벡터량이며, 그 크기는

$$\tau = rF\sin\theta \tag{8.26}$$

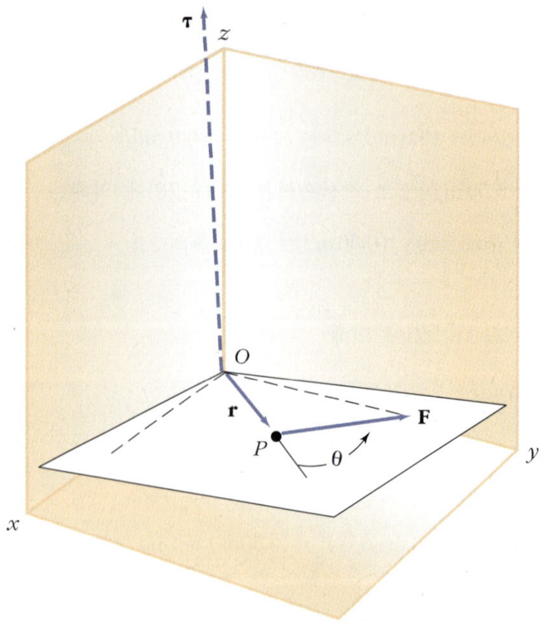

그림 8.5

힘 $\mathbf{F}$가 원점으로부터 $\mathbf{r}$만큼 떨어진 점 P에 작용한다. 힘 벡터는 반지름 벡터 $\mathbf{r}$과 θ만큼의 각을 이룬다. O에 관한 돌림힘 τ가 표시되어 있다. 그 방향은 $\mathbf{r}$과 $\mathbf{F}$가 만드는 평면에 수직으로 오른손 법칙에 따른다.

이고, θ는 r과 F가 이루는 각이며, 돌림힘의 방향은 r과 F가 포함된 평면에 수직이다. 일반적으로 두 벡터의 벡터곱의 방향 표시는 오른손 법칙에 의하여 표시한다. 즉, r방향에서 F방향 쪽으로 오른나사를 돌리면 나사가 나아가는 방향이 돌림힘 τ의 방향이다.

돌림힘의 차원은 거리와 힘을 곱한 차원과 같다. 즉, 기본차원 M, L, T로 표시하면 ML^2T^{-2}가 된다. 이것은 일의 차원과 같으나, 돌림힘과 일은 물리적으로 아주 다른 양이다. 즉, 돌림힘은 벡터량이고, 일은 스칼라량이며, 돌림힘의 단위는 뉴턴・미터(N・m)이고, 일의 단위는 주울(J)이다.

식 (8.26)에서 $r\sin\theta$는 힘 F에 수직한 팔의 길이다. 이것을 $r_\perp$로 나타내면 식 (8.26)은 $\tau = r_\perp F$로 표현되며, 이 경우에 돌림힘을 힘의 모우먼트라고도 한다. 그림 8.6에서 $r_\perp$은 힘의 모우먼트(moment of force)의 팔이라고 한다. 그림 8.6에서 힘 F에 수직한 팔의 길이 $r_\perp$이 돌림힘에 영향을 주거나, r에 대한 힘 F의 수직성분만이 돌림힘에 영향을 준다는 것을 보여 주고 있다. 특히 θ가 0° 또는 180° 일 때는 모우먼트의 팔의 길이 $r_\perp$이 0이 되거나 팔에 대한 힘의 수직성분 $F_\perp$가 0이 된다. 즉, 힘의 작용선이 원점을 지나므로 돌림힘이 0이 된다.

예제

8.4 그림 8.6과 같이 벡터 r에 각 θ되게 힘 F가 작용한다. 돌림힘은 팔의 길이벡터 r에 수직한 힘의 성분을 곱한 값이나 힘 F에 수직한 팔의 길이 성분을 곱한 값이나 모두 같음을 증명하라.

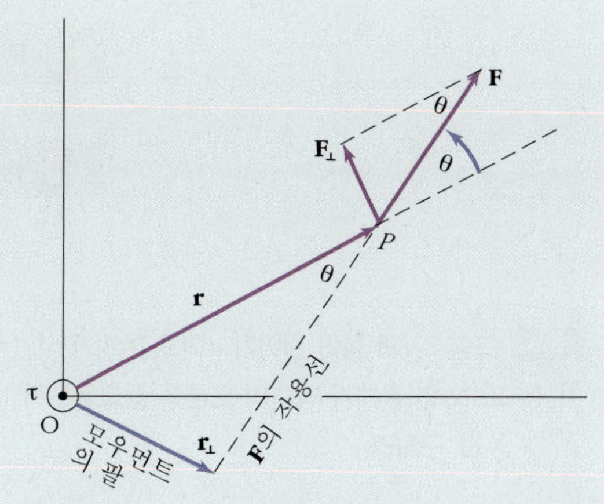

그림 8.6
작용선과 모우먼트의 팔의 길이 사이의 관계를 나타내고 있다. 여기서의 τ방향을 ⊙로 표시한 것은 지면에서 수직하게 앞으로 나오는 방향이다.

풀이 식 (8.26)에서 돌림힘의 크기는

$$\tau = rF\sin\theta = (r\sin\theta)F = r_\perp F \quad (1)$$

로 나타낼 수도 있고, 또

$$\tau = rF\sin\theta = r(F\sin\theta) = rF_\perp \quad (2)$$

로도 나타낼 수 있다. 식 (1)에 나타낸 $r_\perp(= r\sin\theta)$는 F의 작용선에 대한 r의 수직성분이며, 식 (2)에 나타낸

$$F_\perp(= F\sin\theta)$$

는 r에 대한 F의 수직성분이다. 따라서 식 (1)과 식 (2)에서 $\tau = r_\perp F = rF_\perp$이다.

8.5 강체의 평형

강체가 평형상태에 있기 위해서는 직선운동을 하지 않아야 되며, 이와 동시에 회전운동도 하지 않아야 한다. 이 두 조건을 만족할 때 강체는 평형상태에 있게 된다. 물체의 운동적인 측면에서 볼 때는 정적 평형을 이루기 위해서는 강체의 질량 중심의 속도가 0이어야 하며, 또 질량중심에 대한 각속도가 0이 되어야 한다. 이것을 수식으로 표현하면 다음과 같다.

$$v_{\mathrm{cm}} = 0 \tag{8.27}$$

$$\omega = 0 \tag{8.28}$$

일반적으로 강체의 평형을 기술하는 데는 힘으로 나타내는 것이 편리하다. 식 (8.27)에서 질량중심의 선속도 v_{cm}이 0이 되기 위해서는 강체에 작용하는 외력의 총합이 0이 되어야 하며, 식 (8.28)에서 각속도 ω가 0이 되기 위해서는 돌림힘의 총합이 0이 되어야 한다. 따라서 **평형의 2가지 필요조건**은 다음과 같다.

$$\sum \mathrm{F} = 0 \tag{8.29}$$

$$\sum \tau = 0 \tag{8.30}$$

예제 8.5 그림 8.7과 같이 길이가 d이고 무게가 $W_1(= 35\ \mathrm{N})$인 막대가 저울 위에 놓여있다. 그리고 무게 $W_2(= 10\ \mathrm{N})$인 물체가 막대의 오른쪽 끝으로부터 1/4되는 지점에 놓여있다. 양쪽 저울에 나타나는 힘 N_1과 N_2를 구하라.

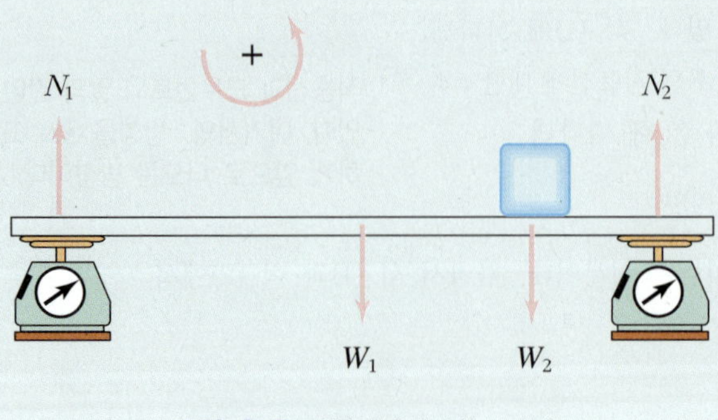

그림 8.7 평형상태에 있는 강체

풀이 이 문제는 평형의 2가지 필요조건을 이용하여 푼다.
평형의 첫번째 조건을 이용하면

$$\sum F = N_1 + N_2 - W_1 - W_2 = 0 \qquad (1)$$

이 되고, 막대의 중간위치에 대하여 평형의 두 번째 조건을 이용하면

$$\sum \tau = -N_1 \frac{d}{2} - W_2 \frac{d}{4} + N_2 \frac{d}{2} = 0 \qquad (2)$$

이 된다. 여기서 시계 반대방향의 회전력은 +이고 시계방향의 회전력은 −이다.
식 (2)의 양변을 $d/2$로 나누면

$$-N_1 - \frac{W_2}{2} + N_2 = 0 \qquad (3)$$

이 된다. 식 (1)과 식 (3)을 더하면

$$2N_2 - W_1 - \frac{3W_2}{2} = 0$$

가 되는데, 이 식을 N_2에 대하여 정리하면 다음과 같다.

$$N_2 = \frac{W_1}{2} + \frac{3W_2}{4} \qquad (4)$$

또 N_1을 구하기 위하여 식 (4)를 식 (1)에 대입하면

$$N_1 = \frac{W_1}{2} + \frac{W_2}{4} \qquad (5)$$

가 된다. 따라서 식 (4)와 식 (5)에 $W_1 = 35\text{N}$, $W_2 = 10\text{N}$을 대입하면

$$N_1 = 20\text{N}, \quad N_2 = 25\text{N}$$

을 얻는다.

8.6 각운동량

그림 8.8에서 관성 기준틀의 원점 O에서 r의 위치에 있는 질량 m, 선운동량 p인 한 입자를 생각해 보자. 원점 O에 대한 입자의 **각운동량** L(angular momentum)은

$$\mathbf{L} \equiv \mathbf{r} \times \mathbf{p} \qquad (8.31)$$

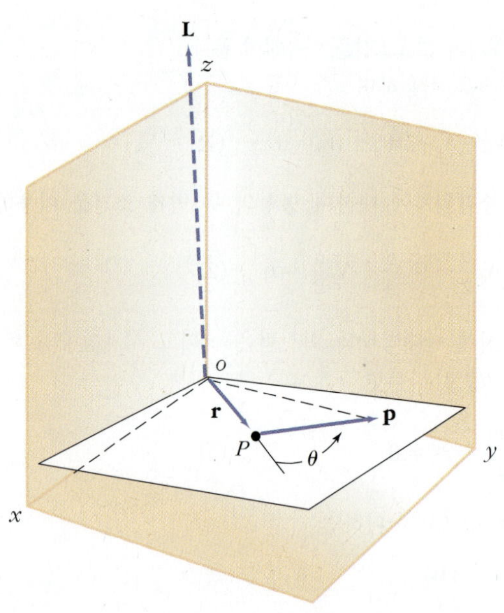

그림 8.8
질량 m의 입자가 운동량 p를 가지고 원점에 대해 r만큼 떨어진 점 P에 있다. p벡터는 반지름 벡터 r과 θ의 각을 이룬다. 원점 O에 대한 입자의 각운동량 L이 나타나 있다. 이 방향은 오른손 법칙에 의한 방향으로 주어지며, r과 p로써 이루어지는 평면에 수직이다.

로 정의한다. 여기서 위치 벡터 r과 선운동량 벡터 p사이의 ×는 벡터곱을 나타내는 연산자이다.

돌림힘을 정의하였을 때와 같이 각운동량도 기준점을 규정하지 않고서는 정의할 수 없다. 기준점을 우리는 관성기준틀의 원점 O로 정한다. 이런 경우 벡터 r은 기준점에 대한 입자의 위치를 나타낸다.

각운동량도 벡터이며, 그 크기는

$$L = rp\sin\theta \tag{8.32}$$

이고, θ는 r과 p가 이루는 각이며, 각운동량 벡터의 방향은 r과 p가 이루는 평면에 수직이고, 오른손 법칙에 따른 방향이다. 즉, L의 방향은 r 방향에서 p 방향으로 오른 나사를 돌렸을 때 나사가 나아가는 방향이다.

각운동량 벡터 L의 크기는 다음과 같이 표시할 수 있다.

$$L = (r\sin\theta)p = r_{\perp}p \tag{8.33}$$

또는

$$L = r(p\sin\theta) = rp_{\perp} \tag{8.34}$$

이다.

$r_{\perp}(= r\sin\theta)$는 p의 작용선에 대한 r의 수직성분이고, $p_{\perp}(= p\sin\theta)$는 r에 대한 p의 수직성분이다. 각운동량은 **선운동량의 모우먼트**라고도 하며, 식 (8.33)에서 $r_{\perp}$은 모우먼트의 팔 혹은 지레팔이라고 한다.

이제 돌림힘과 각운동량 사이의 관계를 유도하여 보자. 일반화된 뉴턴의 제 2 법칙은

$$\mathrm{F} = \frac{d\mathrm{p}}{dt} \tag{8.35}$$

이다. 이 등식의 양변에 앞쪽에서 r의 벡터곱을 취하하면

$$\mathrm{r} \times \mathrm{F} = \mathrm{r} \times \frac{d\mathrm{p}}{dt} \tag{8.36}$$

가 된다. 좌변의 r×F는 O에 대한 돌림힘 τ이므로 식 (8.36)은 다음과 같다.

$$\tau = \mathrm{r} \times \frac{d\mathrm{p}}{dt} \tag{8.37}$$

또 식 (8.31)에 나타낸 각운동량의 양변을 시간으로 미분하면 다음과 같다.

$$\frac{d\mathrm{L}}{dt} = \frac{d}{dt}(\mathrm{r} \times \mathrm{p}) \tag{8.38}$$

벡터곱의 도함수는 순서를 바꿀 수 없다는 것을 제외하고는 보통 곱의 도함수와 같은 방법으로 계산하므로

$$\frac{d\mathrm{L}}{dt} = \frac{d\mathrm{r}}{dt} \times \mathrm{p} + \mathrm{r} \times \frac{d\mathrm{p}}{\mathrm{dt}} \tag{8.39}$$

가 된다. 그런데 $d\mathrm{r}/dt$는 입자의 순간 속도 v이다. 또한 선운동량 p는 $m\mathrm{v}$와 같으므로 식 (8.39)는 다음과 같이 고쳐 쓸 수 있다.

$$\frac{d\mathrm{L}}{dt} = (\mathrm{v} \times m\mathrm{v}) + \mathrm{r} \times \frac{d\mathrm{p}}{dt} \tag{8.40}$$

두 평행한 벡터의 벡터곱은 0이므로 $\mathrm{v} \times m\mathrm{v} = 0$이다. 따라서 식 (8.39)는

$$\frac{d\mathrm{L}}{dt} = \mathrm{r} \times \frac{d\mathrm{p}}{dt} \tag{8.41}$$

가 된다.
그리고 식 (8.41)과 식 (8.37)을 비교하면 다음과 같은 결과를 얻는다.

$$\tau = \frac{d\mathrm{L}}{dt} \tag{8.42}$$

즉, 입자의 각운동량의 시간 변화율은 작용하는 돌림힘과 같다. 식 (8.42)는 뉴턴의 제 2법칙인 $\mathrm{F} = d\mathrm{p}/dt$와 같은 형태의 회전운동에 관한 공식이다. 이것이 회전운동에 있어서 뉴턴의 제 2법칙이라 할 수 있다.

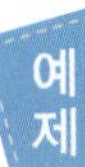

예제 8.6 그림 8.9와 같이 길이 1.00m인 가벼운 강체 막대 끝에 질량 3.00kg과 4.00kg인 물체가 매달려 xy 평면에서 막대 중심을 지나는 회전축 주위를 선회하고 있다. 물체의 순간 속력이 5.00m/s일 때 계의 각운동량을 계산하라.

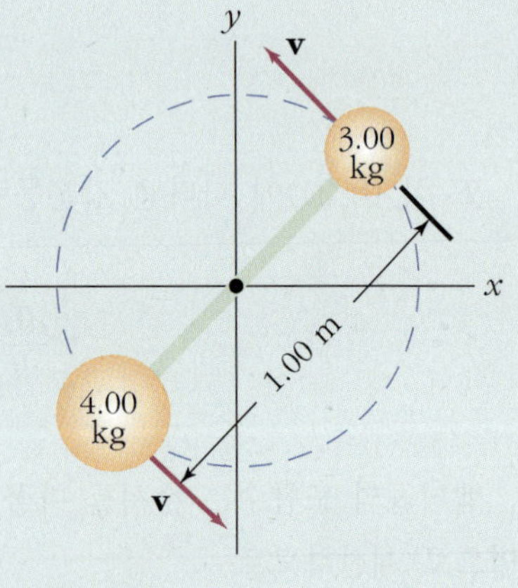

그림 8.9
질량 3.00kg과 4.00kg인 물체가 1.00m의 막대에 매달려 xy 평면에서 회전하고 있는 모양

풀이 총 각운동량의 크기는

$$L_{\text{total}} = \sum L = \sum (rp\sin\theta) \tag{1}$$

이다. 여기서 r은 물체까지의 거리이며, p는 물체의 선운동량이며, θ는 막대와 접선속도와의 사이각으로 여기서는 90°이다. 그리고

$$p = mv \tag{2}$$

이므로 식 (2)를 식 (1)에 대입하면

$$\begin{aligned} L_{\text{total}} &= \sum L = \sum (rmv\sin 90°) \\ &= (0.50\ \mathrm{m})(3.00\ \mathrm{kg})(5.00\ \mathrm{m/s}) + (0.50\ \mathrm{m})(4.00\ \mathrm{kg})(5.00\ \mathrm{m/s}) \\ &= 17.5\ \mathrm{kg \cdot m^2/s} \end{aligned}$$

이다.

8.7 각운동량 보존

관성 기준틀 안의 고정된 회전축에 대한 강체의 각운동량의 시간 변화율은 그 강체에 작용하는 돌림힘과 같다. 이것을 표현한 식이 식 (8.42)이고 이 식을 다입자계에 적용하면 각 입자에 대해서

$$\tau_1 = \frac{dL_1}{dt},\ \tau_2 = \frac{dL_2}{dt},\ \tau_3 = \frac{dL_3}{dt}.... \tag{8.43}$$

이 성립한다. 이들을 합하면 다음과 같다.

$$\sum \tau_i = \frac{d\sum L_i}{dt} \tag{8.44}$$

이 식에서 돌림힘의 총합이 외부에서 가해지는 돌림힘이라 하면

$$\sum \tau_i = \tau_{\text{ext}} \tag{8.45}$$

로 쓸 수 있다. 그리고 다입자계에서 각운동량의 총합을

$$\sum L_i = L_{\text{total}} \tag{8.46}$$

이라 하면 식 (8.44)는

$$\tau_{\text{ext}} = \frac{dL_{\text{total}}}{dt} \tag{8.47}$$

이 된다.

만약 외부에서 작용하는 돌림힘이 없다면 $\tau_{\text{ext}} = 0$이 된다. 따라서

$$\frac{dL_{\text{total}}}{dt} = 0 \tag{8.48}$$

이다. 식 (8.48)를 적분하면

$$L_{total} = 상수 \tag{8.49}$$

가 된다. 이 식을 말로 표현하면 다음과 같다.

다입자계에 작용하는 외부 총 돌림힘이 0이 되면, 이 다입자계의 총 각운동량은 일정하다. 이것이 각운동량 보존법칙(Conservation of angular momentum)이다.

예제 8.7 그림 8.10에서 질량 m인 작은 물체에 가벼운 줄이 달려 있고, 줄은 속이 빈 관 속을 통해 있다. 한 손으로 관을 잡고 다른 한 손으로는 줄을 잡아 물체가 반지름 r_1인 원주를 v_1의 속력으로 돌게 한다. 줄을 밑으로 잡아당겨 궤도의 반지름을 r_2로 단축시켰다. 반지름이 r_2일 때 선속력 v_2와 각속력 ω_2를 초기값 v_1과 ω_1 및 두 반지름으로 나타내어라.

풀이 줄에 작용한 아래쪽 방향의 힘은 물체에 대해서는 구심력으로 전달된다. 각운동량 보존법칙에 의하면

초기 각운동량 = 최종 각운동량

이다. 따라서

$$mv_1r_1 = mv_2r_2$$

이므로

$$v_2 = v_1\left(\frac{r_1}{r_2}\right) \tag{1}$$

이다. 그리고 $r_1 > r_2$이므로 잡아당기면 물체의 회전은 빨라진다. 선속력을 각속력으로 표시하면

$$v_1 = \omega_1 r_1,\ v_2 = \omega_2 r_2 \tag{2}$$

이므로 식 (2)의 v_1과 v_2를 식 (1)에 대입하면

$$\omega_2 r_2 = \omega_1 r_1\left(\frac{r_1}{r_2}\right)$$

이 되어

$$\omega_2 = \left(\frac{r_1}{r_2}\right)^2\omega_1$$

이 된다.

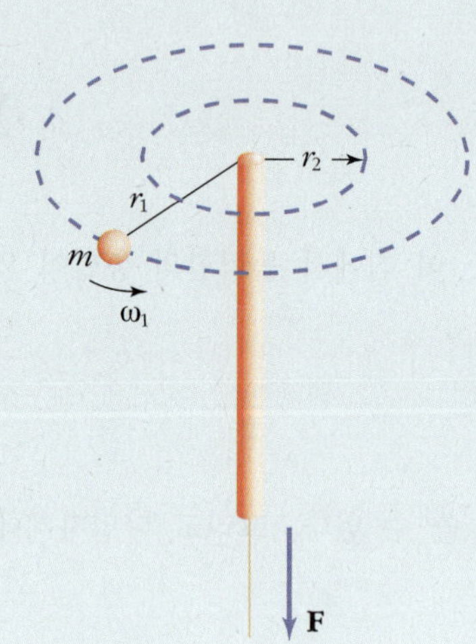

그림 8.10
끈의 한 끝에 달린 물체가 반지름 r_1의 원주를 각속도 ω_1으로 돌고 있다. 줄의 장력은 구심력과 같다.

8.8 회전운동 에너지와 관성모우먼트

강체를 구성하는 입자들은 서로 동일한 상대적 위치를 지키고 있다. 강체의 회전을 연구하는 데 있어서 관성 기준틀 내에 고정된 회전축을 갖는 회전만 생각하기로 하자.

그림 8.11에서처럼 고정된 축의 둘레를 각속도 ω로 회전하는 강체를 생각해 보자. 이러한 회전체 내의 각 입자는 운동에너지를 갖는다. 회전축에서 거리 r_i 떨어져 있는 질점의 질량 m_i는 각속도 ω로 반지름 r_i의 원을 그리며 운동한다. 질량 m_i의 선속력은

$$v_i = \omega r_i \tag{8.50}$$

이므로 운동에너지는

$$\frac{1}{2} m v_i^2 = \frac{1}{2} m_i r_i^2 \omega^2 \tag{8.51}$$

이다. 회전체 전체의 총 운동에너지는 그 물체 내의 각 입자들의 운동에너지의 총합과 같다. 물체가 강체라면 회전체 내의 모든 입자들은 동일한 각속도를 가지며, 각 입자의 반지름 r_i는 입자마다 다르다. 그러므로 회전체의 총 운동에너지 K는 다음과 같다.

$$K = \frac{1}{2}(m_1 r_1^2 + m_2 r_2^2 + \cdots)\omega^2 = \frac{1}{2}\left(\sum m_i r_i^2\right)\omega^2 \tag{8.52}$$

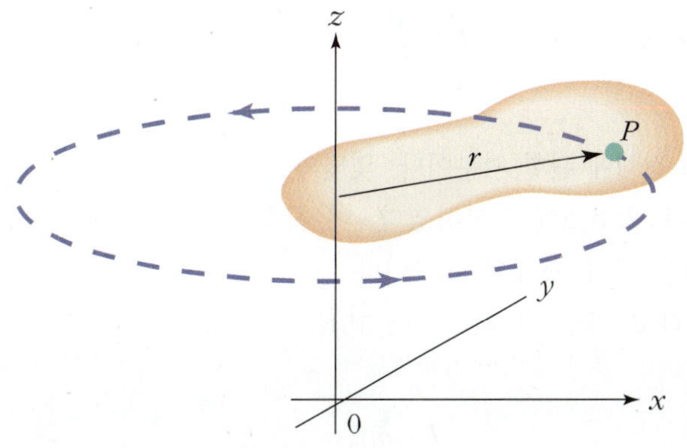

그림 8.11 z축을 중심으로 회전하는 강체. 물체 내의 P와 같은 각 점들은 이 축을 중심으로 원을 그린다.

회전체의 운동에너지는 축으로부터 거리의 제곱에 입자들의 질량을 곱하여 합한 양과 관련 있다. 이것을 I로 표시하면

$$I = \sum m_i r_i^2 \tag{8.53}$$

이 된다. 이것을 주어진 회전축에 대한 물체의 **관성모우먼트**(moment of inertia) 혹은 **회전관성**(rotational inertia)이라고도 한다. 관성모우먼트의 차원은 ML^2이고, 국제단위는 kg · m^{2}이다. 물체의 관성모우먼트는 물체의 형태와 질량의 분포 상태 및 회전축에 따라 달라진다. 식 (8.53)에서 r_i는 회전축으로부터 질점까지 수직거리이다.

강체의 **회전 운동에너지**(rotational kinetic energy)는 식 (8.53)을 식 (8.52)에 대입하면

$$K = \frac{1}{2} I\omega^2 \tag{8.54}$$

이 된다. 이것은 직선운동하는 물체의 운동에너지를 나타내는 식 $K = \frac{1}{2}mv^2$과 비슷하다. 이미 각속력 ω는 선속력 v와 비슷하다는 것을 알았고, 지금 관성모우먼트 I는 질량(병진관성) m과 비슷한 것을 알았다. 그러나, 물체의 질량은 위치에 따라 변하지 않으나 물체의 관성모우먼트는 회전축의 위치에 따라 달라진다.

특히 강체의 질점들이 연속분포를 하고 있다면 합으로 나타낸 관성모우먼트 $\sum m_i r_i^2$를 적분으로 나타낼 수 있다. 각 질량이 dm이 되도록 물체를 미분 요소로 나눈다. r을 질량 요소 dm에서 회전축까지의 거리라고 하면, 관성모우먼트는 다음과 같이 나타낼 수 있다.

$$I = \int r^2\, dm \tag{8.55}$$

이 적분은 물체 전체에 관한 적분이다. 몇몇의 기하학적 모양을 가진 고체들의 대칭축에 관한 관성모우먼트를 표 8.2에 수록하였다. 이 식들은 (8.55)식을 통하여 얻은 결과이며, 각 식에 나타난 M은 물체 전체의 질량이다.

물체가 균질하다고 가정 할 때 식 (8.55)는

$$I = mr^2 \tag{8.56}$$

표 8.2 강체들의 관성모우먼트

(a) 고리 또는 원형 껍질 $I = MR^2$		(e) 두꺼운 원통 $I = \frac{1}{2}M(R_1^2 + R_2^2)$	
(b) 속이 찬 원통 또는 원판 $I = \frac{1}{2}MR^2$		(f) 직사각형 판 $I = \frac{1}{12}M(a^2 + b^2)$	a, b
(c) 중심을 지나는 회전축을 갖는 길고 가는 막대 $I = \frac{1}{12}ML^2$	L	(g) 한 끝을 지나는 회전축을 갖는 길고 가는 막대 $I = \frac{1}{3}ML^2$	L
(d) 속이 찬 구 $I = \frac{2}{5}MR^2$	R	(h) 얇은 구 껍질 $I = \frac{2}{3}MR^2$	R

으로 표현이 되는데 이 식은 무게중심을 축으로 하는 관성모우먼트를 가리킨다. 만약 무게중심에서 벗어난 축을 중심으로 회전할 때의 관성모우먼트를 구하고자 하면 **평형축정리**(parallel axis theorem)라 부르는 다음의 관계식

$$I = I_{CM} + ma^2 \tag{8.57}$$

을 사용하여야 한다. 여기서 a는 무게중심 회전축으로부터 관성모우먼트를 구하고자 하는 회전축까지의 거리이다. 예를 들어 표 8.2의 (g)번의 경우에 대한 관성모우먼트를 구해보면 먼저 I_{CM}에 해당하는 모우먼트는 $\frac{1}{12}ML^2$이고 $a = \frac{1}{2}L$이므로

$$I = I_{CM} + ma^2$$
$$= \frac{1}{12}ML^2 + M\left(\frac{1}{2}L\right)^2 \qquad (8.58)$$
$$= \frac{1}{3}ML^2$$

를 구할 수 있다.

예제 **8.8** 그림 8.12처럼 질량이 5.0kg인 2개의 구가 길이 1.0m의 가벼운 강체 막대로 연결되어 있다. 구를 입자로 생각하고 막대의 질량은 무시한다.

(a) 중심 C를 통과하는 막대에 수직한 축에 관한 관성모우먼트 I_C 를 구하라.

(b) 구 A를 통과하고 막대에 수직인 축에 관한 관성모우먼트 I_A를 구하라.

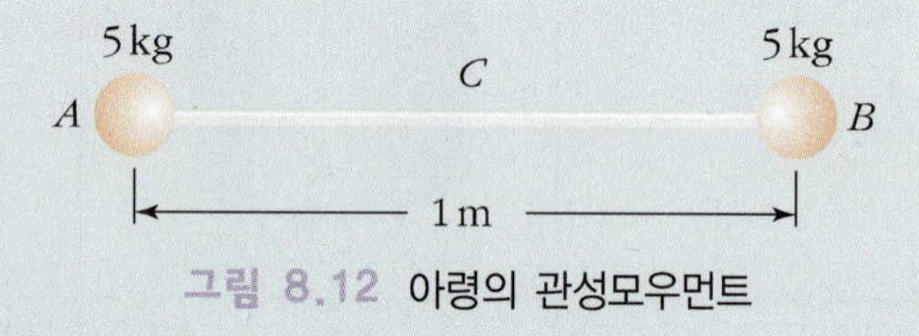

그림 8.12 아령의 관성모우먼트

풀이 (a) C를 통과하는 회전축에 관한 관성모우먼트 ;

$$I_C = \sum m_i r_i^2 = m_A r_A^2 + m_B r_B^2$$
$$= (5.0\text{kg})(0.50\text{m})^2 + (5.0\text{kg})(0.5\text{m})^2$$
$$= 2.5\text{kg} \cdot \text{m}^2$$

(b) A를 통과하는 회전축에 관한 관성모우먼트 ;

$$I_A = m_B r_B^2 = (5.0\text{kg})(1.0\text{m})^2 = 5.0\text{kg} \cdot \text{m}^2$$

8.9 강체의 회전동역학

회전운동에 있어서 뉴턴의 제 2법칙

선운동량의 시간 변화율이 힘이고, 각운동량의 시간 변화율은 돌림힘이다. 고정된 축 주위를 회전하는 강체인 경우, 그림 8.13에 나타나 있는 바와 같이, 축 주위에 분포해 있는 강체를 구성하는 질량 m_i의 모든 입자에 대하여 r_i와 선운동량 p_i는 서로 직각이고 회전축에 수직한 평면 내에 놓여 있다.

따라서 각운동량은 식 (8.31)의 정의로부터

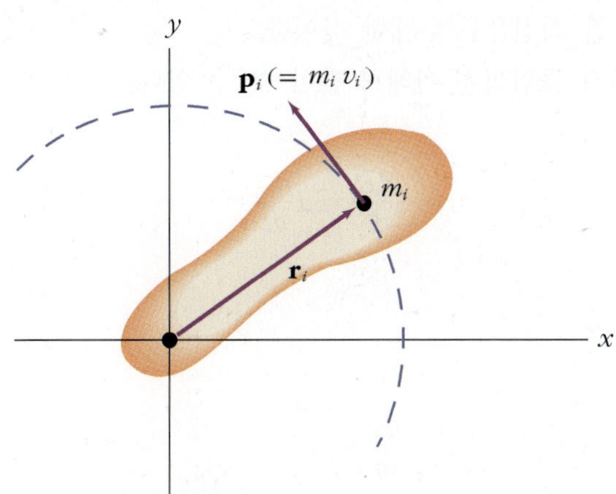

그림 8.13 z 축에 관해 회전하는 강체. 벡터 r_i는 강체를 형성하는 질량 m_i인 한 입자의 위치벡터이다.

$$\mathrm{L} = \sum \mathrm{r}_i \times \mathrm{p}_i \tag{8.59}$$

로 표현되나 벡터 r_i와 벡터 p_i는 서로 수직이므로 각운동량의 크기는

$$L = \sum r_i m_i v_i \tag{8.60}$$

이다. 그리고 원운동에서 질량 m_i의 선속도 v_i는 각속도와 다음 관계를 가진다.

$$v_i = \omega r_i \tag{8.61}$$

식 (8.61)을 식 (8.60)에 대입하면 다음 식을 얻는다.

$$L = \sum m_i r_i^2 \omega = \left(\sum m_i r_i^2\right)\omega \tag{8.62}$$

따라서

$$L = I\omega \tag{8.63}$$

이다. 식 (8.63)은 선속도 v로 직선운동을 하고 있는 질량 M인 물체의 선운동량

$$p = Mv \tag{8.64}$$

에 대한 표현과 비슷한 회전운동에 대한 식이다.

식 (8.63)으로부터 돌림힘은 아래와 같이 쓸 수 있다.

$$\tau = \frac{dL}{dt} = I\frac{d\omega}{dt} \tag{8.65}$$

식 (8.65)에서

$$\frac{d\omega}{dt} = \alpha \tag{8.66}$$

이므로 돌림힘은 다음과 같이 표현할 수 있다.

$$\tau = I\alpha \tag{8.67}$$

이 식은 직선운동에 있어서 뉴턴의 제 2법칙($F = Ma$)과 비슷한 형태이다. 직선운동에서 힘을 물체의 선가속도에 관련시킨 것처럼 회전운동에 있어서는 돌림힘을 회전축에 관한 물체의 각가속도에 관련시킬 수 있음을 말해준다. 질량 M은 운동의 변화에 대한 저항의 한 척도가 되는 것과 같이 회전관성(관성모우멘트) I는 회전운동의 변화에 대한 저항의 척도이다.

회전운동 에너지

회전운동 에너지는 다음과 같이 나타낼 수 있다.

$$K_R = \frac{1}{2}I\omega^2 \tag{8.68}$$

이 식은 직선운동에 있어서의 운동에너지 $K = \frac{1}{2}Mv^2$과 유사한 형태임을 알 수 있다.

회전운동의 일률

돌림힘에 의하여 물체가 회전하면 회전운동에너지가 생기고, 회전운동 에너지의 시간 변화율을 회전체에 전달되는 **일률** P_R이라 한다.

$$P_R = \frac{d}{dt}K_R = \frac{d}{dt}\left(\frac{1}{2}I\omega^2\right)$$
$$= I\omega\frac{d\omega}{dt} = I\omega\alpha \tag{8.69}$$

여기서 $I\alpha$가 돌림힘이므로 일률 P_R은

$$P_R = \tau\omega \tag{8.70}$$

가 된다. 이 식은 직선운동에 있어서 일률을 기술하는 관계식 $P = Fv$와 비슷하다.

일

돌림힘의 작용으로 강체가 초기 각변위 θ_i에서 최종 각변위 θ_f까지 회전되었다면 돌림힘이 일을 하였다고 한다. 일은 일률을 시간 적분하여 구한다.

$$W = \int P_R dt = \int \tau\omega dt = \int \tau\left(\frac{d\theta}{dt}\right)dt$$
$$= \int_{\theta_i}^{\theta_f} \tau d\theta$$
$$= \tau(\theta_f - \theta_i) \tag{8.71}$$

표 8.3 병진운동과 회전운동에 대한 상관관계

직선운동 (고정방향)		회전운동 (고정축)	
변위	x	각변위	θ
속도	$v = \frac{dx}{dt}$	각속도	$\omega = \frac{d\theta}{dt}$
가속도	$a = \frac{dv}{dt}$	각가속도	$\alpha = \frac{d\omega}{dt}$
질량(병진관성)	M	관성모우먼트(회전관성)	I
힘	$F = Ma$	돌림힘	$\tau = I\alpha$
일	$W = \int Fdx$	일	$W = \int \tau d\theta$
선운동에너지	$\frac{1}{2}Mv^2$	회전운동 에너지	$\frac{1}{2}I\omega^2$
일률	$P = Fv$	일률	$P = \tau\omega$
선운동량	Mv	각운동량	$I\omega$

이 식은 병진운동하는 강체에 힘이 작용했을 때의 일에 관한 식 $W=\int Fdx$와 비슷하다.

고정축에 관한 강체의 회전운동에 대한 관련식을 직선운동과 비교하여 표 8.3에 나타내었다.

예제 **8.9** 질량 M, 반지름 R인 원통이 경사면을 따라 미끄러지지 않고 굴러 내려온다고 하자. 이 원통이 밑바닥에 도달할 때 원통의 질량중심의 속력을 구하여라.

풀이 이 문제를 풀기 위하여 에너지 보존법칙을 사용하자. 원통은 최초에 정지상태에 있다가 경사면을 따라 굴러 내려온다면, 원통은 위치에너지를 잃은 만큼 운동에너지를 얻는다. 따라서

$$Mgh = \frac{1}{2}I_{cm}\omega^2 + \frac{1}{2}Mv^2$$

이 된다. 여기서 v는 원통이 밑바닥에 닫는 순간의 질량중심의 선속력이며, ω는 밑바닥에서의 질량중심축에 관한 각속력이다.

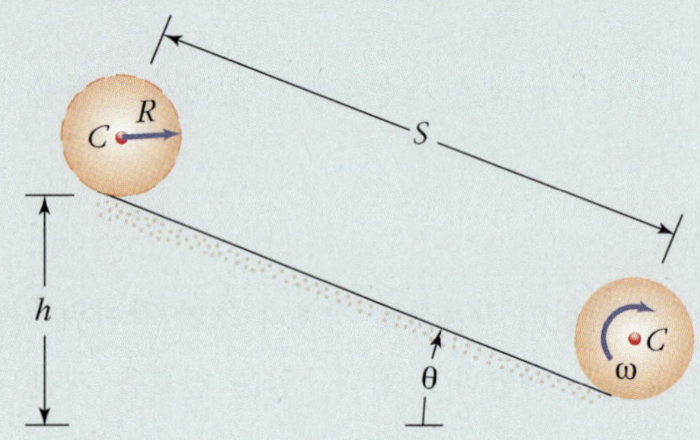

그림 8.14 경사면을 따라 굴러 내려오는 원통

위 식의 첫째 항은 회전운동 에너지이고 둘째 항은 원통의 질량중심의 직선운동 에너지이다. 원통의 질량중 심축에 관한 관성모우먼트 $I_{cm}=\frac{1}{2}MR^2$과 각속력과 접선속력의 관계 $\omega=v/R$을 앞의 에너지보존식에 대입하면

$$Mgh = \frac{1}{2}\left(\frac{1}{2}MR^2\right)\left(\frac{v}{R}\right)^2 + \frac{1}{2}Mv^2 = \frac{3}{4}Mv^2$$

을 얻는다. 따라서, 원통이 밑바닥에 도달할 때 원통의 질량중심의 속력은

$$v = \sqrt{\frac{4gh}{3}} = 1.15\sqrt{gh}$$

가 된다.

회전은 원통과 경사면 사이의 마찰 때문에 일어난다. 이 마찰은 원통의 질량중심 주위에 돌림힘을 일으키는 힘만을 제공한다. 만일 마찰이 존재하지 않으면 원통은 사면을 구르지 않고 미끄러져 내려올 것이다. 이 경우 밑바닥에 도달하였을 때 원통의 속력은 $v=\sqrt{2gh}=1.41\sqrt{gh}$ 이다. 따라서 굴러 내려오는 원통의 속력이 미끄러져 내려오는 속력보다 작다.

연습문제
EXERCISES

1 (a) 태양 주위를 도는 지구의 각속력은 얼마인가?
(b) 지구 주위를 도는 달의 각속력을 구하라.
(힌트: 1년은 365.256일이고, 음력 1달은 27일 7시간 43분이다.)

2 어떤 항공기가 착륙장에 도착하여 엔진을 껐다. 엔진을 끄기 전의 회전자의 회전 속도는 2,000rad/s로 시계방향으로 돌고 있었다. 엔진을 끄고 난 후 회전자는 각가속도 80.0rad/s^2으로 그 회전속도가 감소하였다. (a) 10.0초 후의 각속력을 구하라.
(b) 회전자가 정지할 때까지 걸린 시간을 구하라.

3 어떤 회전판이 78rev/min에서 모우터가 꺼진 다음 30s 뒤에 정지하였다.
(a) 각가속도를 구하라.
(b) 이 시간 동안 몇 회전 하였는가?

4 반경 20cm의 바퀴가 정지한 상태에서 일정한 각가속도 60rad/s^2으로 가속되고 있다. 0.12초 후 바퀴 가장자리의 한 점의 선속도는 얼마인가?

5 회전반지름이 110m인 길을 30m/s로 돌고 있는 자동차의 각속도를 구하라.

6 그림 8.15와 같이 반지름이 R_1과 R_2로 된 원통이 z축에 관하여 자유롭게 회전할 수 있다.

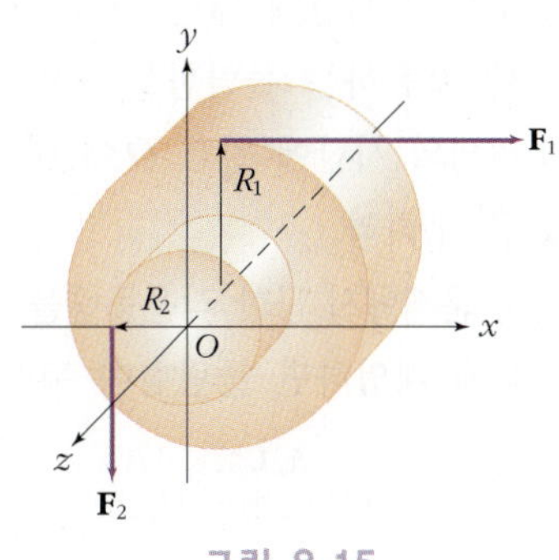

그림 8.15

$F_1 = 5.0\,\text{N}$, $R_1 = 1.0\,\text{m}$, $F_2 = 6.0\,\text{N}$, $R_2 = 0.5\,\text{m}$인 경우 돌림힘의 크기와 방향을 구하라.

7 길이가 L이고 무게가 W인 사다리가 그림 8.16에서와 같이 거친 바닥과 마찰이 없는 벽에 기대어 놓여져 있다. 바닥의 정지마찰계수 $\mu_s = 0.6$이다. 각 θ를 증가시킬 때 사다리가 미끄러지기 직전의 각을 구하고, 또 이 때 벽이 사다리에 가하는 힘 N_2는 얼마인가?

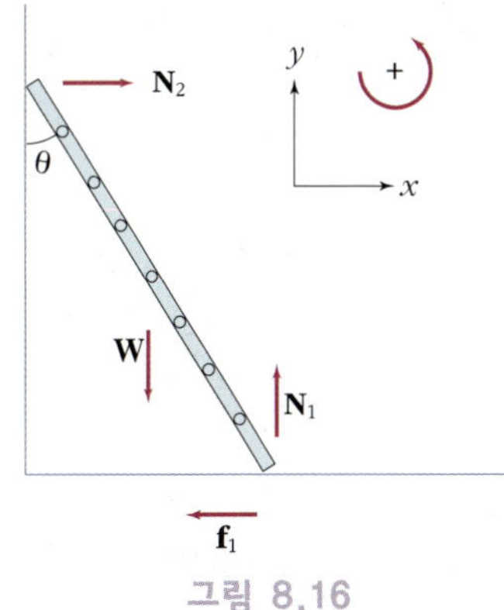

그림 8.16

8 질량 m의 입자가 그림 8.17에서와 같이 P점에 정지해 있다가 y축에 평행하게 중력에 의하여 떨어진다.

(a) 임의의 시간에 대한 원점 O에 대한 m에 작용하는 돌림힘을 구하라.

(b) 임의의 시간에 원점 O에 대한 각운동량을 구하라.

(c) 이 문제에서 구한 각운동량을 $\tau = dL/dt$ 식에 대입하면 돌림힘이 됨을 보여라.

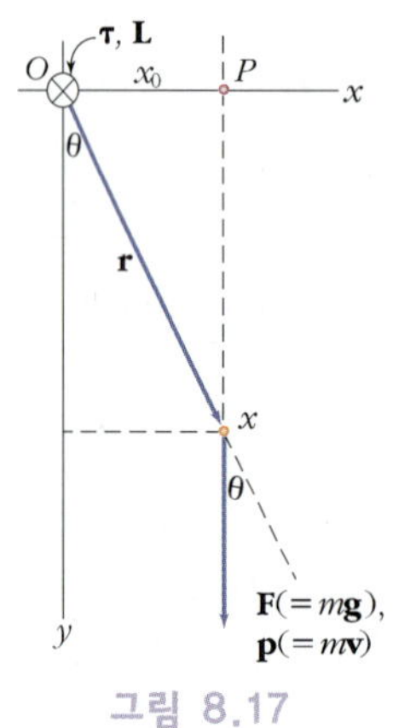

그림 8.17

9 그림 8.18에서와 같이 질량 $M = 1\text{kg}$, 반지름 $R = 0.4\text{m}$인 고리가 지름 축을 중심으로 회전하고 있다. 이 축에 대한 고리의 관성모우먼트 $I_b = \dfrac{1}{2}MR^2$이다.

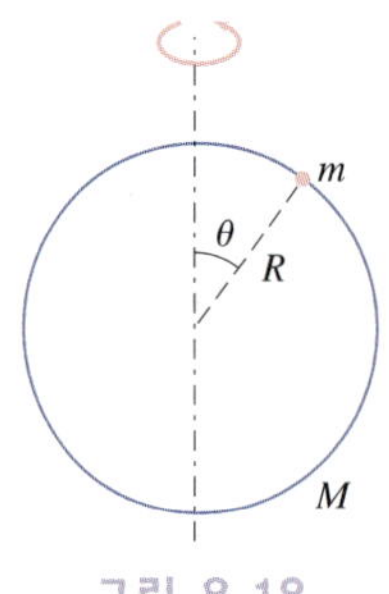

그림 8.18

질량 $m = 0.5\text{kg}$인 작은 구슬이 고리를 따라 마찰 없이 미끄러질 수 있다. 구슬이 맨 꼭대기에 있을 때 각속도 $\omega_b = 5\text{rad/s}$이라고 한다면, $\theta = 45°$ 되었을 때 고리의 각속도는 얼마인가?

10 길이 L인 가벼운 막대의 양 끝에 질량이 각각 m인 두 물체가 부착되어 있다. 막대의 한쪽 끝으로부터 그 길이의 $\dfrac{1}{4}$이 되는 점을 지나 막대의 수직인 축에 관한 계의 관성모우멘트를 구하여라. 단 막대의 관성모우멘트는 무시하라.

11 그림 8.19와 같은 총질량이 M이고 반경 R인 균일한 원판에 수직인 중심축에 대한 관성모우먼트를 구하라.(힌트 : 원판의 면밀도는 σ이다.)

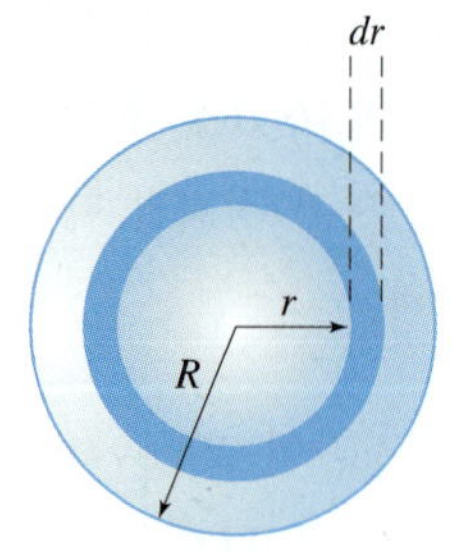

그림 8.19

12 반지름 R, 질량 M인 원반이 그림 8.20에서와 같이 회전축에 걸려 있다. 회전축에는 마찰이 없고, 원반에는 가벼운 줄이 감겨 있고, 줄에는 질량 m이 달려있다.

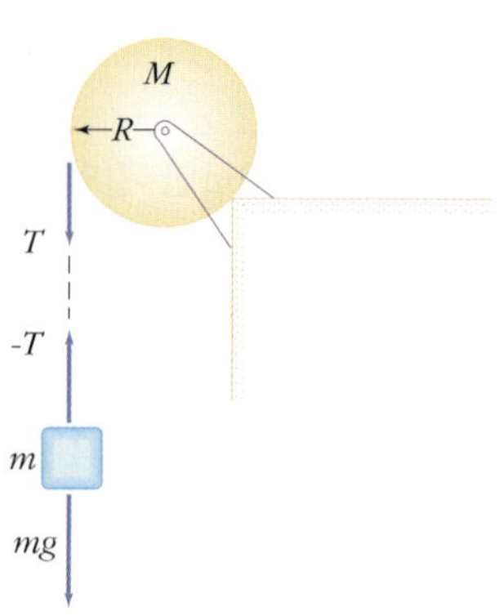

그림 8.20

(a) 원반의 각가속도와 그 원주상 한 점의 접선가속도를 줄의 장력 T로 나타내어라.
(b) 원반의 각가속도와 그 원주상 한 점의 접선가속도를 mg로 나타내어라.

13 반지름 0.5m, 질량 50kg인 균질한 원통형의 연마기가 있다.
(a) 이 연마기가 정지상태로부터 10초 내에 300rev/min의 각속도에 도달하는데 필요한 돌림힘의 크기는 얼마인가?
(b) 300rev/min으로 회전할 때의 운동에너지는 얼마인가?

14 질량 20kg인 물통이 지름 0.4m, 질량 30kg인 단단한 원통형 도르레에 감긴 밧줄에 매달려 있다. 이 물통이 정지상태에서 우물의 꼭대기로부터 수면까지 25m을 낙하한다.
(a) 물통이 수면에 도달할 때의 속도를 구하여라.
(b) 낙하하는데 걸리는 시간은 얼마인가?

15 그림 8.21과 같이 관성모우먼트가 4kg · m^{2}인 원판 B가 각속도 3rad/s로 돌고 있다. 그 위에 관성모우먼트가 2kg · m^{2}인 원판 A를 떨어뜨려 같이 돌게 하였다.
(a) 함께 도는 원판들의 각속도는 얼마인가?
(b) 이 계의 운동에너지 변화는 얼마이며, 변화된 에너지는 어떤 형태로 전환되었는가?

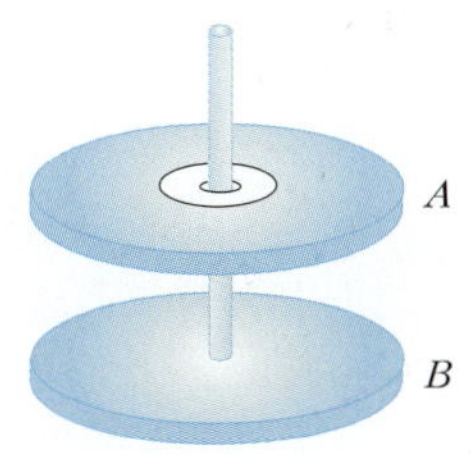

그림 8.21

16 다음의 사항에 대하여 수식을 동원하여 설명하라. (a) 구심력(Centripetal Force), (b) 구심 가속도, (c) 만유인력의 법칙(Universal Law of Gravitation).

17 Newton의 중력 원리와 구심력의 관계를 이용하여 Kepler의 제 3법칙인 $T_2^2/T_1^2 = r_2^3/r_1^3$ 관계가 타당함을 증명하여라.

18 지구의 반경은 약 6,400km이고 달은 지구 반경의 60배 정도 떨어져 있다.
(a) 달의 공전반경은 얼마인가?
(b) 지구의 중력에 의한 달의 중력가속도는 얼마가 될까?
(c) 달의 공전주기가 29일이면 달의 선속도는 얼마인가?
(d) 달의 지구에 대한 구심 가속도는 얼마인가?
(e) (b)에서 얻은 중력가속도와 (d)에서 얻은 구심가속도를 비교하여 논하라. 지구 표면에서의 중력가속도는 9.8m/s^{2}이다.

19 지구의 상공 어느 한 곳에 위치하는 고정 인공위성은 (a) 지상에서 얼마의 높이에 떠 있게 되며, (b) 지구 주위를 회전하는 선속도는 얼마가 되겠는가? 달의 공전주기는 29일이고 거리는 지구반경(6,400km)의 60배임과, 고정위성의 공전주기가 1일이 됨을 이용한다.

09 만유인력

뉴턴은 지구에 대한 달의 회전운동과 태양에 대한 행성들의 운동을 설명하기 위해 자연에 존재하는 기본적인 힘의 법칙 중의 하나인 **만유인력법칙**을 발견했다. 이 장에서는 만유인력법칙과 운동법칙을 이용하여 행성 및 지구위성과 같은 궤도운동의 다양성을 보인다.

9.1 뉴턴의 만유인력법칙

수 천년동안 사람들은 행성, 별 및 다른 천체들의 운동을 관측해 왔다. 1543년 폴란드의 천문학자 코페르니쿠스(Nicolaus Copernicus, 1473-1543)가 지구와 다른 행성들이 태양 주위를 원 궤도로 돌고 있다는 태양중심설을 제안할 때까지 1400년간 지구가 우주의 중심이라는 지구중심설이 인정되어 왔다.

덴마크의 천문학자 브라헤(Tycho Brahe, 1546-1601)는 20년 넘게 육분의와 나침반을 이용하여 행성들과 777개의 별들의 운동을 정밀하게 관측하여, 현재도 받아들여지는 태양계 관련 자료를 제공했다. 브라헤의 조수였던 독일의 천문학자 케플러(Johannes Kepler, 1571-1630)는 브라헤의 천문관측 자료들 중 태양둘레를 공전하는 화성에 대한 정밀한 자료로부터 화성의 궤도는 태양을 한 초점으로 하는 타원으로 정확하게 기술된다는 것을 발견하였으며, 모든 행성들의 운동을 포함시키기 위해 이 분석을 일반화하고, 완전한 분석결과를 **케플러의 법칙**(Kepler's law)이라고 알려진 다음 세 가지로 요약하였다.

1. 모든 행성들은 태양을 한 초점으로 하는 타원궤도를 따라 운동한다.
2. 태양과 주위의 어떤 행성을 잇는 직선은 같은 시간동안에 같은 면적을 쓸고 지나간다.
3. 행성의 궤도주기의 제곱은 타원궤도 장축의 세제곱에 비례한다.

케플러의 법칙은 관측에만 근거한 것으로서 이론적인 근거를 가지지는 못하였다. 케플러는 행성들이 어떻게 운동하는지는 알았지만 왜 그렇게 운동하는지는 몰랐는데, 1686년 뉴턴은 하늘의 비밀을 여는 결정적인 열쇠를 제공했다. 뉴턴은 그의 제 1 법칙으로부터 알짜 힘이 달에 작용해야 한다는 것을 알았다. 만약 그렇지 않다면 달은 원궤도 운동을 하지 않고 직선운동을 할 것이다. 뉴턴은 달이 지구 주위를 공전운동하는 것은 달과 지구 사이에 작용하는 인력 때문이라 생각했으며, 지구와 달뿐만 아니라 태양과 행성들 사이에도 이 인력이 작용한다고 결론을 내렸다.

뉴턴은 우주에 존재하는 모든 입자 사이에는 두 입자의 질량의 곱에 비례하고 거리의 제곱에 반비례하는 인력이 작용한다는 것을 설명했다. 두 입자가 질량 m_1과 m_2를 갖고 r만큼 떨어져 있다면 그들 사이에 작용하는 중력의 크기는 다음과 같다.

$$F_g = G\frac{m_1 m_2}{r^2} \tag{9.1}$$

만유인력의 법칙(Newton's Law of universal gravitation)

여기서 G는 중력상수인데 SI 단위계에서 값은

$$G = 6.672 \times 10^{-11} \mathrm{N} \cdot \mathrm{m}^2/\mathrm{kg}^2 \tag{9.2}$$

이다.

식 (9.1)로 주어지는 힘은 **역제곱법칙**(Inverse square law)이라고 불리기도 하는데, 그 이유는 힘의 크기가 입자들 사이의 거리제곱에 반비례하여 변하기 때문이다. 이 인력을 그림 9.1에서와 같이 질량 m_1에서 m_2로 향하는 단위벡터 $\hat{\mathrm{r}}$을 정의하여 벡터형태로 표현할 수 있으며, m_1이 m_2에 작용하는 힘은

$$\mathrm{F}_{21} = -\frac{Gm_1m_2}{r^2}\hat{\mathrm{r}} \tag{9.3}$$

이다.

뉴턴의 제 3 법칙에 의하면 m_2가 m_1에 작용하는 힘 F_{12}은 F_{21}와 크기는 같고 방향이 반대로서 $\mathrm{F}_{12} = -\mathrm{F}_{21}$로 표현되며, 이들 힘은 작용–반작용의 쌍을 이룬다. 균일한 질량분포를 하고 있는 유한한 크기의 구에 의한 중력은 구의 모든 질량이 구의 중심에 모여있는 경우와 같다. 예를 들어 지구표면에 있는 질량 m인 입자에 작용하는 힘의 크기는

$$F_g = \frac{GM_E m}{R_E^2}$$

이다. 여기서 M_E는 지구의 질량이고 R_E는 지구의 반지름이며, 이 힘은 지구의 중심을 향한다.

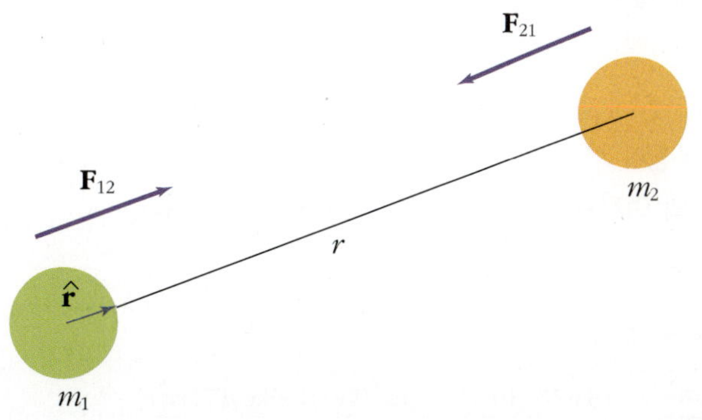

그림 9.1

두 입자 사이에 작용하는 중력은 서로 끌어당긴다. 단위벡터 $\hat{\mathrm{r}}$은 m_1에서 m_2로 향하며 $\mathrm{F}_{12} = -\mathrm{F}_{21}$이다.

중력상수의 측정

중력상수 G는 1798년 **캐번디시**(Henry Cavendish)가 처음 측정했다. 사용된 실험장치는 그림 9.2와 같이 가벼운 막대 양쪽 끝에 질량 m인 구를 붙여 가는 줄로 수평으로 매달아 놓은 모습이다. 질량 M인 두 개의 큰 구를 작은 구 근처에 놓으면 큰 구와 작은 구 사이에 인력이 작용하여 막대가 회전하면서 줄이 비틀리게 되며, 막대의 회전각도는 줄에 붙어 있는 거울에서 반사된 빛으로 측정할 수 있다. 구의 질량이나 구 사이의 거리를 바꾸어 반복 측정함으로서 정확한 중력상수 값을 얻을 수 있고, 구 사이에 작용하는 힘이 인력이고 그 힘은 구의 질량들의 곱 mM에 비례하고 구 사이의 거리 r의 제곱에 반비례한다는 것도 알 수 있다.

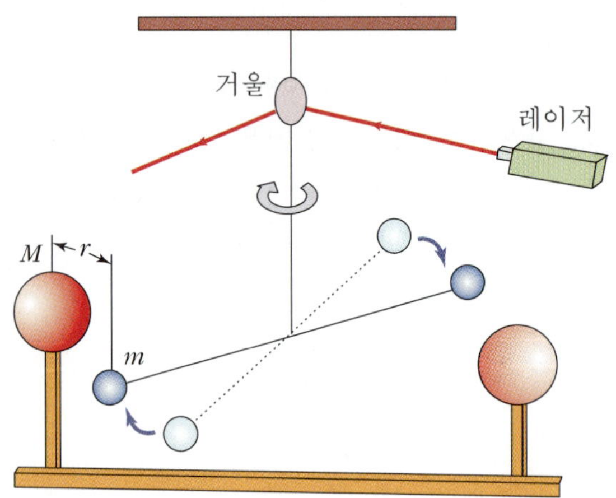

그림 9.2
중력상수 G를 측정하는 캐번디시 실험장치의 개략도. 줄에 매달린 막대 끝에 붙어있는 질량 m인 작은 구가 질량 M인 큰 구에 끌려 막대가 조금 회전한다. 줄에 붙어있는 거울에서 반사된 빛으로 회전각을 측정한다. 점선은 막대의 처음 위치를 나타낸다.

예제 **9.1** 중력은 아주 약한 힘

1.6m 떨어져 있는 50kg의 여자와 77kg 남자 사이의 중력을 구하여라.

풀이 사람들은 구형도 아니고 떨어진 거리도 사람의 크기와 비슷하기 때문에 식 (9.1)로부터 대략적인 힘의 크기를 계산할 수 있다.

$$F_g = \frac{Gm_1m_2}{r^2} = \frac{(6.67\times 10^{-11}\mathrm{N\cdot m^2/kg^2})(50\mathrm{kg})(77\mathrm{kg})}{(1.6\,\mathrm{m})^2} = 1.0\times 10^{-7}\mathrm{N}$$

이 힘은 사람정도 크기의 물체가 느끼기에는 너무 적은 힘이다.

9.2 만유인력법칙과 행성의 운동

케플러는 행성이 1절에 소개한 케플러의 법칙에 따라 운동하는 이유를 몰랐다. 뉴턴은 행성의 운동에 관심을 가지고, 케플러 법칙을 이론적으로 설명하였다. 이 절에서 뉴턴의 운동법칙과 만유인력으로 어떻게 케플러 법칙을 설명하는지 알아본다.

뉴턴은 $1/r^2$ 에 비례하는 인력이 작용하는 물체의 닫힌 궤도는 원이나 타원임을 증명했다. 그는 또한 열린 궤도는 포물선이나 쌍곡선이어야 한다는 것도 증명하였다. 이 결과들은 복잡한 미분방정식으로 뉴턴의 운동법칙과 만유인력을 직접 응용함으로써 유도할 수 있지만 여기서는 소개하지 않는다.

그림 9.3과 같이 질량 m인 행성이 태양둘레를 타원궤도로 운동하는 경우, 행성에 작용하는 중력은 중심력이고 항상 반지름 벡터를 따라 태양을 향한다. 중심력에 의해 행성에 작용하는 돌림힘은 두 벡터 $\mathbf{F}$와 $\mathbf{r}$이 같은 축에 있으므로 0이다. 돌림힘은 각운동량의 시간 변화율, 즉 $\tau = d\mathbf{L}/dt$이고 $\tau = 0$ 이므로 행성의 각운동량 $\mathbf{L}$은 일정하다. 각운동량 $\mathbf{L}$이 상수이므로 행성의 운동은 $\mathbf{r}$과 $\mathbf{v}$가 만드는 평면에서만 이루어진다.

위 결과를 그림 9.3 (b)와 같이 기하학적으로 생각하면, 시간 dt 동안에 반지름벡터 $\mathbf{r}$이 휩쓴 면적은 벡터 $\mathbf{r}$과 $d\mathbf{r}$이 만든 평행사변형 면적 $|\mathbf{r} \times d\mathbf{r}|$의 절반과 같다.

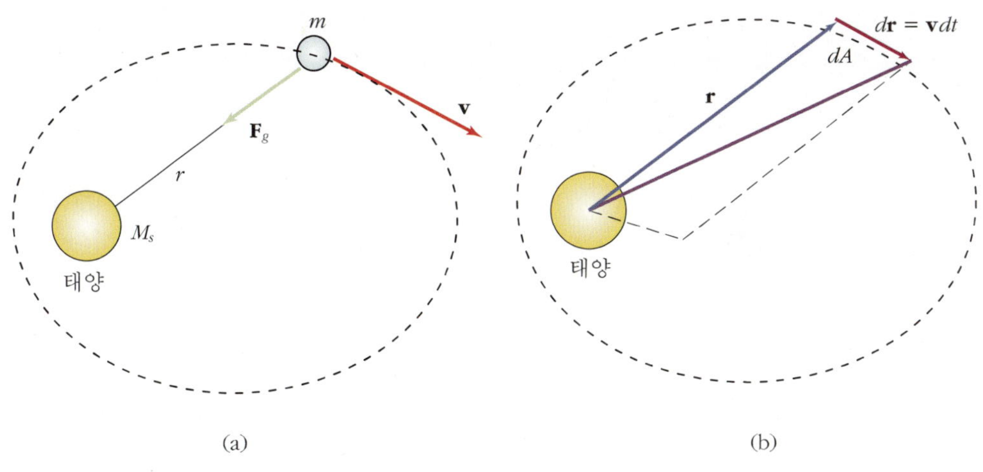

그림 9.3
(a) 행성에 작용하는 중력은 반지름 벡터를 따라 태양을 향한다.
(b) 행성이 태양 둘레를 돌 때 시간 dt 동안에 반지름 벡터가 휩쓴 면적은 벡터 $\mathbf{r}$과 $d\mathbf{r} = \mathbf{v}dt$가 만든 평행사변형 면적의 절반과 같다.

시간 dt 동안 행성의 변위는 $d\mathrm{r} = \mathrm{v}dt$이므로

$$dA = \frac{1}{2}|\mathrm{r} \times d\mathrm{r}| = \frac{1}{2}|\mathrm{r} \times \mathrm{v}dt| = \frac{L}{2m}dt \tag{9.4}$$

각운동량의 크기 L과 질량 m은 모두 상수값을 갖기 때문에 $dA/dt =$상수이고 케플러 제 2 법칙이 설명된다. 케플러의 제 2 법칙은 중력이 중심력이라는 사실, 즉 행성의 각운동량이 일정하다는 사실의 결과이다. 그러므로 역제곱이든 아니든 간에 중심력을 포함하는 경우에는 이 법칙이 적용된다.

원궤도에 대한 역제곱법칙으로부터 케플러의 제 3 법칙을 유도할 수 있다. 그림 9.4 (a)와 같이 질량 M_S인 태양의 둘레를 원궤도로 운동하는 질량 M_P인 행성에 작용하는 만유인력은 구심력 역할을 하므로 다음과 같이 쓸 수 있으며,

$$\frac{GM_SM_P}{r^2} = \frac{M_pv^2}{r}$$

주기가 T 일 때 행성의 궤도속력(v)은 단순히 $2\pi r/T$이므로 위 식은 다음과 같이 된다.

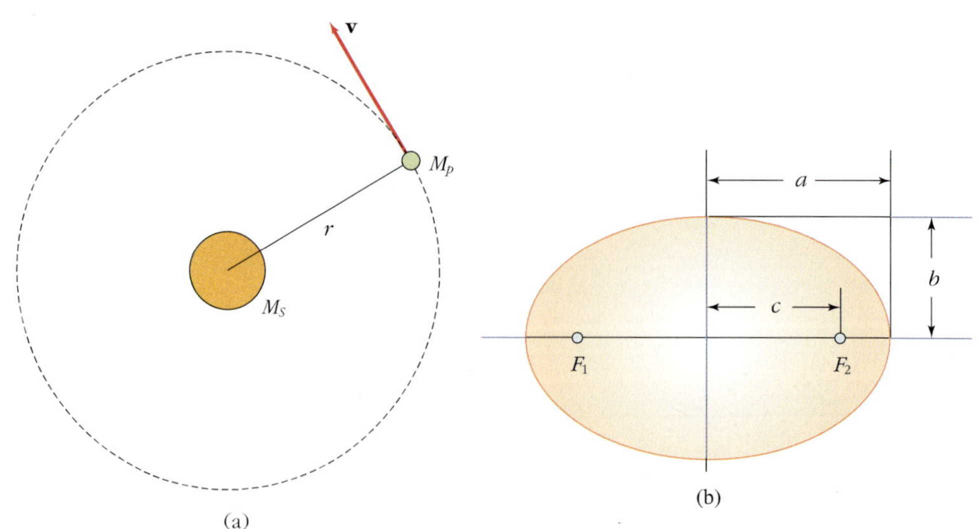

그림 9.4
(a) 질량 M_P인 행성이 태양 둘레를 돌고 있는 모습(화성, 수성, 명왕성을 제외한 모든 행성들의 궤도는 거의 원임)
(b) 긴 축이 a이고 짧은 축이 b인 타원 모습(초점은 중심으로부터 c만큼 떨어진 거리에 있는데, 이들 사이에는 $a^2 = b^2 + c^2$의 관계가 성립하며 이심률 $e = c/a$로 정의됨)

$$\frac{GM_S}{r^2} = \frac{(2\pi r/T)^2}{r}$$

$$T^2 = \left(\frac{4\pi^2}{GM_S}\right) r^3 = K_S r^3 \qquad (9.5)$$

여기서 K_S는 다음으로 주어지는 상수이다.

$$K_S = \frac{4\pi^2}{GM_S} = 2.97 \times 10^{-19}\ s^2/\mathrm{m}^3$$

식 (9.5)은 케플러의 제 3 법칙을 나타내며, 반지름 r을 그림 9.4 (b)에 나타낸 장축 a로 바꾸면 타원궤도의 경우에도 성립한다. 비례상수 K_S는 행성의 질량에 무관하여 모든 행성에 대해 같은 값을 가지지만, 지구에 관한 달과 같은 위성의 궤도인 경우 태양의 질량 대신 지구의 질량으로 바꾸어야 한다. 이때 비례상수 K_E는 $4\pi^2/GM_E$이다.

예제 **9.2** 지구의 위성

그림 9.5와 같이 질량 m인 위성이 지구표면 위 $h = 1{,}000\mathrm{km}$인 높이에서 일정한 속력으로 원궤도로 운동하고 있다. 지구의 반지름 $R_E = 6.37 \times 10^6\mathrm{m}$이고 지구의 질량 $M_E = 5.98 \times 10^{24}\mathrm{kg}$일 때 이 위성의 궤도속력 v 및 공전주기 T를 구하여라.

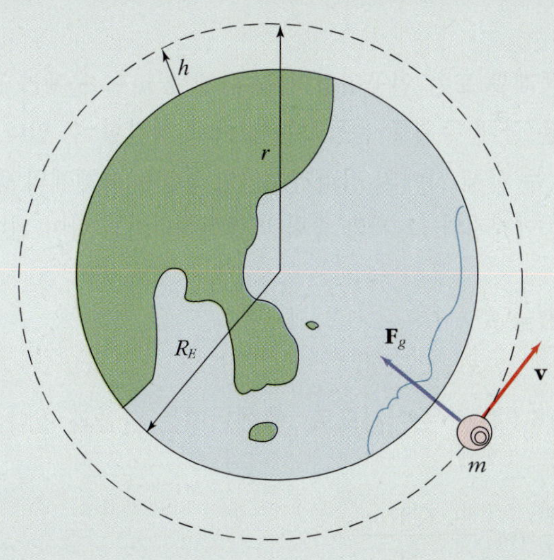

그림 9.5 질량 m인 위성이 궤도반지름 r로 지구 둘레를 일정한 속력 v로 돌고 있는 모습. 위성에 작용하는 힘은 F_g만 존재함(그림에서 크기가 같은 비율로 그려지지는 않았음).

풀이 이 위성에 작용하는 외력은 지구에 의한 만유인력으로서 위성의 원궤도 중심을 향하고 구심가속도의 원인이 된다. 중력의 크기는 $GM_E m/r^2$이므로

$$F_g = \frac{GM_E m}{r^2} = m\frac{v^2}{r},\ v^2 = \frac{GM_E}{r}$$

의 관계식을 얻을 수 있다. 여기서 거리 r은 지구의 반지름과 위성 높이의 합, 즉 $r = R_E + h = 7.37 \times 10^6\,\mathrm{m}$ 이므로

$$v^2 = \frac{(6.67\times 10^{-11}\,\mathrm{N\cdot m^2/kg^2})(5.98\times 10^{24}\,\mathrm{kg})}{7.37\times 10^6\,\mathrm{m}}$$
$$= 5.41 \times 10^7\,\mathrm{m^2/s^2}$$

따라서 $v = 7.36 \times 10^3\,\mathrm{m/s}$ 이다. 위성의 속력은 위성의 질량에 무관함에 유의하자. 위성주기와 궤도반경 사이의 관계식 (9.6)에서 $K_E = 4\pi^2/GM_E$이므로 주기는 다음과 같이 계산되어진다.

$$T^2 = K_E r^3 = \left(\frac{4\pi^2}{GM_E}\right) r^3$$

$$T = \sqrt{\frac{4\pi^2}{GM_E} r^3} = \sqrt{\frac{(4\pi^2)(7.37\times 10^6\,\mathrm{m})^3}{(6.67\times 10^{-11}\,\mathrm{N\cdot m^2/kg^2})(5.98\times 10^{24}\,\mathrm{kg})}}$$
$$= 6295\,\mathrm{s} = 105\,\mathrm{min}$$

9.3 행성 및 위성의 에너지

태양둘레를 도는 행성이나 지구둘레를 도는 인공위성의 경우 질량 m인 물체가 v의 속력으로 질량이 M인($M \gg m$) 무거운 물체 주위를 운동하는 것으로 생각할 수 있다. 만약 M이 관성 기준틀에서 정지하고 있고 두 물체 사이의 거리가 r이면, 이 두 물체계의 총 역학적 에너지 E는 질량 m인 물체의 운동에너지와 그 계의 중력 퍼텐셜에너지의 합이 된다. 즉,

$$E = K + U$$

이다. 중력 퍼텐셜에너지 U_g는 식 (6.24)로 주어지므로, 총에너지는 다음과 같다.

$$E = \frac{1}{2}mv^2 - \frac{GMm}{r} \qquad (9.6)$$

계가 고립되어 있다면 총 역학적 에너지는 보존되므로, 그림 9.6에서와 같이 질량 m이 P에서 Q로 운동할 때 식 (9.6)을 다음과 같이 쓸 수 있다.

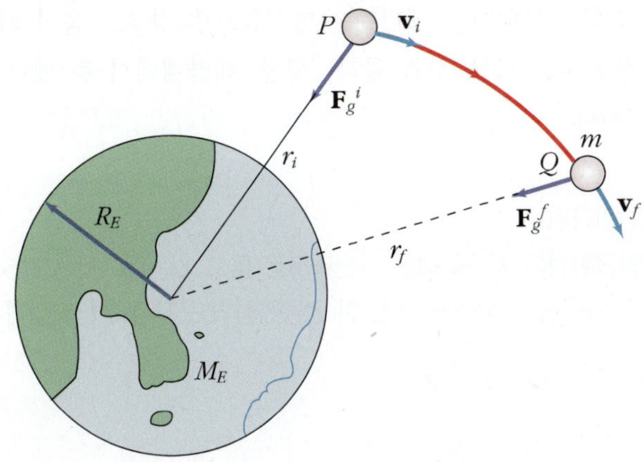

그림 9.6
질량 m인 위성이 지구표면 위 P점에서 Q점으로 운동할 때 이 계의 총 역학적 에너지는 일정하게 된다.

$$E = \frac{1}{2}mv_i^2 - \frac{GMm}{r_i} = \frac{1}{2}mv_f^2 - \frac{GMm}{r_f} \tag{9.7}$$

식 (9.6)의 E는 v값에 따라 양, 음 또는 영 모두 가능하지만, 지구–달과 같이 서로 얽매인 계에서는 E가 0보다 작다. 질량 m이 질량 M인 물체둘레를 속력 v로 원궤도를 따라 운동할 때 만유인력이 곧 구심력이므로 다음 식이 성립한다.

$$\frac{GMm}{r^2} = \frac{mv^2}{r}$$

위 식의 양변에 r을 곱하고 2로 나누면 다음과 같다.

$$\frac{1}{2}mv^2 = \frac{GMm}{2r} \tag{9.8}$$

이 식을 식 (9.6)에 대입하면 원궤도에서 총 역학적 에너지는 다음과 같이 표현된다.

$$E = -\frac{GMm}{2r} \tag{9.9}$$

식 (9.9)는 원궤도의 경우 총 역학적 에너지가 음이고 그 크기는 퍼텐셜에너지의 반이라는 것을 보여준다(퍼텐셜에너지를 무한대에서 영이라고 잡은 경우임). E의 절대값은 이

계의 결합에너지와 같다. 총 역학적 에너지는 타원궤도인 경우도 음이 되며, E의 표현식은 식 (9.9)에서 r을 장축 a로 바꾼 것과 같다. 행성-태양계에서 총 에너지, 총각운동량 및 총 선운동량은 보존된다.

예제 **9.3** 타원궤도의 인공위성

그림 9.7과 같이 인공위성이 지구둘레를 타원궤도로 돌고 있는데, 지구표면에서 가장 가까운 거리는 400km이고 가장 먼 거리는 3,000km이다. 이 인공위성의 근지점과 원지점에서의 속력을 각각 구하라.

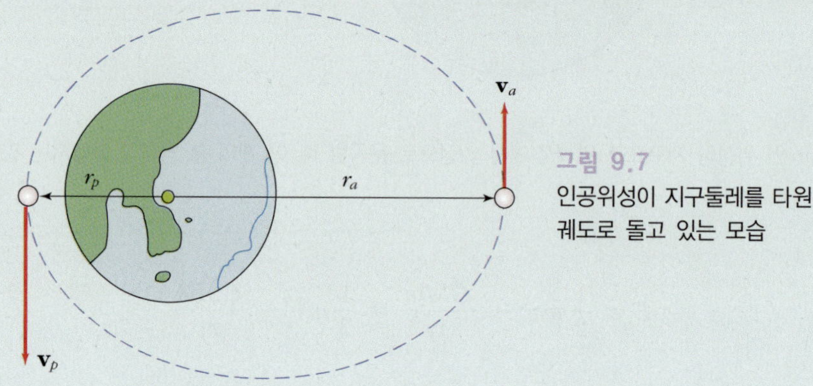

그림 9.7
인공위성이 지구둘레를 타원궤도로 돌고 있는 모습

풀이 인공위성의 질량은 지구의 질량에 비해 무시할 정도로 작기 때문에 지구의 질량중심이 정지해 있는 것으로 볼 수 있으며, 중력은 중심력이므로 지구의 질량중심에 대한 인공위성의 각운동량은 시간에 따라 일정하다. 아래첨자 a와 p를 각각 원지점과 근지점을 나타내는 것으로 하면 두 지점에서 각운동량이 보존되므로 $L_p = L_a$이다. 즉,

$$mv_pr_p = mv_ar_a$$

$$v_pr_p = v_ar_a \qquad (1)$$

가 된다. 한편 총 역학적 에너지 보존에 의해 $E_p = E_a$이므로

$$U_p + K_p = U_a + K_a$$

$$-G\frac{M_Em}{r_p} + \frac{1}{2}mv_p^2 = -G\frac{M_Em}{r_a} + \frac{1}{2}mv_a^2$$

$$2GM_E\left(\frac{1}{r_a} - \frac{1}{r_p}\right) = (v_a^2 - v_p^2) \qquad (2)$$

지구의 반지름이 6.37×10^6m이기 때문에 $r_a = 9.37\times10^6$m, $r_p = 6.77\times10^6$m이며, G와 M_E의 값을 알기 때문에 식 (1)과 식 (2)로부터 v_p와 v_a를 계산하면 다음과 같다.

$$v_p = 8.27\,\text{km/s},\ v_a = 5.98\,\text{km/s}$$

이탈속력

그림 9.8과 같이 질량 m인 물체가 초기속력 v_i로 지구의 표면으로부터 수직으로 발사되어 높이 $h(= r_{\max} - R_E)$에 도달한다고 가정한다. 어떤 물체의 속력과 지구중심으로부터의 거리를 알면 식 (9.6)으로부터 그 물체의 총 에너지를 구할 수 있다. 지구표면에서 $r_i = R_E$, 물체의 최고점에서 속력과 거리($v_f = 0$ 및 $r_f = r_{\max}$)를 식 (9.7)에 대입하면,

$$\frac{1}{2}mv_i^2 - \frac{GM_E m}{R_E} = -\frac{GM_E m}{r_{\max}}$$

이고 v_i^2에 대하여 풀면

$$v_i^2 = 2GM_E\left(\frac{1}{R_E} - \frac{1}{r_{\max}}\right) \tag{9.10}$$

이다. 처음속력을 알면 이 식을 이용하여 최고점의 높이 h를 계산할 수 있다.

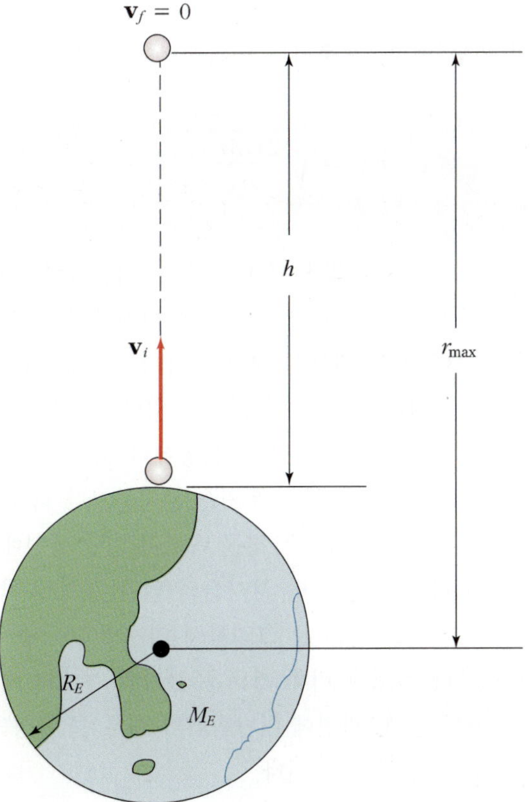

그림 9.8 질량 m인 물체가 처음속도 v_i로 지구위로 발사되어서 최고 높이 h에 도달한다.

어떤 물체를 매우 큰 속력으로 지구 표면에서 윗방향으로 발사한다면 그 물체는 우주로 날아가서 지구로 되돌아오지 않는다. 물체가 지구중력장으로부터 이탈하기 위하여 가져야 하는 최소속력을 **이탈속력**(escape velocity)라고 한다. 이탈속력 v_{esc}으로 발사된 물체는 무한대의 거리로 멀리 운동을 계속하면서 속력은 점진적으로 영에 도달한다. 즉, 식 (9.10)에서 $r_{\max} = \infty$로 두면 이탈속력은 다음과 같다.

$$v_{\text{esc}} = \sqrt{\frac{2GM_E}{R_E}} \tag{9.11}$$

식 (9.11)에서 이탈속력은 지구에서 발사되는 물체의 질량과는 무관하다. 예를 들어 우주선이나 어떤 한 분자의 이탈속력은 같다. 그리고 물체를 지구 쪽으로 향하게 하지 않는 한 이탈속력은 속도의 방향과도 무관하다. 물체의 처음속력이 이탈속력을 가질 경우, $r \to \infty$에서 물체의 운동에너지와 퍼텐셜에너지가 모두 0이므로, 그 물체의 총에너지는 0이다. 만약 v_i가 이탈속력보다 크면 총 에너지는 0보다 크고 물체는 $r \to \infty$가 될 때까지 계속 운동할 것이다.

지구에 대한 식 (9.10)과 (9.11)은 어떤 행성에서 발사된 물체에도 적용되며, 질량이 M이고 반지름이 R인 어떤 행성으로부터의 이탈속력은 다음과 같다.

$$v_{\text{esc}} = \sqrt{\frac{2GM}{R}} \tag{9.12}$$

표 9.1 행성, 달 및 태양의 이탈속도

행성	v_{esc}(km/s)
수성	4.3
금성	10.3
지구	11.2
화성	5.0
목성	60.0
토성	36.0
천왕성	22.0
해왕성	24.0
명왕성	1.1
달	2.3
태양	618.0

행성 및 달과 태양 등의 이탈속력이 표 9.1에 주어져 있다. 표에 주어진 결과들과 제 14장에서 배울 기체운동론을 이용하여 어떤 행성은 대기를 가지고 있고 다른 것들은 대기를 갖지 못하는 이유를 설명할 수 있다. 어떤 기체분자는 그 기체의 온도에 의존하는 평균 운동에너지를 갖는데 수소나 헬륨과 같이 가벼운 분자들은 무거운 분자들보다 더 큰 평균 속력을 갖는다. 가벼운 분자들의 평균 속력이 어떤 행성에서의 이탈속력보다 크게 작지 않으면 분자들의 많은 분량이 행성으로부터 이탈하는 기회를 갖는다. 그리하여 지구의 대기중에 무거운 분자인 산소나 질소에 비해 가벼운 분자인 수소나 헬륨분자들이 존재하기 힘들며, 반면에 이탈속력이 매우 큰 목성의 경우 대기중의 주성분은 수소가 된다.

블랙홀

매우 무거운 별들이 폭발하는 초신성과 같은 별의 중심에 남아 있는 물질은 붕괴를 계속하며, 그 중심핵의 최후 운명은 자신의 질량에 따라 달라진다. 중심핵의 질량이 태양질량의 1.4배보다 작으면 그것은 점점 냉각되고 최후에는 백색왜성이 되어 자신의 생명을 끝마친다. 그러나 중심핵의 질량이 태양질량의 1.4배보다 크면 그 별은 중력 때문에 더욱 수축되어 중성자별이 되는데, 그 반지름은 약 10km 정도로 압축된다. 그런데 중심핵이 태양질량보다 3배 이상의 질량을 가질 때에는 중력에 의한 수축을 막을 만한 힘이 자연계에는 존재하지 않기 때문에, 그 별은 우주에서 작은 물체가 될 때까지 계속 수축하는데, 보통 이런 것을 **블랙홀**(black hole)이라 부른다. 그림 9.9는 블랙홀의 구조를 보여주는데, 우주선 같은 물체가 블랙홀 근처에 가게 되면 굉장히 강한 중력을 느끼게 되며 결국에는 영원히 갇히게 될 것이다.

공 모양의 물체로부터의 이탈속력을 식 (9.12)로부터 계산할 수 있는데, 만약 이탈속력이 광속도 c보다 크게 되면 물체의 복사(가시광선 포함)도 이탈할 수 없어 물체가 검게 보이며 이 때문에 블랙홀이란 이름이 붙여졌다. 복사된 어떤 광선이나 입자가 빠져 나오지 못하는 블랙홀의 임계 반지름 R_s를 **슈바르츠쉴트 반지름**(Schwarzschild radius)이라 한다. 일반상대성이론에서 유도한 이 반지름은 $R_s = 2GM/c^2$으로 식 (9.12)에 $v_{\text{esc}} = c$로 두고 R에 대해 푼 경과와 우연히 일치 한다. 예를 들어 태양의 질량과 같은 블랙홀의 R_s는 3km이고 지구의 질량과 같은 블랙홀의 반지름은 약 9mm가 된다.

비록 빛이 블랙홀로부터 빠져나오지 못해도 블랙홀 근처에서 일어나는 사건에 의해 방출되는 빛을 관측할 수 있다. 블랙홀의 강한 중력장에 잡히는 동료별은 X-선을 방출하므로 X-선 망원경으로 이들을 관측하여 몇 개의 블랙홀 후보들이 탐지되었는데, 그중 가장 유명한 것이 Cygnus X-1이다.

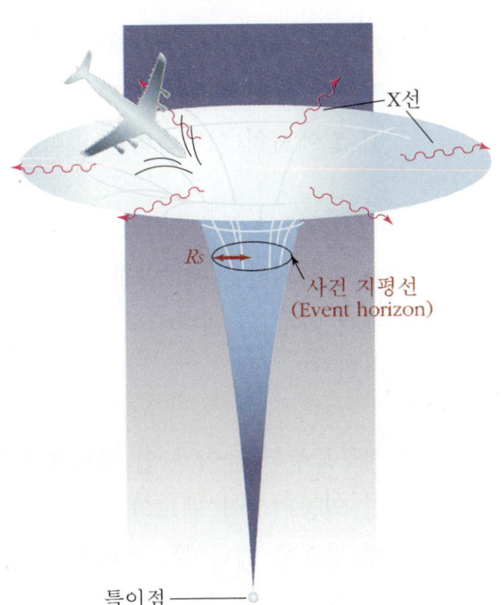

그림 9.9
블랙홀의 구조. R_S는 슈바르츠쉴트 반지름이며 그 경계면을 사건 지평선이라 함.

연습문제
EXERCISES

1 질량 50kg인 물체가 20kg인 물체와 1m 떨어져 있다.
(a) 20kg 물체가 50kg 물체에 작용하는 중력과 (b) 50kg 물체가 20kg 물체에 작용하는 중력은 얼마이며, (c) 두 물체가 모두 자유로이 움직일 수 있다면 가속도는 각각 얼마인가? 단, 다른 힘은 작용하지 않는다고 가정한다.

2 질량이 각각 200kg과 500kg인 두 물체가 0.40m 떨어져 있다.
(a) 두 물체의 중간 지점에 질량 50kg인 물체를 놓았을 때 이 물체가 받는 총 중력을 구하라.
(b) 질량 50kg인 물체가 받는 총 힘이 영이 되는 지점을 구하라. (단 무한대로 먼 지점은 제외함)

3 중력법칙을 사용하여 지구질량의 근사값을 구하라.

4 달 표면에서 중력장은 지구 표면 중력장의 약 1/6이다. 만약 달의 반지름이 지구 반지름의 약 1/4이면 지구 평균밀도에 대한 달의 평균밀도의 비를 구하라.

5 목성의 위성인 이오(I_o)의 궤도 주기는 1.77일이며 궤도 반지름은 4.22×10^5 km이다. 이로부터 목성의 질량을 구하라.

6 1960년 Explorer 8호 인공위성이 전리층 조사를 위해 근지점이 지상 459km이고 원지점이 2,289km이며 주기가 112.7분인 궤도에 올려졌는데, 이 경우 v_p/v_a를 구하라.

7 한 위성이 초속 5,000m/s의 속력으로 지구 주위를 원운동하고 있다.
(a) 지구 표면으로부터 이 위성의 고도를 구하라.
(b) 이 위성의 궤도 운동 주기를 구하라.

8 지구상의 정지궤도의 고도는 얼마인가?

9 질량 200kg인 위성을 적도상에서 지구 표면 상공 200km 지점으로 발사한다.
(a) 만약 위성의 궤도가 원형이라면, 이 위성의 주기는 얼마인가?
(b) 궤도상에서 위성의 속력을 구하라.
(c) 공기 저항을 무시할 때 위성을 위의 궤도로 위치시키기 위하여 필요한 최소 에너지를 구하라.

10 지구로부터의 이탈속력은 11.2km/s이다. 지구에 비해 질량이 1/81이고 반지름이 1/4인 달에서의 이탈속력은 얼마인가?

11 우주선이 초속 2.00×10^4m/s로 지구표면에서 발사되었을 때, 마찰을 무시한다면 지구에서 아주 먼 곳에서의 우주선의 속력은 얼마인가?

12 지구로부터 높이 h_1인 궤도에 있는 질량 m인 인공위성이 궤도의 높이를 h_2로 바꾸는데 필요한 에너지는 얼마인가($h_2 > h_1$)?

13 천왕성은 지구 질량의 약 14배 반지름은 지구의 약 3.7배이다.

(a) 천왕성 표면에서 중력가속도를 지구 표면의 중력가속도 g 로 나타내어라.

(b) 행성의 자전을 무시하면 천왕성의 이탈속도는 얼마인가?

14 질량 m인 인공위성이 이탈속력 2배의 초기속력으로 질량 M이고 반지름 R인 행성으로부터 연직방향으로 발사될 때, 이 위성의 속력을 행성중심으로부터의 거리 r의 함수로 표시하라.

15 회전하고 있는 원반형 물체의 질량이 m이고 반경이 r 인 경우 회전한 총 각도 및 시간을 각각 θ및 t라 할 때, 다음의 각 사항을 수식으로 나타내어라. (a) 각속도 ω, (b) 각가속도 α, (c) 돌림힘 τ, (d) 관성모멘트 (I; Moment of Inertia), (e) 각운동량 (L; Angular Momentum)

16 높이 3m 되는 곳에서부터 속이 가득 찬 드럼통이 경사면을 따라 굴러 내려오고 있다. 드럼통의 질량이 200kg이고 반경이 45cm일 때, (a) 드럼통의 관성모멘트 I를 구하고, (b) 바닥에서의 속도 v를 구하여라.

17 반경이 1.5m이고 질량이 80kg 되는 원반형 놀이기구가 있다. 한 어린이가 가장자리에 힘을 가하여 놀이기구가 120rpm의 회전을 하도록 하려 한다.

(a) 이 어린이가 10N의 힘으로 민다면 최소한 얼마 동안 이 기구를 돌려야 하는가?

(b) 원반이 120rpm이 되었을 때 20kg인 이 어린이가 원반의 가장자리에 올라탔다. 원반의 회전속도는 어떻게 되겠는가?

18 반경이 1.5m이고 질량이 30kg 되는 원반형 놀이기구가 있다. 한 어린이가 가장자리에 힘을 가하여 놀이기구가 120rpm의 회전을 하도록 하려한다.

(a) 이 어린이가 10N의 힘을 낸다면 최소한 얼마동안 이 기구를 돌려야 하는가?

(b) 원반이 120rpm이 되었을 때 20kg인 이 어린이가 원반의 가장자리에 올라탔다. 원반의 회전속도는 어떻게 되겠는가?

19 반경이 1.5m이고 질량이 30kg 되는 원반형 놀이기구가 있다. 한 어린이가 가장자리에 힘을 가하여 놀이기구가 60rpm의 회전을 하도록 하려 한다.

(a) 이 어린이가 5N의 힘을 낸다면 최소한 얼마 동안 이 기구를 돌려야 하는가?

(b) 원반이 60rpm이 되었을 때 20kg인 이 어린이가 원반의 가장자리에 올라탔다. 원반의 회전속도는 어떻게 되겠는가?

20 질량 20kg인 물통이 지름 0.4m, 질량 30kg인 단단한 원통형 도르레에 감긴 밧줄에 매달려 있다. 이 물통이 정지 상태에서 우물의 꼭대기로부터 수면까지 25m을 낙하한다.

진동

진동 운동의 특징은 주기성에 있다. 주기적 진동운동의 예로서 동물의 심장박동, 시계추의 흔들림, 고체물질 내에서의 원자진동, 교류전류 등을 들 수 있다. 우리가 생각할 수 있는 가장 규모가 큰 진동으로서 어떤 과학자들은 전체 우주가 수백억 년의 주기로 팽창과 수축을 반복하는 진동운동을 할지도 모른다고 생각하기도 한다.

이 장에서는 **단순조화운동**에 대해 많이 다룰 것이다. 이런 특별한 운동은 평형 위치에서 벗어난 물체가 평형점 방향으로 **복원력**이 작용될 때 일어난다.

10.1 단순조화진동

어떤 물체의 운동이 일정한 시간 간격으로 되풀이될 때 주기운동(periodic motion)이라고 한다. 이와 같은 주기운동에서 물체는 두 끝점 사이의 경로를 따라 **진동**(oscillation)하게 된다. 용수철에 매달려 진동하는 물체의 변위 x가 시간에 따라 어떻게 변화하는가를 관측하기 위하여 그림 10.1에서와 같이 일정한 속도로 평행이동을 하는 기록지 위에 물체의 운동을 기록하고 있다. 이 때 기록지 위에는 코사인(cosine) 또는 사인(sine) 형태의 곡선이 그려지게 되고 마찰이 없는 경우 물체는 다음식과 같은 진폭이 일정한 정현곡선을 그린다.

$$x = A\cos\omega t \tag{10.1}$$

여기서, A는 진동의 **진폭**(amplitude), ω는 **각진동수**(angular frequency)라 부른다. 이와 같은 운동을 **단순조화진동**(simple harmonic oscillation)이라고 한다. 운동의 **주기**(period) T는 한번의 완전한 순환을 하는데 걸리는 시간이다. 여기서는 삼각함수의 한 주기에 해당하는 2π만큼을 진행하는 데 걸리는 시간으로서 $\omega T = 2\pi$로부터

$$T = \frac{2\pi}{\omega} \tag{10.2}$$

가 된다.

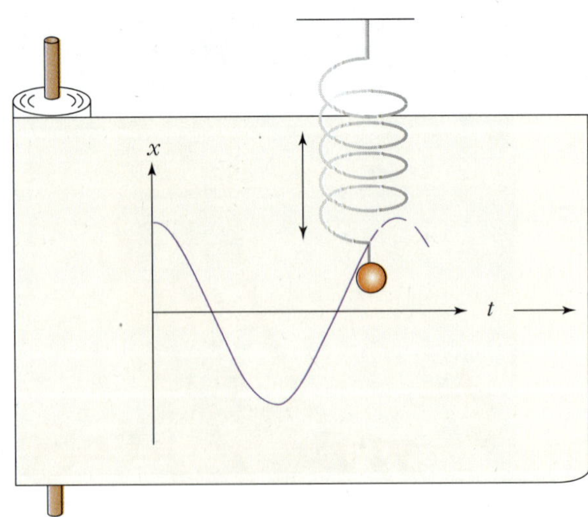

그림 10.1 단순조화진동 하는 물체가 일정한 속도로 이동하는 기록지 위에 남기는 궤적

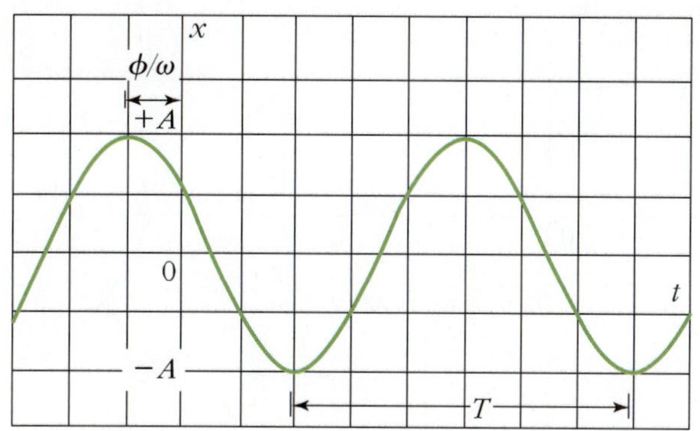

그림 10.2 일반적인 단순조화진동에서의 변위의 시간에 대한 변화. T, ω, A는 각각 진동의 주기, 각진동수, 진폭이며 ϕ는 초기 위상각이다.

물체가 단위시간 동안 진동한 횟수를 나타내는 **진동수**(frequency) f는 주기의 역수 즉, $f = 1/T = \omega/2\pi$가 된다. **단순조화진동**은 그림 10.2에서와 같이 물체의 진동이 임의의 초기 위치를 가지는 경우를 고려하면 일반적으로 식 (10.3)으로 표현된다. 여기서 ϕ를 운동의 초기 **위상각**(phase angle)이라 부른다.

$$x = A\cos(\omega t + \phi) \tag{10.3}$$

이와 같은 진동시 물체가 가지는 속도는 식 (10.3)을 시간에 대하여 미분하여

$$v = \frac{dx}{dt} = -\omega A\sin(\omega t + \phi) \tag{10.4}$$

와 같이 얻을 수 있고, 가속도는 속도를 시간에 대하여 미분하여

$$a = \frac{dv}{dt} = -\omega^2 A\cos(\omega t + \phi) \tag{10.5}$$

와 같이 얻을 수 있다. 따라서 단순조화진동의 변위, 속도, 가속도는 위의 식 (10.3), (10.4), (10.5)로부터 그림 10.3과 같은 시간에 따르는 변화를 보이게 되며 속도와 가속도는 최대값 $v_{max} = \omega A$, $a_{max} = \omega^2 A$을 가진다.

위의 식 (10.3)과 (10.5)를 비교하면

$$a = -\omega^2 x \tag{10.6}$$

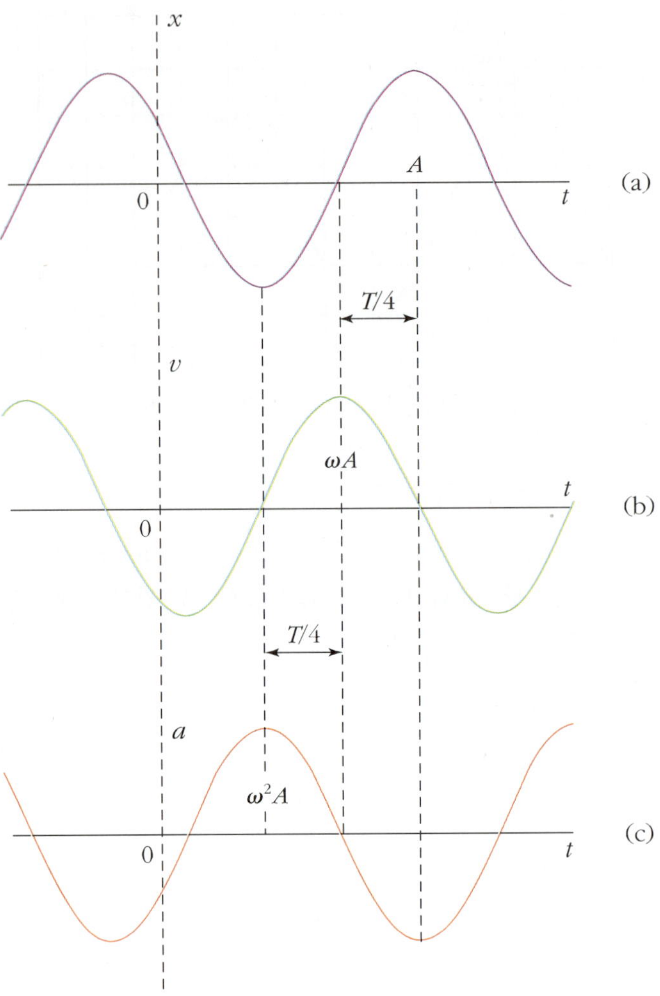

그림 10.3 단순조화진동의 (a) 위치 x, (b) 속도 v, (c) 가속도 a의 시간변화에 대한 상관관계. T, ω, A는 각각 진동의 주기, 각진동수, 진폭이다.

의 관계를 얻을 수 있으며, 이로부터 단순조화진동시 물체의 가속도는 그림 10.3에 나타난 바와 같이 변위에 비례하지만 그 방향은 반대가 됨을 알 수 있다.

단순조화진동의 원인이 되는 힘을 **복원력**(restoring force)이라 하며 이와 같은 복원력의 한 예로서 그림 10.4에서와 같은 용수철에 부착된 질량 m인 물체의 왕복운동을 들 수 있다. 복원력은 용수철의 평형 위치로부터의 물체의 변위에 비례하며 복원력의 방향은 변위 방향과 반대이다. 이것을 표현한 후크의 법칙(Hooke's law)에 따라서

$$F = -kx \tag{10.7}$$

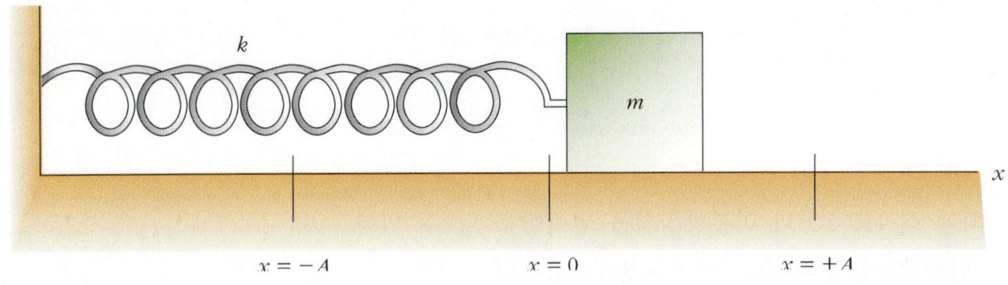

그림 10.4
용수철에 부착되어 단순조화진동 하는 물체. 복원력 F는 물체의 변위 x에 비례하며 그 방향은 반대이다.

와 같이 나타내어지며 k는 **용수철상수**(spring constant)라고 부른다. 즉, 복원력은 평형 위치($x=0$)로부터의 물체의 변위에 비례하며 그 방향은 변위와 반대방향이 된다. 따라서 복원력은 항상 물체를 평형 위치로 되돌려 보내려고 하는 성질을 가진다. 이와 같은 물체의 단순조화진동에 대하여 뉴턴의 제 2 법칙($F=ma$)을 적용하면

$$a = -\frac{k}{m}x \tag{10.8}$$

와 같은 가속도와 변위 사이의 관계를 얻는다. 여기서 $a = d^2x/dt^2$을 이용하면 식 (10.8)을 아래와 같은 미분방정식의 형태로 변환시킬 수 있다.

$$\frac{d^2x}{dt^2} + \frac{k}{m}x = 0 \tag{10.9}$$

식 (10.6)과 (10.8)을 비교하면 $\omega^2 = k/m$이 되고 따라서 식 (10.9)는 아래의 식과 같이 된다.

$$\frac{d^2x}{dt^2} + \omega^2 x = 0 \tag{10.10}$$

위의 이차 미분방정식을 만족하는 해 $x(t)$는 식 (10.3)과 같은 $x(t) = A\cos(\omega t + \phi)$이고, 물체는 단순조화진동을 함을 알 수 있다. 식 (10.3)의 $x(t)$를 시간에 대하여 미분하면

$$\frac{dx}{dt} = \left(\frac{d}{dt}\right) A\cos(\omega + \phi) = -\omega A\sin(\omega t + \phi)$$

$$\frac{d^2x}{dt^2} = -\left(\frac{d}{dt}\right)\omega A\sin(\omega t + \phi)$$

$$= -\omega^2 A\cos(\omega t + \phi) = -\omega^2 x$$

가 되어 식 (10.10)의 미분방정식을 만족함을 알 수 있다.

단순조화운동의 주기는 $T = 2\pi/\omega$ 로부터

$$T = 2\pi\sqrt{\frac{m}{k}} \tag{10.11}$$

으로 표현되며, 진동수는 $f = T^{-1} = (2\pi)^{-1}\sqrt{k/m}$ 이다. 여기서 단순조화진동의 가장 중요한 성질인 운동의 주기는 운동의 진폭과는 무관하다는 것을 알 수 있다. 또한 주기는 질량의 증가에 따라 증가하며 용수철의 탄성(용수철 상수)이 커질수록 진동이 빨라지는 것도 알 수 있다.

예제 10.1 x축을 따라 단진동하는 한 물체의 변위가

$$x = (2.00\,\text{m})\cos\left(\pi t + \frac{\pi}{2}\right)$$

로 주어진다.

(a) 진동의 진폭, 주기, 진동수를 구하시오.

(b) 시간 $t = 1\,\text{s}$ 에서 물체의 속도와 가속도를 구하시오.

풀이 (a) 주어진 식을 단순조화진동의 일반식 $x = A\cos(\omega t + \phi)$과 비교하면, 진폭 $A = 2.00\,\text{m}$, 각진동수 $\omega = \pi\text{rad/s}$가 나온다. 따라서 주기는 $T = \frac{2\pi}{\omega} = \frac{2\pi}{\pi} = 2.00\text{s}$가 되며 진동수 $f = \frac{1}{T} = 0.500\text{s}^{-1}$이 된다.

(b) 속도 $v = \frac{dx}{dt} = \left(\frac{d}{dt}\right)\left[(2.00\,\text{m})\cos\left(\pi t + \frac{\pi}{2}\right)\right] = (-2.00\,\pi\,\text{m/s})\sin\left(\pi t + \frac{\pi}{2}\right)$

$v(t = 1\,\text{s}) = 2.00\pi\,\text{m/s}$

가속도

$a = \frac{dv}{dt} = \left(\frac{d}{dt}\right)\left[(-2.00\pi\,\text{m/s})\sin\left(\pi t + \frac{\pi}{2}\right)\right] = (-2.00\,\pi^2\text{m/s}^2)\cos\left(\pi t + \frac{\pi}{2}\right)$

$a(t = 1\,\text{s}) = 0$

10.2 단순조화진동자의 에너지

단순조화진동의 에너지를 고찰함으로써 더욱 중요한 물리적 사실들을 알아낼 수 있다. 마찰력의 영향이 무시될 수 있는 이상적인 용수철에 작용하는 복원력 $F = -kx$는 보존력이다. 따라서 운동계의 총 역학적 에너지, 즉 퍼텐셜에너지와 운동에너지의 합은 보존된다. 진동자가 평형 위치로부터 x만큼의 변위를 가지고 있을 때 퍼텐셜에너지는

$$U = -\int_0^x F dx = \frac{1}{2}kx^2 = \frac{1}{2}kA^2\cos^2(\omega t + \phi) \tag{10.12}$$

이고, 운동에너지는

$$\begin{aligned} K &= \frac{1}{2}mv^2 \\ &= \frac{1}{2}m\omega^2 A^2 \sin^2(\omega t + \phi) \\ &= \frac{1}{2}m(\sqrt{k/m})^2 A^2 \sin^2(\omega t + \phi) \\ &= \frac{1}{2}kA^2 \sin^2(\omega t + \phi) \end{aligned} \tag{10.13}$$

이다. 여기서 $\omega^2 = k/m$을 이용하였으며 계의 총 역학적 에너지는

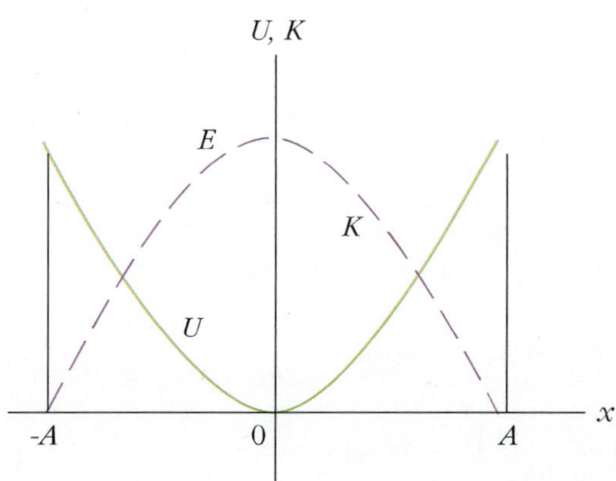

그림 10.5 진동자의 위치 x에 따르는 위치에너지 U, 운동에너지 K, 총 역학적 에너지 E의 변화

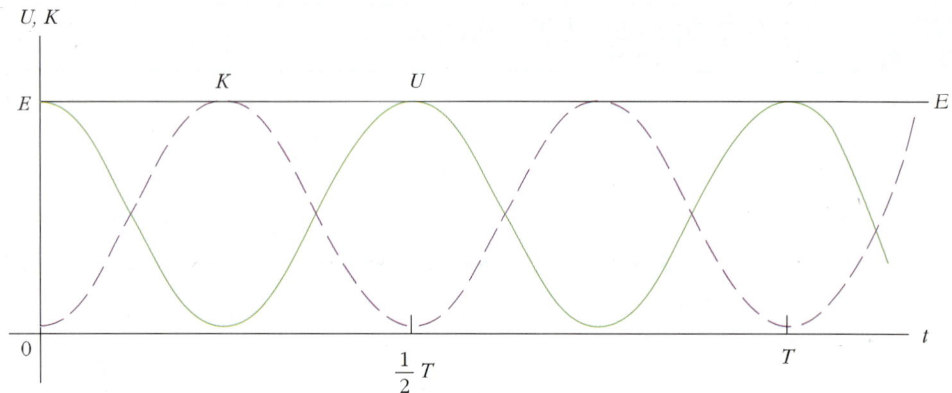

그림 10.6 $E = U + K$,. 시간의 변화에 따르는 위치에너지, 운동에너지, 총 역학적 에너지의 변화

$$E = U + K = \frac{1}{2}kA^2 \tag{10.14}$$

이다. 즉, 단순조화진동자의 총 역학적 에너지는 일정하며 그 진폭의 제곱에 비례하는 것을 알 수 있다. 그림 10.5에서는 진동자의 위치에 따르는 U와 K의 변화를 나타내었다. 진동자의 위치 $x = \pm A$에서 그 운동에너지는 0이 되고 따라서 총 역학적 에너지는 위치에너지와 같다. 이 때 진동자는 순간적으로 정지하였다가 평형점을 향하여 되돌아가기 시작한다. 한편, $x = 0$에서는 $U = 0$이므로 총 역학적 에너지는 운동에너지와 그 크기가 같아지며 따라서 진동자는 최대속도를 가지게 된다. 그림 10.6은 $\phi = 0$에서 시간의 변화에 따르는 U와 K의 변화를 나타낸다. 그림 10.5를 살펴보면 진동자는 용수철의 복원력이 형성하는 포물선 형태의 **퍼텐셜 우물**(potential well) 내에 갇혀있음을 알 수 있다.

예제 **10.2** 용수철 상수 $k = 100\,\mathrm{N/m}$인 용수철에 매달려 있는 질량 250g의 물체를 20cm 잡아당겼다가 놓았다.

(a) 시간 변화에 따르는 물체의 변위를 구하시오.

(b) 계의 총 역학적 에너지와 물체의 최대속력을 구하시오.

풀이 (a) 우선 단순조화진동의 각진동수를 구하면

$$\omega = \left(\frac{k}{m}\right)^{\frac{1}{2}} = \left(\frac{100\,\mathrm{N/m}}{0.25\,\mathrm{kg}}\right)^{\frac{1}{2}} = 20\,\mathrm{rad/s}$$

이다. 물체의 초기변위는 $x(t=0) = 0.20\,\mathrm{m}$ 이므로 $x = 0.20\,\mathrm{m}\cos(20t)$ 이다.

(b) 계의 총 역학적 에너지는

$$E = \frac{1}{2}kA^2 = (0.5)(100\,\text{N/m})(0.2\,\text{m})^2 = 2.0\,\text{J}$$

이다. 최대속도는 $E = (1/2)mv_{\max}^2 = 2.0\,\text{J}$로부터 다음과 같이 구해진다.

$$v_{\max} = \left(\frac{2E}{m}\right)^{1/2} = \left(\frac{4\,\text{J}}{0.25\,\text{kg}}\right)^{1/2} = 4.0\,\text{m/s}$$

10.3 진자의 운동

단진자

단순조화진동을 하는 또 하나의 역학적인 예로서 **단진자**(simple pendulum)를 들 수 있다. 그림 10.7에서 보듯이 한쪽 끝이 고정된 길이 L인 가벼운 줄에 질량 m이 매달려 있다. 진자는 그림 10.7에 나타낸 것과 같이 중력의 접선 방향 성분 $mg\sin\theta$가 복원력으로 작용하여 좌우로 진동하게 된다. 진자의 평형 위치인 최저점($\theta = 0$)으로부터 원호를 따라

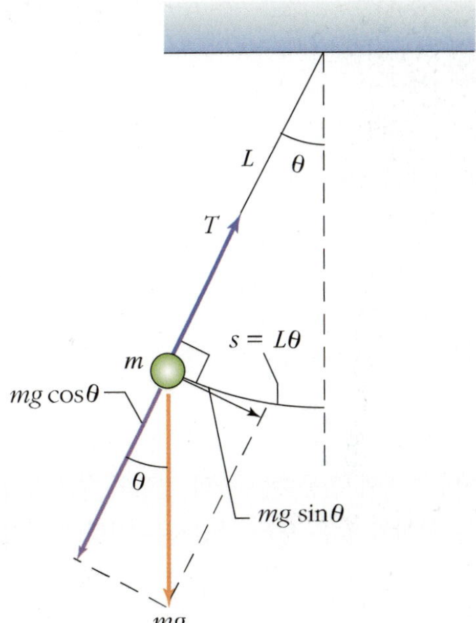

그림 10.7
단진자 모형. 진자는 그 무게 mg의 접선 성분인 복원력 $mg\sin\theta$에 의하여 진동하게 되며 θ의 값이 작을 때에는 단순조화진동을 하게 된다. L은 진자의 길이이고 T는 줄에 걸리는 장력이다.

움직이는 진자의 변위는 $s = L\theta$로 나타낼 수 있다. 이 방향에 대하여 뉴턴의 제 2 법칙을 적용하면

$$F = -mg\sin\theta = m\frac{d^2s}{dt^2} \tag{10.15}$$

이다. $s = L\theta$의 관계를 이용하여 식 (10.15)을 정리하면

$$\frac{d^2\theta}{dt^2} = -\left(\frac{g}{L}\right)\sin\theta \tag{10.16}$$

이다. 식 (10.16)의 미분방정식은 오른쪽 항이 θ가 아닌 $\sin\theta$에 비례하므로 단순조화진동을 표현하는 식 (10.9)와 형태가 다르므로 단순조화진동이 아니다. 그러나 진동의 진폭 θ가 매우 작아서 $\sin\theta \simeq \theta$의 근사가 가능할 경우 위의 식 (10.16)은

$$\frac{d^2\theta}{dt^2} = -\frac{g}{L}\theta = -\omega^2\theta \tag{10.17}$$

로 근사된다. 이 식은 단순조화진동을 나타낸다. 따라서 진자의 주기운동은 진폭이 작을 경우 단순조화진동임을 알 수 있다. 식 (10.17)의 해는 식 (10.3)에서와 같이

$$\theta = \theta_0\cos(\omega t + \phi) \tag{10.18}$$

로 나타낼 수 있다. 여기서 θ_0는 진동의 최대 각변위이며, 각진동수 $\omega = \sqrt{g/L}$이 되어 단순조화진동의 **주기**는

$$T = 2\pi\sqrt{\frac{L}{g}} \tag{10.19}$$

이다. 즉, 작은 진폭을 가지고 진동하는 단진자의 주기와 진동수는 줄의 길이와 중력가속도에만 관계하므로 중력가속도가 같은 지점에서는 길이가 같은 모든 단진자는 질량에 상관없이 주기가 같다.

예제 **10.3** 달 표면위에 설치된 어떤 진자의 길이가 86cm이고 작은 진폭으로 진동할 때 주기가 4.6초이다. 달 표면에서의 중력가속도의 크기를 구하라.

풀이 식 (10.19)로부터 달 표면에서 중력가속도는

$$g = \frac{4\pi^2 L}{T^2} = \frac{4\pi^2(0.86\,\mathrm{m})}{(4.6\,\mathrm{s})^2} = 5.0\,\mathrm{m/s^2}$$

이다.

물리진자

강체는 임의의 고정된 축에 대하여 진동할 수 있으며, 이러한 강체를 **물리진자**(physical pendulum)라 한다. 단진자에서는 모든 질량이 회전축에서 거리 L에 집중되어 있었지만 질량이 공간에 분포되어 있는 차이가 있다. 이와 같은 물리진자의 한 예로서 그림 10.8에서와 같이 그 질량중심에서 거리 d만큼 떨어진 O점을 축으로 하여 진동하는 질량 m의 강체를 들 수 있다. 진자의 회전축이 그 질량 중심으로부터 d만큼의 거리에 있을 때 이로부터 작용하는 중력에 의한 복원 돌림힘은 $\tau = -mgd\sin\theta$로 기술될 수 있다. 위의 방정식에서 τ와 θ는 시계반대방향이면 모두 양의 값을 갖는다, 음의 부호는 τ와 θ가 서로 반대방향임을 나타낸다. 또한, τ는 회전축에 대한 강체의 관성모우먼트 I 및 각가속도 α를 이용하면 $\tau = I\alpha$ 이므로

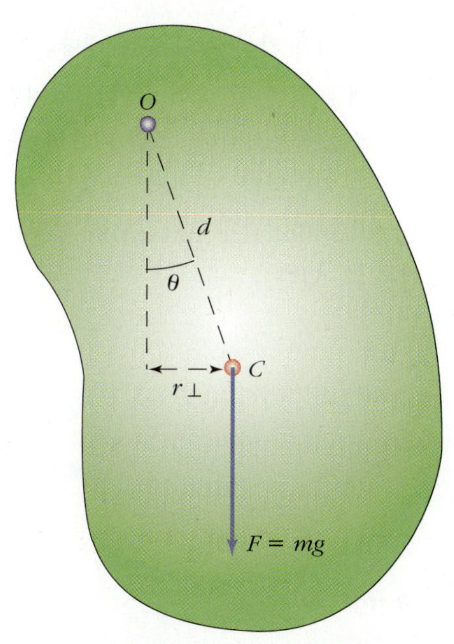

그림 10.8
질량중심을 통과하지 않는 수직축에 대하여 진동하는 물리진자

$$I\alpha = I\frac{d^2\theta}{dt^2} = -mgd\sin\theta \tag{10.20}$$

의 미분방정식을 얻는다. 식 (10.20)은 앞에서의 단진자의 일반적인 운동을 기술하는 미분방정식 (10.16)과 비슷한 형태이며 따라서 물리진자 또한 일반적인 θ값에 대하여 단순조화진동을 하지 못한다. 그러나 θ의 값이 작아서 $\sin\theta \simeq \theta$의 근사가 가능할 경우 식 (10.20)은

$$\frac{d^2\theta}{dt^2} = -\frac{mgd}{I}\theta = -\omega^2\theta \tag{10.21}$$

와 같이 근사되어 단순조화진동을 기술하게 된다. 이와 같은 단순조화진동을 하는 물리진자 또한 단진자의 경우와 마찬가지로 각변위는 $\theta = \theta_0\cos(\omega t + \phi)$를 만족하며 그 각진동수는 $\omega = \sqrt{mgd/I}$가 되므로 진동의 주기는

$$T = 2\pi\sqrt{\frac{I}{mgd}} \tag{10.22}$$

이다. 물리진자는 진자의 모든 질량이 그 질량중심에 집중되어 있을 경우 그 관성모우먼트가 $I = md^2$이 되어 식 (10.22)는 단진자의 주기를 나타내는 식 (10.19)로 환원되게 된다.

비틀림진자

비틀림진자(torsional pendulum)는 그림 10.9와 같이 줄의 끝에 매달린 원판이 줄의 비틀림에 의한 돌림힘에 의하여 회전 진동하는 계를 말한다. 줄의 끝이 각도 θ만큼 비틀려 있으면 비틀린 줄은 평형위치로 가게 하려는 토크를 작용시킨다. 조금 비틀면 이 복원 토크는 각 변위에 비례하므로(훅의 법칙) $\tau = -\kappa\theta$로 기술된다. 여기서, 음의 부호는 τ와 θ가 서로 반대방향임을 나타내며, κ를 **비틀림 상수**(torsional constant)라 부른다. 이 식과 $\tau = I\alpha$로부터 다음과 같은 운동방정식을 얻을 수 있다.

$$I\frac{d^2\theta}{dt^2} = -\kappa\theta$$

혹은

$$\frac{d^2\theta}{dt^2} + \frac{\kappa}{I}\theta = 0 \tag{10.23}$$

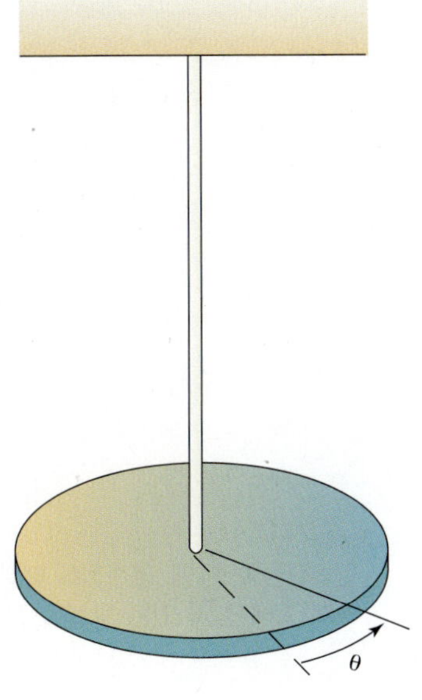

그림 10.9
비틀림 진자. 진자를 지탱하는 줄에 의한 복원 돌림힘의 크기는 비틀린 각도에 비례한다.

식 (10.23)은 $\omega = \sqrt{\kappa/I}$의 각진동수를 가지는 단순조화진동을 표현하는 미분방정식이다. 식 (10.19)에서와 같이 진동의 주기는

$$T = 2\pi\sqrt{\frac{I}{\kappa}} \tag{10.24}$$

이다. 비틀림진자에서는 단순조화진동이 되기 위하여 앞의 단진자나 물리진자의 경우에 주어졌던 진폭이 작아야 한다는 조건이 필요하지 않다.

10.4 감쇠진동

앞 절들에서는 실제 진동 상황에서 발생할 수 있는 마찰에 의한 에너지의 손실을 무시한 이상적인 진동에 대하여 기술하였다. 이와 같은 경우 총 역학적 에너지는 보존되며 진동계는 진폭의 감소 없이 영원히 진동을 계속하게 된다. 그러나 실제적인 진동의 경우는 항상 약간의 마찰력이 존재하므로, 이와 같은 비보존력으로 인하여 사라지는 역학적 에너지를 보충하는 수단이 없으면 진동의 진폭은 시간에 따라 줄어든다. 이것을 **감쇠진동**(damped oscillation)이라 부른다. 감쇠진동의 한 예로서 그림 10.10과 같이 용수철에 매달려 액체

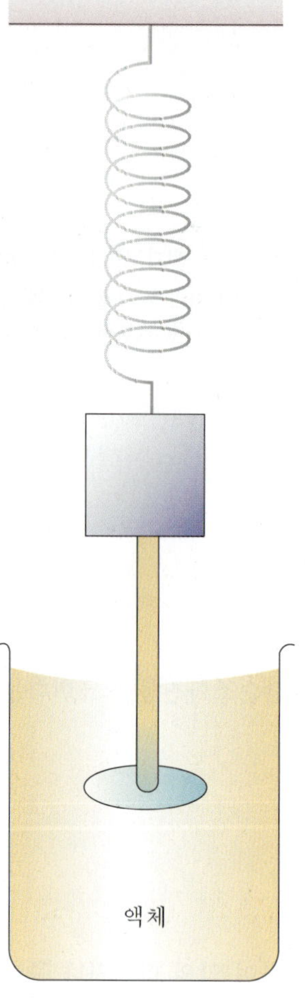

그림 10.10
감쇠진동의 한 예. 용수철에 매달려 액체 속에 잠겨 있는 물체의 진동

속에서 진동하는 물체를 들 수 있다. 보통 유체의 저항에 의한 감쇠력은 속도에 비례한다. 따라서 감쇠력은 $f = -\gamma v$로 기술될 수 있고, 여기서 γ는 **감쇠상수**(damped constant)라 부른다. 액체에 의한 부력을 무시할 경우 물체의 운동방정식은

$$F = \frac{md^2x}{dt^2} = -kx - \gamma v \tag{10.25}$$

또는

$$m\frac{d^2x}{dt^2} + \gamma\frac{dx}{dt} + kx = 0 \tag{10.26}$$

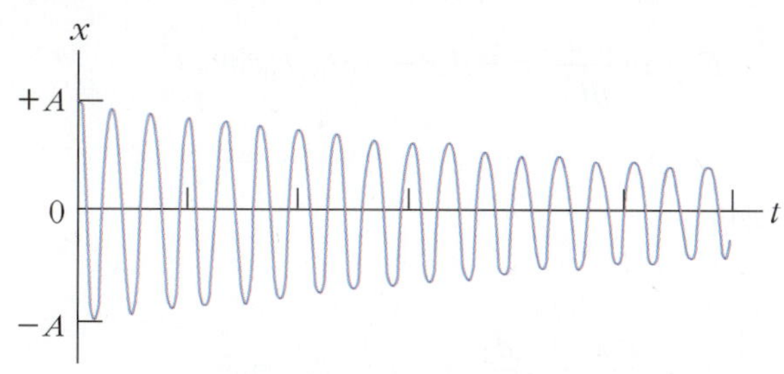

그림 10.11 감쇠진동 시 시간 변화에 따르는 변위

이다. 변위의 시간에 대한 2차 미분방정식은

$$x(t) = Ae^{-\frac{\gamma t}{2m}} \cos(\omega' t + \phi) \tag{10.27}$$

의 해를 가지게 되며, 이 때 감쇠 각진동수 ω'은

$$\omega' = \left[\omega_0^2 - \left(\frac{\gamma}{2m}\right)^2\right]^{\frac{1}{2}} \tag{10.28}$$

이다. 이상적인 단순조화진동의 각진동수 $\omega_0 = \sqrt{k/m}$ 에 비하여 진동수는 약간 작다. 감쇠가 작다면 $\omega' = \omega_0$로 놓을 수 있다. 감쇠진동의 시간 변화에 따른 변위가 그림 10.11에 나타나 있다.

10.5 강제진동

앞 절에서 기술된 감쇠 진동자는 감쇠력에 의해서 진폭이 점차 감소하여 결국 진동이 멈추게 된다. 그러나 일정한 주기를 가지고 변화하는 힘을 감쇠 진동자에 가함으로써 일정한 진폭을 유지하며 진동을 계속하게 할 수 있다. 즉, 진동계에 외력을 가하여 일을 하게 함으로써 마찰에 의하여 소비되는 에너지를 만회하도록 하는 것이 가능하다. 이와 같은 외력을 **구동력**(driving force)이라 부르며 일반적으로 $F_0 = F_0 \cos\omega t$와 같은 형태를 가진다. 구동력이 식 (10.25)의 우변에 더해지게 되면 운동 방정식은

$$F = m\frac{d^2x}{dt^2} = -kx - \gamma v + F_0 \cos\omega t \tag{10.29}$$

가 되고, 이를 정리하면

$$m\frac{d^2x}{dt^2} + \gamma\frac{dx}{dt} + kx = F_0 \cos\omega t \tag{10.30}$$

이다. 위의 식 (10.30)를 만족시키는 수학적인 해는 다소 복잡하여 여기서는 생략한다. 약간의 시간이 경과한 후에는 진동자가 잃은 에너지와 얻은 에너지가 같아져 진동이 일정한 진폭으로 유지되는 **정상상태**(steady state)에 도달하게 되며, 이때의 해는

$$x = A\cos(\omega t + \phi) \tag{10.31}$$

이며, 진폭 A는

$$A = \frac{F_0/m}{\left[(\omega^2 - \omega_0^2)^2 + (\gamma\omega/m)^2\right]^{\frac{1}{2}}} \tag{10.32}$$

이다. 여기서 ω_0은 마찰력의 영향이 없을때 진동자의 고유각진동수이다. 즉, $\omega_0 = (k/m)^{1/2}$이다. 식 (10.32)로부터 강제진동의 진폭이 구동력의 크기 및 주파수의 영향을 받는다는 것을 알 수 있다. 또한, 구동력의 진동수가 진동자의 고유진동수와 같을 때 강제진동의 진폭이 최대가 되며 이를 **공명**(resonance)이라 한다.

연습문제 EXERCISES

1 단순조화진동을 하고 있는 어떤 물체의 각진동수가 5.8rad/s일 때 진동의 주기를 구하라.

2 단순조화진동을 하고 있는 물체가 진폭 $A = 6.3\text{cm}$, 각진동수 $\omega = 4.1\,\text{rad/s}$, 초기 위상각 $\phi = 0$이다.

(a) 물체의 변위 x, 속도 v, 가속도 a를 시간의 함수로 나타내어라.

(b) 시간 $t = 1.7\,\text{s}$에서의 x, v, a를 구하라.

3 길이가 l이고 힘상수가 k인 용수철을 두 개의 용수철로 잘랐다. 길이의 비를 1:3으로 잘랐다면 용수철의 힘상수는 각각 어떻게 변하는가?

4 용수철상수 $k = 1.6 \times 10^2\,\text{N/m}$인 가벼운 용수철에 질량 0.4kg의 추를 달아 마찰이 없는 수평면 위에 놓았다. 이 추를 용수철의 평형점에서 30cm 되는 점까지 당겼다가 가만히 놓았을 때 추가 평형점을 지나는 순간의 속력은 얼마인가?

5 주기가 T, 진폭이 A인 어떤 단순조화진동자가 $x = A$에서 $x = \dfrac{A}{2}$까지 이동하는 데 걸리는 시간은 얼마인가?

6 그림과 같이 두 용수철에 질량 m인 물체가 붙어 있다. 각 용수철의 힘상수가 k라면 물체의 진동수는 $\nu = \dfrac{1}{2\pi}\sqrt{\dfrac{k}{2m}}$임을 보여라. 마찰은 무시하라.

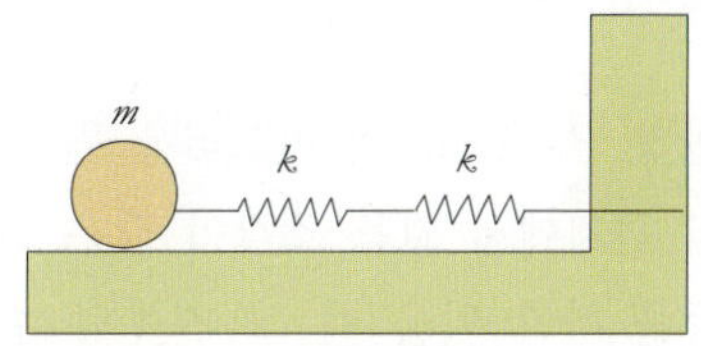

그림 10.12

7 그림과 같이 두 용수철에 질량 m인 물체가 붙어 있다. 각 용수철의 힘상수가 k라면 물체의 진동수는 $\nu = \dfrac{1}{2\pi}\sqrt{\dfrac{2k}{m}}$임을 보여라. 마찰은 무시하라.

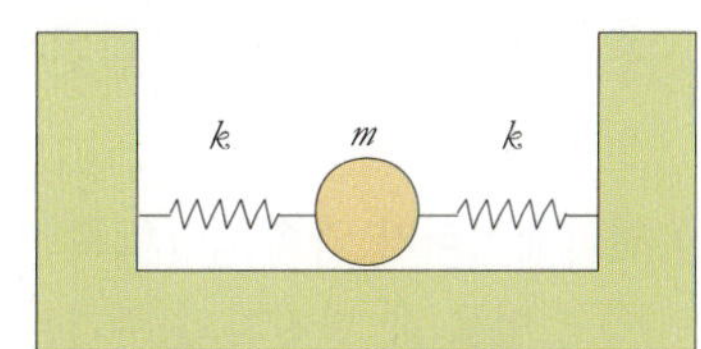

그림 10.13

8 용수철상수 $k = 22\,\text{N/m}$인 가벼운 용수철에 물체가 매달려 진폭 $A = 8.7\text{cm}$의 단순조화진동을 할 때 계의 총 역학적 에너지를 구하라.

9 자동차는 수직방향으로 진동할 수 있는 용수철 위에 놓여 있는 것으로 간주할 수 있다. 자동차의 용수철이 5.0Hz의 진동수를 갖도록 조절되어 있다.

(a) 이 차의 질량이 1500kg이면 용수철의 힘상수는 얼마인가?

(b) 체중이 70kg인 사람이 다섯 명이 타고 있다면 진동수는 어떻게 변하나?

10 소리굽쇠의 한 끝이 진폭이 0.4mm이고 진동수가 500Hz으로 단순조화진동을 하고 있다. 소리굽쇠 끝의 최대가속도와 최대속력을 구하라.

11 반경 $R = 14\text{cm}$의 미끄러운 원형 용기의 바닥 근처에서 얼음 조각이 작은 진폭의 단진동을 하고 있을 때 그 진동의 주기는 얼마인가?

12 주기가 0.11초인 단진자가 엘리베이터 안에 걸려있다.

(a) 엘리베이터가 가속도 $g/2$로 위로 올라가고 있을 때 단진자의 주기는 얼마인가?

(b) 엘리베이터가 3.5m/s의 일정한 속도로 위로 올라가고 있을 때 단진자의 주기는 얼마인가?

(c) 엘리베이터가 가속도 $g/2$로 아래로 내려가고 있을 때 단진자의 주기는 얼마인가?

13 어떤 행성 표면에서의 중력가속도의 크기가 지구에서의 값의 4배이다. 지구에서의 어떤 단진자의 주기가 2초이면 행성에서의 주기는 얼마인가?

14 길이가 1.0m의 단진자가 어떤 지점에서 일분동안 40번 진동한다. 이 지점의 중력가속도를 구하라.

15 그림 10.9의 비틀림 진자에서 원반의 질량이 $M = 200\text{g}$이고 반경이 $R = 8.0\text{cm}$이며 줄의 비틀림 상수가 $\kappa = 1.5\text{N}\cdot\text{m}$일 때 비틀림 진자의 진동 주기를 구하라. 원반의 관성모우먼트는 $I = \frac{1}{2}MR^2$이다.

16 용수철에 부착된 어떤 물체가 감쇠 진동을 하고 있다. 진동의 진폭이 $t = 0$에서 12cm이고 2.4분 후에 진폭이 6.0cm가 되었다. 진폭이 3.0cm가 되는 시간을 구하라.

17 $F = kx$로 표현되는 Hooke의 법칙을 만족하는 진동체의 움직임이 $x = X\cos(\omega t)$로 나타난다.

(a) 진동체의 속도(v)를 구하는 식을 나타내어라.

(b) 가속도(a)는 어떻게 되겠는가?

(c) 주기는 어떻게 나타낼 수 있는가?

18 Hooke의 법칙($F = kx$)을 따르는 질량 m의 물체가 $x = X\cos(2\pi t/T)$ 식으로 표현되는 주기운동을 한다.

(a) 이 주기운동이 가지는 에너지 보존의 식과, (b) dx/dt로 나타나는 속도 v를 식으로 나타내고 (c) v_{max}를 진폭 X와의 관계식으로 나타내어라, 그리고 (d) 이 진동이 갖는 주기가 $T = 2\pi\sqrt{m/k}$가 됨을 증명하여라.

19 다음의 용어들을 수식을 동원하여 설명하여 보아라. (a) Hooke의 법칙, (b) 복원력(Restoring Force), (c) 탄성 퍼텐셜에너지(Elastic Potential Energy).

11 파동

우리가 사는 세상에는 빛을 비롯한 음파, 라디오파, X-선, 지진파, 수면파 등의 많은 파동으로 차 있으며, 이들을 크게 세 부류로 나눌 수 있다. 첫째는 매질을 교란하여 에너지를 전달하는 **역학적 파동**이다. **음파, 지진파,** 그리고 **수면파** 등이 여기에 속한다. 이들은 한 지점의 매질이 갖는 운동에너지와 퍼텐셜에너지를 다른 지점의 매질로 전달한다. 두번째 부류는 매질을 매개체로 할 필요 없이 단지 전기장과 자기장의 교란에 의해 전달되는 **전자기파**로 **라디오파**나 **적외선, 가시광선**, **자외선, X-선**, **감마선** 등이 여기에 속한다. 이들은 한 지점에 있는 전기에너지와 자기에너지를 다른 지점으로 이동시킨다. 마지막 부류의 파동은 물질의 파동적 성질을 설명하기 위한 **물질파**이다. 어느 위치에서 그 물질을 발견할 확률밀도를 나타내는 이 파동은 현대물리학의 한 축인 양자역학의 근간이 될 뿐만 아니라 실제로 전자현미경은 이 파동의 성질을 이용한 것이다.

이 장에서는 그 첫번째 부류인 매질을 매개체로 하는 역학적 파동만을 다루고 전자기파와 물질파에 관해서는 뒷장에서 다루기로 하겠다.

11.1 파동의 기술

파동을 기술할 때 몇 가지 중요한 물리량이 있다. 파동의 진동수, 파장, 진행속도, 그리고 진폭이 그것이다. 파동은 한 지점에서 다른 지점으로 에너지와 운동량을 전달하므로 위치와 시간의 함수로 나타내어야 한다.

진동수 f는 한 지점에서 단위시간당 교란이 반복적으로 일어나는 횟수를 말하며, 파동의 주기 T는 교란이 한 번 반복되는 데 걸리는 시간이므로 진동수의 역수와 같다. 파장(wavelength) λ는 임의의 시각에서 파동이 같은 모양을 갖는 가장 짧은 두 지점 사이의 거리이다. 즉, 파동의 가장 인접한 두 마루(crest) 사이 거리 또는 골(trough)과 골 사이의 거리이다. 파동의 진폭 A는 평형상태에서 교란이 최대가 되는 높이를 나타낸다. 그림 11.1에 사인파 모양 파동의 주기와 파장, 그리고 진폭을 나타내었다.

역학적 파동은 매질의 종류와 주변조건에 따라 특정한 속도로 진행한다. 예를 들면 음파의 속도는 20℃의 대기압 공기 중에서 약 343m/s이고, 물 속에서는 약 1,500m/s이다. 그리고 줄 위에서의 진행속도는 줄의 선밀도와 줄에 가해지는 장력에 따라 달라진다.

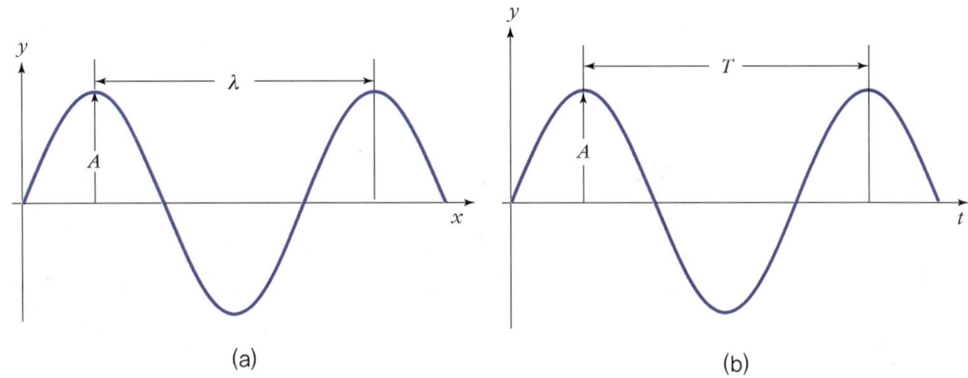

그림 11.1

(a) 한 순간에 위치에 따른 파동의 모양. 파장 λ는 임의의 시각에서 인접한 두 마루 또는 골 사이의 거리이다.
(b) 한 지점에서 시간에 따라 변하는 파동의 모양. 주기 T는 한 지점에서 파동의 같은 모양이 나타나는 데 걸리는 시간이고, 진동수 f는 주기 T의 역수이다.
(a), (b) 두 경우 모두 파동의 최고높이를 진폭 A라 한다.

11.2 파동의 종류

한 지점에 있는 파원이 주변 매질을 교란시키면 파동이 형성되고 일정한 속도로 주변으로 퍼져 나가게 된다. 이런 파를 **진행파**(traveling wave)라 부른다. 진행파는 파동이 진행하는 형태에 따라 **횡파**(transverse wave)와 종파로 나눈다.

횡파는 그림 11.2의 줄 위에서 진행하는 펄스와 같이 매질의 운동방향과 파동의 진행방향이 서로 수직인 파동이다. 줄 위에서의 파동, 지진파 중 **S파**(secondary wave) 등이 여기에 속한다. 그리고 제 22 장에서 다루게 될 전자기파도 횡파이다.

종파(longitudinal wave)는 매질의 운동방향과 파동의 진행방향이 서로 나란한 파이며, 종종 압축파로 불리어지기도 하며, 그림 11.3에 보인 스프링의 압축과 팽창운동은 파동의 진행방향과 나란한 방향으로 일어나는 운동이므로 종파이다. 기체나 액체 속에서의 음파, 지진파 중 **P파**(primary wave) 등이 여기에 속한다.

한편 어떤 파동은 횡파나 종파 중 어느 한 가지로 나타나지 않고 이들이 결합된 형태로 나타나기도 한다. 매질의 표면에서 나타나는 표면파가 좋은 예가 된다. 그림 11.4에 수면 위에 생기는 수면파를 나타내었다. 수면에 있는 물 입자는 파동이 진행할 때 상하나 좌우 어느 한 방향으로만 운동하지 않고 상하좌우, 즉 원이나 타원 운동을 한다.

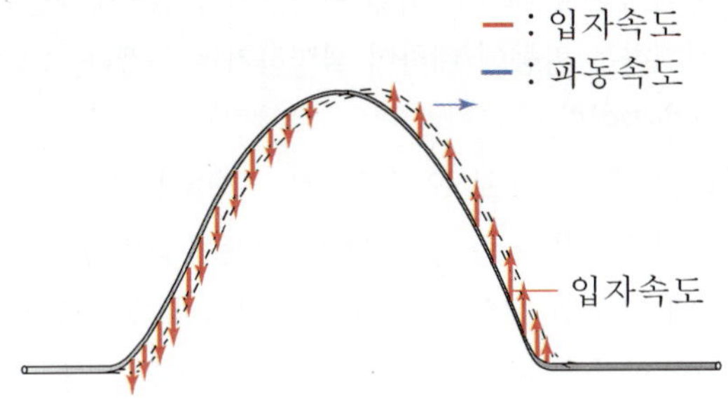

그림 11.2
펄스가 줄을 따라 수평으로 움직이는 동안 줄 입자는 상하운동만 한다.

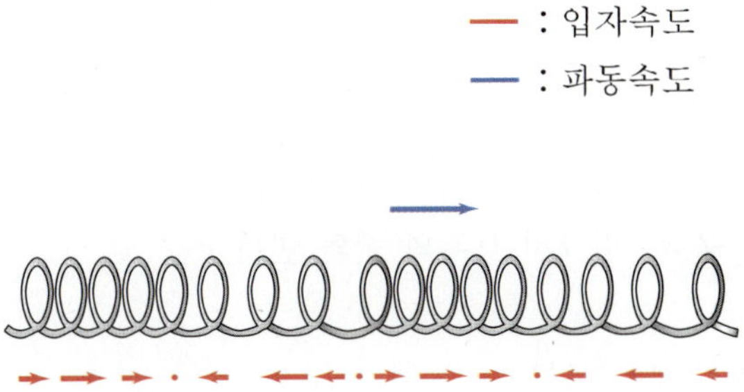

— : 입자속도
— : 파동속도

그림 11.3
늘어난 스프링을 따라 진행하는 종파는 입자의 운동방향과 나란하게 진행한다.

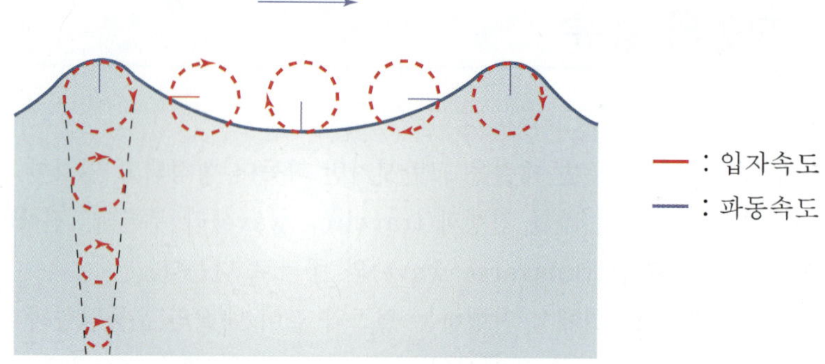

그림 11.4
물의 표면입자들은 파동의 수평 진행방향에 대하여 상하좌우로 움직이는 거의 원에 가까운 운동을 한다.

11.3 진행파

매질 내의 한 지점에 있는 파원에서 발생한 파동은 모든 방향으로 퍼져나간다. 이러한 진행파의 수학적 표현은 뉴턴의 제 2 법칙을 적용한 매질의 운동방정식과 연속방정식 등을 이용하여 파동방정식을 세우고, 이 방정식의 삼차원적 해를 구하면 된다. 여기서는 문제를 단순화하기 위하여 1차원, 즉 한 방향으로만 진행하는 파동에 대하여 설명하기로 하겠다. 1차원 파동의 대표적인 예가 줄 위에서 진행하는 횡파이다.

일정한 장력으로 당겨진 줄을 따라 진행속도 v로 오른쪽으로 진행하는 그림 11.5와 같은 펄스 모양의 파동을 보자. 파동의 진행방향을 x축, 줄 입자의 운동방향을 y축으로 두었다. 그림 11.5 (a)에는 시간 $t=0$일 때 파동의 모양이 나타나 있다. 이 때 파동은 x만의 함수인 $y=f(x)$로 표시할 수 있다. 이 파동은 속도 v로 $+x$축 방향으로 진행하므로 t초 후에는 파동의 이동거리인 vt 만큼 평형이동 시킨 그림 11.5 (b)와 같은 모양이 되어서

$$y=f(x-vt) \tag{11.1}$$

과 같이 표시할 수 있으며 (11.1)식을 **파동함수**(wave function)이라고 한다. 같은 방법으로 파동이 왼쪽인 $-x$축 방향으로 움직이면 t시간 후의 줄의 변위 y는

$$y=f(x+vt) \tag{11.2}$$

이다.

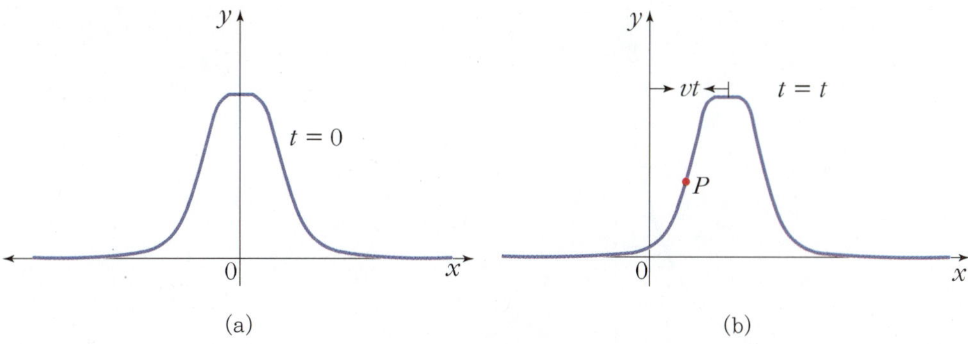

그림 11.5
$+x$ 축 방향으로 진행하는 펄스 모양의 파동 a) $t=0$ 일 때의 펄스 모양 $y=f(x)$ b) $t=t$ 일 때의 펄스 모양은 t 시간 동안 펄스가 이동한 거리 vt를 $+x$축 방향으로 평형이동 시킨 $y = f(x-vt)$ 이다.

식 (11.1)로 표시되는 $+x$축 방향으로 진행하는 파동을 생각하자(그림 11.5 (b) 참조). 파동의 모양이 시간의 변화에 따라 일정하게 유지되려면, 파동함수의 위상인 $(x-vt)$의 값이 일정해야만 가능하다. 예를 들면 시간 t일 때 지점 x에 그림 11.5 (b)의 P점이 있다고 가정하자. 이 파동은 $+x$축 방향으로 이동하므로 $(t+dt)$ 시간에는 $(x+dx)$ 지점에 P점이 있게 된다. 따라서 $x-vt=(x+dx)-v(t+dt)$가 된다. 이 식을 정리하면,

$$\frac{dx}{dt} = +v \tag{11.3}$$

가 되고 여기서 $+v$를 진행속도, 혹은 **위상속도**라 한다. 식 (11.2)와 같이 $-x$축 방향으로 진행하는 파동의 **위상속도**(phase velocity)는 같은 방법으로 $-v$이다.

예제 **11.1** 펄스형 진행파

두 파동함수 $y_1(x, t) = \dfrac{1}{(x-2.0t)^2+1}$과 $y_2(x, t) = \dfrac{2}{(x+1.0t)^2+1}$가 있다. 여기서 x와 y의 단위는 m이고, t의 단위는 s다.

(a) $t=0$과 2s에서 각 파동함수의 모양을 그려보아라.

(b) 각 파동함수의 진행속도를 구하라.

풀이 우선 $y_1(x,t)=f(x-vt)$ 형태이고, $y_2(x,t)=f(x+vt)$형태임을 알 수 있다.

(a) $y_1(x, 0) = \dfrac{1}{x^2+1}$이고, $y_1(x, 2) = \dfrac{1}{(x-4)^2+1}$이므로 그림 11.6 (a)와 같이 $y_1(x, 2)$가 $y_1(x, 0)$에 비해 $+x$축 방향으로 4m 만큼 평형이동한 그림이다. 그리고

$$y_2(x, 0) = \frac{2}{x^2+1}$$

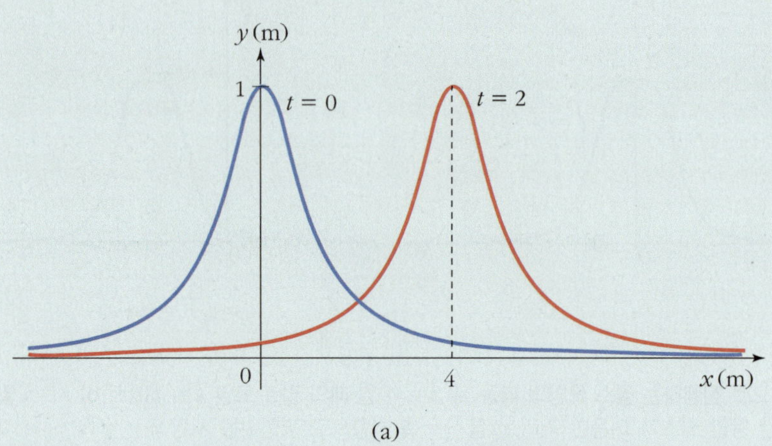

(a)

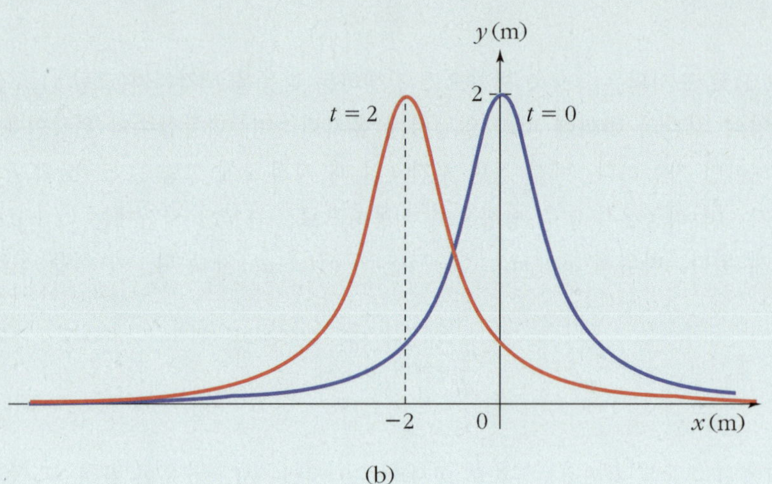

(b)

그림 11.6

(a) $t = 0$과 $t = 2$일 때의 $y_1(x, t) = 1/[(x-2.0t)^2+1]$ 그래프

(b) $t = 0$과 $t = 2$일 때의 $y_2(x, t) = 2/[(x+1.0t)^2+1]$ 그래프

이고, $y_2(x, 2) = \dfrac{2}{(x+2)^2+1}$ 이므로 그림 11.6 (b)와 같이 $y_1(x, 2)$가 $y_1(x, 0)$에 대하여 $-x$축 방향으로 2m만큼 평형이동하였음을 알 수 있다.

(b) 진행속도는 파동의 위상, 즉 $x \mp vt$를 일정하게 두고 dx/dt를 구하면, 각각 $\pm v$가 된다. 따라서 $y_1(x, t)$의 진행속도는 $+2$m/s이고, $y_2(x, t)$의 진행속도는 -1m/s가 된다.

11.4 진행하는 사인파

지금까지는 임의의 형태를 갖는 진행파의 여러 성질들에 대하여 논의하였다. 이 절에서는 주기적인 사인형파(sinusoidal wave)에 대하여 좀 더 구체적으로 논의하고자 한다.

사인형파의 진행파가 $+x$축 방향으로 진행속도 v로 진행하고 있다고 하자. $t=0$에서 그린 파형은 그림 11.7과 같으며, 이 파형의 수학적 표현은

$$y(x,0)=A\sin\left(\frac{2\pi}{\lambda}x\right) \tag{11.4}$$

이다. 여기서 A는 변위의 최대값인 진폭이며 λ는 파장이다. 이 식은 원점에서의 거리 x가 파장 λ의 정수배로 변할 때, 변위 y가 주기적으로 같은 값을 가진다. 이제 이 파동이 $+x$축 방향으로 속도 v로 t 시간만큼 진행한 후의 파형은 $y(x,0)$을 $+x$축 방향으로 vt만큼 평형이동 시킨 모양이므로

$$y(x,t)=A\sin\frac{2\pi}{\lambda}(x-vt) \tag{11.5}$$

로 표현된다.

한편, 이 파동함수가 주기적이므로 진행속도 v를 주기 T와 파장 λ로 나타내면

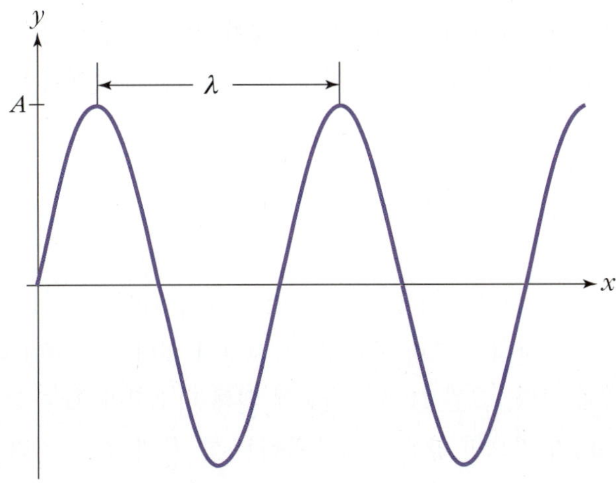

그림 11.7 $t=0$에서 그린 사인파의 모양. 거리 x가 파장 λ의 정수배 일 때 파형은 주기적으로 반복된다.

$$v = \frac{\lambda}{T} \tag{11.6}$$

를 만족한다. 식 (11.6)을 식 (11.5)에 대입하면

$$y(x, t) = A\sin(kx - \omega t) \tag{11.7}$$

를 얻는다. 여기서 $k = 2\pi/\lambda$를 **파수**(wave number)라 하고, $\omega \equiv 2\pi/T = 2\pi f$를 각진동수라 한다. 식 (11.7)과 같이 표현되는 파동함수의 진행속도는

$$v = \frac{\omega}{k} = f\lambda \tag{11.8}$$

이다.

11.5 매질의 운동과 에너지

매질 내에서 역학적 파동이 진행속도 v로 나아갈 때, 매질을 구성하는 입자들은 가속도 운동을 하며, 역학적 에너지를 다른 지점으로 전달한다. 속도가 최대인 지점에서 운동에너지는 최대가 되고, 가속도가 최대인 지점에서는 입자가 받는 알짜 힘의 크기가 최대가 된다.

그림 11.8에서 x 지점 부근의 미소질량 ρdx가 가지는 운동에너지는 다음 식과 같다.

$$dK = \frac{1}{2}\rho dx\left(\frac{dy}{dt}\right)^2 \tag{11.9}$$

길이가 늘어나거나 수축된 입자들은 평형상태로 돌아가려는 복원력에 의해 퍼텐셜에너지를 갖게 된다. 이것은 마치 스프링이 평형상태로부터 벗어난 길이에 비례하여 퍼텐셜에너지가 증가하는 것과 같다. 그림 11.8은 파동에 의해 미소길이 dx가 dl로 늘어났음을 보여주고 있다. 변위 dy가 작으면 양쪽 끝에 작용하는 힘 T_1과 T_2는 장력 T_0와 거의 같으므로, 퍼텐셜에너지는 dx에서 dl로 늘이는 데 장력 T_0가 한 일과 같다. 즉, $dU = T_0(dl - dx)$이다. 여기서 dl은 피타고라스 정리와 이항전개를 사용하면

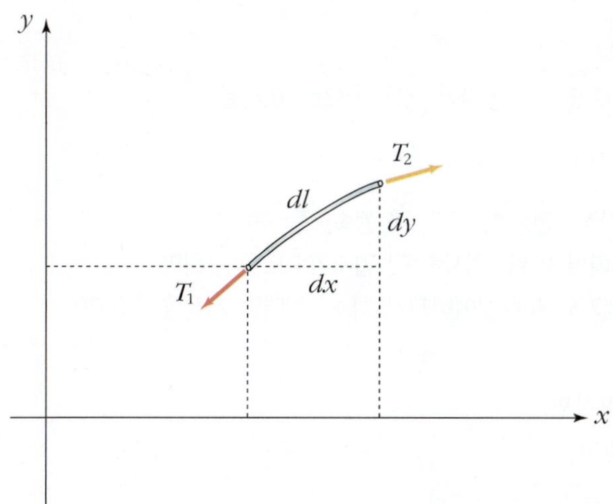

그림 11.8 파동이 진행하고 있는 줄의 작은 부분. 변위가 작을 때 줄의 양쪽 끝에 작용하는 힘 T_1과 T_2는 수평으로 작용하는 장력 T_0와 거의 같다.

$$dl = \sqrt{dx^2 + dy^2} = dx\sqrt{1+\left(\frac{dy}{dx}\right)^2} \approx dx\left[1+\frac{1}{2}\left(\frac{dy}{dx}\right)^2 + \ldots\right]$$

가 되므로, 퍼텐셜에너지는 다음 식으로 표시된다.

$$dU = \frac{1}{2}\,T_0 dx\left(\frac{dy}{dx}\right)^2 \qquad (11.10)$$

줄의 단위길이당 운동에너지인 dK/dx를 **운동에너지밀도**(density of kinetic energy)라 하고, 단위길이당 퍼텐셜에너지인 dU/dx를 **퍼텐셜에너지밀도**(density of potential energy)라 한다.

통상 역학적 파동에서는 용수철에 달린 물체의 조화진동과는 달리 한 지점의 퍼텐셜에너지는 운동에너지와 동일한 값을 갖는다. 이것은 나중에 연습문제에서 증명할 것이다(연습문제 11.9 참조). 한편, 여기서 이야기하는 입자속도 V_p는 파동의 진행속도 v $(= dx/dt)$와 구별하여야 한다. 한 예로서 줄 위를 진행하는 파동의 입자속도 V_p와 입자 가속도 A_p는 입자의 변위 y에 대한 미분으로 아래 식으로 표시된다.

$$V_p = \frac{dy}{dt} \qquad (11.11)$$

$$A_p = \frac{dV_p}{dt} = \frac{d^2y}{dt^2} \qquad (11.12)$$

예제 **11.2** 사인모양의 진행파

줄을 따라 움직이는 사인모양의 진행파가 다음 식으로 표시된다.

$$y(x, t) = (0.01\,\text{m})\sin[10\pi(1/\text{m})x - 100\pi(1/\text{s})t]$$

(a) 이 진행파의 진폭, 파장, 진동수, 주기, 진행속도를 구하라.
(b) $t = 0$일 때, 위치에 따른 변위, 입자속도, 입자가속도를 구하라.
(c) $t = 0$일 때, 운동에너지와 퍼텐셜에너지가 최소, 최대인 지점을 구하라.

풀이 (a) 식 (11.7)을 사용하면,

진폭 : $A = 0.01\text{m}$,

파장 : $\lambda = 2\dfrac{\pi}{k} = 2\dfrac{\pi}{10\pi} = 0.2\,\text{m}$,

진동수 : $f = \dfrac{\omega}{2\pi} = \dfrac{100\pi}{2\pi} = 50\,\text{Hz}$,

주기 : $T = \dfrac{1}{f} = \dfrac{1}{50\text{Hz}} = 0.02\,\text{s}$,

진행속도 : $v = \dfrac{\omega}{k} = f\lambda = (50\,\text{Hz})(0.2\,\text{m}) = 10\,\text{m/s}$

(b) $t = 0$일 때 변위는 $y(x, 0) = 0.01\sin[10\pi(1/\text{m})x]\,\text{m}$이고,

입자속도는 $V_p = \left.\dfrac{dy}{dt}\right|_{t=0} = 0.01(-100\pi)\cos[10\pi(1/\text{m})x]\text{m/s}$,

입자가속도는 $A_p = \left.\dfrac{d^2y}{dt^2}\right|_{t=0} = -0.01(-100\pi)^2\sin[10\pi(1/\text{m})x]\text{m/s}^2$

이 된다.

위치의 함수로서 변위와 입자속도, 그리고 입자가속도를 나타내면 그림 11.9와 같다. 변위가 0인 지점에서 속도가 최대가 되며, 가속도는 0이 된다. 따라서 이 지점에 있는 입자가 받는 수직성분의 알짜 힘은 0이다. 그리고 변위의 크기가 최대인 마루와 골의 지점에서는 속도는 0이 되나 가속도의 크기는 최대가 되어 입자가 받는 수직성분의 알짜 힘의 크기 또한 최대가 된다.

(c) 운동에너지는 입자속도의 제곱에 비례하므로 그림 11.9 (b)에서 보는 바와 같이 $x = (2n+1)0.05\text{m}$ (여기서 $n = 0, 1, 2\cdots$)인 지점에서 입자속도 V_p가 0이 된다. 따라서 이 지점에서 운동에너지는 최소인 0이 된다. 한편 이 지점은 변위 y의 크기가 최대가 되는 지점이기도 하며, 평형상태일 때의 미소길이 dx가 팽창되지 않는 지점($dy/dx = 0$)이기도 하다. 따라서 위치에너지 또한 최소인 0으로 둘 수 있다. 그에 비해 $x = n\,0.1\,\text{m}$ (여기서 $n = 0, 1, 2\cdots$)인 지점에서는 V_p의 크기가 최대가 되어 운동에너지가 최대가 되는 지점이다. 또한 이 지점에서는 미소길이 dy가 최대로 팽창되는 곳 (dy/dx =최대)으로 위치에너지 또한 최대가 된다. 여기에 대한 자세한 것은 연습문제에서 다루겠다.

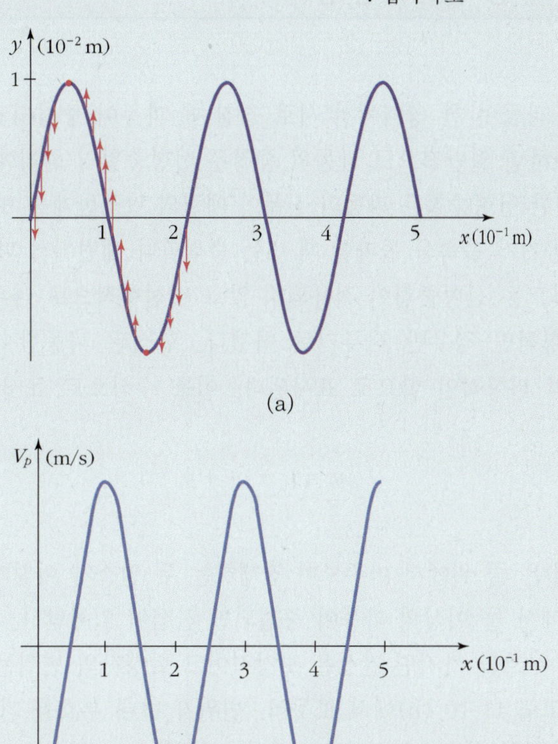

(b)

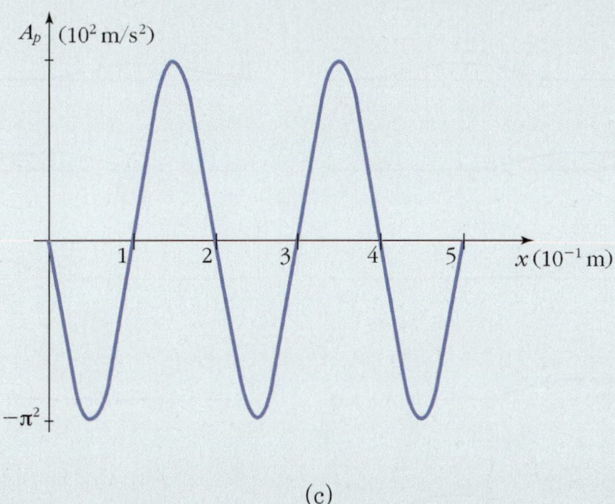

(c)

그림 11.9
$t = 0$일 때 위치에 따른 사인파의 변위와 속도, 그리고 가속도의 값을 각각 (a), (b), (c)에 나타내었다. 특히 변위에 대한 입자속도의 크기와 방향을 (a)에 화살표시로 표시하였다.

11.6 파동의 중첩과 간섭

둘 이상의 파들이 한 영역에서 서로 겹칠 때 파동이 **중첩**되었다고 한다. 진폭이 아주 큰 파동을 제외하면 일반적으로 파동의 중첩은 선형중첩의 원리에 따라 파가 합성된다. 역학적 파동에 대한 선형중첩은 파동의 진폭이 매질의 탄성한계를 벗어나지 않을 때만 성립한다. 초음속 항공기가 음속을 돌파할 때 내는 충격파나 해변에서 파도타기 하는 사람이 이용하는 거대한 파도는 선형중첩이 적용되지 않고 비선형적으로 다루어야 한다. 여기서는 모든 파동이 선형적인 경우만 다루기로 하겠다. 합성된 파동함수(y_t)는 개개 파동함수들($y_1, y_2, \cdots y_n$)의 선형적인 합으로 표시된다. 이를 수식으로 표시하면 다음과 같다.

$$y_t = y_1 + \cdots + y_n$$

그림 11.10은 줄 위에서 마주보며 진행하는 두 펄스가 어떻게 중첩되는지를 보여주고 있다. 한 영역에서 둘 이상의 파동이 중첩되면 간섭이 일어난다. 그림 11.10 (a)에서처럼, 변위 y가 같은 부호를 가지면 간섭은 보강적이고 합성파의 변위는 둘 중 어느 파의 것보다 크다. 반면에 그림 11.10 (b)에서 보듯이, 변위가 반대 부호를 가질 때에는 간섭은 소멸적이고 합성파의 변위는 두 변위 중 큰 변위보다 작다.

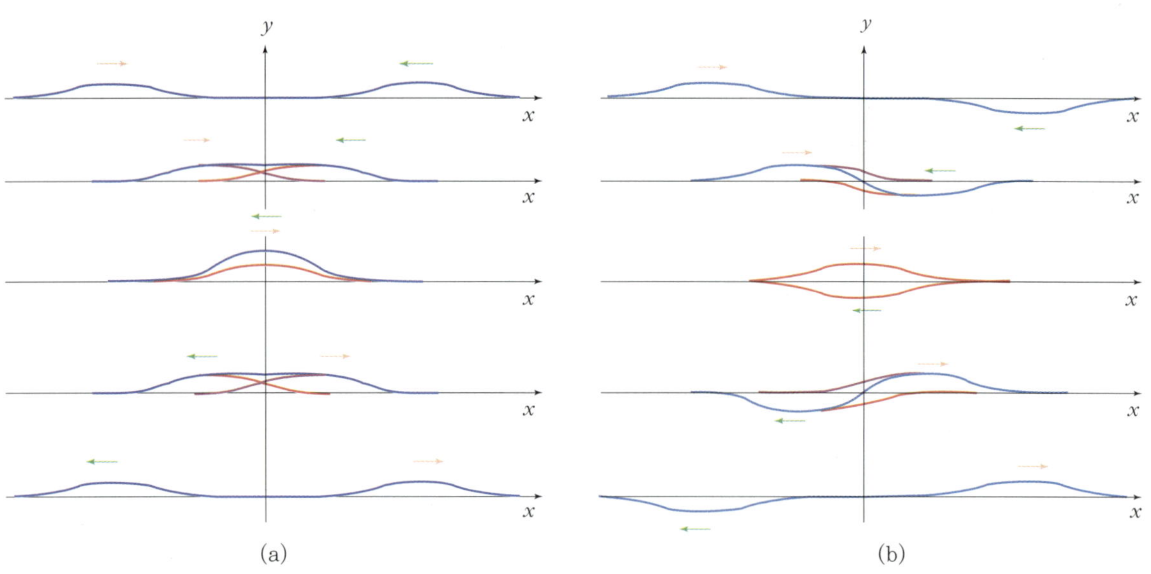

그림 11.10
두 개의 펄스가 중첩되었을 때 서로 간섭하여 보강 (a) 내지는 소멸 (b) 되지만 개개 파들의 모양과 진행방향은 변하지 않는다.

그러나 그림 11.10을 자세히 보면, 이들 파들이 중첩되어 서로 간섭할지라도 파들의 모양과 진행방향은 변하지 않은 채 그대로 이동함을 알 수 있다. 즉, 파들은 서로 간섭할 수는 있지만 입자들처럼 서로 상호작용하지는 않는다. 단지 파들이 간섭을 일으킬 때는 개개 파들이 갖고 있는 위치에너지와 운동에너지를 서로 교환해서 파형을 변화시켰다가 간섭이 끝나면 본래의 위치에너지와 운동에너지를 가지면서 본래의 진행방향으로 이동하게 된다.

11.7 줄을 따라 진행하는 횡파의 속력

선형적인 역학적 파동의 속력은 매질의 성질에 의존한다. 균일한 선밀도 ρ를 갖는 줄 위에 진폭이 작은 펄스가 오른쪽으로 이동하고 있다고 가정하자. 펄스의 진폭이 작아서 줄의 각 부분에 걸리는 장력은 평형상태에서의 장력 T_0와 거의 같다.

정지된 실험실좌표계에서 펄스는 그림 11.11 (a)에서 보는 바와 같이 속력 v로 오른쪽으로 움직인다. 반면에 펄스와 함께 움직이는 펄스좌표계에서는 그림 11.11 (b)에 보인 것처럼 펄스는 정지해 있고 줄이 왼쪽으로 속력 v로 움직이고 있다. 뉴턴의 법칙은 정지된 좌표계나 일정한 속력으로 움직이는 좌표계에서 모두 성립하므로 펄스계에서 줄이 움직이는 속력을 구함으로써 정지된 좌표계에서 진행하는 펄스의 속력으로 대체할 수 있다.

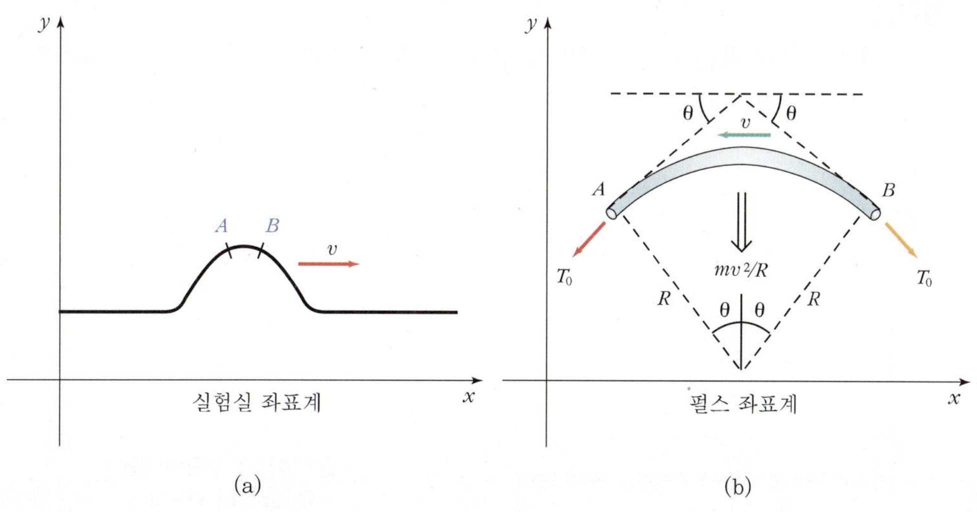

그림 11.11
(a) 실험실계에서 관측한 줄 위의 펄스는 오른쪽으로 움직인다.
(b) 펄스와 같이 움직이는 계에서는 펄스는 정지해 있고, 줄이 왼쪽으로 움직인다. 줄의 장력이 구심력 역할을 한다.

줄의 미소 길이 AB는 그림에서와 같이 반경 R을 가진 원호로 취급할 수 있다. 만약 호 AB에 대한 각을 2θ라 두면, 호의 길이는 $2\theta R$이고, 호 AB가 갖는 질량은 $m=\rho(2\theta R)$이 된다. 장력 T_0는 질량 m이 원운동을 할 수 있게 구심력을 제공한다. 그림 11.11 (b)에서 보는 바와 같이 질량 m이 받는 알짜 힘의 수평성분은 서로 상쇄되고, 수직성분만 남게 되므로 $2T_0\sin\theta$이다. 그리고 이 힘의 방향은 구의 중심을 향하는 구심력이므로 다음 식을 만족한다.

$$2T_0\sin\theta=\frac{mv^2}{R}$$

한편 각 θ가 매우 작기 때문에 $\sin\theta\simeq\theta$로 두면 위의 식은

$$2T_0\theta=2\rho R\theta\frac{v^2}{R}$$

이 되고, 이것으로부터 속력은

$$v=\sqrt{\frac{T_0}{\rho}} \tag{11.13}$$

가 된다.

나중에 보게 되겠지만 음파나 평면 위에서의 진동 같은 역학적 파동의 진행속력은 위 식과 같은 유형을 갖는다.

예제 **11.3** 선밀도가 $\rho=3.1\times10^{-3}$kg/m인 철사 줄을 한쪽 끝은 벽면에, 그리고 나머지 한쪽 끝을 그림 11.12와 같이 도르래를 이용하여 2kg의 질량에 연결하였다. 줄 위에서의 파동속력을 구하라.

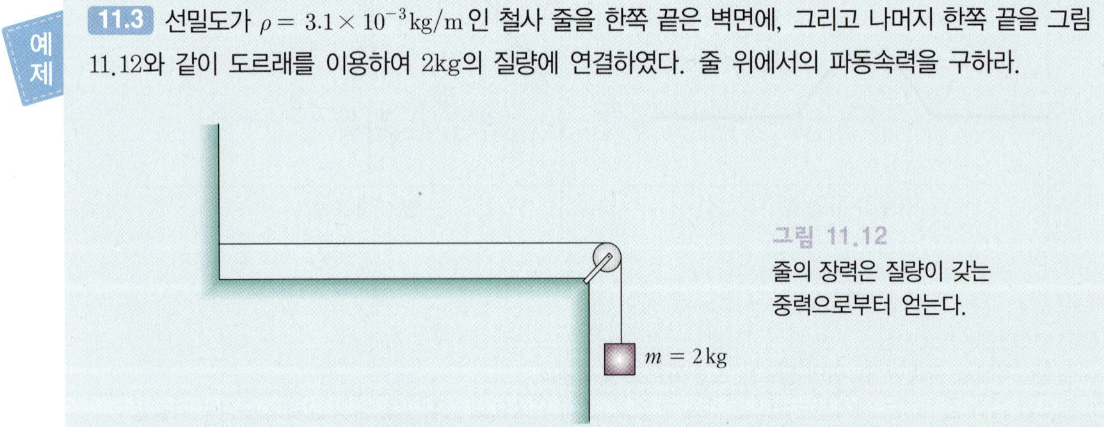

그림 11.12
줄의 장력은 질량이 갖는 중력으로부터 얻는다.

풀이 줄이 받는 장력은 줄 자체의 질량이 도르래에 매달린 2kg의 질량에 비해 무시할 수 있으므로 $T_0 = 2\ \mathrm{kg} \times 9.8\ \mathrm{m/s^2} = 19.6\ \mathrm{N}$이 된다. 따라서 파동속력은 식 (11.13)으로부터

$$v = \sqrt{\frac{19.6\ \mathrm{N}}{3.1 \times 10^{-3}\ \mathrm{kg/m}}} = 79.5\ \mathrm{m/s}$$

가 된다.

11.8 파동의 반사와 투과

진행파가 서로 다른 매질의 경계면에 다다르면 경계면에서 파동의 일부는 반사(reflection)되어 되돌아가고, 나머지 일부는 그대로 투과(transmission)해 들어간다. 에너지 보존법칙에 따라 반사에너지와 투과에너지의 합은 입사에너지와 같아야 한다. 그러나 진폭과 위상의 관점에서는 경계면의 조건에 따라 많은 변화를 보이므로 세밀히 관찰할 필요가 있다.

줄을 따라 오른쪽으로 진행하는 파를 생각하자. 그림 11.13에서 보는 것처럼 선밀도가 작은 줄에서 큰 줄로 파가 진행하고 있다. 이 때 줄의 입자들은 앞의 절에서 언급했듯이 수직성분의 알짜 힘을 받아 수직성분의 속도와 가속도를 가진다. 이런 입자의 물리량들은 파동과 함께 진행하여 경계면에 도달하게 된다. 선밀도가 큰 매질, 즉 단위길이당 질량이 큰 매질(여기서는 줄)을 만나면, 뉴턴의 법칙에 따라 동일한 수직성분의 알짜 힘에 대하여 보다 작은 가속도를 가져야 한다. 그리고 경계면의 두 매질이 접합되어 있으므로 경계면 바로 왼쪽과 오른쪽의 입자들은 서로 같은 가속도를 갖게 된다. 따라서 경계면 바로 왼쪽의 매질의 가속도가 작아져야 하므로 이 입자에 작용하던 힘에 방향이 반대인 힘이 추가적으로

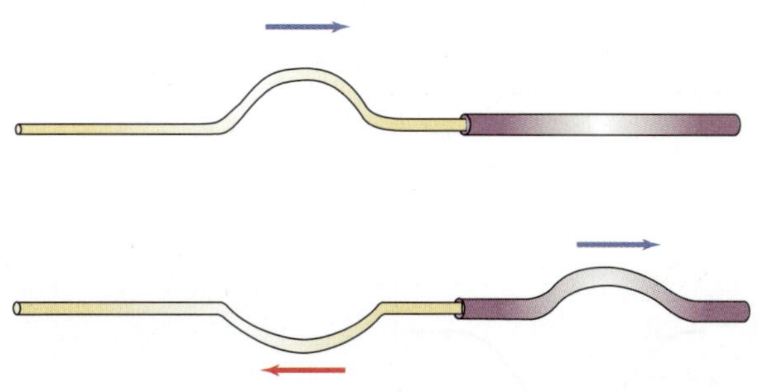

그림 11.13
줄 위의 파동이 선밀도가 서로 다른 경계면을 만나면 부분적으로 반사하고, 일부는 투과해 들어간다. 이 때 반사파는 위아래가 뒤집힌 모양이 되나 투과파의 모양은 변하지 않는다.

발생하게 된다. 경계면에서 추가적으로 발생하는 이 힘에 의해 왼쪽으로 진행하는 반사파가 생긴다. 이 파의 위상은 입사파에 비해 180°만큼 달라져 위아래가 뒤집힌 모양의 파동이 된다. 한편 오른쪽으로 계속 진행하는 투과파는 작아진 가속도에 의해 파동의 진폭은 줄어드나 위상변화가 없어 파의 모양에는 변화가 생기지 않는다.

줄의 선밀도가 작은 줄에서 큰 줄로 진행하는 파동의 극단적인 예가 경계면의 오른쪽 매질이 매우 큰 선밀도를 갖는, 즉 벽면과 같은 고정단에 연결된 경우이다. 오른쪽 입자의 가속도는 0이 되므로 경계면 바로 왼쪽의 입자 또한 가속도가 0이 되어야 한다. 따라서 왼쪽 매질에 추가적으로 발생하는 힘의 크기는 입사파의 크기와 동일하나 방향은 반대가 된다. 그 결과로 반사파의 진폭은 입사파와 동일하면서 펄스의 모양이 완전히 뒤집힌 파동이 왼쪽으로 반사하며, 투과파는 존재하지 않는다. 그림 11.14에서처럼 상세한 반사과정은 실제의 펄스와 오른쪽에서 접근하는 가상의 펄스를 중첩시킴으로써 재구성할 수 있다.

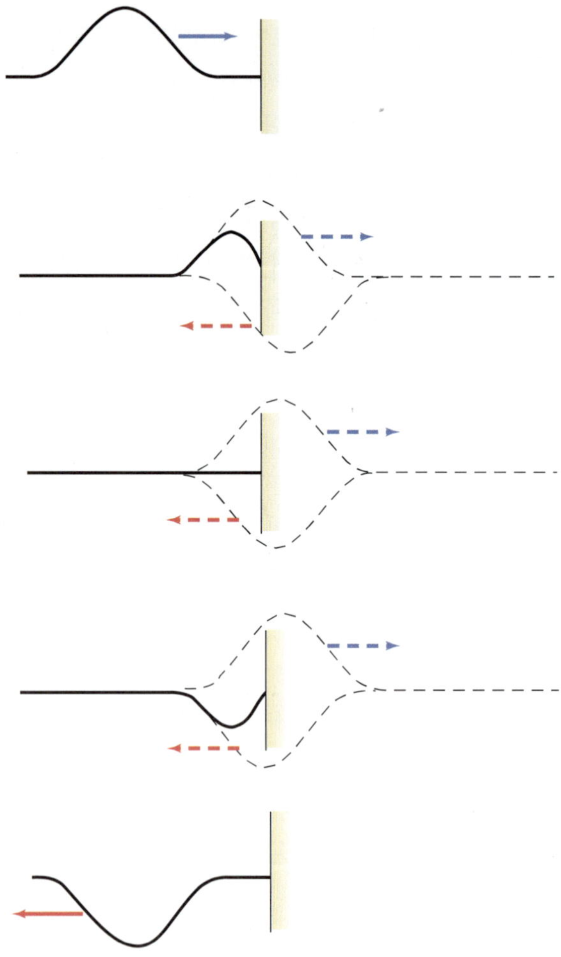

그림 11.14 벽과 같은 고정단에서는 투과파가 없는 대신 반사파는 입사파의 상하가 뒤집힌 모양이다. 반사과정은 입사파의 반대방향으로 접근하는 가상의 파동을 이용하여 재구성할 수 있다.

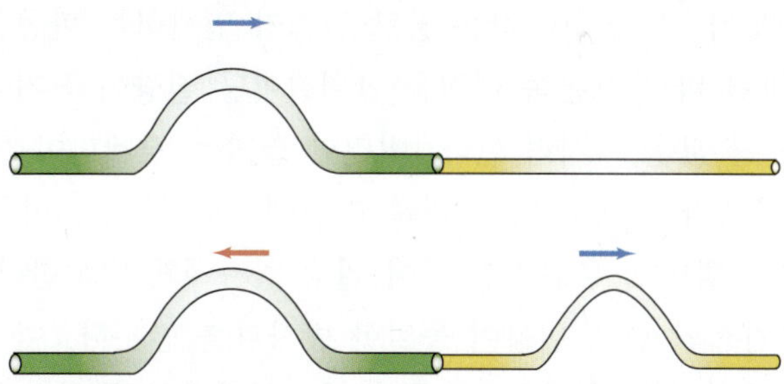

그림 11.15 선밀도가 큰 줄에서 작은 줄로 펄스가 입사하는 경우, 반사파나 투과파의 위상은 변하지 않는다. 이 때 투과파의 진폭은 입사파에 비해 크며, 최대 2배까지 될 수 있다.

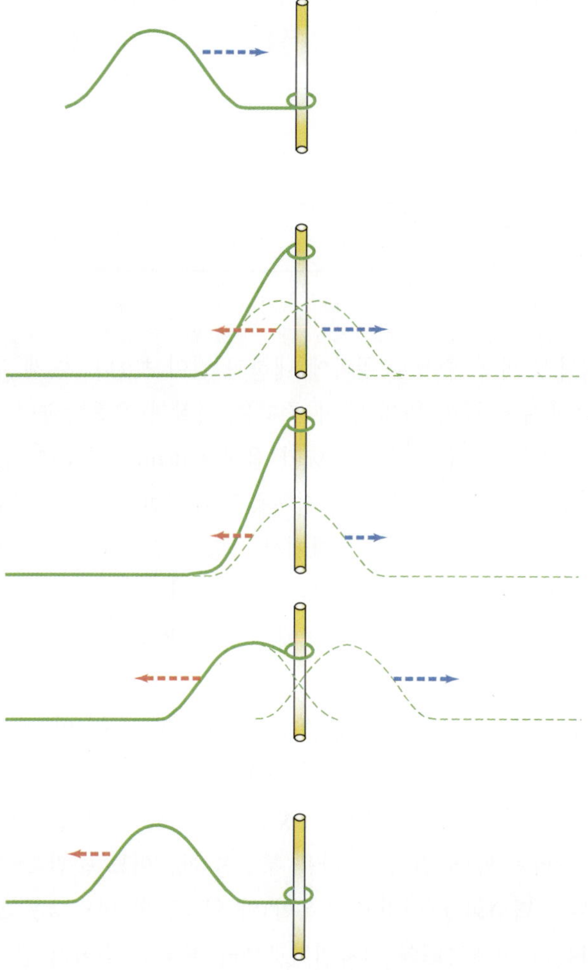

그림 11.16 오른쪽 질량이 없는 자유단의 경우 반사파는 입사파 모양 그대로 돌아간다. 이 경우도 입사파와 반사파에 의해 생기는 알짜 변위는 중첩의 원리로부터 구할 수 있다.

다음으로 선밀도가 큰 줄에서 작은 줄로 펄스가 입사하는 파동을 생각하자. 파동이 경계면에 도달하면 바로 오른쪽 매질은 단위길이당 질량이 작기 때문에 왼쪽 매질의 가속도 보다 더 큰 값을 가지려 한다. 이러한 결과는 경계면이 항상 접합상태여야 한다는 경계조건에 따라 경계면 바로 왼쪽 매질에게도 영향을 미친다. 따라서 입사파에 의한 힘과 같은 방향의 추가적인 힘이 왼쪽 입자에게 발생한다. 그림 11.15에서 보는 바와 같이 추가적인 힘은 위상이 동일한 반사파를 만든다. 이 파의 진폭은 줄어드나 펄스의 모양은 그대로 유지되고, 투과파는 입사파와 동일한 위상을 가진 펄스로 진행하는데 이 때 진폭은 선밀도의 비에 따라 최대 2배까지 커진다.

이 경우의 극단적인 예는 그림 11.16에 보인 것처럼 질량이 무시되는 고리에 의해 수평장력은 그대로 유지되면서 수직운동에는 제한을 받지 않는 자유단이다. 반사파는 입사펄스의 진폭과 위상에 전혀 변화가 없는 모양 그대로 왼쪽으로 돌아간다. 줄 위의 어떤 지점에 입사파와 반사파에 의해 생기는 알짜 변위는 중첩의 원리로부터 구할 수 있다. 그래서 경계면에서 입사파와 반사파가 서로 만날 때 진폭은 입사파동의 2배로 증가하게 된다.

11.9 음 파

지금까지는 역학적 파동 중에서 횡파에 대하여 알아보았다. 이제 우리의 관심을 종파로 돌려보자. 앞 절에서 언급한 바와 같이 종파는 매질의 운동방향이 파동의 진행방향과 나란한 파동이다. 이런 파동의 대표적인 예가 **음파**(sound wave)이다.

평형상태에서 유체상태의 분자들은 열적운동으로 빈번하면서도 무질서한 충돌을 통해 균일한 압력과 밀도를 유지한다. 이런 상태에서 음압과 같은 외부요인에 의한 압력변화가 발생하면 유체 내의 작은 부피요소들은 복원력에 의해서 종적 진동을 하게 된다. 이 때 생기는 부피요소의 변위는 그곳의 밀도와 압력에 교란을 발생시키며, 이런 교란은 주변 매질을 통해 파동의 속도로 퍼져나간다.

공기 중의 음파를 예로 들면 대기압은 약 10^5Pa(=10^5N/m^2)의 크기인 반면, 교통소음으로 인해 발생하는 음압은 약 0.1Pa(=0.1N/m^2) 정도의 크기이다. 이것은 마치 깊은 바다에서 수면에 이는 잔물결에 의한 압력변화 정도를 연상할 수 있을 것이다.

그림 11.17은 스피커 앞에 긴 열린 관을 두었을 때, 어느 순간 스피커의 진동에 의해 관 내부에서 생기는 압력변화 p(여기서는 음압)와 입자들의 변위 s를 보여주고 있다. b지점에서는 주변입자들이 평형상태의 입자위치로부터 좌우로 흩어져 간 상태이므로 밀도는 최소가 되며, 압력은 대기압 P_0에서 최대음압 p_m을 뺀 $(P_0 - p_m)$으로 감소하게 된다. 그에

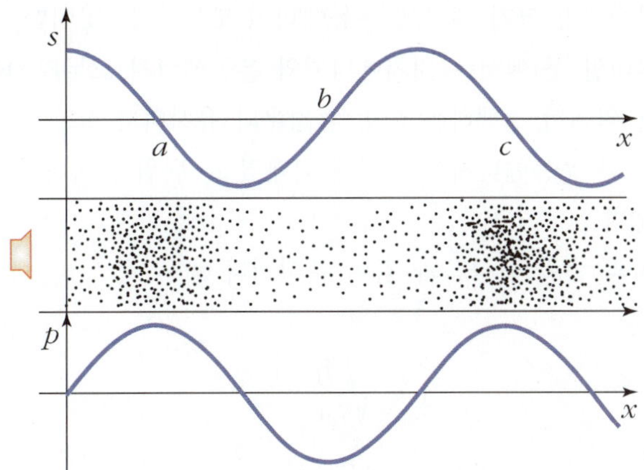

그림 11.17 어느 순간 위치에 따른 압력변화와 변위 분포도. 변위가 0인 곳에서 압력변화가 가장 크며, 압력변화와 변위의 위상차이는 90°이다.

비해 a와 c 지점에서는 주변입자들이 이 지점을 향해 몰려 온 상태이므로 밀도는 최고로 증가하고, 압력 또한 P_0에서 최대음압 p_m을 더한 (P_0+p_m)으로 최고압력이 된다. 주목할 것은 최대 압력변화 $(\pm p_m)$가 일어나는 a, b, c의 모든 지점에서 변위가 0이라는 사실이다. 요약하면 입자의 변위는 압력변화와 90°의 위상차를 갖는다.

이제 음파를 에너지 관점에서 살펴보도록 하자. 그림 11.18은 그림 11.17에 보인 조건에서 음압 p와 입자속도 V_p $(=ds/dt)$를 나타낸다. 음압과 변위의 위상 차이는 90°이지만, 음압과 입자속도는 동일위상을 가진다. 음압이 가장 높거나 낮은 지점(입자변위가 0인 곳)에서는 입자들이 몰려 있거나 흩어져 있기 때문에 복원력에 의한 위치에너지가 높을 뿐만

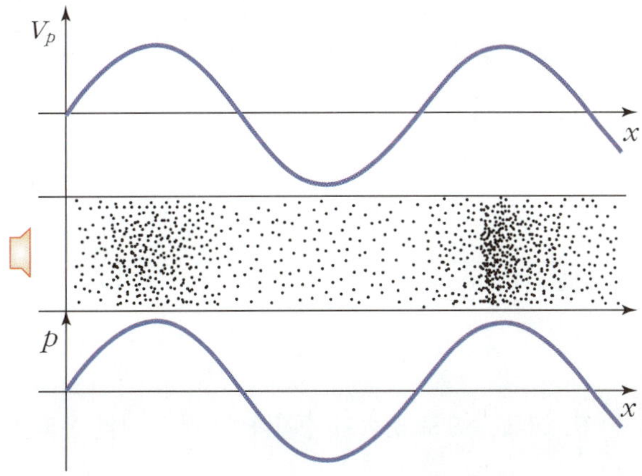

그림 11.18 어느 순간 위치에 따른 음압과 입자속도의 분포도. 음압과 입자속도는 동일 위상을 갖는다. 따라서 음압이 가장 높은 지점에서 입자의 속력 또한 가장 크다. 이것은 음압과 동일한 위상으로 음파에너지가 분포함을 의미한다.

아니라 동시에 입자속도가 크기 때문에 운동에너지 또한 높은 곳이다. 그리고 음압이 0인 지점(입자변위가 최대인 곳)에서는 위치에너지와 운동에너지 모두가 0이 된다. 이것은 앞 절에서 다루었던 줄 위에서 진행하는 횡파의 경우와 유사하다. 즉, 줄 입자의 변위가 0인 지점에서 위치에너지와 운동에너지가 동시에 최대였고, 변위가 최대인 지점에서는 두 에너지 모두가 0이 되었다.

유체 내의 종파의 속력은 다음과 같이 주어진다.

$$c = \sqrt{\frac{B}{\rho}} \tag{11.14}$$

여기서 ρ는 밀도이고, B는 부피탄성률(bulk modulus)로 다음과 같이 정의한다.

$$B = -\frac{\Delta p}{\Delta V/V} \tag{11.15}$$

여기서 $\Delta V/V$는 압력변화 p(여기서는 음압을 나타냄)에 의해 나타나는 부피 변화 비이며, B의 국제단위는 압력의 단위인 $\mathrm{N/m^2}$이다. 식 (11.15)에서 음의 부호가 붙는 이유는 부피 요소 내의 압력변화 p가 양수이면 부피변화 ΔV가 음수가 되므로 B가 양수 값이 되게 하기 위해서이다.

예제 **11.4** 20℃, 1기압일 때 공기의 밀도는 $\rho = 1.21\,\mathrm{kg/m^3}$이고, 부피탄성률은 $B = 1.43 \times 10^5\,\mathrm{N/m^2}$이다. (a) 음파의 속력을 구하라. (b) 10℃인 바닷물의 밀도가 $\rho = 1.03 \times 10^3\,\mathrm{kg/m^3}$이고, 부피탄성률은 $B = 2.32 \times 10^9\,\mathrm{N/m^2}$이다. 수중음속을 구하라.

풀이 (a) 식 (11.14)로부터 공기 중의 음속은

$$c = \sqrt{\frac{B}{\rho}} = \sqrt{\frac{1.43 \times 10^5\,\mathrm{N/m^2}}{1.21\,\mathrm{kg/m^3}}} = 343\,\mathrm{m/s}$$

(b) 바닷물의 경우,

$$c = \sqrt{\frac{B}{\rho}} = \sqrt{\frac{2.32 \times 10^9\,\mathrm{N/m^2}}{1.03 \times 10^3\,\mathrm{kg/m^3}}} = 1{,}500\,\mathrm{m/s}$$

이다.

통상적으로 기체, 액체, 고체 순으로 음속이 증가하며, 매질 내의 온도가 증가할수록 음속도 따라서 증가한다.

11.10 도플러 효과

도로에서 앰블랜스가 경적 소리를 내면서 접근할 때와 멀어질 때, 우리는 음의 높이(진동수의 크기)가 달라짐을 종종 경험하게 된다. 이와 같이 음원과 관측자가 상대운동을 할 때 관측자가 듣는 진동수에 변화가 생기는데 이런 현상을 **도플러효과**(Doppler effect)라 한다. 이런 현상은 음파에만 국한되는 것이 아니고 전자기파에서도 똑같이 적용된다. 이를테면 우주팽창의 결정적 증거인 적색편이 현상(항성들이 내는 빛의 복사 스펙트럼이 실험실에서 관측한 것보다 진동수가 낮은 쪽으로 편이되는 현상)도 도플러효과의 한 예이다.

이 절에서는 음파의 도플러 효과에 대하여 자세히 알아보도록 하자. 음속을 c, 음원의 속력을 v_s, 그리고 관측자의 속력을 v_0로 표기하자. 이 값들은 지면을 기준으로 한 좌표계에서 측정되며, 공기는 이 기준 좌표계에 대하여 정지해 있다고 가정한다. 음원과 관측자 모두가 이 좌표계에서 볼 때 정지해 있다면, 이 때 관측자가 측정한 진동수 f_0(주기 T_0)와 파장 λ_0, 그리고 음속 c는 다음과 같은 관계에 있다.

$$c = f_0 \lambda_0 = \frac{\lambda_0}{T_0} \tag{11.16}$$

만약 음원이나 관측자가 움직이면 관측자가 측정한 진동수는 f_0에서 f로 바뀐다. 진동수 f는 음원과 관측자의 운동에 따라 각각 달리 표시된다. 왜냐하면 빛과 같은 전자기파의 경우는 절대 기준틀이 없어 광원과 관측자의 상대속도에만 의존하는 데 비해 소리는 공기라는 매질이 있어 절대 기준틀을 제공하고 있기 때문이다.

문제를 간단히 하기 위해 음원과 관측자의 운동을 1차원, 즉 서로 접근하거나 멀어지는 경우로 국한하고자 한다.

정지한 음원과 움직이는 관측자

그림 11.19에서처럼 관측자 O가 음원 S를 향하여 속도 v_0로 접근 하는 경우를 생각하자. 접근할 때는 음속이 $c+v_0$로 더 빠르게 관측되고, 멀어질 때는 $c-v_0$로 더 느리게 관측된다. 한편 파장은 λ_0를 그대로 유지한다. 따라서 관측자 O가 듣게 되는 진동수 f는 다음과 같다.

$$f = \frac{c \pm v_0}{\lambda_0} = \frac{c \pm v_0}{c} f_0 \tag{11.17}$$

(여기서 "+"는 접근, 그리고 "−"는 멀어짐을 의미한다.)

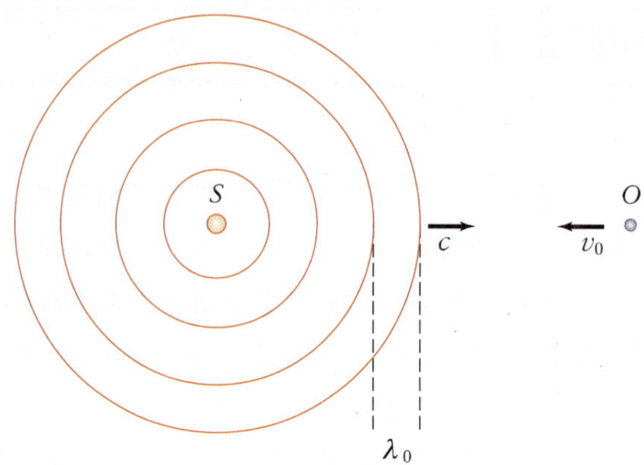

그림 11.19 정지한 음원이 음파를 내보내고 있다. 음원 쪽으로 접근하는 관측자가 느끼는 음속은 $c+v_0$이다.

움직이는 음원과 정지한 관측자

이제는 관측자가 정지해 있고 음원이 관측자에게 속력 v_s로 접근하거나 멀어지는 경우이다. 음원 S가 정지해 있을 때 한 파장의 거리는 $\lambda_0 = c/f_0 = cT_0$로 표시된다. 그러나 그림 11.20에서처럼 음원이 속력 v_s로 관측자에게 접근하거나 멀어지는 경우에는 음원이 앞선 파장의 마루를 내보내고 나서 한 주기인 T_0 시간 후에 다음 파장의 마루를 내보낼 때는 이미 거리 $v_s T_0$ 만큼 관측자에게 다가가 있거나 또는 멀어져 있다. 결과적으로 음원 S와 관측자 O 모두에게 보이는 새로운 파장 λ는 다음과 같다.

$$\lambda = (c \mp v_s)\, T_0 = \frac{c \mp v_s}{f_0}$$

(여기서 "−"는 접근, "+"는 멀어짐을 표시한다)

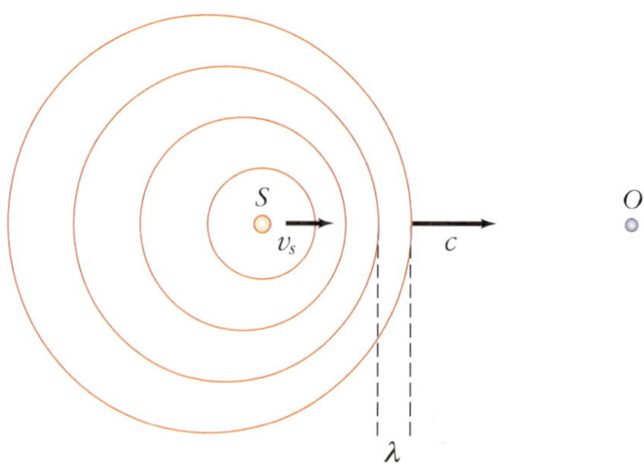

그림 11.20 음원이 관측자에게 v_s로 접근하면 파장이 $(c-v_s)\,T_0$로 짧아지게 된다.

한편 정지해 있는 관측자가 측정한 음파의 속력은 변함없이 c이다. 따라서 관측자가 듣게 되는 진동수 f는 다음 식으로 표시된다.

$$f = \frac{c}{\lambda} = \frac{c}{c \mp v_s} f_0 \tag{11.18}$$

함께 움직이는 음원과 관측자

음원이 속력 v_s, 그리고 관측자가 속력 v_0로 서로 접근하거나 멀어질 때는 앞의 결과들을 결합한 형태인 다음 식으로 표시 된다.

$$f = \frac{c \pm v_0}{c \mp v_s} f_0 \tag{11.19}$$

여기서 주의해야 하는 것은 v_0와 v_s 앞에 붙이는 부호이다. 즉, 관측자 O가 음원에게 접근할 때는 v_0 앞에 "+", 멀어질 때는 "−"를 붙이면 되고, 음원 S가 관측자에게 접근할 때는 v_s 앞에 "−", 멀어질 때는 "+"를 붙이면 된다.

예제 **11.5** 구급차가 $f_0 = 500\,\text{Hz}$의 소리를 내면서 시속 72km/h로 관측자에게 접근했다가 멀어지고 있다. 접근할 때와 멀어질 때 진동수의 차이는 얼마인가? (단, 공기의 온도는 20°C이다.)

풀이 기온이 20°C이므로 공기 중의 음속은 예제 11.4로부터 $c = 343\,\text{m/s}$이다. 그리고 음원의 속력은 $v_s = 20\,\text{m/s}$이다. 접근할 때의 진동수 f_1은

$$f_1 = \frac{c}{c - v_s} f_0 = \left(\frac{343\,\text{m/s}}{343\,\text{m/s} - 20\,\text{m/s}}\right)(500\,\text{Hz}) = 531\,\text{Hz}$$

이며, 멀어질 때의 진동수 f_2는

$$f_2 = \frac{c}{c + v_s} f_0 = \left(\frac{343\,\text{m/s}}{343\,\text{m/s} + 20\,\text{m/s}}\right)(500\,\text{Hz}) = 472\,\text{Hz}$$

이다. 따라서 진동수의 차이는

$$\Delta f = f_1 - f_2 = 531\,\text{Hz} - 472\,\text{Hz} = 59\,\text{Hz}$$

이다.

연습문제
EXERCISES

1 지구 속을 진행하는 지진파는 종파인 P파와 횡파인 S파를 함께 가지고 있다. 어느 관측점에서 측정한 P파와 S파의 평균 속력이 각각 $c_p = 6{,}000\,\mathrm{m/s}$, $c_s = 3{,}300\,\mathrm{m/s}$이었고, 이 파들은 1분 간격으로 관측되었다. 지진의 진원지는 관측점으로부터 얼마나 떨어져 있는가?

2 다음 함수들 중 진행파를 나타내는 것은 어느 것인가?

(a) $A\log(2x-t)$

(b) $A\sin^2(x-2t)$

(c) $A\sin^2(x-2t)^2$

(d) $\mathrm{A}\,(x^2+2t)^{-2}$

(e) $Ae^{-\sigma(x-t)^2}$

(f) $Ae^{-2t}\cos(x-t)$

(g) $A\cos(x^2-2t^2)$

3 보통 인간이 귀로 들을 수 있는 가장 낮은 음의 진동수는 약 20Hz이고, 가장 높은 음의 진동수는 약 20,000Hz이다. 공기 중에서 이 두 음파의 파장은?

4 박쥐는 초음파를 발사한다. 공중에서 박쥐가 발사하는 가장 짧은 파장은 3.3mm이다. 박쥐가 발사할 수 있는 가장 큰 진동수는 얼마인가?

5 줄 위에서 조화파에 대한 파동함수가 $y(x,t) = (0.03\,\mathrm{m})\sin[(2.2\mathrm{m}^{-1})x-(3.5\mathrm{s}^{-1})t]$로 주어진다.

(a) 이 파의 진행방향과 속력은?

(b) 이 파의 파장, 진동수, 주기를 구하라.

(c) 줄 위의 임의의 한 부분에서의 최대변위는 얼마인가?

6 진폭 A가 0.01m이고, 진동수 f가 20.0Hz, 그리고 파장 λ가 0.10m인 사인파가 $+x$ 축 방향으로 진행하고 있다. $t=0$일 때 $x=0$ 지점에서의 변위가 5×10^{-3}m이었다. 파동함수를 구하라.

7 선밀도가 5.00×10^{-3}kg/m인 피아노의 줄이 1,300N의 장력을 받고 있다. 이 줄에서 510.0Hz의 소리가 들린다면 줄을 따라 이동하는 진행파의 파장은 얼마인가?

8 550N의 장력을 받는 길이 80cm의 철사에서 횡파가 150m/s의 속력으로 진행한다. 철사의 질량을 구하라.

9 줄 위에서 파동이 진행하고 있을 때 임의의 지점에서 운동에너지와 퍼텐셜에너지가 동일함을 보여라.

10 바이올린 현이 어떤 음에 조율할 때 본래의 진동수의 2배인 음을 내기 위해서는 현에 얼마의 장력을 더 가하여야 하나?

11 $y(x,\,t) = A\cos(\pi\mathrm{x/m}-100\pi t/\mathrm{s})$로 표시되는 사인파가 선밀도가 ρ_ℓ, 그리고 장력이 T_0인 줄 위를 진행하고 있다. 시간이 $t=0$일 때 운동에너지밀도와 퍼텐셜에너지밀도를 위치의 함수로 표시하라.

12 $y_1(x,\ t) = A\sin(2\pi x/\mathrm{m} - 40\pi t/\mathrm{s})$와 $y_2(x_1, t) = -A\sin(2\pi x/\mathrm{m} + 40\pi t/\mathrm{s})$인 두 개의 진행파가 서로 마주보며 줄 위를 진행하고 있다.

(a) $t = 0$일 때 각 파동의 변위, 입자속도를 구하고, 그림을 그려보아라.

(b) 이 때 중첩파동의 변위, 입자속도를 구하고, 그림을 그려보아라.

(c) $t = (1/80)s$일 때 각 파동의 변위, 입자속도를 구하고, 그림을 그려보아라.

(d) 이 때 중첩파동의 변위, 입자속도를 구하고, 그림을 그려 보아라.

13 문제 12와 같은 두 진행파가 있을 때,

(a) $t = 0$일 때 각 파동의 운동에너지밀도와 퍼텐셜에너지밀도를 구하고, 그림을 그려보아라.

(b) 이 때 중첩파동의 운동에너지밀도와 퍼텐셜에너지밀도를 구하고, 그림을 그려보아라.

(c) $t = (1/80)$일 때 각 파동의 운동에너지밀도와 퍼텐셜에너지밀도를 구하고, 그림을 그려보아라.

(d) 이 때 중첩파동의 운동에너지밀도와 퍼텐셜에너지밀도를 구하고, 그림을 그려보아라.

14 음압에 대한 어떤 파동함수가 $p(x, t) = \rho_0 \sin(kx - \omega t)$일 때, 입자속도 V_p와의 관계는 $p = \rho c V_p$이다. 여기서 ρ는 밀도, c는 음속이다.

(a) 음압과 입자속도의 위상차가 0임을 보여라.

(b) 음압과 변위의 위상차가 90°임을 보여라.

15 자동차 경적의 진동수는 400Hz이다. (a) 경적음의 파장과, (b) 차가 정지된 공기 중에서 정지해 있는 관측자를 향하여 34m/s의 속력으로 움직인다고 할 때, 관측되는 진동수를 구하라. 공기 중에서 음속은 340m/s로 하라. (c) 차가 정지해 있고 관측자가 차를 향하여 34m/s로 움직일 때, 수신되는 진동수를 구하라.

16 경찰용 과속측정기가 3×10^{10} Hz의 초단파를 발사한다. 공기 중에서 이 파의 속력은 3×10^8m/s이다. 정지해 있는 경찰차로부터 멀어져가는 자동차의 속력이 140km/h 라고 가정하자. 보내진 신호와 멀어져 가는 차가 수신하는 신호의 진동수 차이는 얼마인가?

17 20°C의 공기 중에서 초속 8m/s의 속력으로 날고 있는 박쥐가 초속 5m/s의 속력으로 접근하고 있는 사마귀에 대하여 77kHz의 진동수를 갖는 초음파를 내 보냈다.

(a) 사마귀가 듣는 초음파의 진동수는 얼마인가?

(b) 박쥐에게 되돌아오는 초음파의 진동수는 얼마인가?

18 음파와 관련하여 (a) 소리의 세기(Intensity)와 (b) 데시벨(Decibel, dB)을 정의하고 (c) 기준세기(Reference Intensity)의 값은 얼마인지 나타내어라. 그리고 (d) 90 dB의 소리가 1cm^{2}의 고막을 울리는 일률은 얼마인지 계산하여라.

19 음파와 관련하여 (a) 한쪽 끝이 닫힌 관의 공명현상에 대하여 그림을 그려 자세히 설명하고 (b) 일어날 수 있는 진동수를 식으로 나타내어라.

20 음파와 관련하여 (a) 양쪽 끝이 열린 관의 공명현상에 대하여 그림을 그려 자세히 설명하고 (b) 일어날 수 있는 진동수를 식으로 나타내어라.

21 음속이 342.0m/s일 때 어떤 물체가 진동수 1,000Hz의 소리를 내며 90km/h의 속력으로 다가오고 있다. 이 소리를 듣는 관찰자는 실제 소리의 진동수와 다르게 느껴지는데 (a) 이 현상에 대하여 설명하고 (b) 맞은 편 관찰자가 느끼는 소리의 진동수를 계산하라. (c) 물체가 멀어져갈 때 소리의 진동수는 얼마가 되겠느냐? (d) 각각의 경우 사람의 가청범위와 비교하여라.

22 스프링이 진폭 A, 각속도 ω로 진동하고 있다. (a) 한 주기의 진동 후에 평균 속도, (b) 최대속도, (c) 최대속도에 대한 평균속도의 비를 구하여라.

23 소리의 속도는 상온에서 340m/s이다. (a) 파장 1m인 음파의 진동수, (b) 같은 파장의 전파의 진동수를 구하여라.

24 번개가 보이고 나서 8.2s 후 천둥소리가 들렸다. 이때 온도는 12℃이다. (a) 이 온도에서 소리의 속도, (b) 번개가 친 곳이 떨어진 거리를 구하여라.
[빛의 속도는 3.0×10^8m/s 이다.]

25 매우 큰 소리로 연주하는 트럼펫이 12.7cm 직경의 입구로부터 0.8W로 소리가 나온다. (a) 트럼펫 바로 앞의 소리의 세기, (b) 소리의 세기가 거리의 제곱에 반비례 할 때 10m 떨어진 곳의 소리의 세기를 구하여라.

26 양쪽 끝이 열린 파이프가 만약 적당히 여기(excited)되면 파이프의 양쪽 끝에 반마디(배)를 갖는 정상파를 만든다. 열린 파이프의 길이를 40cm라고 하자.
(a) 이 파이프의 기본 정상파를 그려보아라.
(b) 간섭을 일으켜 기본파를 만드는 음파의 파장은?
(c) 만약, 공기중의 음파의 속도가 340m/s 이면, 이 음파의 주파수는 얼마인가?
(d) 만약 공기의 온도가 올라가서 음속이 350m/s이면 주파수가 얼마나 변하는가?
(e) 첫 번째 배진동 정상파의 파형을 그리고, 이 조화파의 주파수와 파장을 구하라.

27 길이가 0.8m인 줄의 양끝이 고정되어 있다.
(a) 이 줄에서 간섭에 의해 정상파를 형성할 수 있는 진행파 중 가장 긴 파장을 갖는 것은?
(b) 만약 파가 120m/s로 줄 위를 진행한다면 가장 긴 파장에 해당하는 주파수는?

28 한 쪽 끝이 막히고 그 반대쪽이 열려 있는 파이프오르간의 한 파이프의 길이가 1.5m 이다.
(a) 이 파이프에서 만들 수 있는 기본 조화파의 파장은 얼마인가?
(b) 만약 음파의 속도가 340m/s이면 이 정상파에 해당하는 주파수는?
(c) 첫 번째 배진동 정상파의 파형을 그리고, 이 조화파의 파장과 주파수를 구하라.

29 어떤 로프의 길이가 10m이고 질량이 1.2kg 이다. 한쪽 끝이 고정되어 있고 다른 쪽이 48N의 장력으로 당겨진다. 로프의 끝이 2.5Hz의 주파수로 위 아래로 움직일 때

(a) 로프의 단위길이당 질량은 얼마인가?
(b) 로프 위 파동의 속도는?
(c) 주파수 2.5Hz인 파의 로프에서의 파장은?
(d) 이런 파들의 몇 개의 완전한 사이클로 이 로프에 맞출 수 있나?
(e) 파의 제일 앞단이 로프의 끝에 도달하여 되돌아오기 시작하는데 걸리는 시간은?

30 기타에 매기 전에는 현의 길이가 1.2m이고 총 질량이 20g(0.02kg)이었다. 그러나 기타에 맨 후에는 기타의 양 고정점 사이의 길이가 70cm이었다. 그리고 1200N의 장력이 걸렸다.

(a) 이 줄의 단위길이당 질량은?
(b) 장력으로 당겨진 줄에서 이 파의 속도는?
(c) 이 줄에서 간섭으로 기본 정상파(마디가 양쪽 끝에 있는)를 만드는 진행파의 파장은?
(d) 기본파의 주파수는?
(e) 두 번째 조화파(마디가 줄의 가운데)의 주파수와 파장의 길이는?

12 파동의 중첩

앞 장에서는 서로 반대방향으로 진행하는 두 파동이 경계점에 도달할 때 줄에서 일어나는 반사에 대하여 기술하였다. 이 장에서는 중첩의 원리를 사인모양의 파동에 대하여 적용해 보고자 한다. 이 원리를 적용하는 데 있어서 사인모양의 파동들이 같은 파장과 같은 진동수를 가지는 경우와 그렇지 못한 경우의 두 가지에 대해서 고려한다. 먼저 파장과 진동수가 모두 같은 사인모양의 두 파동이 서로 반대방향으로 진행하면서 중첩하는 경우에는 어떤 특정한 진동수들에서만 만들어지는 **정상파**라고 하는 일정한 형태의 파동이 만들어진다. 이 특정 진동수와 관련된 파형을 **기준방식(또는 정상 모드)**이라 한다. 기준방식의 진동수는 기타나 바이올린 등의 현악기에서는 줄의 장력과 밀도 등에 의존하며, 파이프 오르간이나 플루트 같은 관악기에서는 관의 길이와 모양 그리고 끝의 열림과 닫힘 등의 여부에 따라 달라진다. 파장과 진동수가 약간 차이가 나는 두 파동이 중첩할 때에는 파동이 진행함에 따라 주어진 위치에서 합성 진폭이 주기적으로 커졌다 작아졌다 하는 **맥놀이현상**이 일어난다. 피아노의 인접한 건반들을 두드릴 때 일반적으로 듣기 싫은 떨리는 소리가 합성되어 울리는 것은 이 맥놀이 현상의 결과이다. 이 현상은 두 건반에 대응하는 파동들의 위상이 변함에 따라 **보강간섭과 소멸간섭**이 번갈아 일어나기 때문에 나타난다.

12.1 사인모양 파동들의 중첩과 간섭

두 사인 모양의 파동이 합성하여 만든 합성파의 성질을 알기 위하여 중첩의 원리를 적용한다. 두 사인모양의 파동은 파장과 진동수, 진폭이 모두 같고 위상만 다르며, 같은 방향인 오른쪽으로 진행하는 경우를 생각한다. 두 파동함수는

$$y_1 = A\sin(kx - \omega t) \tag{12.1}$$

$$y_2 = A\sin(kx - \omega t - \phi) \tag{12.2}$$

이다. 여기서 위상차 ϕ의 의미를 살펴보기 위하여 식 (12.2)를 다음과 같이 고쳐 쓰자.

$$y_2 = A\sin\left[k\left(x - \frac{\phi}{k}\right) - \omega t\right] \tag{12.3}$$

또는

$$y_2 = A\sin\left[kx - \omega\left(t + \frac{\phi}{\omega}\right)\right] \tag{12.4}$$

이 식들은 식 (12.1)과 비교하면 두 파동이 일정한 거리 ϕ/k만큼 변위되어 있거나, 또는 일정한 시간차 ϕ/ω만큼 어긋나 있는 단순조화진동이라는 것을 알 수 있다.

이제 두 파동의 중첩이 일어난다고 하면, **중첩**(superposition)에 의한 합성파 y는

$$y = y_1 + y_2 = A[\sin(kx - \omega t) + \sin(kx - \omega t - \phi)]$$

로 된다. 삼각함수의 항등식

$$\sin a + \sin b = 2\cos\left(\frac{a-b}{2}\right)\sin\left(\frac{a+b}{2}\right)$$

을 사용하여 위의 식을 다음과 같이 나타낼 수 있다.

$$y = \left(2A\cos\frac{\phi}{2}\right)\sin\left(kx - \omega t - \frac{\phi}{2}\right) \tag{12.5}$$

이 합성파의 파동함수 y는 각 파동함수 y_1, y_2의 파장과 진동수가 같은 또 다른 조화파로서, 진폭은 $2A\cos(\phi/2)$이고, 위상은 $\phi/2$이다. 만약 두 파의 위상차 ϕ가 0이면, $\cos(\phi/2) = \cos 0 = 1$이 되어 진폭은 $2A$가 된다. 즉, ϕ가 0일 때에는 그림 12.1 (a)에서처럼 두 파동의 골과 마루가 같은 장소에서 발생하는 동일위상으로서 중첩의 결과 만들어진 파동의 진폭은 각 파동의 진폭의 합이 된다. 이와 같이 위상차가 없는 두 파동의 간섭을 **보강간섭**(constructive interference)이라 한다.

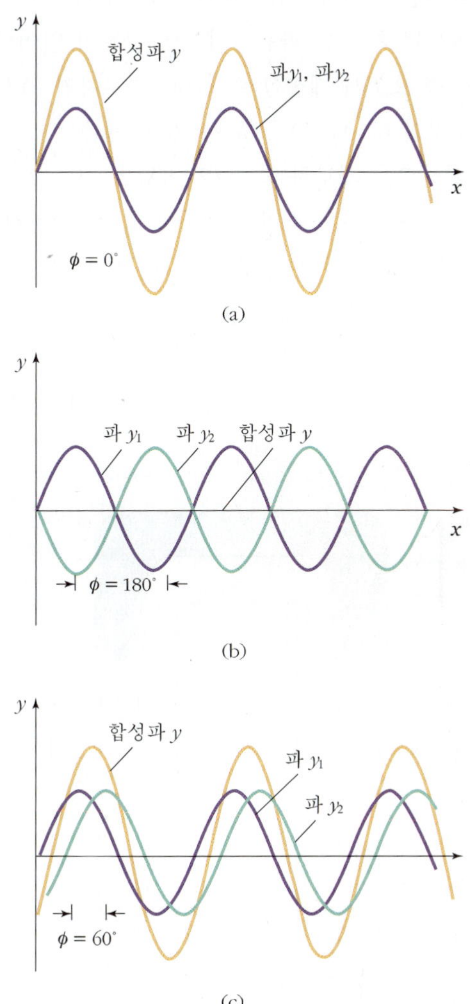

그림 12.1 파장과 진동수, 진폭이 모두 같은 두 파동 y_1, y_2의 중첩

(a) 보강간섭. 두 파동의 위상이 같을 때 보강간섭이 일어난다. 중첩된 파동의 진폭은 각각의 파동의 합이 된다.

(b) 소멸간섭. 두 파동의 위상이 180° 만큼 차이가 날 때 소멸간섭이 일어난다. 두 파동의 진폭이 같기 때문에 중첩된 파동의 진폭은 0이 된다.

(c) 위상이 $\phi = 60°$일 때의 두 파동의 중첩. 위상이 $0 < \phi < 180°$인 경우에서도 마찬가지이며, 중첩된 파동의 진폭은 0과 $2A$ 사이의 값을 가진다.

그러나 위상이 어긋나 ϕ가 π라디안일 때에는 $\cos(\phi/2) = \cos(\pi/2) = 0$이 되어서 중첩되어 나타난 합성파의 진폭은 모든 곳에서 영이 된다. 즉, ϕ가 π라디안이면 그림 12.1 (b)에서와 같이 한 파동의 마루가 다른 파동의 골과 일치하여서 모든 점에서의 그들의 변위가 영이 된다. 이러한 두 파동의 상쇄적인 간섭을 **소멸간섭**(destructive interference)이라고 한다.

일반적으로 보강간섭은 $\cos(\phi/2) = \pm 1$일 때, 즉 위상차이가 $\phi = 0, 2\pi, 4\pi, \cdots$일 때 일어나며, 소멸간섭은 $\cos(\phi/2) = 0$일 때, 즉 $\phi = \pi, 3\pi, 5\pi, \cdots$일 때 일어난다.

실제로 이러한 간섭효과는 동일파원에서 나오는 여러 파동으로부터 얻어진다. 어떤 점에 도달하는 두 파동 간의 위상차 ϕ는 파원에서부터 중첩이 일어나는 점까지 이들 파동에 의해서 진행된 경로차를 구함으로서 계산할 수 있다. 경로차가 ΔL이면 위상차는 $k\Delta L$ 또는 $2\pi\Delta L/\lambda$이다. 이 경로차가 $0, \lambda, 2\lambda, 3\lambda, \cdots$ 등일 때에는 $\phi = 0, 2\pi, 4\pi, \cdots$ 등이 되어 두 파동은 보강간섭하고, 경로차가 $\lambda/2, 3\lambda/2, 5\lambda/2, \cdots$ 등일 때에는 ϕ가 $\pi, 3\pi, 5\pi, \cdots$ 등이 되어 이들 파동은 소멸간섭을 한다. 한 예로서 그림 12.2는 음파의 간섭을 증명하기 위해 고안된 실험 장치이다. 스피커 S에서 나온 음파는 P점에서 갈라져 서로 다른 경로의 관을 따라서 검출기 R에 도달한다. 아래 경로는 길이가 고정된 경로로서 길이가 r_1이고, 위의 경로는 관을 밀고 당김으로서 관의 길이를 r_2로 조절할 수 있다. 위의 관을 밀고 당길 때 검출기에서 소리가 들릴 때와 들리지 않을 때가 나타난다.

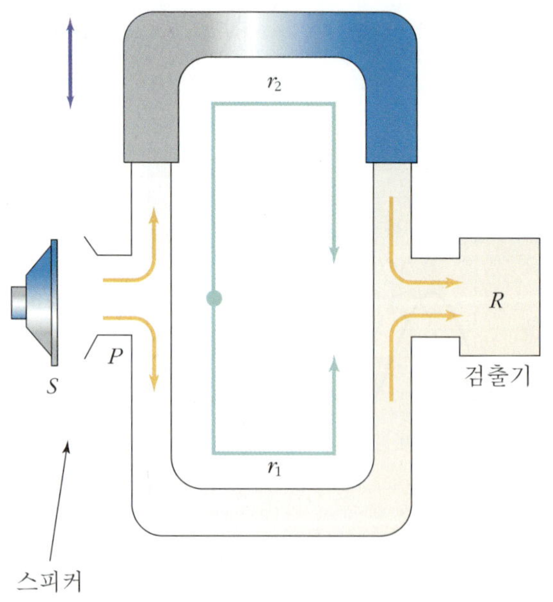

그림 12.2

음파의 간섭을 보여주는 실험장치. 스피커 S로부터 나온 음파의 반은 아래의 경로(r_1)를 통해 진행하고 나머지 반은 위의 경로(r_2)를 통해 진행한다.

이것은 스피커로부터 나온 음파가 길이가 다른 두 경로로 나누어지고 다시 합쳐짐으로써 일어난 두 파동의 간섭 현상이다. 즉, 서로 다른 경로를 따라서 진행한 두 음파의 경로차 $\Delta r = |r_2 - r_1|$이 영이거나 파장의 정수배가 되면 두 파동의 위상이 맞게 되어 보강간섭이 일어나 최대의 소리가 검출기에서 검출된다. 그러나 경로의 차 Δr이 $\lambda/2$, $3\lambda/2$, $5\lambda/2$, $\cdots$ 이 될 때에는 두 파동의 위상차가 180°가 되어서 완전 소멸간섭이 일어나므로 검출기에서는 아무런 소리도 검출되지 않는다.

12.1 음파의 간섭

그림 12.3에서와 같이 800Hz의 동일 진동자를 가진 두 스피커 A, B가 서로 마주보며 동일한 파동을 같은 위상으로 보내고 있다. 3m 떨어져 있는 두 스피커의 중간 위치에서 관측자가 매우 큰 소리를 들었다.

(a) 관측자가 스피커 B쪽으로 천천히 움직여 소리의 세기가 제일 작아지는 첫 번째 위치는 어디인가?

(b) 이 위치에서 관측된 소리의 세기가 0이 아닌 이유는 무엇인가?

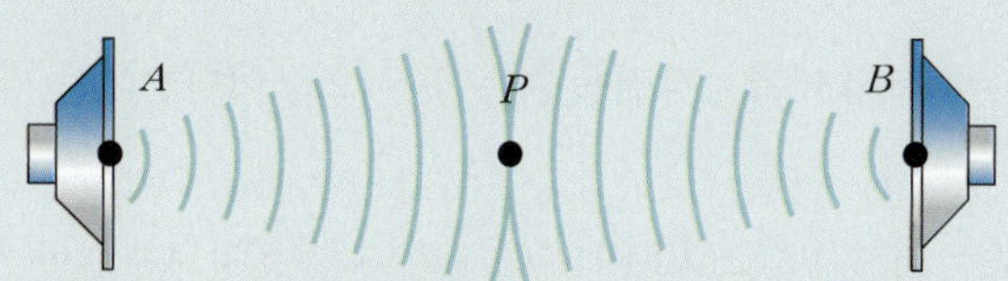

그림 12.3 동일한 앰프에 의해 작동되는 두 스피커

풀이 (a) 두 파원으로부터 나오는 파동이 관측자에게 도달할 때 반 파장의 위상차이가 있게 되면 소멸간섭이 일어난다. 즉, 두 음파의 경로차가 $\lambda/2$일 때 소리의 세기가 작아진다. 그 위치를 중앙으로부터 x라고 한다면 경로의 차는 $2x$가 된다. 따라서 $2x = \lambda/2$으로부터 λ는 $4x$이다. 진동수와 파장사이의 관계식 $f = v/\lambda$을 이용하면 x는 다음과 같다.

$$x = \frac{v}{4f} = \frac{334\,\mathrm{m/s}}{4 \times 800\,\mathrm{Hz}} = 0.107\,\mathrm{m}$$

즉, 관측자는 중앙으로부터 스피커 B쪽으로 10.7cm 위치에서 첫 번째로 소리의 세기가 작아지는 것을 들을 수 있다.

(b) 두 파원의 중간 위치에서는 두 파원으로부터 나온 소리의 세기는 같다. 그러나 관측자가 소멸간섭이 일어나는 위치에서 소리의 세기가 0이 되지 않음을 느끼는 것은 파원으로부터의 소리의 세기가 공간적으로 차이가 나기 때문이다. 즉 첫 번째 소멸간섭이 일어나는 스피커 B쪽의 위치에서는 스피커 B에서 나온 소리의 세기가 스피커 A에서 나온 소리의 세기보다도 약간 크기 때문에 소리의 세기가 0이 되지 않는다.

12.2 줄에서의 정상파

앞 절에서 진폭과 진동수, 파장이 동일한 두 사인파가 같은 방향으로 진행할 때 파동의 중첩현상을 고찰하였다. 여기서는 이러한 두 파동이 서로 반대방향으로 진행할 때 어떻게 되는가를 알아보자. 양 쪽 끝이 고정되어 있는 줄 위에서의 파동은 양 쪽 끝에서 반사하여 반사파가 생기게 되고, 이들 반사파들은 중첩의 원리에 의해 입사파들과 결합한다.

파장과 진동수, 진폭이 동일한 두 사인모양 파동이 서로 반대방향으로 진행할 때 두 파동함수들은 다음과 같이 나타낸다.

$$y_1 = A\sin(kx - \omega t)$$

$$y_2 = A\sin(kx + \omega t)$$

여기서 파수는 $k = 2\pi/\lambda$이고, 각진동수는 $\omega = 2\pi f$이다. 이들 두 파동의 합은

$$y = y_1 + y_2 = A\sin(kx - \omega t) + A\sin(kx + \omega t)$$

앞에서와 같이 식 (12.5) 위에서 보인 삼각함수의 항등식을 사용하여 합성파 y를 다음과 같이 나타낼 수 있다.

$$y = (2A\sin kx)\cos\omega t \tag{12.6}$$

이다.

이 결과식은 정상파의 파동함수를 나타낸다. 진폭이 $2A\sin kx$이고, 진동수가 ω로서, x의 함수와 t의 함수로 구분된 두 정현함수의 곱으로 이루어져 있다. 이것은 줄 위의 모든 입자가 동일한 진동수를 가지고 단순조화진동을 하지만, 진동의 진폭은 입자의 위치 x에 따라 달라짐을 보여준다. 진행파일 때 줄 위의 각 입자가 동일 진폭을 가지고 진동하는 것과는 다르다. 그림 12.4에는 반대방향으로 진행하고 있는 두 파동들에 의해 생기는 정상파를 나타내었다. 오른쪽 끝에 달려있는 진동기로 만든 파동이 왼쪽으로 진행하여 왼쪽 끝에서 오른쪽으로 반사되는 파동을 만든다. 이들 입사파와 반사파의 두 파동이 중첩하여 만들어진 파동의 운동을 그림에서 보면 더 이상 반대방향으로 진행하는 두 개의 파동처럼 보이지 않고, 공간에 정지해 있는 것처럼 보인다. 즉, 파동의 모양이 줄을 따라 같은 위치에 남아있고 진폭만 요동한다. 여기서 전혀 움직이지 않는 특별한 위치, 즉 변위가 영인 점들을 마디라 하며, **마디**(node)사이의 중간 지점인 최대 변위가 일어나는 점들을 **배**(antinode)라고 한다. 이와 같이 파동의 모양이 줄을 따라서 어떤 방향으로도 움직이지 않는 것처럼

보이기 때문에 이러한 파동을 **정상파**(standing wave)라고 부른다. 이에 반하여 줄을 따라 진행하는 파동을 **진행파**(traveling wave)라고 한다.

식 (12.6)을 사용하여 정상파의 배와 마디의 위치를 찾을 수 있다. 배의 위치는 진폭이 최대가 되는 $\sin kx = \pm 1$이 되는 점이다. 즉

$$kx = \frac{\pi}{2},\ \frac{3\pi}{2},\ \frac{5\pi}{2},\ \cdots$$

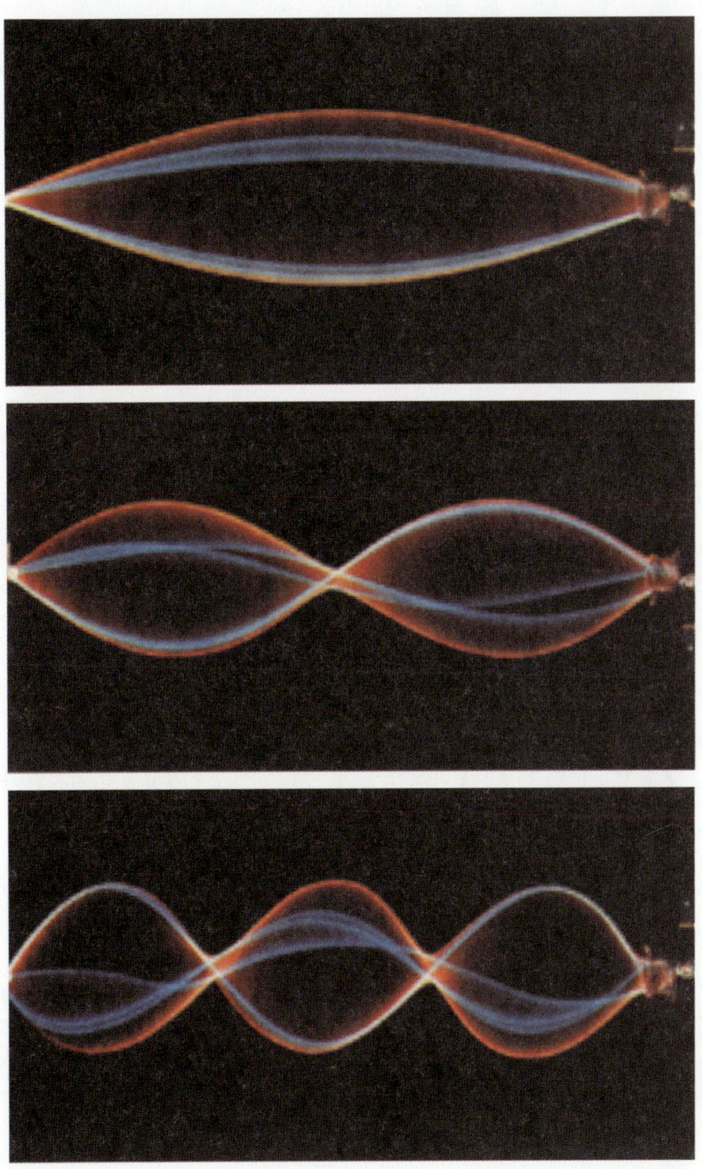

그림 12.4 줄 위에 생긴 정상파의 다중 노출 사진

일 때 최대 진폭 2A를 갖는다. 따라서 배의 위치는 $k = 2\pi/\lambda$이므로

$$x = \frac{\lambda}{4},\ \frac{3\lambda}{4},\ \frac{5\lambda}{4},\ \cdots\ = \frac{n\lambda}{4}\ (n = 1,\ 3,\ 5,\ \cdots) \tag{12.7}$$

에서 일어난다. 인접한 배끼리는 반파장인 $\lambda/2$의 거리만큼 떨어져 있다.

또한 마디는 정상파의 최소 진폭이 영인 점들로서

$$kx = \pi,\ 2\pi,\ 3\pi,\ \cdots$$

또는

$$x = \frac{n}{2}\lambda;\quad (n = 1,\ 2,\ 3,\ \cdots) \tag{12.8}$$

에서 일어난다. 인접한 마디들도 마찬가지로 반파장인 $\lambda/2$ 만큼 떨어져 있다. 따라서 마디와 인접한 배 사이의 길이는 $\lambda/4$가 된다.

그림 12.5에 서로 반대방향으로 진행하는 동일한 두 파동에 의해 생긴 정상파의 모양을 여러 시간에서 나타내었다. 진동은 공간내의 고정된 위치에서 일어나며, 보강간섭과 소멸간섭이 번갈아 나타난다.

정상파는 진행파와는 달리 한 끝에서 다른 끝으로 에너지가 전달되지 않는다. 진행파를 형성하는 두 파는 각각 같은 양의 에너지를 가지고 반대 방향으로 진행하지만 정상파는 에너지 전달율의 평균은 모든 점에서 0이다.

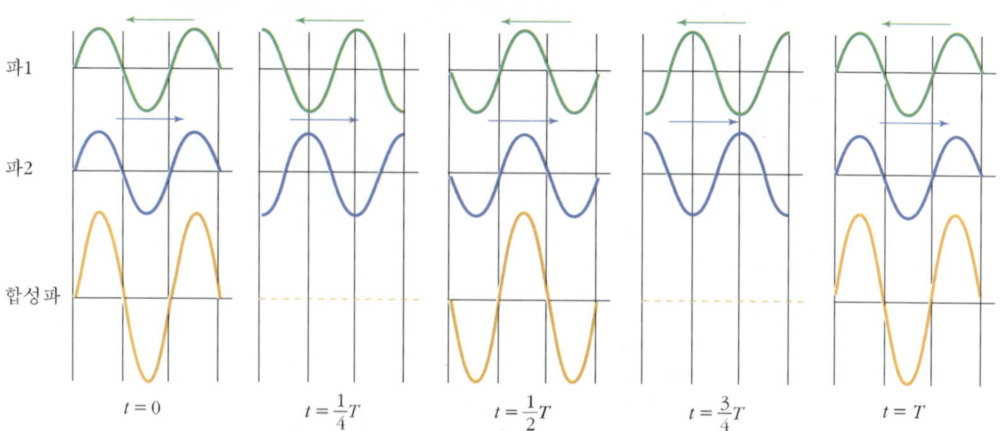

그림 12.5 서로 반대방향으로 진행하는 동일한 두 파동에 의해 생긴 정상파

예제 **12.2** 정상파의 모양

양 끝이 고정된 줄 위에 생긴 어떤 정상파가 다음의 파동함수로 주어진다.

$$y = 0.30 \sin(0.20x) \cos(300t)$$

여기서, y와 x의 단위는 cm이고, t의 단위는 초이다.

(a) 정상파의 구성요소인 반대방향의 두 진행파의 파장과 진동수, 진행속도는 얼마인가?

(b) $x = 3.0\,\text{cm}$ 에서의 정상파의 최대 변위는 얼마인가?

(c) 배와 마디의 위치는 어디인가?

풀이 (a) 서로 반대 방향으로 진행하는 동일한 두 사인모양 파동의 중첩에 의한 정상파의 파동함수는 식 (12.6)으로 주어진 $y = (2A\sin kx)\cos\omega t$이다. 이 식과 문제에서 주어진 정상파의 파동함수를 비교하면 $k = 0.20\,\text{rad/cm}$, $\omega = 300\,rad/s$ 임을 알 수 있다. 그러므로 파장 λ, 진동수 f, 진행속도 v는 각각

$$\lambda = 2\pi/k = 2\pi/0.20(\text{rad}\,\text{cm}^{-1}) = 31.4\,\text{cm}$$

$$f = \omega/2\pi = 300\,\text{rad}\,\text{s}^{-1}/2\pi = 48\,\text{Hz}$$

$$v = f \cdot \lambda = (48\,\text{s}^{-1})(31.4\,\text{cm}) = 1{,}507\,\text{cm/s}$$

이다.

(b) $x = 3.0\,\text{cm}$ 에서의 최대 변위는 정상파의 진폭 $0.30\sin(0.20x)$로부터 구할 수 있다.

$$y_{\text{max}} = 0.30 \sin 0.20x \mid_{x=3.0} = 0.30(\text{cm})\sin(0.6\,\text{rad}) = 0.17\,\text{cm}$$

(c) 배의 위치는 식 (12.7) $x = n\lambda/4$로부터

$$x = n(2\pi/0.8)\ \text{cm} = n\frac{\pi}{0.4}\,\text{cm} \ \ (n = 1,\ 3,\ 5,\ \cdots)$$

이고, 마디의 위치는 식 (12.8) $x = n\lambda/2$로부터

$$x = (2\pi/0.4)\ \text{cm} = n\frac{\pi}{0.2}\,\text{cm} \ \ (n = 1,\ 2,\ 3,\ \cdots)$$

이다.

12.3 양쪽이 고정된 줄에서의 파동

그림 12.6과 같이 양쪽 끝이 고정된 길이 L인 줄을 잡아당겼다가 놓았을 때 일어날 수 있는 정상파의 여러 가지 진동 방식에 대하여 알아본다. 앞에서는 줄에서 형성된 정상파가 줄의 길이나 다른 끝에 어떤 일이 일어나야 하는지 아무런 조건을 두지 않았다. 여기서는

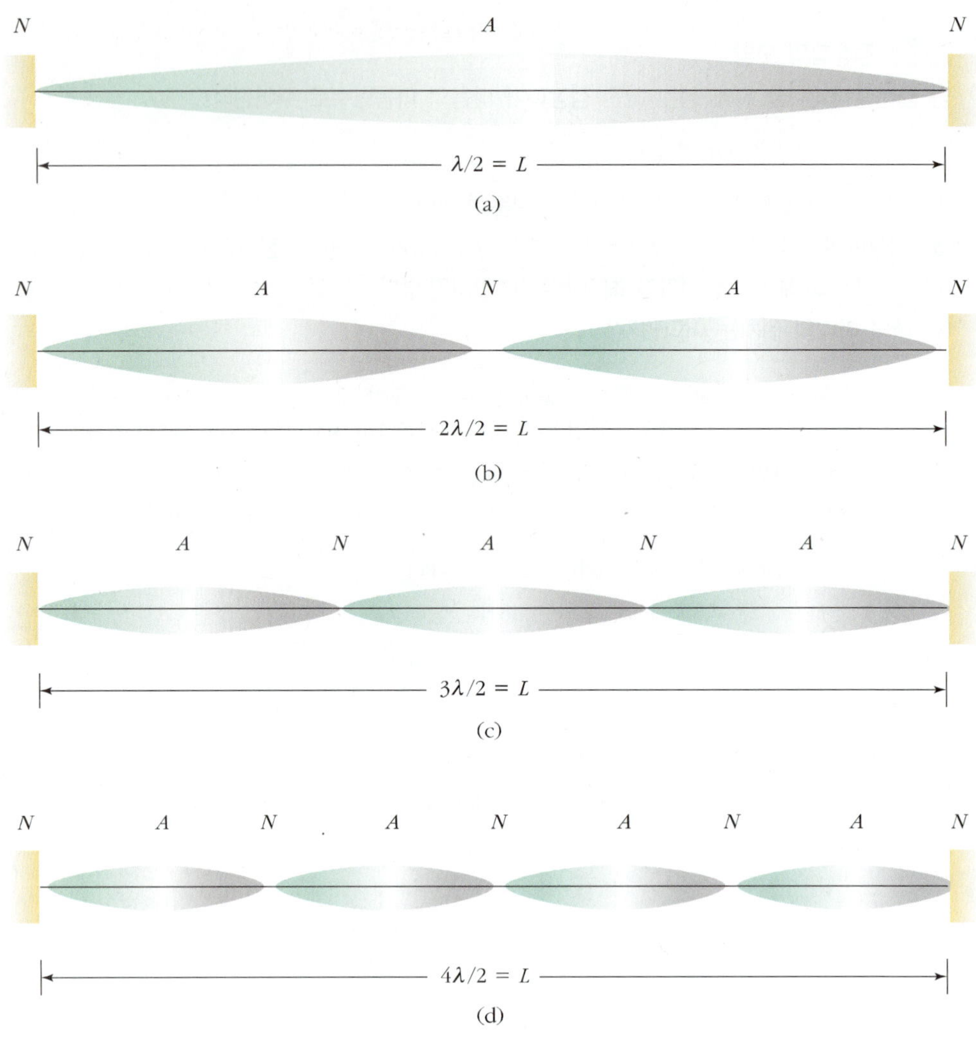

그림 12.6 양쪽 끝이 고정된 줄의 처음 네 개의 기준 방식

피아노와 기타 줄에서처럼 양쪽 끝이 고정된 줄에서 형성되는 정상파의 진동 방식이 줄의 길이, 장력 등과 어떻게 관련되어 있는지 살펴본다. 줄에는 무한히 많은 진동 방식이 나타나고, 각 진동 방식들은 특정 진동수와 진동 모양을 가지게 됨을 볼 수 있다.

먼저 양 끝이 고정된 줄에서 형성된 정상파의 진동 방식이 정상파의 파장이나 줄의 길이와 어떤 관련이 있는지 알아보자. 양 끝이 고정되어 있기 때문에 줄 위에 생긴 정상파의 양쪽 끝 점은 반드시 마디가 된다. 만약, 그림 12.6 (a)에서처럼 중간점에서 배를 갖는 파동이라면 줄의 길이는 파장의 절반인 $\lambda/2$이다. 즉,

$$L = \lambda_1/2 \text{ 또는 } \lambda_1 = 2L$$

이다. 또한 그림 12.6 (b)의 진동 방식은 파장이 줄의 길이와 같을 때, 즉 λ_2일 때 일어나며, 그림 12.6 (c)의 진동 방식은 $\lambda_3 = 2L/3$일 때 일어난다. 일반적으로 줄 위에서 생길 수 있는 정상파는 줄의 길이 L이 반파장의 정수배가 될 때 가능하다. 즉, 정상파의 여러 가지 진동의 파장은 다음과 같이 표현된다.

$$\lambda_n = \frac{2L}{n} \quad (n = 1,\ 2,\ 3,\ \cdots) \tag{12.9}$$

이것은 정상파가 형성될 조건으로서 파장이 이 값들 중의 하나와 일치하지 않으면 정상파는 일어나지 않는다. 물론 일치하지 않더라도 파동은 존재할 수 있다. 그러나 정상파는 아니며, 또한 마디와 배를 가진 안정된 파형이 아니다.

진동의 기준 방식과 관련한 이러한 정상파의 파장에 대하여 이에 대응하는 진동수를 $f = v/\lambda$으로부터 얻을 수 있다. 각 진동 방식의 진동수는 다음과 같다.

$$f_n = \frac{v}{\lambda_n} = \frac{n}{2L}v \quad (n = 1,\ 2,\ 3,\ \cdots) \tag{12.10}$$

여기서, 줄의 파동속도는 $v = \sqrt{T/\rho}$이므로, 식 (12.10)은 다음과 같이 나타낼 수 있다.

$$f_n = \frac{n}{2L}\sqrt{\frac{T}{\rho}} \quad (n = 1,\ 2,\ 3,\ \cdots) \tag{12.11}$$

이것은 줄에서 형성될 수 있는 정상파의 **고유진동수**(natural frequency)를 나타낸다. 여기서 $n = 1$에 해당하는 가장 낮은 진동수를 **기본진동수**라 하며(fundamental frequency) 다음으로 주어진다.

$$f_1 = \frac{1}{2L}\sqrt{\frac{T}{\rho}} \tag{12.12}$$

양 끝이 고정된 줄은 단 한 개의 고유진동수를 가지지 않고 이 기본진동수의 정수배인 일련의 진동수를 갖는다. 즉, 기본진동수 f_1과 그 정수배인 $2f_1$, $3f_1$, $4f_1$, $\cdots$ 등의 진동 방식들만이 허용된다. 이것을 **조화계열**(harmonic series)이라 하며, 기본진동수 f_1이 1차 조화진동수이고, 2차 조화진동수 f_2는 $2f_1$과 같고, 그리고 진동수 f_n이 n차 조화진동수가 된다.

여러 가지 악기에서 나는 소리는 진동체의 경계면 사이에서 형성되는 정상파의 결과이다. 현악기에서는 줄의 양 끝을 고정시켜서 정상파의 마디를 형성하고, 관악기에서는 구멍을 열든가 닫아서 진동하는 공기 기둥의 배나 마디를 형성한다. 이처럼 형성되는 정상파는 진동체의 경계조건에 의해 주어지는 고유진동수로 진동을 하며, 이 고유진동수에 의해 소리의 높이가 결정된다. 예를 들어 바이올린 등의 현악기에서는 줄의 장력 T와 줄의 길이 L을 조절하여 고유진동수를 변화시킬 수 있다. 식 (12.12)에서 보면 줄의 장력을 증가함에 따라 진동수가 증가하게 되고, 진동하는 부분의 길이가 길어지면 진동수는 낮아진다. 따라서 연주자는 줄의 장력을 먼저 조율하고 난 다음 줄의 진동하는 부분의 길이를 바꾸어 줌으로서 진동수를 변화시켜 소리의 높이를 조절한다. 또한 첼로와 같은 큰 악기일수록 낮은 소리를 내는 것은 고유진동으로 주어지는 기본음의 파장이 길기 때문이다.

일반적으로 진동할 수 있는 어떤 계가 이 계의 고유진동수와 같거나 또는 거의 같은 진동수를 갖는 주기적인 충격의 작용을 받을 때에는 언제나 이 계는 비교적 큰 진폭을 가지고 진동한다. 이와 같은 현상을 **공명**(resonance)이라고 하며, 이 때 계는 가해진 충격과 공명한다고 말한다. 한 예로 한 쪽 끝이 고정된 줄의 다른 쪽 끝에 소리굽쇠와 같은 진동하는 진동체를 연결하여 진동시킬 때 줄의 장력과 구동진동수에 따라 줄에 상이한 꼴의 정상파가 형성되는 것을 볼 수 있다. 즉, 구동진동수가 줄의 고유진동수의 하나와 같을 때에 한에서 정상파가 형성된다. 만약 구동진동수가 줄의 고유진동수와 다른 진동수로 진동할 때는 정상파가 만들어지지 않는다. 이러한 공명 현상은 모든 진동계에서 공통적으로 일어난다.

예제 **12.3** 파동매질의 성질

줄의 한쪽 끝에는 도르래를 통해서 추가 매달려 있고, 다른 한쪽 끝에는 진동기를 연결하여 횡으로 진동시키는 장치가 있다. 줄의 장력은 추의 무게에 따라 변화시킬 수 있다. 줄의 길이는 7.0m, 선밀도는 7.5×10^{-3}kg/m이며, 진동기의 진동수는 20Hz이다. 줄 전체에 하나의 배를 갖는 정상파가 형성되기 위해서는 추의 무게는 얼마이어야 하는가? 그리고 두 개, 세 개의 배를 가질 때 추의 무게는 얼마인가?

진동기

풀이 공명이 일어날 고유진동수는 식 (12.11)

$$f_n = \frac{n}{2L}\sqrt{\frac{T}{\rho}}$$

이다. 따라서 장력 T는

$$T = 4L^2 f^2 \rho / n^2$$

으로 주어진다. 하나의 배를 갖는 정상파, 즉 $n=1$에 대해서는

$$T_1 = 4L^2 f^2 \rho = 4(7.0\text{ m})^2 (20\text{s}^{-1})(7.5\times 10^{-3}\text{kg/m}) = 588\text{N}$$

이다. 같은 방법으로 두 개 및 세 개의 배에 대해서는

$$T_2 = 4L^2 f^2 \rho / 2^2 = T_1/4 = 147\text{N}, \quad T_3 = 4L^2 f^2 \rho / 3^2 = T_1/9 = 65\text{N}$$

이다. 여기서 배의 수와 추의 무게와의 관계를 보면 배의 수가 늘어감에 따라 추의 무게가 작아지는 것을 볼 수 있다. 즉 줄 위에 생기는 정상파의 배의 수를 늘리기 위해서는 줄의 장력을 줄여야 한다.

12.4 공기관의 정상파와 진동 방식

유한한 길이의 공기관을 따라 진행하는 종파도 마치 끝이 고정된 줄에서 횡파가 반사되어 정상파를 만드는 것처럼 관의 끝에서 파가 반사되므로 입사파와 반사파의 중첩에 의해 정상파를 만든다. 줄에서의 횡파는 정상파를 포함하여 일반적으로 줄의 변위만으로 기술된다. 그러나 유체 속 종파는 유체의 변위나 유체 내의 압력 변화로 설명된다. 압력파의 하나인 음파는 공기압의 진동으로 공기분자가 앞뒤로 종진동을 한다. 이들 압력 진동은 만일 변위가 조화파와 같이 정현적이라면 정현적으로 진동한다. 그러나 음파에 있어서 압력과 변위 변화와의 위상차는 90°이다. 따라서 정상음파에 있어서 변위 마디는 압력의 배가되고, 변위 배는 압력의 마디가 된다. 즉, 종파의 정상파에서 압력과 밀도가 변하지 않는 지점을 압력 마디라 하고, 압력과 밀도 변화가 가장 큰 지점을 압력 배라 한다. 한쪽 끝이 닫힌 공기관에서 음파의 종적인 운동은 닫힌 곳에서는 더 이상 계속할 수 없다. 따라서 공기 관의 끝 부분에서는 음파의 공명에서의 변위 마디 또는 압력의 배가 된다. 또한 관의 열린 부분에서는 공기의 출입이 자유롭기 때문에 그 부분에서는 공기의 운동이 최대가 되어 변위의 배(또는 압력의 마디)가 된다.

그림 12.7은 길이 L인 공기관 내에서 종파의 정상파가 형성되는 모양을 횡파에서처럼 나타냈다. 그림 12.7 (a)에는 양 끝이 모두 열린 관에서의 처음 3개의 진동 방식을 보여주고 있다. 기본진동수 f_1은 양 끝에서 배, 중간에서 마디를 가지는 정상파에 해당한다. 인접한 마디 사이의 간격은 항상 반파장과 같다. 즉, $L = \lambda/2$이다. 따라서 $f = v/\lambda$로부터 기본진동수는 다음과 같다.

$$f_1 = \frac{v}{2L}$$

마찬가지 방법으로 2차 조화파와 3차 조화파의 경우에 반파장은 각각 $L/2$과 $L/3$이고, 조화진동수는 각각 2배와 3배인 $f_2 = 2f_1$, $f_3 = 3f_1$이다. 따라서 양 끝이 열려 있는 관 내부에서 고유 진동수들은 기본진동수의 정수 배로서 조화급수를 이룬다. 즉, 양 끝이 열린 관의 모든 기준방식 진동수는 다음과 같이 나타낼 수 있다.

$$f_n = n\frac{v}{2L}; \quad (n = 1,\ 2,\ 3,\ \cdots) \tag{12.13}$$

여기서 v는 관 내의 종파의 속력이고, n은 길이 L인 관 내에 있는 반파장의 수에 해당되는 정수이다.

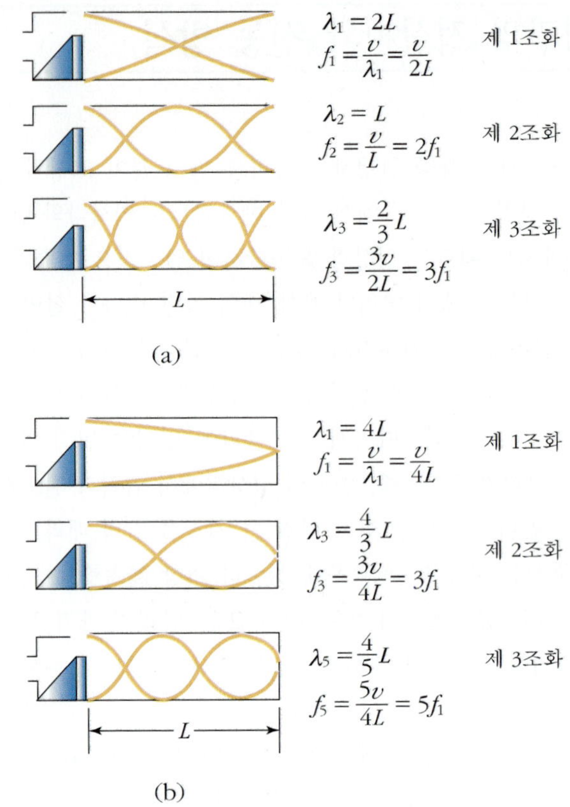

그림 12.7

(a) 양 쪽 끝이 모두 열린 관에서 일어나는 진동방식. 모든 경우 열린 끝이 변위 배가 된다.

(b) 한 쪽 끝이 닫힌 관에서 일어나는 진동방식. 모든 경우 닫힌 끝이 변위 마디가 되고 열린 끝이 변위 배가 된다.

또한 관의 한 쪽이 닫혀있고 다른 한 쪽이 열려 있는 경우에는 그림 12.7 (b)에서 보는 것처럼 닫힌 끝은 마디가 된다. 이때 마디와 이웃한 배의 간격은 항상 1/4파장이다. 즉, $L = \lambda/4$이다. 따라서 기본진동수 f_1은 $f = v/\lambda$로부터

$$f_1 = \frac{v}{4L}$$

이다. 이것은 동일한 길이의 열린 관이 갖는 기본진동수의 반이다. 고차의 조화파 진동수는 $3f_1$, $5f_1$이고, 관의 길이 L은 각각 $3\lambda/4$, $5\lambda/4$으로 주어진다. 따라서 한 쪽 끝이 닫힌 관에서의 기준방식 진동수는

$$f_n = n\frac{v}{4L} \quad (n = 1,\ 3,\ 5,\ \cdots) \tag{12.14}$$

이다. 즉, 한 쪽 끝이 닫힌 관에서는 기본진동수가 $f_1 = v/4L$이며, 오직 홀수의 조화파만 이 존재한다.

오르간 파이프는 공기관 내의 정상파 사용의 간단한 보기중 하나이다. 공기의 흐름이 파이프의 열린 끝으로 들어가면 관 내에서 진동을 일으킨다. 파이프의 공명진동수는 파이프의 길이와 파이프 끝이 열려 있느냐 닫혀있느냐에 달려있다. 이러한 논의는 다른 관악기에도 적용된다. 플루트와 피리는 매우 유사하다. 가장 중요한 차이는 손가락으로 구멍을 열고 닫음으로써 공기기둥의 실질적인 길이 L을 변화시켜서 음의 높낮이를 조절한다. 오르간에서 각각의 관은 하나의 음만을 낼 수 있다. 플루트와 피리는 열린 관으로 동작하지만 클라리넷은 닫힌 관(리드 끝에서 닫히고 벨에서 열림)처럼 작동한다.

예제 **12.4** 소리굽쇠의 진동수 측정

그림 12.8은 공기기둥의 공명 현상을 알 수 있는 간단한 장치이다. 이를 이용하여 진동수를 모르는 소리굽쇠의 진동수를 구할 수 있으며, 공기 중에서 소리의 속력을 측정할 수 있다. 오른쪽의 물통을 위아래로 움직여서 왼쪽의 가늘고 긴 유리관의 공기기둥의 길이 L을 조절한다. 공기기둥의 길이가 관의 공명 진동수에 맞춰지면 소리굽쇠에 의해 발생한 소리는 매우 커진다. 만약 소리의 크기가 최대가되는 최소 길이 L이 9.00cm이었다면, 이 소리굽쇠의 진동수는 얼마인가? 그리고 그 다음 공명이 일어나는 길이 L의 두 값을 구하라. 공기 중에서 음속은 343m/s이다.

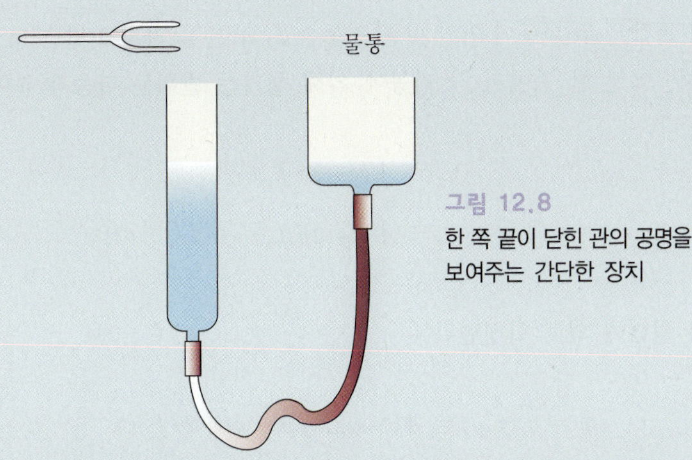

그림 12.8
한 쪽 끝이 닫힌 관의 공명을 보여주는 간단한 장치

풀이 유리관의 한 쪽이 물로 채워져 있으므로 한 쪽 끝이 닫힌 관의 경우와 같다. 따라서 기본진동수 f_1은

$$f_1 = \frac{v}{4L} = \frac{343\ \mathrm{m/s}}{4(0.0900\ \mathrm{m})} = 953\ \mathrm{Hz}$$

이 얻어진다. 그리고 파장 $\lambda = 4L = 0.360\mathrm{m}$이므로 그 다음의 두 공명은 길이 L이 $3\lambda/4 = 0.270$ m와 $5\lambda/4 = 0.450\mathrm{m}$일 때 일어난다.

12.5 맥놀이

지금까지 동일한 진동수를 갖는 다른 두 파동이 동일한 공간에서 진행할 때 일어나는 간섭효과에 대하여 논의하였다. 즉, 같은 진동수의 두 사인파가 서로 반대 방향으로 진행하면서 중첩될 때에는 이들과 같은 진동수의 사인파가 형성되며, 그 합성 진폭은 두 사인파 사이의 위상차에 의하여 결정됨을 보았다. 이 경우 합성파들의 진폭은 거리의 함수로서 공간적인 중첩의 특징을 나타내었다.

이제는 진폭은 동일하지만 진동수가 약간 다른 두 파동이 있을 때 어떤 일이 일어나는지 알아보자. 예를 들어 인접한 피아노 건반들을 두드리면 일반적으로 듣기 싫은 떨리는 소리를 들을 수 있다. 이러한 현상은 음파들의 진동수가 약간의 차이가 나기 때문에 일어난다. 즉, 두 파동들의 위상이 변함에 따라 보강간섭과 소멸간섭이 번갈아 일어나기 때문에 나타나는 현상이다. 그림 12.9에는 진동수가 약간 다른 두 파동을 시간의 함수로 나타낸 것이다. 두 파가 동시에 지나가는 공간의 어느 한 점에서의 합성파의 진폭은 주기적으로 커졌다 작아졌다 시간에 따라 변함을 볼 수 있다. 두 진동수의 주파수 차이 정도에 따라 합성파의 모양이 달라지는 것을 볼 수 있다. 이것이 시간적인 간섭으로서 바로 **맥놀이**(beats)현상이다. 소리에 있어서 변화하는 진폭은 이러한 맥놀이라고 하는 소리 크기의 변화를 일으킨다.

진폭이 똑같은 두 파동이 약간 다른 진동수 f_1과 f_2를 가지고 같은 매질 속을 진행한다고 생각하자. 어떤 한 점에서 각 파동에 의해 생기는 변위는 다음과 같이 표현된다.

$$y_1 = A\cos 2\pi f_1 t$$

$$y_2 = A\cos 2\pi f_2 t$$

중첩의 원리에 의해 합성변위는

$$y = y_1 + y_2 = A(\cos 2\pi f_1 t + \cos 2\pi f_2 t)$$

이다. 여기서 삼각함수의 항등식

$$\cos a + \cos b = 2\cos\left(\frac{a-b}{2}\right)\cos\left(\frac{a+b}{2}\right)$$

를 이용하여 정리하면 다음과 같이 쓸 수 있다.

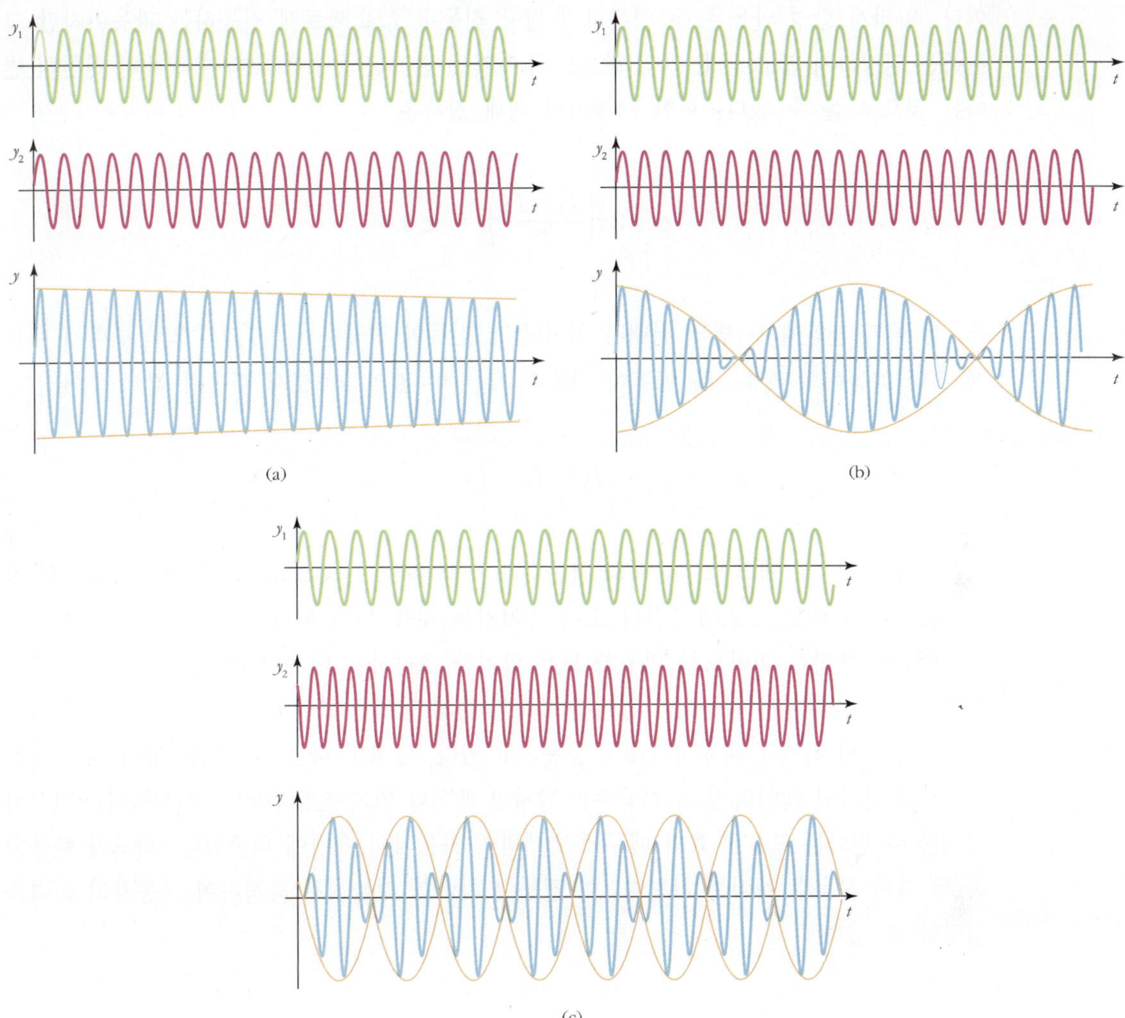

그림 12.9 맥놀이 현상
(a) $f_1 = 500$ Hz, $f_2 = 505$ Hz (b) $f_1 = 500$ Hz, $f_2 = 550$ Hz, (c) $f_1 = 500$ Hz, $f_2 = 700$ Hz 인 두 파의 중첩에 의해 형성되는 맥놀이 파형의 모양 차이. 진폭이 시간에 따라 주기적으로 변한다. 이러한 진폭의 변화가 맥놀이로 들리는 것이다.

$$y = 2A \cos 2\pi\left(\frac{f_1 - f_2}{2}\right)t \cos 2\pi\left(\frac{f_1 + f_2}{2}\right)t \tag{12.15}$$

이 식에서 보면 합성 진동수는 두 파동의 평균 진동수인 $f = (f_1 + f_2)/2$ 이고 진폭은

$$2A \cos 2\pi\left(\frac{f_1 - f_2}{2}\right)t$$

이다. 따라서 합성 파동은 두 성분파의 평균 진동수 f로 빠르게 진동하는 파동이지만 그 진폭은 일정하지 않고 괄호 안의 값으로 주어지는 변조 진동수에 의하여 진폭이 천천히 변하는 것으로 볼 수 있다. 또한 맥놀이의 최대 진폭은

$$\cos 2\pi\left(\frac{f_1 - f_2}{2}\right)t = \pm 1$$

즉, 한 주기 동안에 두 번의 최대가 일어난다. 진폭이 진동수$(f_1 - f_2)/2$으로 변하기 때문에 초당 맥놀이의 갯수, 즉 맥놀이 진동수 f_b는 이 값의 2배로서 다음과 같이 주어진다.

$$f_b = f_1 - f_2$$

예를 들면, 두 개의 소리굽쇠의 진동수가 각각 438Hz, 442Hz일 때 들리는 소리의 진동수는 440Hz이고, 1초에 4번씩 소리가 커지는 것을 듣게 된다.

맥놀이 현상은 피아노를 비롯한 모든 악기를 조율하는 데 이용된다. 즉, 기준이 되는 음의 소리에 맞추어서 맥놀이가 없어질 때까지 현의 장력을 조절하여 주면 된다. 또한 맥놀이는 자동차의 속력을 측정하는데도 응용되고 있다. 앞으로 다가오는(또는 멀어지는) 자동차로부터 반사된 레이더 빔의 진동수는 발사한 레이더 빔의 진동수보다 크다(작다). 반사파의 진동수 변화는 도플러 효과 때문에 발생하며 자동차의 속력에 의존한다. 속도가 빠를수록 두 파의 진동수 차이는 커진다. 이 진동수 차이를 맥놀이로 측정하여 자동차의 속력을 결정할 수 있다.

연습문제

EXERCISES

1 같은 진동수, 파장과 진폭을 가진 두 파동이 같은 방향으로 진행하고 있다. 그들의 위상이 $\pi/2$ 만큼 다르고 각 파동의 진폭이 0.35m 라면 합성파의 진폭은 얼마인가?

2 파장, 진폭, 진동수가 같고 위상만 다른 동일한 사인모양의 두 파동이 같은 매질에서 같은 방향으로 진행하고 있다. 이들 두 파동의 파수는 $\pi/3\ \mathrm{cm}^{-1}$, 진폭은 3.0cm, 각진동수는 $300\mathrm{s}^{-1}$이고, 위상차는 $\pi/2$이다.

(a) 두 파동의 중첩에 의한 합성파의 진폭은 얼마인가?

(b) 합성파의 파장과 진동수는 얼마인가?

3 동일 진동자에 의해 작동되고 있는 한 쌍의 스피커가 3.00m 떨어져 있다. 두 스피커를 잇는 선의 중앙으로부터 수평방향으로 8.00m 떨어져 있던 한 청취자가 수직방향으로 0.350m인 지점에서 처음으로 음의 세기가 극소가 됨을 들었다. 진동자의 진동수는 얼마인가?

4 진동수 40Hz의 횡파가 줄을 따라 전파되고 있다, 5cm 떨어진 두 점의 위상이 $\pi/6$ 만큼 차이가 난다.

(a) 그 파의 파장은 얼마인가?

(b) 주어진 점에서 5m/s의 시간 간격을 갖는 두 변위점 간의 위상차는 얼마인가?

(c) 파의 속도는 얼마인가?

5 음원 A는 $x=0$, $y=0$인 곳에 있고 B는 $x=0$, $y=2.4\mathrm{m}$인 곳에 있다. 두 음원의 위상이 걸맞게 음파를 내보내고 있다. $x=40\ \mathrm{m}$, $y=0$인 점에 서 있는 어떤 관측자가 $y=0$인 곳에서 y방향으로 몇 발자국 앞으로 나가거나 뒤로 나갈 때 소리의 세기가 약해짐을 느꼈다. 이러한 일이 일어날 수 있는 음원의 가장 낮은 진동수는 얼마인가?

6 두 음원이 100Hz의 진동수를 가지고 같은 위상으로 진동한다. 한 파원으로부터 5.50m, 다른 파원으로부터 6.25m 떨어진 점에서 다음을 구하라.

(a) 두 파원으로부터 온 음파의 위상차?

(b) 합성파의 진폭은? 각 파원으로부터 개별적으로 들어온 소리의 진폭은 A이다.

7 줄에서 서로 반대방향으로 진행하는 두 파동이 다음과 같이 주어진다.

$$y_1 = (1.0\ \mathrm{cm})\cos\left[\frac{\pi}{2}(x/\mathrm{cm} - 60\,t/\mathrm{s})\right]$$

$$y_2 = (1.0\ \mathrm{cm})\cos\left[\frac{\pi}{2}(x/\mathrm{cm} + 60\,t/\mathrm{s})\right]$$

(a) 두 파동의 중첩에 의한 정상파의 파동방정식을 구하라.

(b) 정상파의 마디 위치를 구하라.

8 양 끝이 고정된 길이 3.0m의 줄에서 정상파를 만들려고 한다. 이 때 파동의 속력은 120m/s이다. 소리굽쇠의 공명에 의해 정상파를 만들고자 할 때 이에 필요한 소리굽쇠의 최소 진동수는 얼마인가?

9 양 끝이 고정된 길이 6.0m, 질량이 0.06kg인 줄에 정상파가 생긴다. 줄의 장력이 144N일 때 줄에 생기는 정상파 중에서 진동수가 가장 낮은 것부터 차례로 3개를 구하라.

10 줄의 길이가 40cm, 질량이 1.2g인 바이올린이 기본 진동의 진동수 $f_G = 392$Hz로 G음을 내고 있다.
(a) 이 줄에서 정상파의 파장은 얼마인가?
(b) 이 줄의 장력은 얼마인가?
(c) 진동수 $f_A = 440$Hz 인 A음을 내기위해서는 손가락으로 줄의 어느 부분을 짚어야 하는가?

11 4×10^{-3}kg/m의 선밀도를 가진 줄의 장력이 360N이고, 양끝이 고정되어 있다. 공명진동수의 하나는 375Hz이다. 다음으로 높은 공명진동수는 450Hz이다.
(a) 이 중의 기본 진동수는 얼마인가?
(b) 이 진동수들은 어느 조화 진동에 해당하는가?
(c) 줄의 길이는 얼마인가?

12 약간의 물이 채워진 1.0m 길이의 수직 유리관의 열린 위쪽 끝에 진동수 680Hz의 소리굽쇠가 진동하고 있다. 물의 높이를 조절하여 공기기둥의 길이가 어느 정도 될 때 공명이 일어나는가? 공기 중에서 음속의 속력은 343m/s이다.

13 열린 오르간 파이프의 기본 진동수는 중간 C음에 해당되는 261.6Hz이고, 이 진동수는 닫힌 오르간 파이프에서의 세 번째 공명 진동수와 같다. 이 때 두 오르간 파이프의 길이는 얼마인가? 공기 중에서 음속의 속력은 343m/s이다.

14 가늘고 긴 유리관이 물로 채워져 있다. 이 유리관은 물의 높이를 조절하여 공기 기둥의 길이를 조절한다. 열린 관의 끝에서 소리굽쇠가 진동수 425Hz로 진동한다. 어떤 사람이 공기 기둥의 길이가 0.60m에서 공명이 일어남을 듣고 그 다음 공명이 1.00m에서 일어남을 들었다면 유리관에서의 음파의 속력은 얼마인가? 관의 끝 효과는 무시한다.

15 440Hz 소리굽쇠를 기타줄의 A음과 동시에 진동시켰더니 초당 세번의 맥놀이가 들렸다. 기타줄을 조금 조여서 그 진동수를 증가시킨 후에는 맥놀이 진동수가 초당 6으로 증가하였다.
(a) 줄을 조인 이후의 기타줄의 진동수는 얼마인가?
(b) 440Hz로 줄을 조율하기 위해서는 줄을 어떻게 해야 하는가?

16 다음 내용들을 식을 들어 설명하여라.
(a) 파동의 세기
(b) 횡파
(c) 종파
(d) 정상파

13 유체역학

물질의 상태는 고체, 액체 및 기체 세 가지 상태로 분류된다. 고체는 정해진 부피와 모양을 가진다. 강한 힘이 고체에 작용하더라도 쉽게 그 형태나 체적이 변하지 않는다. 액체는 일정한 부피를 가지지만 모양은 일정하지 않다. 즉, 담겨 있는 용기 안에서 유체의 각 부분은 연속적으로 자유로이 변형된다. 기체는 형태와 체적이 고정되어 있지 않다. 한편 대부분의 물질들은 온도와 압력의 변화에 따라 고체, 액체 또는 기체가 될 수 있고, 또 그들의 혼합된 상태도 있다. 유체는 무질서하게 배열되어 있고, 약한 응집력으로 결합되어 있는 분자들의 모임이다. 액체와 기체는 위와 같은 공통적인 성질을 가지고 있으므로 이 둘을 통칭하여 보통 **유체**라 한다. **유체 역학**에서는 유체 내에 잠긴 물체에 대한 부력이나 비행기 날개에 발생하는 양력 등과 같은 현상을 설명하고, 유체 내부의 한 점에서의 압력, 밀도 및 속도와의 관계를 **베르누이 정리**를 이용하여 결정할 수 있다.

13.1 압력

물질의 밀도는 단위부피당 질량으로 정의한다. 얼음이나 철과 같이 균일한 물질은 물질 내의 어느 지점에서나 밀도가 같다. 밀도의 기호는 그리스 문자 ρ를 사용한다. 질량 m인 물체의 부피가 V이면 **밀도**는 다음과 같다.

$$\rho = \frac{m}{V} \tag{13.1}$$

어떤 물질의 밀도는 온도와 압력과 같은 그 물질이 놓여있는 환경에 따라 다르다. 예를 들면, 위로 갈수록 지구 대기의 밀도는 작아지고, 바닷물의 밀도는 깊이 내려갈수록 커진다. 1기압, 20℃에서 측정한 여러 가지 물질에 대한 밀도를 표 13.1에 나타내었다.

표 13.1 표준상태에서 여러 가지 물질의 밀도

물질	(kg/m^3)	물질	(kg/m^3)
고체		물(4℃)	1.00×10^{3}
얼음	0.917×10^{3}	바닷물	1.03×10^{3}
알루미늄	2.70×10^{3}	에틸알코올	0.806×10^{3}
철	7.86×10^{3}	벤젠	0.879×10^{3}
구리	8.92×10^{3}	수은	13.6×10^{3}
은	11.3×10^{3}	**기체**	
납	10.5×10^{3}	공기	1.29
금	19.3×10^{3}	산소	1.43
백금	21.4×10^{3}	수소	8.99×10^{-2}
액체		헬륨	1.79×10^{-1}
글리세린	1.26×10^{3}		

유체는 **층밀리기 변형력**(shearing stress)을 받지 않으므로, 유체 속에 있는 물체에 가해지는 변형력은 단지 물체를 압축만 시킨다. 유체가 물체에 가하는 힘은 그림 13.1과 같이 항상 물체의 표면에 수직하게 작용 한다. 고체에 외력을 가하면 내부에 응력이 생기는 것과 같이 유체내의 각 부분에 힘을 미치고 있다. 정지하고 있는 유체 내부에 가상적인 면을 생각하면, 면 양쪽의 유체는 서로 크기가 같고 방향이 다른 수직 방향의 힘을 가하므로 유체는 평형을 이루고 있다. 이 때 단위 면적당 작용하는 힘의 크기를 압력이라 정의한다. 만일 피스톤에 가해지는 수직력이 F이고, 피스톤의 면적이 A이면, 유체의 **압력** P는

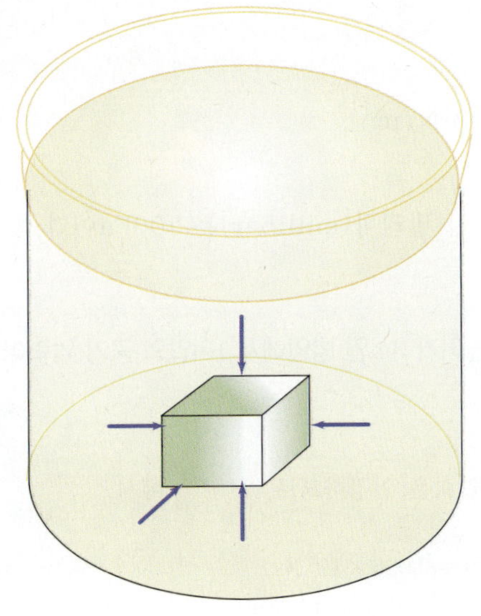

그림 13.1
유체 속에 잠긴 물체에 작용하는 유체의 힘은 모든 점에서 그 물체의 표면에 수직하게 작용한다. 또한 용기의 벽에 작용하는 유체의 힘도 수직하게 작용한다.

$$P = \frac{F}{A} \tag{13.2}$$

가 된다.

압력이 유한한 평면 내의 모든 점에서 같은 값을 갖는다고 할 수 없으므로 한 점에서의 압력을 정의할 필요가 있다. 유체내의 임의의 한 점 주위의 작은 면적 ΔA에 작용하는 수직력의 크기를 ΔF라 하면, 한 점에 있어서의 압력(Pressure) P는

$$P = \lim_{\Delta A \to 0} \frac{\Delta F}{\Delta A} = \frac{dF}{dA} \tag{13.3}$$

로 정의된다. P는 질점의 위치에 따라 연속적으로 변한다.

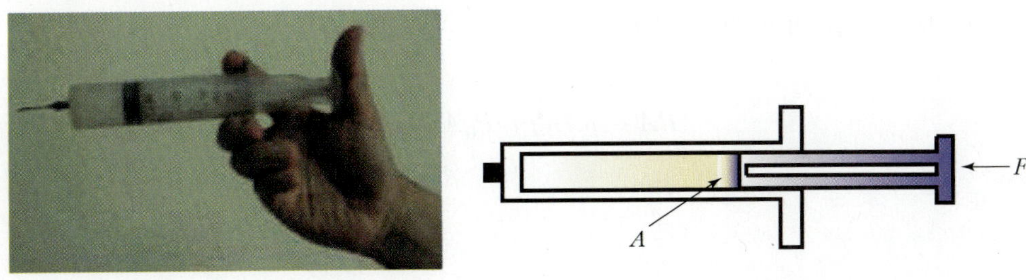

그림 13.2 주사기를 힘 F로 밀면 주사기 내 액체는 F/A의 압력을 받는다.

압력의 국제단위는 **파스칼**(Pa)이다.

$$1\,\mathrm{Pa} \equiv 1\,\mathrm{N/m^2} \tag{13.4}$$

기상학에서 주로 사용하는 압력단위인 **밀리바**(millibar)는 100Pa이다.

13.1 가로가 5m, 세로가 4m이고 천장까지의 높이가 3m인 방안에서 1기압의 공기 압력이 바닥면에 작용하는 전체 힘은 얼마인가?

풀이 바닥의 면적 $A = 4\,\mathrm{m} \times 5\,\mathrm{m} = 20\,\mathrm{m}^2$이고, 압력은 일정하므로, $P = \dfrac{F}{A}$에서

$$F = PA = (1.013 \times 10^5\,\mathrm{N/m^2})(20\,\mathrm{m^2}) = 2.026 \times 10^6\,\mathrm{N}$$

이다.

13.2 깊이에 따른 압력의 변화

유체의 무게를 무시하면 유체 내에서의 압력은 어디에서나 같다. 그러나 유체의 무게를 무시할 수 없으면 깊이에 따라 압력이 다르다. 액체 내에서 압력이 깊이에 따라 달라지는가를 알아보기 위하여 그림 13.3에서처럼 밀도가 ρ인 정지된 액체를 생각하자. 단면적이 A이고 높이가 h인 원통형의 유체를 상상하자. 원통의 밑면에서 유체에 가해지는 압력은 P이고, 유체의 윗면이 받는 압력은 대기압 P_0이다. 그러면, 원통의 밑면에 유체가 작용하는 힘은 PA이고, 원통의 윗면에 대기압이 작용하는 힘은 P_0A이다. 원통 속의 유체의 무게는 $w = mg = \rho Vg = \rho Ahg$이다. 정지하고 있는 유체내부의 어느 곳에서도 작용력은 평형상태를 이루고 있으므로 원통하단을 밀어 올리는 힘 (PA)은 원통의 무게 ρAhg와 대기압의 힘(P_0A)을 합한 힘과 같다.

$$PA = \rho Ahg + P_0A$$

또는

$$P = P_0 + \rho gh \tag{13.5}$$

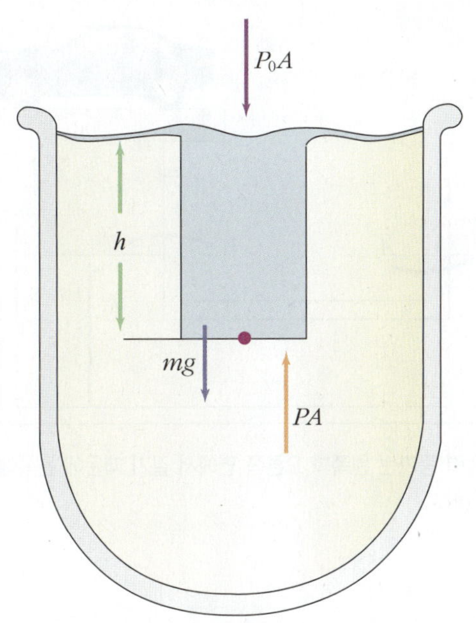

그림 13.3 유체의 깊이에 따른 압력의 변화. 점으로 표시된 부분의 유체에 작용하는 알짜 힘은 0이 된다.

여기서, 대기압은 $P_0 = 1\,\text{atm} \approx 1.013 \times 10^5\,\text{Pa}$이다. 위 식을 정리하면 다음과 같다.

대기압이 가해지는 유체 표면으로부터 깊이 h인 곳의 압력은 대기압보다 $\rho g h$만큼 크다.

식 (13.5)는 압력이 용기의 모양에 무관하게 같은 깊이의 모든 지점에서 적용된다.

이와 같이 유체에 의한 압력은 깊이에 비례하므로 유체 표면에 압력을 증가시키면, 압력은 유체내의 각 점에 똑같이 전파된다. 이와 같은 사실은 프랑스 물리학자 파스칼(Blaise Pascal, 1623~1662)에 의해 처음으로 알려졌으며, 이것을 **파스칼의 원리**(Pascal's principle)라 부른다.

용기에 담긴 유체에 작용하는 압력의 변화는 유체내의 각 점과 용기의 벽에 똑같이 전파된다.

유압기는 파스칼의 원리의 응용 예로서 그림 13.4에 나타내었다. 단면적 A_1인 작은 피스톤에 힘 F_1을 가하면 그 압력은 유체를 통하여 면적 A_2인 더 큰 피스톤에 전달된다. 양쪽에서의 압력이 같으므로 $P = F_1/A_1 = F_2/A_2$이다. 따라서 힘 F_2는 작용력 F_1보다 면적비 (A_2/A_1)을 곱한 만큼 크다. 유압 브레이크, 자동차 승강기, 유압 기중기 그리고 지게차 등은 파스칼 원리를 응용한 것이다.

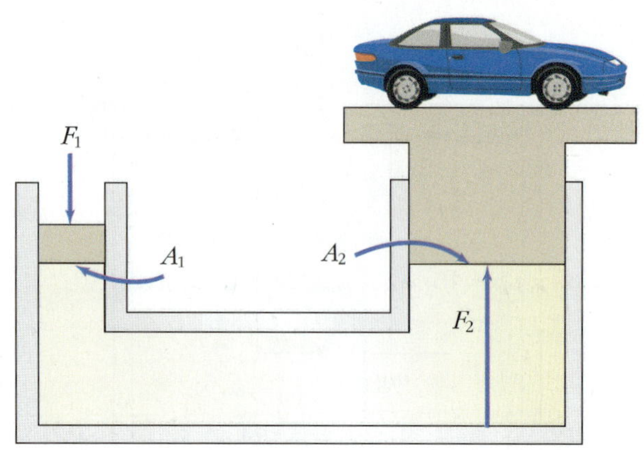

그림 13.4 유압기의 모형. 압력 증가는 왼쪽과 오른쪽 면에서 같기 때문에 왼쪽에서의 작은 힘 F_1은 오른쪽에서 훨씬 큰 힘 F_2를 생기게 한다.

예제 **13.2** 폭 w인 댐에 높이 H까지 물이 채워져 있다(그림 13.5 참조). 댐에 작용하는 전체 힘을 구하라.

풀이 깊이 h에 있는 좁은 수평 부분에 작용하는 힘 dF를 먼저 구하고, 그것을 적분함으로써 댐에 작용하는 전체 힘을 구할 수 있다.

표면 아래 깊이 h에 자리한 붉게 표시된 부분의 압력은

$$P = \rho g h = \rho g (H - y)$$

이다(우리는 대기압을 고려하지 않았다. 왜냐하면 댐의 물이 담긴 쪽과 그 반대쪽에 공히 대기압이 작용하기 때문이다). 식 (13.3)을 이용하여, 면적 $dA = w\,dy$인 붉게 표시한 부분의 작은 면적에 작용하는 힘을 구하면

$$dF = P\,dA = \rho g (H - y) w\,dy$$

이다. 따라서 댐에 작용하는 총 힘은

$$F = \int P\,dA = \int_0^H \rho g (H - y) w\,dy$$

$$= \rho g w \left[Hy - \frac{y^2}{2} \right]_0^H$$

$$= \frac{1}{2} \rho g w H^2$$

이다. 압력이 깊이에 따라 압력이 증가하므로 댐을 설계할 때는 그림 13.5처럼 댐의 두께를 깊이에 따라 두껍게 해야 한다.

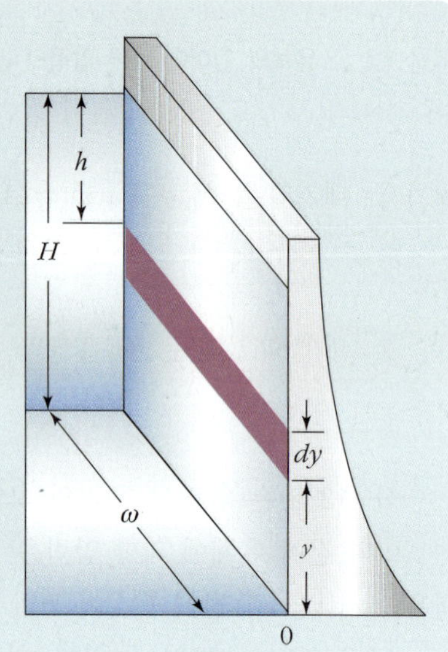

그림 13.5
댐에 작용하는 전체 힘은 $F = \int P\,dA$의 표현식에서 얻어진다. 여기서 dA는 붉은 색 부분의 면적을 나타낸다.

13.3 압력 측정

압력을 측정하기 위한 장치 중의 하나가 그림 13.6 (a)처럼 한쪽 끝이 열린 관으로 된 압력계이다. 유체가 담긴 U자 관의 한쪽 끝은 대기압이 가해지고, 다른 쪽 끝은 측정하고자 하는 물체와 연결되어 있다. 압력차 $P-P_0$는 ρgh와 같으므로 물체의 압력은 $P=P_0+\rho gh$가 된다. 이 때 압력 P를 **절대압력**(absolute pressure)이라 하고, 압력차 $P-P_0$를 **게이지 압력**(gauge pressure)이라 한다. 예를 들어 통상 자전거 타이어의 압력은 게이지 압력이다.

압력을 측정하기 위해 사용되는 또 다른 기구는 **토리첼리**(Evangelista Torricelli, 1608-1647)에 의해 발명된 기압계이다. 그림 13.6 (b)와 같이 한쪽 끝이 막힌 긴 관이 수은으로 채워져 수은이 담긴 그릇에 거꾸로 세워져 있다. 막힌 관의 끝은 거의 진공이므로 그 속의 압력은 0에 가깝다. 그러므로 $P_0=\rho_{\rm Hg}gh$이며, 여기서 $\rho_{\rm Hg}$는 수은의 밀도이고, h는 수은주의 높이이다. 1기압($P_0=1\,\rm atm$)은 0℃, 중력가속도 $9.80665\rm m/s^2$에서 수은주의 높이가 정확히 0.7600m일 때의 압력으로 정의한다. 섭씨 0도에서 수은의 밀도는 $13.595\times10^3\rm kg/m^3$ 이므로 1 기압 P_0는

$$\begin{aligned}P_0 &= \rho_{Hg}\,gh\\ &= (13.595\times10^3\ \rm kg/m^3)(9.80665\ m/s^2)(0.7600\ m)\\ &= 1.013\times10^5\ \rm N/m^2 = 1.013\times10^5\ Pa = 1.013\ bar\end{aligned}$$

이다. 여기서 $1\ \rm bar = 10^5\ Pa$이다.

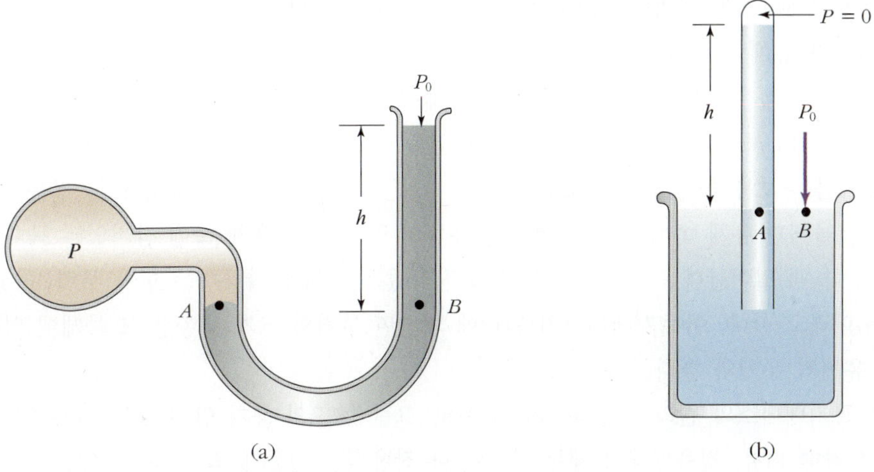

그림 13.6 압력을 측정하기 위한 두 가지 장치 : (a) 열린 관 압력계 (b) 수은 기압계

예제 **13.3** 토리첼리 기압계에서 수은의 높이가 740mm일 때 그 날의 대기압을 계산하라.

풀이 토리첼리 기압계에서 P는 0이다. 따라서 $P_0 = \rho gh$이므로, 중력가속도 $g = 9.8\,\text{m/s}^2$와 수은의 밀도 $\rho = 13.6 \times 10^3\,\text{kg/m}^3$를 대입하면

$$P_0 = \rho gh = (13.6 \times 10^3\,\text{kg/m}^3)(9.80\,\text{m/s}^2)(0.740\,\text{m})$$
$$= 0.986 \times 10^5\,\text{N/m}^2 = 0.986 \times 10^5\,\text{Pa} = 986\,\text{mbar}$$

가 된다.

예제 **13.4** 해수면 아래 15.0m에 있는 스쿠바(Scuba) 잠수부에 작용하는 압력을 구하여라.

풀이 해수의 밀도는 $1.03 \times 10^3\,\text{kg/m}^3$이다. 따라서 바닷물이 잠수부에 작용하는 압력은

$$\rho gh = (1.03 \times 10^3\,\text{kg/m}^3)(9.80\,\text{m/s}^2)(15.0\,\text{m}) = 1.51 \times 10^5\ \text{Pa} = 1.51\ \text{bar}$$

이다. 대기압은 1.01 bar이므로 잠수부에 작용하는 전체 압력은

$$P = P_0 + \rho gh = (1.01 + 1.51)\,\text{bar} = 2.52\,\text{bar}$$

이다.

13.4 부력과 아르키메데스의 원리

아르키메데스의 원리(Archimedes's principle)는 다음과 같다.

물체가 유체에 완전히 또는 부분적으로 잠겨 있을 때, 유체는 물체가 밀어낸 유체의 무게와 같은 크기의 힘을 위쪽 방향으로 물체에 작용한다.

예를 들어 물에 잠긴 물체는 공기 중에 있을 때 보다 더 가벼운 것처럼 느껴진다. 그리고 사람 몸은 보통 물에서 뜨고 헬륨(He)이 가득 찬 풍선은 공기 중에서 뜨는 것을 보았을 것이다. 물체가 유체 속에서 뜨는 현상은 유체의 밀도가 그 유체 속에 잠겨있는 물체의 밀도보다 클 때 일어난다, 유체가 유체 내에 잠겨있는 물체에 작용하는 힘을 **부력**(buoyant force)이라고 한다. 아르키메데스의 원리에 의하면 부력의 크기는 항상 그 물체에 의해 대체된 유체의 무게와 같다.

아르키메데스의 원리를 증명하기 위하여, 그림 13.7의 용기 안에 있는 정육면체의 유체를 생각해 보자. 정육면체 유체는 각 부분에 작용되는 힘들에 의해 평형상태를 유지하고 있다. 아래쪽으로 작용하는 중력은 어떻게 상쇄되는 것일까? 정육면체 바깥쪽에 있는 유체는

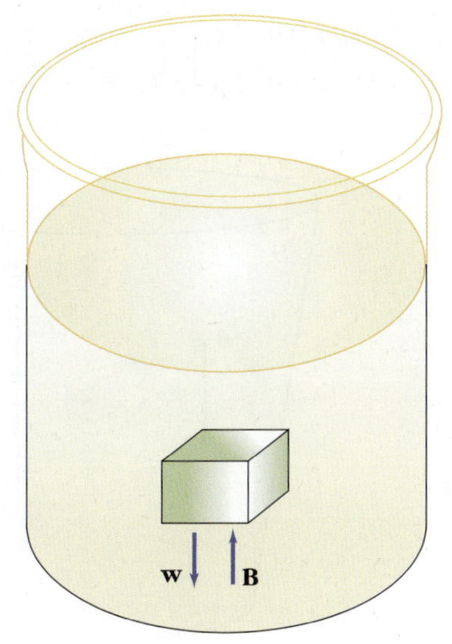

그림 13.7
정육면체의 유체에 작용하는 외력은 중력 w와 부력 B이다. 평형상태에서 $B = w = mg$ 이다.

정육면체 내에 들어 있는 유체의 무게를 평형상태로 지탱하게 해 준다. 그러므로 부력의 크기는 정확히 정육면체 내의 유체의 무게와 같다. 즉, $B = w$이 된다.

부력의 크기는 대체된 유체의 무게와 똑같음을 보이자. 그림 13.7에서 정육면체의 밑면에 작용하는 압력은 윗면에서의 압력에 비해 $\rho_f gh$만큼 크다. 여기서 ρ_f는 유체의 밀도이고 h는 정육면체의 높이이다. 압력의 차이 ΔP는 단위 면적당 작용하는 부력과 같다. 다시 말하면 $\Delta P = B/A$이다. 그러므로 $B = (\Delta P)A = (\rho_f gh)A = \rho_f gV$임을 알 수 있다. 여기서 V는 정육면체의 부피이고, 대체된 유체의 질량은 $M = \rho_f V$이기 때문에

$$B = w = \rho_f Vg = Mg \tag{13.6}$$

이다. 여기서 w는 밀려난 유체의 무게이다.

물체가 유체에 완전히 잠긴 경우와 일부분이 잠긴 경우의 물체에 작용되는 힘을 비교하자.

경우 I : 유체에 완전히 잠긴 물체

물체가 밀도 ρ_f인 유체에 완전히 잠겨 있을 때 위로 향하는 부력의 크기는 $B = \rho_f V_0 g$이다. 여기서 V_0는 물체의 부피이다. 만약 물체가 밀도 ρ_0를 가지고 있다면 그것의 무게는 $w = Mg = \rho_0 V_0 g$이고, 알짜 힘은 $B - w = (\rho_f - \rho_0) V_0 g$이다. 그러므로 만약 물체의 밀도가 유체의 밀도보다 더 작다면 그림 13.8 (a)에서처럼 물체는 위로 가속될 것이다. 만약 물체의 밀도가 그림 13.8 (b)에서처럼 유체의 밀도보다 더 크다면 물체는 아래로 가라앉을 것이다.

$$\begin{pmatrix} B-w=(\rho_f-\rho_0)V_0\,g>0 & \uparrow \mathrm{a} \\ B-w=(\rho_f-\rho_0)V_0\,g<0 & \downarrow \mathrm{a} \end{pmatrix}$$

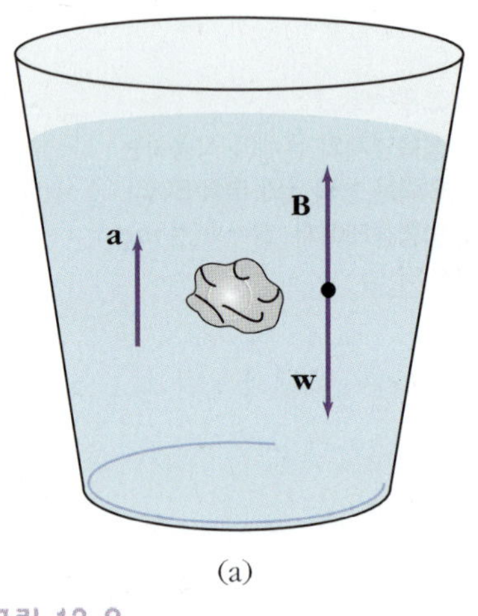

(a)

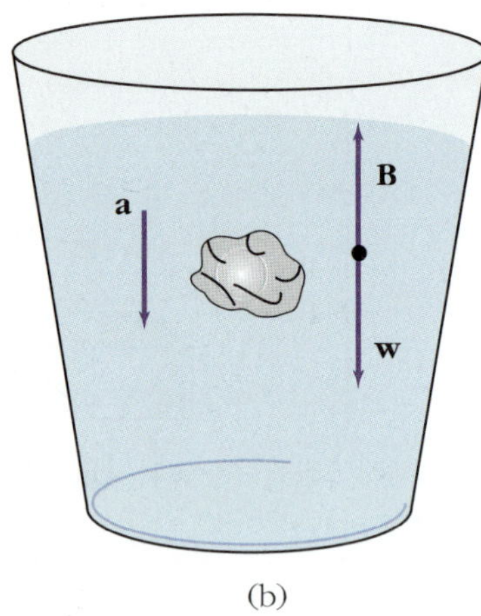

(b)

그림 13.8
(a) 유체보다 밀도가 작은 물체가 유체에 완전히 잠기면 위쪽으로 향하는 알짜 부력이 작용된다.
(b) 유체보다 밀도가 큰 물체가 유체에 잠기면 가라앉는다.

경우 II : 떠 있는 물체

유체 위에 떠 있는 정적인 평형 상태를 가진 물체를 생각해 보자. 즉, 부분적으로 잠긴 물체인 경우이다. 이 경우에 위로 향하는 부력은 그 물체에 작용하는 아래로 향하는 중력과 평형이다. 만약 V가 물체에 의해 배제된 유체의 부피라면 (이것은 유체의 평균수면 아래쪽에 있는 물체의 부피에 해당된다.), 그 때 부력의 크기는 $B=\rho_f Vg$이다. 물체의 무게가 $w=Mg=\rho_0 V_0 g$이고, $w=B$이기 때문에 $\rho_f Vg=\rho_0 V_0 g$가 된다. 따라서

$$\frac{\rho_0}{\rho_f}=\frac{V}{V_0} \qquad (13.7)$$

를 얻게 된다.

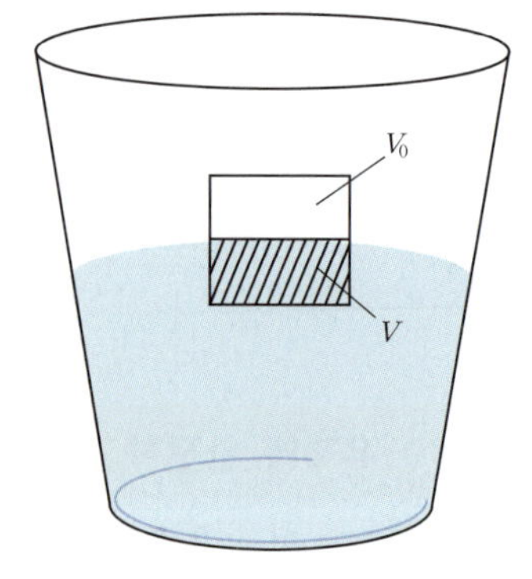

물고기의 평균밀도는 물의 밀도보다도 약간 더 크므로, 물고기가 만약 그 밀도 차에 부합되는 조절 기능을 가지고 있지 않다면 물속으로 가라앉게 될 것이다. 물고기는 부레의 크기를 체내에서 적절히 조절함으로써 평형상태를 유지한다. 이런 방법으로, 물고기는 다양한 깊이를 헤엄칠 수 있다.

13.5 잠긴 물체

예제

한 조각의 알루미늄이 줄에 매달려 물이 들어있는 용기에 완전히 잠겨 있다(그림 13.9). 알루미늄의 질량은 1.0kg이고 밀도는 $2.7\times 10^3 \text{kg/m}^3$이다. 알루미늄이 가라앉기 전·후의 줄의 장력을 계산하라.

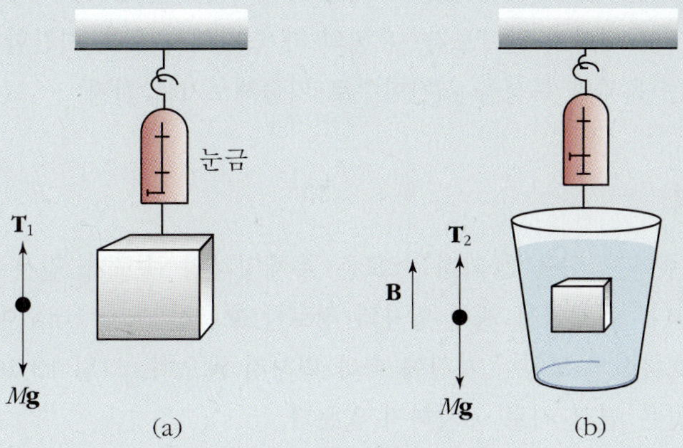

그림 13.9

(a) 알루미늄이 공기 중에 매달려 있을 때, 눈금은 무게 Mg를 가리킨다(공기의 부력을 무시하면).
(b) 알루미늄이 물 속에 잠길 때, 부력 B는 저울의 눈금이 $T_2 = Mg - B$가 되도록 감소시킨다.

풀이 그림 13.9 (a)에서처럼 알루미늄이 공기 중에 매달려 있을 때 줄의 장력 T_1(저울의 눈금을 읽을 때)은 공기의 부력을 무시할 수 있다고 가정하면 알루미늄의 무게 Mg와 같다.

$$T_1 = Mg = (1.0\text{kg})(9.8\text{m/s}^2) = 9.8\text{N}$$

그림 13.9 (b)에서처럼 알루미늄이 물속에 잠긴 때는 알루미늄은 줄의 장력을 감소시키는 위로 향하는 부력 B를 얻는다. 그 계는 평형상태에 있기 때문에 부력 B를 측정하기 위해서는 먼저 알루미늄의 부피를 계산해야만 한다.

$$T_2 + B - Mg = 0$$

$$T_2 = Mg - B = 9.8N - B$$

$$V_{A\ell} = \frac{M}{\rho_{A\ell}} = \frac{1.0\text{kg}}{2.7\times 10^3\text{kg/m}^3} = 3.7\times 10^{-4}\ \text{m}^3$$

부력은 대체된 물의 무게와 같기 때문에

$$B = M_w g = \rho_w V_{A\ell} g = (1.0\times 10^3\text{kg/m}^3)(3.7\times 10^{-4}\text{m}^3)(9.80\text{m/s}^2)$$
$$= 3.6\text{N}$$

을 갖는다. 따라서

$$T_2 = 9.8\text{N} - B = 9.8\text{N} - 3.6\text{N} = 6.2\text{N}$$

이다.

13.5 유체 동역학

지금까지는 정지상태에 있는 유체에 대해서 논의하였다. 이제 유체 동역학－움직이고 있는 유체－에 대하여 알아보자. 유체의 각 입자의 운동을 시간함수로 기술하기보다는 각 점에서 갖는 유체의 특성을 시간함수로 기술해보기로 하자.

흐름특성

어느 주어진 점을 통과하는 모든 유체입자의 속도가 같은 흐름을 **정상류**(steady flow)라 한다. 유체에서 개개 입자의 경로를 **흐름선**(flow line)이라 하며, 정상류에서는 전체적인 흐름선의 모양이 시간에 따라 변하지 않으며, 그림 13.10에서와 같이 다른 입자들의 경로들은 결코 서로 교차하지 않는다.

유체의 속력이 아주 크거나 경계면에서 급격한 속도 변화가 있을 때 흐름은 비정상(nonsteady)이며 이것을 **난류**(turbulent flow)라 하며 그림 13.11과 같이 작은 소용돌이 같은 특성을 갖는 불규칙한 유동이다. 예를 들어 강에서 물의 흐름은 바위나 다른 장애물과 마주쳤을 때 그 부분에서 난류의 형태가 되고 가끔 흰 파도의 급류를 만들기도 한다.

점성(Viscosity)은 유체 흐름에서 유체의 내부 마찰 정도를 설명하는데 보통 사용된다. 점성력은 서로 상대적으로 움직이는 유체의 두 인접 층간에 작용하는 접선력이며 역학적 에너지의 소모를 초래한다. 따라서 점성 때문에 유체가 갖는 운동 에너지의 일부가 열에너지로 바뀐다. 이것은 물체가 거친 수평면상에서 미끄러질 때 운동 에너지를 잃는 것과 유사하다.

모닥불에서 불꽃의 흔들림이나 홍수가 난 강물의 흐름에서 볼 수 있는 유체의 흐름은 대단히 복잡하다. 그럼에도 불구하고 몇 가지 유체의 흐름을 상대적으로 간단한 모형으로 나타낼 수 있다. **이상유체**(ideal fluid)는 **비압축성**(incompressible)이고 점성이 없는 유체이다. 아래에 이상적인 유체의 특성과 흐름의 방식을 설명하는 용어를 정리해 두었다.

그림 13.10
풍동 실험 장치에서 자동차 주위의 흐름선의 실례. 공기 흐름에서의 흐름선은 연기 입자에 의해 눈에 보이도록 만들어진다.

그림 13.11 태풍의 영향으로 만들어진 성난 파도는 난류의 대표적 예이다.

1. 비점성 유체. 비점성 유체에서 내부 마찰은 무시된다. 유체를 통과하면서 움직이는 유체는 점성력을 받지 않는다.
2. 비압축성 유체. 유체의 밀도가 일정하다. 이런 경우에 흐르는 유체의 수학적 처리는 매우 간단해진다.
3. 정상류. 정상류에서 유체의 속도는 항상 일정하다.
4. 비회전성 유동. 만약 임의의 점에 대해서도 유체의 각 운동량이 존재하지 않는다면 비회전성이라 한다. 만약 유체 내의 임의의 곳에 있는 작은 물레바퀴가 회전하지 않는다면 그 흐름은 비회전성이다(난류에서처럼 만약 물레바퀴가 회전한다면 흐름은 회전성이다).

13.6 유선과 연속방정식

유선(streamline)은 어떤 점에서 접선이 그 점에서 유체의 속력과 방향에 일치되도록 그린 곡선이다. 정상류에서는 유선은 흐름선과 같다. 유체 입자의 속도는 그림 13.12에서와 같이 항상 유선에 접선방향이다. 두 개의 유선은 서로 교차할 수 없다. 만일 교차한다면 유체 입자는 교차점에서 둘 중에 어느 한 경로를 선택하여 이동할 수밖에 없기 때문에 정상류라고 할 수 없다. 그림 13.12에 보인 바와 같이 유선들이 모여 있는 형태를 **유관**(tube of flow)이라 한다. 유체 입자들은 이 가상적인 관의 안쪽이나 바깥쪽을 가로지르면서 흐를 수 없다. 왜냐하면 그렇게 할 경우 유선은 서로 교차되기 때문이다.

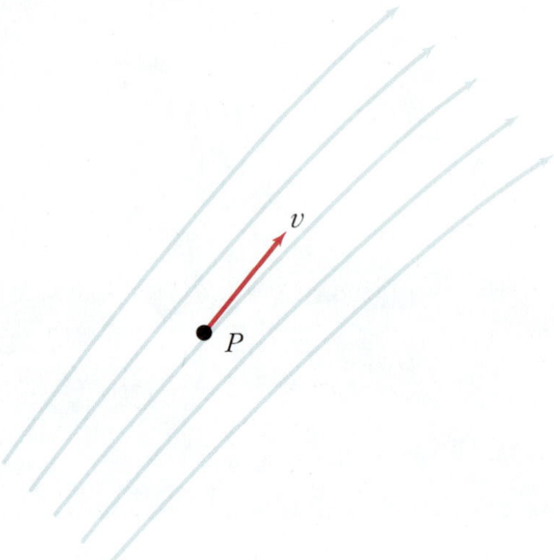

그림 13.12 이 그림은 유선 다발을 나타낸다(청색 선들). P점의 입자는 이 유선 중의 하나를 따라 흐르고, 입자의 속도는 유선 경로를 따라 각 점에서 갖는 유선에 대한 접선이다.

그림 13.13과 같이 단면적이 일정하지 않은 관으로 흘러가는 이상 유체를 생각하자. 정상흐름일 때 유체 내에 있는 입자들은 유선을 따라 이동한다. 모든 점에서 유체의 속도는 입자가 움직여간 유선의 접선성분이다.

짧은 시간 간격 Δt 동안 관의 아래쪽 끝 부분에 있는 유체는 거리 $\Delta x_1 = v_1 \Delta t$만큼 이동한다. 아래쪽 관의 단면적을 A_1이라 하면 빗금 친 부분의 질량은 $\Delta m_1 = \rho A_1 \Delta x_1 = \rho A_1 v_1 \Delta t$이다. 같은 방법으로 Δt 시간 동안 관의 상단을 통해 이동하는 유체의 질량은 $\Delta m_2 = \rho A_2 \ \Delta x_2 = \rho A_2 v_2 \Delta t$이다. 흐름이 정상흐름이기 때문에 질량은 보존되어, Δt 시간 동안 단면적 A_1을 통과한 유체의 질량과 단면적 A_2를 통과한 유체의 질량과 같다.

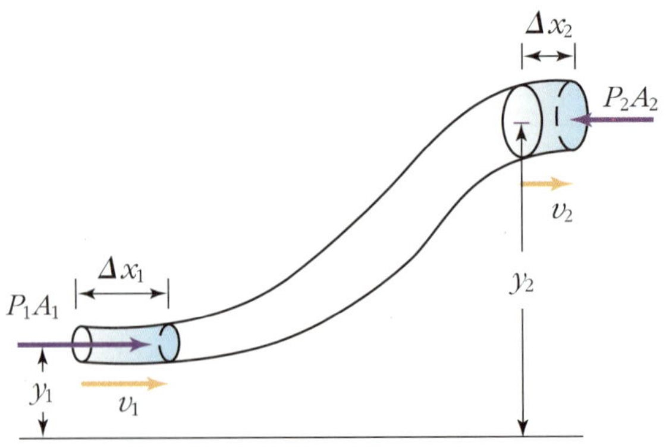

그림 13.13 관의 단면적이 변하는 관을 통해 흐르는 유선을 따라 움직이는 유체. Δt의 시간 간격 동안 A_1을 통해 흐르는 유체의 체적은 같은 시간 간격 동안 A_2 단면적을 통해 흐르는 체적과 같아야 한다. 따라서 $A_1 v_1 = A_2 v_2$ 이다.

즉 $\Delta m_1 = \Delta m_2$이고 $\rho A_1 v_1 = \rho A_2 v_2$이다. 관의 양단에서 유체의 밀도는 동일하므로 다음과 같은 식을 얻을 수 있다.

$$A_1 v_1 = A_2 v_2 = \text{일정(상수)} \tag{13.8}$$

이 식을 **연속 방정식**(equation of continuity)이라고 하며, 다음과 같은 의미를 갖는다.

비압축성 유체의 경우 유관의 모든 지점에서 유체의 속력과 단면적의 곱은 일정하다.

따라서 유체의 속력은 관이 좁은 곳에서는 빠르고, 넓은 곳에서는 느리다. 부피/시간의 차원을 갖는 곱 Av를 **부피흐름률**(flow rate)이라 부른다. Av가 일정하다는 조건은 유체가 중간에서 새어나가지 않는다고 가정하에, 동일한 시간 동안 관 한쪽을 통해 흘러 들어오는 유체의 양과 흘러 나가는 유체의 양이 같다는 것이다.

예제 **13.6** 물통에 물을 채울 때

20.0L의 물통에 물을 채우기 위하여 직경 2.00cm의 호스가 사용되었다. 만약 물통을 채우는 데 1.00분이 소요되었다면 호스에서 나오는 물의 속력은 얼마인가?

풀이 호스의 단면적은

$$A = \pi r^2 = \pi\left(\frac{d}{2}\right)^2 = \pi\left(\frac{2.00}{2}\right)^2 \text{cm}^2 = \pi\,\text{cm}^2$$

이다. 주어진 값으로부터 흐름률은 20L/min이다. Av는 일정하므로

$$Av = 20.0\,\text{L/min} = \frac{20.0\times 10^3\,\text{cm}^3}{60.0\,\text{s}}$$

$$v = \frac{20.0\times 10^3\,\text{cm}^3}{(\pi\,\text{cm}^2)(60.0\,\text{s})} = 106\,\text{cm/s}$$

이다.

13.7 베르누이의 방정식

단면적과 높이가 변하는 관을 통해 움직이는 유체가 갖는 압력은 관의 위치에 따라 변하게 된다. 1738년 스위스의 물리학자 **베르누이**(Daniel Bernoulli, 1700~1782)는 유체의 속도와 높낮이의 차에 따른 압력과 연관되는 표현식을 유도하였다.

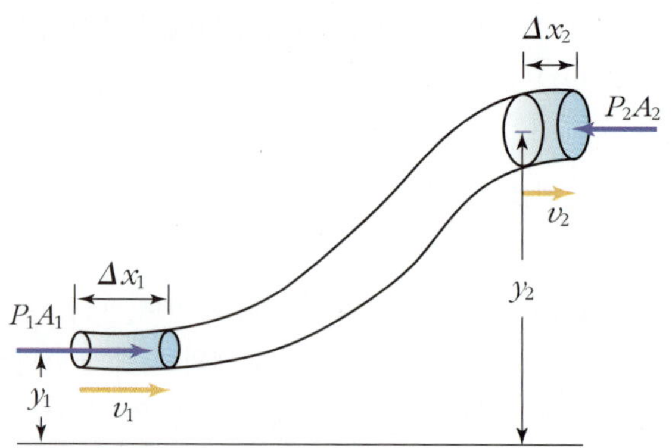

그림 13.14 유선 흐름을 갖는 수축된 관을 따라 흐르는 유체는 길이가 Δx_1인 단면에서 길이가 Δx_2인 단면으로 움직인다. 두 단면에서의 유체의 체적은 같다.

그림 13.14에 보인 바와 같이 Δt 시간 동안 단면적이 균일하지 않은 관내를 움직이는 이상적인 유체의 흐름을 생각해 보자. 낮은 쪽에서 움직이는 유체에 작용하는 힘은 P_1A_1이다. 이 힘이 Δt 시간 동안 유체에 한 일은 $W_1 = F_1\Delta x_1 = P_1A_1\Delta x_1 = P_1\Delta V_1$이다. 비슷한 방법으로 관의 위쪽 끝에서 Δt 동안 P_2A_2 의 힘이 유체에 한 일은 $W_2 = -P_2A_2 \Delta x_2 = -P_2\Delta V_2$이다. 여기서 음의 부호는 유체의 힘과 변위의 방향이 반대이기 때문이다. Δt 시간 동안 아래 단면을 통과한 체적과 위의 단면을 통과한 유체의 체적은 같으므로 $\Delta V_1 = \Delta V_2$이다. 따라서 Δt 시간 동안 이 힘이 유체요소에게 한 알짜 일은 $W_F = (P_1 - P_2)\Delta V$이다. 이 일의 일부는 유체요소의 운동 에너지를 변화시키고, 남은 일부는 중력 위치 에너지를 변화시킨다. Δt 시간 동안 관을 통과하는 유체의 질량 Δm이 v_1의 속도로 관내로 들어가서 v_2의 속도로 나왔다면, 유체요소의 운동 에너지 변화는

$$\Delta K = \frac{1}{2}(\Delta m)v_2^2 - \frac{1}{2}(\Delta m)v_1^2$$

이다. 유체요소의 질량 Δm이 수직거리 $y_2 - y_1$만큼의 변화를 겪었으므로, 중력이 유체요소에 한 일은 음의 값이며, 다음과 같이 주어진다.

$$W_g = -\Delta mg(y_2 - y_1)$$

유체요소에게 행해진 알짜 일은 $W_g + W_F$이기 때문에 일-운동에너지 정리를 적용하면

$$(P_1 - P_2)\Delta V - \Delta mg(y_2 - y_1) = \frac{1}{2}(\Delta m)v_2^2 - \frac{1}{2}(\Delta m)v_1^2$$

을 얻는다. 밀도는 $\rho = \Delta m / \Delta V$이고, 각 항을 ΔV로 나누어 항들을 다시 정리하면, 아래와 같은 간단한 식으로 표현된다.

$$P_1 + \frac{1}{2}\rho v_1^2 + \rho g y_1 = P_2 + \frac{1}{2}\rho v_2^2 + \rho g y_2 \tag{13.9}$$

이것이 이상적인 유체에 적용되는 **베르누이의 방정식**(Bernoulli's equation)이다. 이 식은 다음과 같이 표현하기도 한다.

$$P + \frac{1}{2}\rho v^2 + \rho g y = \text{상수} \tag{13.10}$$

베르누이 방정식은 압력(P), 단위 체적에 대한 운동 에너지 $\left(\frac{1}{2}\rho v^2\right)$, 단위 체적에 대한 중력 위치 에너지 $\rho g y$의 합이 유선의 경로를 따라 모든 점에서 같은 값을 갖는다는 것을 말해 준다.

P는 압력이지 에너지 밀도가 아니기 때문에 베르누이 방정식은 에너지 밀도 항들의 합이 아니라는 점을 유의해야 한다. 유체가 정지 상태에 있을 때, $v_1 = v_2 = 0$이 되고, 식 (13.9)는

$$P_1 - P_2 = \rho g (y_2 - y_1) = \rho g y$$

가 되어, 식 (13.5)와 일치한다.

베르누이 원리의 한 예로 그림 13.15에서처럼 비행기 날개 주변을 흐르는 유선을 생각해 보자. v_1의 속도로 오른쪽에서 날개에 수평하게 접근하는 공기 흐름이 있다고 가정할 때 날개의 경사는 아래쪽으로 v_2의 속도로 휘어지는 공기 흐름을 형성하게 된다. 공기 흐름은 날개에 힘 F를 미친다. 이 힘은 양력(또는 공기 역학적 양력)이라 부르는 수직 성분과 **끌림**(drag)이라 부르는 수평성분을 갖는다. 양력은 비행기의 속도, 날개면적, 날개의 굴곡, 날개와 수평면과의 각도 등과 같은 여러 요인의 영향을 받는다. 각이 증가함에 따라 양력을 감소시키는 난류가 날개 윗면에 발생한다.

날개의 양력은 베르누이 방정식과 일치한다. 공기 흐름의 속도가 날개 윗면에서 커지게 되면 날개 윗면의 공기압은 날개 밑면의 압력보다 작아지게 되고, 이것은 윗 쪽으로 알짜 힘이 작용하는 결과를 낳게 된다.

일반적으로 물체는 유체가 물체를 지날 때 유체 흐름의 방향을 바꾸는 어떤 효과에 의해 양력을 받게 된다. 양력에 영향을 미치는 몇 가지 요소는 물체의 모양과 유체 흐름에 영향을 주는 물체의 방향, 회전운동(예를 들면 회전하는 야구공), 물체표면의 구조 등이다.

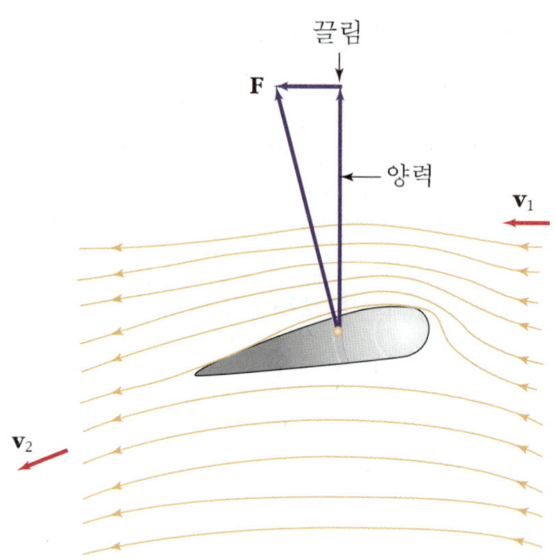

그림 13.15 움직이는 비행기 날개 주위의 유선 흐름. 오른쪽에서 v_1의 속도로 움직이는 공기는 날개의 모양에 의해 아래쪽으로 꺾이게 되며 날개 끝 쪽에서 v_2의 속도로 떠난다. 공기 흐름이 꺾이면서 날개에 수직과 수평 성분을 갖는 힘 F를 미치게 된다.

예제

13.7 벤츄리 관

그림 13.16와 같이 가운데가 잘록하고 수평으로 놓여진 벤츄리 관은 유체의 속도를 측정하는 데 사용된다. 만약 $P_1 - P_2$의 압력차를 안다고 할 때 점 2에서의 유체 속도를 결정하라.

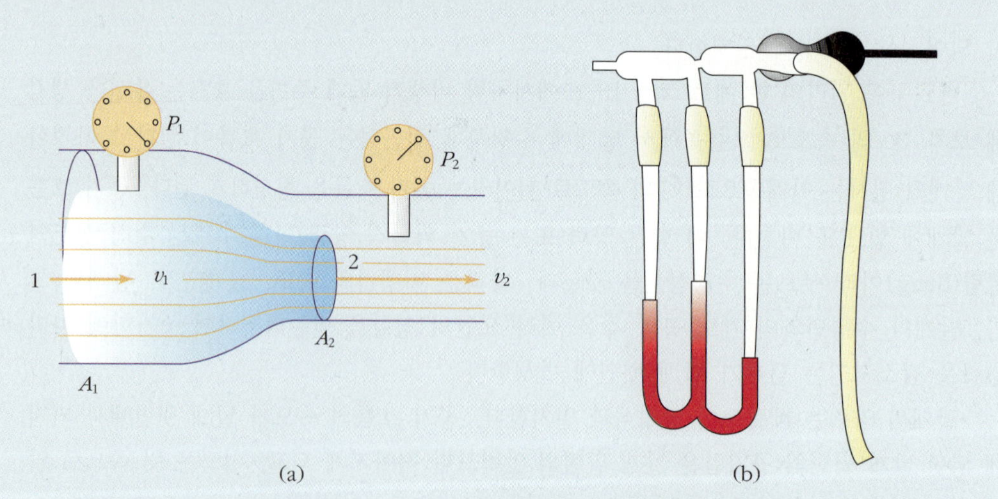

그림 13.16

(a) 압력 P_1은 $v_1 < v_2$이기 때문에 P_2보다 크다. 이 장치는 유체 흐름의 속도를 측정하는 데 사용된다.

(b) 벤츄리 관

풀이 관이 수평하게 놓여 있으므로 $y_1 = y_2$이고, 식 (13.9)를 점 1, 2에 적용하면

$$P_1 + \frac{1}{2}\rho v_1^2 = P_2 + \frac{1}{2}\rho v_2^2$$

을 얻는다. 식 (13.8)의 연속 방정식으로부터 $v_1 = (A_2/A_1)v_2$를 얻고, 이것을 앞의 방정식에 대입하면

$$P_1 + \frac{1}{2}\rho\left(\frac{A_2}{A_1}\right)^2 v_2^2 = P_2 + \frac{1}{2}\rho v_2^2$$

를 얻는다. 따라서

$$v_2 = A_1\sqrt{\frac{2(P_1 - P_2)}{\rho(A_1^2 - A_2^2)}}$$

이다.

13.8 토리첼리의 법칙(분출속도)

예제

밀도 ρ인 액체가 담긴 통의 한 면에 작은 구멍이 바닥으로부터 y_1인 곳에 나 있다. 그림 13.17에 보인 바와 같이 통의 한 면에 있는 작은 구멍의 지름은 통의 지름에 비하여 매우 작다. 액체 위의 압력은 P로 일정하게 유지된다. 유체 표면과 작은 구멍 사이의 거리가 h일 때, 이 작은 구멍을 통하여 흘러나오는 유체의 속력을 구하라.

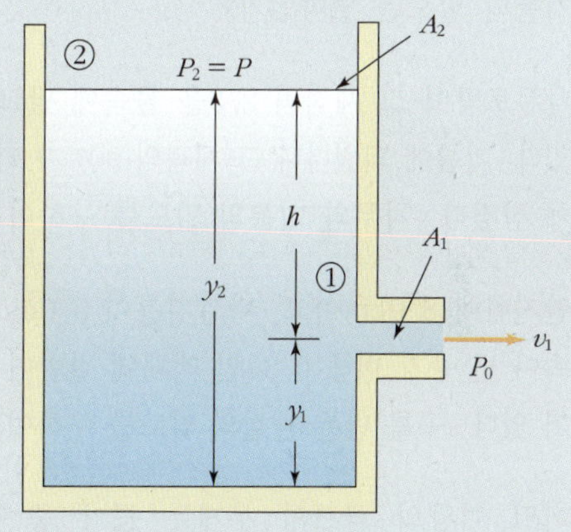

그림 13.17
통의 한 면에 있는 작은 구멍에서 나오는 유체의 속력 v_1은 $\sqrt{2gh}$ 이다.

풀이 $A_2 > A_1$이므로 유체는 위쪽 부분 즉, 지점 ②에서는 정지하여 있다. 베르누이 방정식을 지점 ①과 ②에 적용하면 $P_1 = P_0$가 되며, 다음과 같은 식을 얻는다.

$$P_0 + \frac{1}{2}\rho v_1^2 + \rho g y_1 = P + \rho g y_2$$

$y_2 - y_1 = h$이므로, 이 식은

$$v_1 = \sqrt{\frac{2(P - P_0)}{\rho} + 2gh}$$

가 된다. 구멍에서 액체의 유출율은 $A_1 v_1$이다. 압력 P가 대기압 P_0보다 매우 클 때(따라서 $2gh$ 항이 생략됨), 유출속력은 주로 P에 의존한다. 끝으로 통의 뚜껑이 없이 대기와 접하고 있다면 $P = P_0$이고, $v_1 = \sqrt{2gh}$ 이다. 바꾸어 말하면, 뚜껑이 없는 통에서의 유출속력은 높이 h에서 자유 낙하하는 물체의 속력과 같다. 이것을 **토리첼리의 법칙**(Torricelli's law)이라 한다.

연습문제

EXERCISES

1 물이 1.5m만큼 채워져 있는 탱크가 있다. 물이 탱크 바닥에 작용하는 압력은 얼마인가?

2 피스톤 단면의 반지름이 1.0cm인 주사기를 간호원이 42N의 힘으로 누를 때 주사액이 받는 압력은 얼마인가?

3 깊이 30.0m에 잠수 중인 스쿠바가 받는 압력을 계산하라.

4 어떤 플라스틱 공이 물에는 그 체적의 50%만 잠기고, 기름에서는 40%가 잠기었다. 이 기름의 밀도는 얼마인가?

5 나무토막이 그 체적의 2/3을 물속에 담그고 있다. 기름에 띄웠더니 그 체적의 90%가 기름에 잠겼다. 나무와 기름의 밀도를 구하여라.

6 안지름이 8.0cm이고, 바깥지름이 9.0cm인 속이 빈 구가 비중 0.80인 액체에 절반이 잠겨 있다. 구를 만든 물질의 밀도를 구하여라.

7 어떤 여왕의 금관의 무게는 공기 중에서 1.30kg이고, 물에 완전히 잠겼을 때 1.14kg이었다. 이 금관의 순수한 금관이겠는가?

8 지름이 3cm인 실린더에 손잡이가 달린 피스톤을 연결하여 유압기를 만들 수 있다. 이 실린더는 지름이 24cm인 더 큰 실린더에 연결되어 있다(그림 13.18). 만약 50kg의 여자가 자신의 체중을 작은 피스톤의 손잡이에 작용하면, 큰 실린더는 얼마만큼의 무게를 들어올릴 수 있는가?

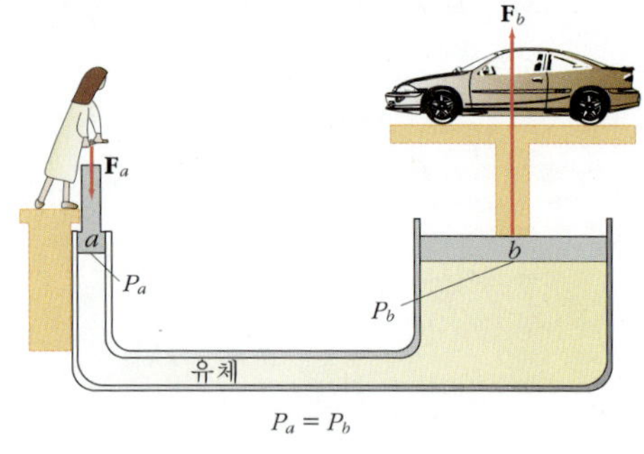

그림 13.18

9 밀도 ρ와 질량 m인 물체가 밀도 ρ_0인 액체에 잠겨 있다. 여기서 ρ_0는 ρ보다 작다. 잠겨있는 물체의 유효무게가

$$w_{\mathrm{eff.}} = mg\left(1 - \frac{\rho_0}{\rho}\right)$$

임을 보여라.

10 단면적이 25cm^2인 수평관이 3.0m/s의 속도로 물을 송수하고 있다. 단면적이 15cm^2인 관으로 송수한다면, (a) 작은 지름의 관에서 물의 속도는 얼마인가? 또 (b) 큰 지름의 관에서 작은 지름의 관으로 유체가 이동할 때 발생하는 압력의 변화는 얼마인가?

11 수면의 높이가 3m인 탱크 밑의 넓이 1cm^2인 구멍에서 물이 흘러나오고 있다. 1초 동안에 흘러나오는 물의 부피를 구하라.

12 균일한 액체로 채워진 U자 관이 있다. 이 액체가 한쪽의 피스톤으로 잠시 동안 올라갔다. 피스톤을 없애면 액체는 양쪽으로 진동한다. 이진동의 주기가 $\pi\sqrt{2L/g}$ 임을 보여라. 여기서 L은 관 내의 액체의 총 길이이다.

13 그림 13.19에 나타낸 바와 같이 폭 L이고 깊이가 H인 댐에 작용하는 힘과 댐의 바닥부분을 축으로 가정했을 때의 회전력을 각각 구하라. 이 회전력은 수압으로 인한 힘이 댐의 어떤 부위에 집중적으로 작용하는 것과 같은 결과를 나타내는가?

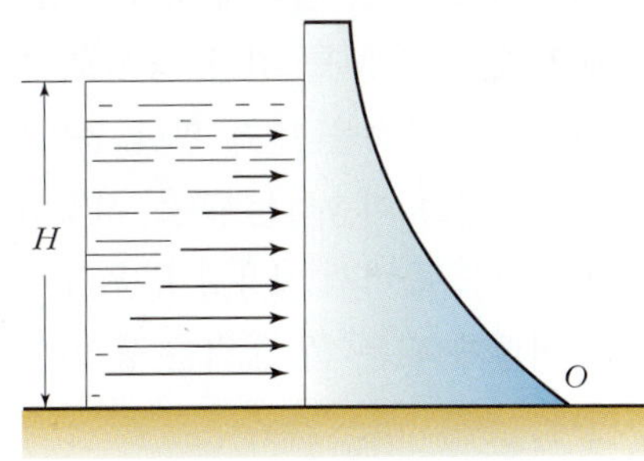

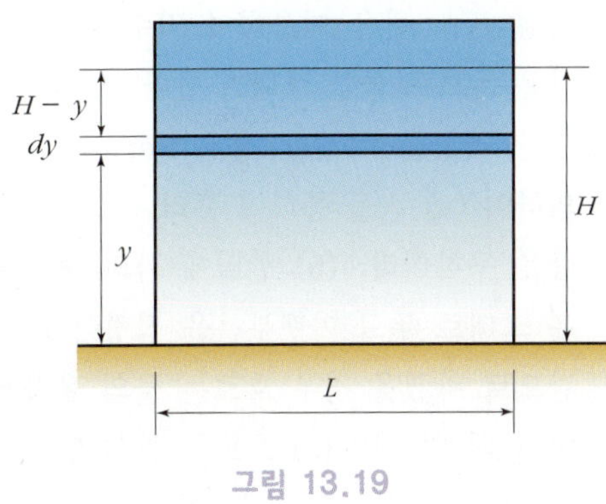

그림 13.19

14 진공에서 5kg인 어떤 물체가 물 속에서 1kg이었다면 이 물체의 밀도는 얼마인가? (단, 물의 밀도 $\rho = 10^3 \mathrm{kg/m^3}$)

15 질량이 32g인 어떤 물체의 비중을 측정하기 위하여 비중 1의 4℃ 물에 담갔더니 전체의 7/8 만이 물에 잠겼다.

(a) 잠긴 부분의 부피는 얼마인가?

(b) 물체의 밀도는 얼마로 판단되는가?

16 질량이 32g인 어떤 물체의 비중을 측정하기 위하여 비중 0.998의 20℃ 물에 담갔더니 전체의 7/8 만이 물에 잠겼다.

(a) 잠긴 부분의 부피는 얼마인가?

(b) 물체의 밀도는 얼마로 판단되는가?

17 질량이 50g인 어떤 물체의 비중을 측정하기 위하여 비중 1의 4℃ 물에 담갔더니 전체의 8/10 만이 물에 잠겼다.

(a) 잠긴 부분의 부피는 얼마인가?

(b) 물체의 밀도는 얼마로 판단되는가?

18 어떤 물체의 공기 중 질량이 15g이었고 비중 1인 4℃ 물에서의 무게는 12.50g을 나타내었다. (a) 이 물체의 부피는 얼마인가? 그리고 (b) 물체의 밀도는 얼마인가? (c) 만약 비중 0.99823의 20℃ 물에서라면 무게가 얼마로 나타날지 소수점 5자리까지 표시해 보아라. 단, 공기에 의한 부력은 무시할 수 있다고 가정한다.

19 어떤 물체의 공기 중 질량이 150.00g이었고 비중 1인 4℃ 물에서의 무게는 125.00g을 나타내었다.

(a) 이 물체의 부피는 얼마인가? 그리고

(b) 물체의 밀도는 얼마인가?

(c) 만약 비중 0.99823의 20℃ 물에서라면 무게가 얼마로 나타날지 소수점 3자리까지 표시해 보아라.

20 부력 원리의 응용문제로, 어떤 물체의 공기 중 질량이 120g이지만 물속에 갈아 앉지 않아 밀도가 $15\mathrm{g/cm^3}$인 30g의 추를 달아 물속에서 총 무게 25g을 얻었다. 물의 밀도를 $1\mathrm{g/cm^3}$이라 할 때, (a) 이 물체의 부피와 밀도는 각각 얼마인가? (b) 만일 추를 달지 않고 이 물체를 물에 넣을 경우 총 부피의 몇 %가 잠기겠느냐?

21 유체 정력학과 관련, (a) 표면장력에 대하여 설명하고 (b) 모세관 현상에서 올라온 수주의 높이를 h라고 할 때 표면장력과의 관계식을 유도하여라.

22 그림 13.20에서와 같이 물과 기름이 유리로 된 U자 관의 양쪽에 각각 들어 있다. 그림에서처럼 이 액체들이 정지하고 있다면 기름의 밀도는 얼마나 되겠는가? 단, 온도는 20℃라고 하자.

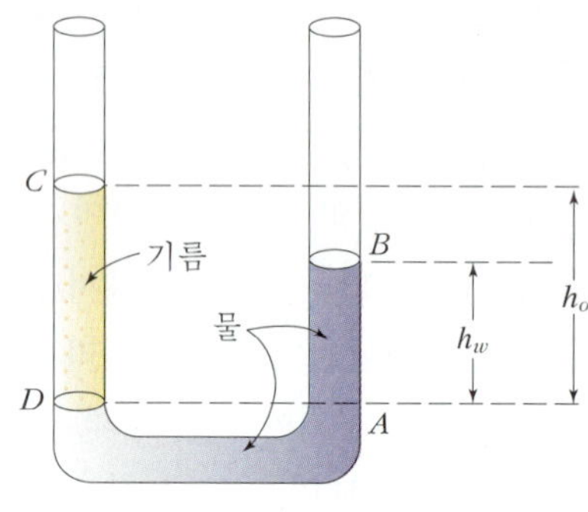

그림 13.20

23 단면적 A_1인 관과 단면적이 A_2인 관이 연결되어 수평으로 놓여져 있다. 그리고 A_2인 관의 끝은 대기압이 작용하고 있다. 대기압을 P_0라 하고 점성을 무시한다면 A_2의 관에서 물이 v_2의 속도로 흘러나가기 위하여 (a) A_1인 관내에서의 압력은 얼마이어야 하겠는가? 또 (b) A_1인 관에서의 물의 유속은 얼마이겠는가? (c) A_2의 관에서 Δt시간 사이에 물이 흘러나오는 양은 얼마이겠는가? 답을 P_0, v_2, A_1, A_2, Δt로써 표시하라.

24 유체의 동력학과 관련하여 (a) Newton 유체의 Viscosity 특성을 나타내는 식을 표시하고 설명하라.

(b) Reynolds Number(NR)란 무엇인가?

(c) 층류(Laminar Flow)와 난류(Turbulent Flow)를 설명하라.

25 점성이 없는 비압축성 유체의 경우 압력, 유속 및 높이 등에 따른 에너지 보존식을 Bernoulli's Equation 이라 한다. (a) 일반적인 Bernoulli 식을 나타내고, (b) 용기에 저장하고 있는 유체를 다른 용기로 이송할 때 20m/s의 유속을 내기 위한 높이의 차이를 구하라. (c) 이송하는 관을 직경이 1.5배가 되는 관으로 바꿔 사용할 경우 유속 및 유량은 어떻게 되는가? 압력은 동일하다고 가정한다.

26 직경 7cm 관을 이용하여 저수지에서 20m 낮은 논으로 물을 보내려 한다. 물의 점도에 의한 저항을 무시할 경우 Bernoulli 식에 의하여 (a) 관을 통하여 흘러나오는 물의 유량을 구하여라. (b) 만일에 관의 중간 부분은 그대로 두고 아랫부분을 직경이 10cm인 관으로 바꿨을 경우 흐르는 물의 유량은 어떻게 되겠느냐? (c) 흐르는 물의 양이 달라진다면 그 이유를 설명하여 보아라.

27 수은 압력계(Manometer)를 사용하여 관을 흐르고 있는 유체의 두 지점의 압력차를 측정한 결과 수은주의 높이의 차가 20cm로 나타났다.

(a) 유체 및 수은의 밀도를 각각 ρ=1g/cm^3 및 ρ'=13.6/cm^{3}라고 할 때 압력차는 얼마인가?

(b) 압력이 높은 곳의 유속이 v_1=20m/s일 때 다른 지점의 유속 v_2를 구하여라.

(c) 유속의 차이와 압력의 차이를 상대적으로 비교하는 소견을 말해 보아라. 계산과정에서 단위에 유의할 것.

28 반경 R, 길이 L인 Pipe에서 일어나는 (a) Pressure Drop Δp와 Shear Stress τ에 의한 힘의 평형관계식을 나타내고, (b) 관내 중심에서의 거리 r에 대한 유속과 (c) 이에 따른 평균유속 $\bar{u}$를 구하여라.
(힌트: Hagen-Poiseulle Equation을 유도하는 과정으로 작용하는 힘의 Balance $\Sigma F_i = 0$의 관계식과 Newtonian Viscosity 특성식을 이용한다.

29 어떤 비행기의 질량이 1.60×10^4kg이고 한쪽 날개의 넓이는 40.0m^2이다. 수평 비행할 때 날개의 아래쪽 면의 압력이 7.00×10^4Pa이다. 날개의 위 쪽 면의 압력을 결정하라.

30 물 저장 탱크에 물이 높이 h_0까지 채워져 있고, 탱크의 바닥에서 높이 h인 곳에 있는 구멍으로부터 물줄기가 뿜어져 나오고 있다. 물의 속력이 $\sqrt{2g(h_0 - h)}$임을 보여라.

14 온도와 기체운동론

팽팽하게 부풀어 있던 고무풍선은 냉장고 속에 넣어 두었다가 꺼내면 쭈그러든다. 겨울철에 딱딱하던 아스팔트길은 더운 여름 한낮이 되면 물렁물렁하게 변하고, 컵에 물을 담아 겨울철 영하의 날씨 속에 밤새도록 밖에 놓아두면 얼음이 된다. 그리고 차가운 방 한쪽 구석에서 난로를 지피면 잠시 후에 온 방안이 서서히 더워진다. 또한 외부 온도와 관계없이 우리 몸은 거의 일정한 체온을 유지한다. 우리의 몸은 효율적인 체온조절 기능을 가지고 있지만, 때로는 외부의 도움을 필요로 할 때도 있다. 이 장에서는 이러한 덥거나 차갑게 하는 물리학의 기본법칙들을 설명하고 그 개념을 이해하고자 한다.

먼저 온도계의 눈금과 온도를 재는 방법을 포함한 온도에 대한 정의를 하고, 온도의 변화에 따른 물체의 길이와 부피의 변화에 대해 논할 것이다. 또한 온도 차이에 따른 에너지 전달을 기술하는 열을 배우고, 이상기체의 열적인 상태를 온도와 압력, 부피 등의 거시적인 양들로 어떻게 표현하는지에 대해 공부할 것이다. 특히 열역학이라는 주제의 기본이 되는 **열역학법칙**들을 이해하기 위해 **열평형과 열역학 제 0법칙** 등을 먼저 이해하도록 할 것이다. 마지막으로 기체분자의 열평형 상태를 미시적인 관점에서 다루는 **기체운동론**을 공부함으로써 거시적인 열에너지가 미시적인 기체분자의 운동에너지와 어떻게 연관되는 지를 이해하도록 한다.

14.1 온도와 열평형

온도(temperature)는 우리의 감각이 뜨겁고 차갑게 느끼는 정도와 관련되어 있다. 뜨겁다고 느껴지는 물체는 차갑게 느껴지는 물체보다 온도가 높다. 보통 우리의 감각은 온도의 정성적인 지표를 제공해 준다. 그러나 우리의 감각이 항상 정확한 것은 아니다. 예를 들면 추운 겨울날 바깥에 있는 금속 문고리와 나무 문고리는 동일한 온도상태에 있음에도 불구하고 금속 문고리가 나무 문고리보다 손에 더 차갑게 느껴진다. 이것은 금속이 나무보다 열전도가 잘 일어나서 금속 문고리가 나무 문고리보다 더 효율적으로 우리 손으로부터 에너지를 전달받기 때문이다. 측정할 수 있는 물질의 여러 가지 성질도 온도에 의존한다. 금속막대의 길이, 보일러의 증기압, 전류가 흐르는 전선의 전도도, 뜨겁게 작렬하는 물체의 색깔 등 많은 것들이 온도에 의존한다. 따라서 우리가 필요로 하는 일은 물질의 상대적인 "뜨거움"과 "차가움"의 설정에 대한 신뢰할 수 있고 재현성 있는 방법을 찾는 것이다. 이러한 온도의 양적인 측정을 위해 여러 가지 온도계가 개발되어 왔다.

또한 온도는 물질을 이루는 분자의 운동에너지와 연관되어 있지만, 온도와 열은 본질적으로 거시적인 개념이다. 이것은 분자들의 세부적인 상태와는 무관하게 정의될 수 있고 또 그렇게 되어야 한다. 이 절에서는 온도를 거시적으로 설명한다.

물체의 온도를 측정하기 위해서는 온도계를 물체와 접촉시켜야 한다. 이를 **열접촉**(thermal contact)이라 하고, 열접촉은 물리적으로 두 물체가 접촉하여 서로 상호작용 함으로서 그들 사이에 에너지의 교환이 일어나는 상태를 의미한다. 두 물체의 온도가 달라서 온도차이 때문에 두 물체 사이에 교환되는 에너지를 **열**(heat)이라 한다. 우리는 경험적으로 서로 다른 온도의 두 물체가 접촉하여 시간이 흐르면 결국 어떤 중간 온도에 도달한다는 것에 익숙하다. 예로서 한 잔의 뜨거운 커피 속에 얼음 덩어리를 넣는다면, 결국 얼음은 녹게 되고 커피의 온도는 내려가서 얼음과 커피간의 상호작용이 더 이상 전체 얼음-커피계를 변화시키지 않는 어떤 평형상태(중간 온도 상태)에 도달하게 된다. 서로 열접촉 상태에 있는 두 물체가 열의 교환을 끝낸 상태, 즉 더 이상 전체 계가 열적으로 변화하지 않는 평형상태를 **열평형**(thermal equilibrium) 상태라고 부른다.

서로 열접촉 상태에 있지 않은 두 물체 A와 B, 그리고 세 번째 물체로 온도계 C를 생각하자. 온도계(물체 C)는 먼저 열평형에 도달할 때까지 물체 A와 열접촉해 있다가 열평형에 도달한 후에 온도계의 눈금이 변하지 않게 되면 그것을 기록한다. 그 다음 온도계는 물체 B와 열접촉을 하여 열평형에 도달하면 다시 그 온도를 기록한다. 만일 기록한 두 온도가 같으면 A와 B는 서로 열평형 상태에 있다고 할 수 있다. 이것을 **열역학 제 0 법칙**(the zeroth law of thermodynamics)이라 부른다.

만일 물체 A와 B가 각각 세 번째 물체 C와 열평형 상태이면, A와 B는 서로 열평형 상태이다(열역학 제 0 법칙).

이 결과는 간단하고 당연해 보이지만 실험에 의해 엄밀히 증명될 필요가 있고, 실험 결과는 이 진술을 뒷받침해 준다. 열역학 제 0법칙은 온도를 정의하는 데 사용될 수 있기 때문에 매우 중요하다.(이 법칙의 중요성은 열역학에 관한 제 1, 제 2, 제 3 법칙이 모두 이름 붙여진 후에 인식되었다. 그런데 이 법칙이 다른 세 법칙들보다 더 기본적이므로 제 0 법칙이라 불리게 되었다.) 우리는 온도를 한 물체가 다른 물체와 열평형에 있는지 아닌지를 결정하는 특성으로 간주할 수 있다. 따라서 두 계가 열평형 상태에 있으면 온도가 같다. 역으로 온도가 같으면 두 계는 열평형 상태에 있다고 결론지을 수 있다.

14.2 온도계와 온도 눈금

온도계는 계의 온도를 측정하는 기구이다. 모든 온도계는 온도에 따른 몇 가지 물리적 특성의 변화를 이용한다. 온도에 따른 물리적 특성들은 액체 부피의 변화, 고체 길이의 변화, 일정부피에서의 기체 압력의 변화, 일정압력에서의 기체 부피의 변화, 전도체의 전기저항 변화, 매우 높은 온도에서 물체의 색 변화 등이 있다. 어떤 종류의 온도계이든지 온도 눈금은 이러한 물리적 양들의 어느 하나에 기초를 두어 설정될 수 있다.

보통 수은이나 알코올 온도계는 온도에 따른 액체 부피의 변화를 이용한다(그림 14.1 (a)). 모세관 속의 액체 기둥의 길이 변화에 비례하는 온도를 정의할 수 있다. 온도는 일정한 온도를 유지하는 어떤 자연계와 열접촉을 함으로써 조정될 수 있다. 1 기압에서 열평형에 있는 물과 얼음의 혼합상태 온도를 섭씨 영도(0℃)로 정의한다. 이 온도가 물의 어는점이다. 또 1 기압에서 열평형에 있는 물과 증기의 혼합상태 온도를 섭씨 백도(100℃)라고 정의한다. 이 온도가 물의 끓는점이다. 이 특별한 두 온도일 때의 액체 기둥 높이를 각각 눈금으로 설정하고, 두 눈금 사이의 간격을 100 등분으로 동일한 간격으로 나누면 이것이 **섭씨**(Celsius) **온도**눈금이다.

미국에서는 여전히 일상생활에 **화씨**(Fahrenheit) **온도**눈금이 널리 쓰인다. 이 눈금에서는 물의 어는점은 32°F, 물의 끓는점은 212°F로 정한다. 섭씨 온도눈금에서 물의 어는점과 끓는점 사이의 간격을 100 등분한 것과 달리, 화씨 온도눈금에서는 물의 어는점과 끓는점 사이의 간격을 180 등분한다. 따라서 화씨 1° 온도변화는 섭씨 1° 온도변화의 5/9이다. 섭씨온도와 화씨온도 사이의 관계는

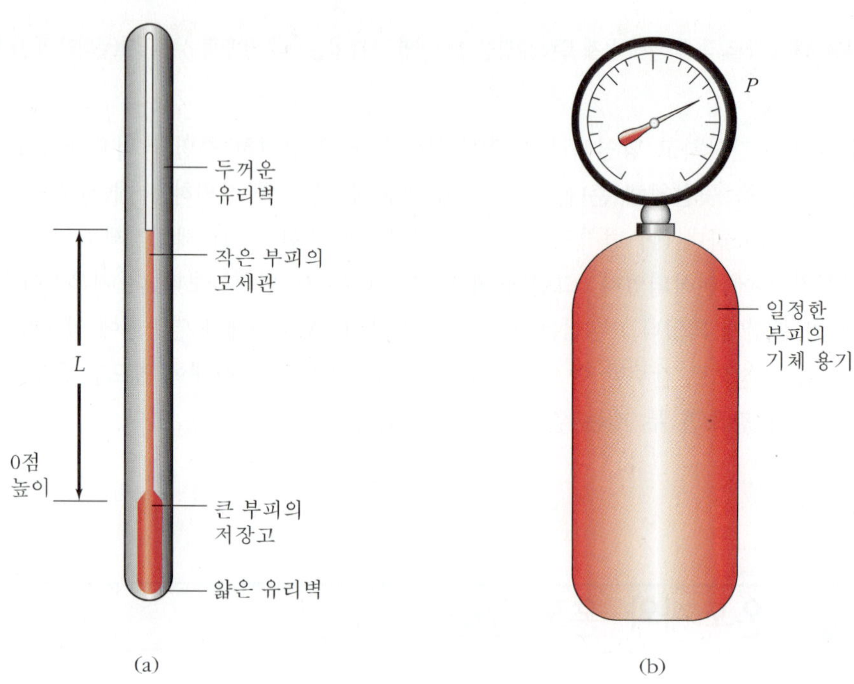

그림 14.1 (a) 온도가 길이 L로 표시되는 장치 (b) 온도가 압력 P로 표시되는 장치

$$T_F = \frac{9}{5}T_C + 32 \tag{14.1}$$

$$T_C = \frac{5}{9}(T_F - 32) \tag{14.2}$$

이다. 섭씨온도의 변화 ΔT_C 와 화씨온도의 변화 ΔT_F 사이의 관계는

$$\Delta T_F = \Delta T_C \times \frac{9}{5} \tag{14.3}$$

이다(연습문제 14.2 참조).

이와 같은 방법으로 조정된 온도계는 아주 정밀한 측정이 필요할 때 문제점이 생긴다. 예로서 물의 어는점과 끓는점으로 조정된 알코올 온도계는 오직 조정점에서만 수은 온도계와 일치할 수 있다. 왜냐하면 수은과 알코올은 다른 열팽창 특성을 가지므로 어떤 특별한 중간 온도에서 정확하게 일치하지 않을 수 있다. 특히 측정 온도가 조정점으로부터 먼 영역일수록 서로 다른 형태의 온도계 사이에 불일치가 크다. 이런 문제를 극복하기 위해서 사용되는 물질의 성질에 의존하지 않는 보편적인 온도 눈금을 정의해야 할 필요가 있다. 기체온도계는 이런 요건을 충족한다.

등적기체 온도계와 켈빈 눈금

기체온도계에서 온도 지시는 온도계에 사용되는 물질에 거의 의존하지 않는다. 일정한 부피 안에 갇힌 기체의 압력은 온도가 올라감에 따라 비례하여 증가하는데, 기체 온도계는 이 원리를 이용했다. 그림 14.2와 같이 일정한 부피 안에 갇혀 있는 기체의 압력은 수은 기둥의 높이 h 를 측정함으로써 알 수 있다. 이 때 주의할 점은 기체의 부피를 일정하게 유지해야할 필요가 있으므로, 0℃에서 기둥 A의 높이를 원점에 맞추었다면 100℃에서도 기둥 A의 높이가 원점에 오도록 수은 저장소 B를 재조정하여야 한다. 즉, 어떤 온도 상황이 되더라도 기둥 A의 높이가 항상 원점에 있도록 조절하여야 되고, 조정 후의 수은 기둥의 높이 h는 그때의 온도에 대응된다.

이 일정부피 기체 압력계에 눈금을 매기기 위해서 두 온도 0℃와 100℃에서의 압력을 그래프 위에 점을 찍고 둘 사이를 직선으로 연결한다(그림 14.3 (a)).
그러면 이 그래프로부터 다른 압력에 대응되는 온도를 읽을 수 있다. 이 그래프를 왼쪽으로 따라가면 어떤 가상적인 온도, 즉 −273.15℃에서 기체의 절대 압력이 0이 됨을 알 수 있다(그림 14.3 (b)). 이 온도가 기체에 따라 다르다고 생각될 수도 있지만, 그림 14.3 (b)처럼 실험적으로 여러 종류의 다른 기체에 대해서(적어도 매우 낮은 밀도에서의 극한까지는) 이 온도는 같다. 실제로 압력이 0인 이 조건을 관측할 수는 없다. 기체는 매우 낮은 온도에서는 액화되거나 응고되므로 압력이 온도에 비례하는 관계는 더 이상 성립하지 않는다.

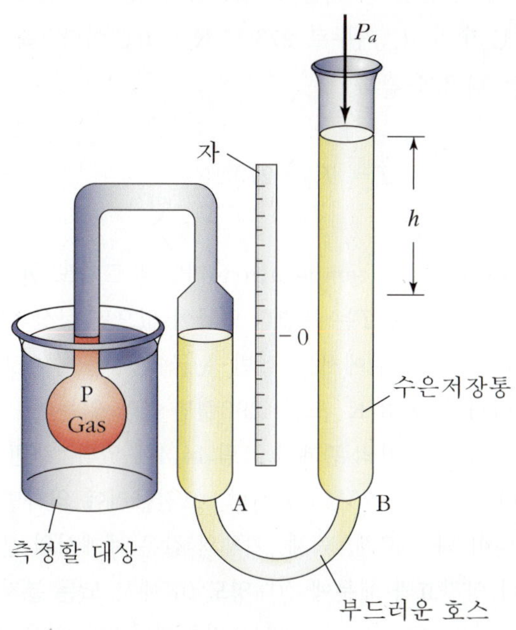

그림 14.2
일정체적 기체온도계는 비이커에 잠긴 플라스크에 들어있는 기체의 압력을 측정한다. 저장된 수은 B를 올리거나 내려서 기둥 A의 수은 레벨을 일정하게 유지하므로 플라스크 속에 있는 기체의 체적을 일정하게 유지시킨다.

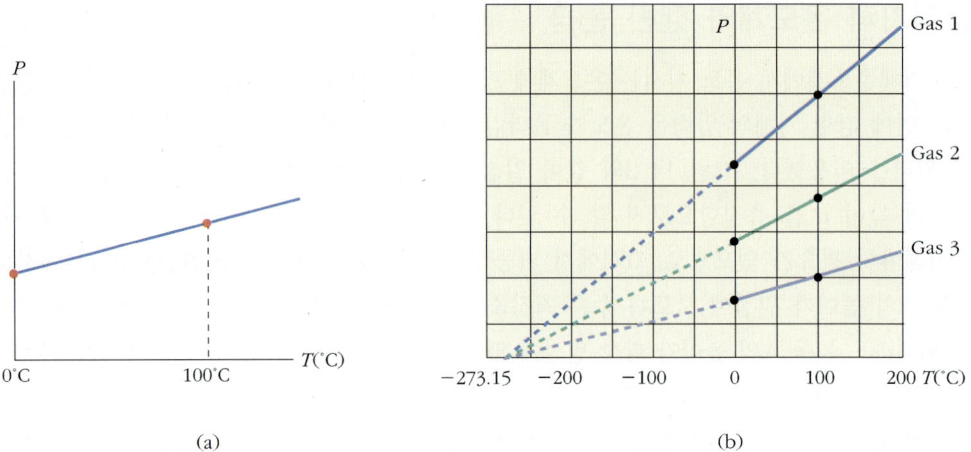

그림 14.3
(a) 일정체적 기체온도계에 대한 압력과 온도의 전형적인 그래프. 점들은 알려진 기준온도(어는점과 끓는점)를 나타낸다.
(b) 희박한 기체에 대한 압력 대 온도 그래프. 모든 기체에 대해 유일한 온도 −273.15℃에서 압력이 영으로 외삽되고 있음에 유의할 것.

기체의 압력이 0이 되는 이 온도를 새로운 온도 눈금의 기초로 사용할 수 있다. 이것은 영국의 물리학자 켈빈(Lord Kelvin, 1824~1907)의 이름을 딴 **켈빈 온도눈금**(Kelvin temperature scale) 이다. 눈금 한 칸은 섭씨 눈금 한 칸과 같은 크기이지만 영점이 옮겨져서 0 K = −273.15℃가 되고, 거꾸로 273.15 K = 0℃이다. 즉, 섭씨온도 T_C와 켈빈 온도 T 사이의 관계는 다음과 같다.

$$T = T_C + 273.15 \tag{14.4}$$

이 켈빈온도를 **절대온도**(absolute temperature)라고 부르기도 한다. 온도와 연관된 물리 법칙들에서 온도를 나타내는 기호 T는 특별한 언급이 없으면 항상 이 절대온도를 의미한다는 것을 유념해야 한다. 국제단위에서는 켈빈 눈금에 '°'를 붙이지 않는다. 따라서 '도 Kelvin' 또는 '°K'가 아니라 '293 K' 또는 '293켈빈'이라 읽는다.

앞에서 논의한 세 온도 눈금간의 관계가 그림 14.4에 있다. 켈빈 눈금의 영점은 **절대영도**(absolute zero; 0 K = −273.15℃)라 한다. 고전물리에 의하면 절대영도 0K에서 분자들의 운동에너지는 영이 되어 고체, 액체, 기체와 같은 계에서의 분자들의 움직임이 정지하게 될 것이다. 그러나 양자효과 때문에 절대영도 0K에서 모든 분자들의 움직임이 정지하지 않고 **영점에너지**(zero point energy)라는 잔류에너지가 있음이 알려져 있다.

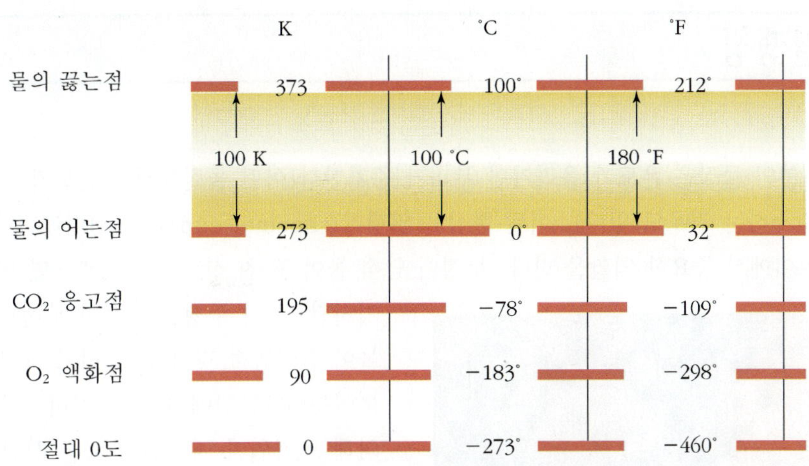

그림 14.4 캘빈, 섭씨, 화씨온도 눈금 간의 관계. 온도의 소수점은 반올림되었다.

14.1 사람의 정상체온은 37.0℃ 이다. 이를 화씨온도로 나타내면 얼마인가? 또 절대온도로 나타내면 얼마인가? 만약 바깥 기온이 화씨 78.8°F 라면 체온과 바깥 기온의 온도차는 섭씨온도, 화씨온도, 절대온도에서 각각 얼마인가?

풀이 식 (14.1)에서 $T_F = \frac{9}{5}T_C + 32$이므로 체온을 화씨온도로 나타내면

$$T_F = (9 \times 37.0)/5 + 32 = 66.6 + 32 = 98.6\,°\text{F}$$

식 (14.4)에서 $T = T_C + 273.15$이므로 체온을 절대온도로 나타내면

$$T = 37.0 + 273.15 = 310.15 \text{ K}$$

식 (14.2)에서 $T_C = \frac{5}{9}(T_F - 32)$이므로 78.8°F를 섭씨온도로 나타내면

$$T_C = 5 \times (78.8 - 32)/9 = 26.0\,°\text{C}$$

이 결과를 다시 절대온도로 바꾸면

$T = 26 + 273.15 = 299.15\,\text{K}$이다.

이제 각각 체온과 바깥 기온과의 온도차를 구하면

$$\Delta T_F = 98.6 - 78.8 = 19.8°\text{F}$$
$$\Delta T_C = 37.0 - 26.0 = 11.0\,°\text{C}$$
$$\Delta T = 310.15 - 299.15 = 11.0 \text{ K}$$

이다. 섭씨와 절대온도 눈금은 영점은 다르지만 1도의 크기는 같다. 그러므로 온도차는 섭씨로 하든지 절대온도로 하든지 동일하지만 화씨로 하면 다르다. 섭씨와 화씨의 온도차를 구한 결과는 식 (14.3)을 만족하는 것을 확인할 수 있다.

14.3 열팽창

대부분의 물질은 온도가 올라가면 부피가 증가한다(어떤 물질에서는 온도가 올라갈 때 부피가 감소하는 경우도 있다). 이런 현상을 **열팽창**(thermal expansion)이라 하는데, 여러 응용분야에서 중요한 역할을 한다. 뚜껑이 닫혀 물이 꽉 찬 상태에서 가열되면 병이 깨어지지만, 용기 뚜껑을 느슨하게 하면 뜨거운 물이 흘러넘칠 것이다. 그리고 그림 14.5에 보이듯이 땅 밑에 흐르는 지하수가 지열에 의해 뜨거워져 지표면의 얇은 부분으로 뚫고 올라오는 온천수 분출도 열팽창의 좋은 예이다. 기차선로의 이음부분, 철교의 교각 등은 각각 재료의 선팽창을 고려해서 설계하며 또 증기가 통하는 파이프는 이를 고려해서 코일형으로 만들기도 한다. 또 철근콘크리트는 선팽창계수가 거의 같은 철과 콘크리트를 잘 조합시킨 예이다. 반대로 선팽창계수의 차이를 적극적으로 이용할 수도 있는데 대표적 예가 바이메탈이다. 바이메탈은 온도계를 만드는 데 사용하며 전기다리미 등 온도조절 장치로 사용하기도 한다. 이 모든 것이 열팽창의 보기이다.

그림 14.5
지하수가 지열에 의해 뜨거워져 지표로 분출되는 온천수는 열팽창의 한 예이다.

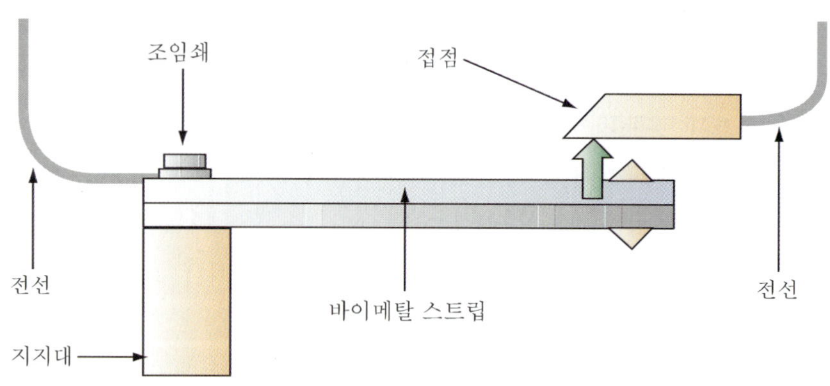

그림 14.6
바이메탈의 동작원리. 두 개의 서로 다른 금속의 열팽창 계수가 서로 다르므로 열팽창이 큰 금속 반대쪽으로 스트립이 휘어지게 되는 원리를 이용하여 커피 포트 등의 온도센서로 이용한다.

선팽창

어떤 초기 온도 T_0에서 길이가 L_0인 막대를 생각하자. 온도가 ΔT 만큼 변할 때 길이가 ΔL 만큼 변한다. 실험적으로 온도 변화 ΔT가 충분히 작다면 ΔL은 ΔT 와 L_0에 비례한다. 비례상수 α (물질마다 다름)를 도입하면

$$\Delta L = \alpha L_0 \Delta T \tag{14.5}$$

이고, 여기서 $\Delta L = L - L_0$이고 $\Delta T = T - T_0$이다. 온도 T에서 길이는

$$L = L_0 + \Delta L = L_0 + a L_0 \Delta T = L_0(1 + \alpha \Delta T) \tag{14.6}$$

이다.

물질의 열팽창에 대한 성질을 기술하는 상수 α 를 **선팽창계수**(coefficient of linear expansion)라 부른다. α의 단위는 K^{-1} 혹은(℃)$^{-1}$이다. 많은 물질에서 길이의 변화는 식 (14.5) 또는 (14.6)에 따른다. 따라서 L 은 막대의 두께, 네모진 판의 한 변의 길이 혹은 구멍의 지름이 될 수도 있다. 나무나 결정과 같은 물질은 방향에 따라 다르게 팽창한다. 이러한 복잡한 경우는 여기서 고려하지 않는다. 표 14.1에 몇 가지 물질에 대한 α 의 평균값을 나타내었다.

식 (14.5)에 표현한 비례 관계가 정확한 것은 아니다. 이것은 충분히 작은 온도 변화에 대해서는 근사적으로 옳다. 주어진 물질에 대해 α 는 초기 온도 T_0와 온도 간격의 크기에 따라 다소 변한다. 그러나 식 (14.5)은 어쨌든 좋은 근사이므로 이러한 복잡성은 무시하도록 한다.

표 14.1 선팽창 계수(상온 근방)

물 질	α [K^{-1} 또는 (℃)$^{-1}$]
알루미늄	2.4×10^{-5}
황동	2.0×10^{-5}
구리	1.7×10^{-5}
유리	$0.4 \sim 0.9 \times 10^{-5}$
인바(니켈-철 합금)	0.09×10^{-5}
수정	0.04×10^{-5}
강철	1.2×10^{-5}

부피 팽창

온도 증가는 보통 고체 물질과 액체 물질 모두 부피를 증가시킨다. 실험에 의하면 온도 변화 ΔT가 그리 크지 않으면(대략 100℃ 이하), 부피 증가량 ΔV는 길이와 마찬가지로 근사적으로 온도 변화와 처음 부피 V_0에 비례한다.

$$\Delta V = \beta V_0 \Delta T (\text{부피 열팽창}) \tag{14.7}$$

상수 β는 물질의 부피 팽창에 대한 특성을 반영하므로 **부피팽창계수** (coefficient of volume expansion)라고 부른다. β의 단위는 역시 K^{-1} 혹은(℃)$^{-1}$이다. 선팽창과 마찬가지로 β가 온도에 따라 변하므로, 식 (14.7) 역시 작은 온도 변화에 대한 근사식이다. 여러 물질에 대한 상온에서 β의 값을 표 14.2에 나타내었다. 일반적으로 액체의 부피팽창계수가 고체의 값보다 크다.

표 14.2 부피팽창 계수(상온 근방)

고체	β [K^{-1} 또는 (℃)$^{-1}$]	액체	β [K^{-1} 또는 (℃)$^{-1}$]
알루미늄	7.2×10^{-5}	에틸알코올	75×10^{-5}
황동	6.0×10^{-5}	이황화탄소	115×10^{-5}
구리	5.1×10^{-5}	글리세린	49×10^{-5}
유리	$1.2 \sim 2.7 \times 10^{-5}$	수은	18×10^{-5}
인바(니켈-철합금)	0.27×10^{-5}	벤젠	12.4×10^{-5}
수정	0.12×10^{-5}	아세톤	15×10^{-5}
강철	3.6×10^{-5}	가솔린	96×10^{-5}

고체 물질에서 부피팽창 계수 β와 선팽창 계수 α 사이에는 간단한 관계가 있다. 각 변의 길이가 L 인 정육면체를 생각한다. 처음 온도에서 한 변의 길이와 부피가 각각 L_0와 V_0이면, 온도가 ΔT만큼 증가할 때 각 변의 길이는 ΔL만큼 증가하여 부피는 식 (14.6)에 의해

$$\begin{aligned} V &= L^3 = (L_0 + \alpha L_0 \Delta T)^3 \\ &= L_0^3 + 3\alpha L_0^3 \Delta T + 3\alpha^2 L_0^3 (\Delta T)^2 + \alpha^3 L_0^3 (\Delta T)^3 \end{aligned} \tag{14.8}$$

이다.

위 식의 오른쪽 항에서 $\alpha\Delta T$는 1보다 매우 작기 때문에 그것의 제곱 항과 세제곱 항은 더욱 작아진다. 따라서 이들 두 항을 무시하고, $L_0^3 = V_0$임을 이용하여 간단히 표현하면 위 식은

$$V = V_0 + 3\alpha V_0 \Delta T \tag{14.9}$$

또는

$$\Delta V = V - V_0 = 3\alpha V_0 \Delta T \tag{14.10}$$

이다. 식 (14.10)을 식 (14.7)과 비교하면 $\beta = 3\alpha$이다.

열팽창을 분자적인 관점에서 정성적으로 이해할 수 있다. 즉, 한 물체의 전체적인 열팽창은 그것을 구성하는 원자 또는 분자들 사이의 평균 간격의 변화이다. 고체 내에서 원자들이 그림 14.7처럼 용수철로 서로 연결되어 있다고 생각하자. 각 원자는 평형점을 중심으로 진동한다. 온도가 올라가면 그에 대응하는 에너지와 진동의 진폭 역시 증가한다. 원자간에 작용하는 용수철 힘은 평형점에 대하여 대칭적이지는 않다. 그것은 보통 압축되는 것보다 늘어나는 것이 더 잘되는 용수철처럼 행동한다. 진동의 진폭이 증가할 때 분자간의 평균 거리도 역시 증가한다. 원자간의 거리가 멀어짐에 따라 각 방향의 길이는 증가하게 될 것이다.

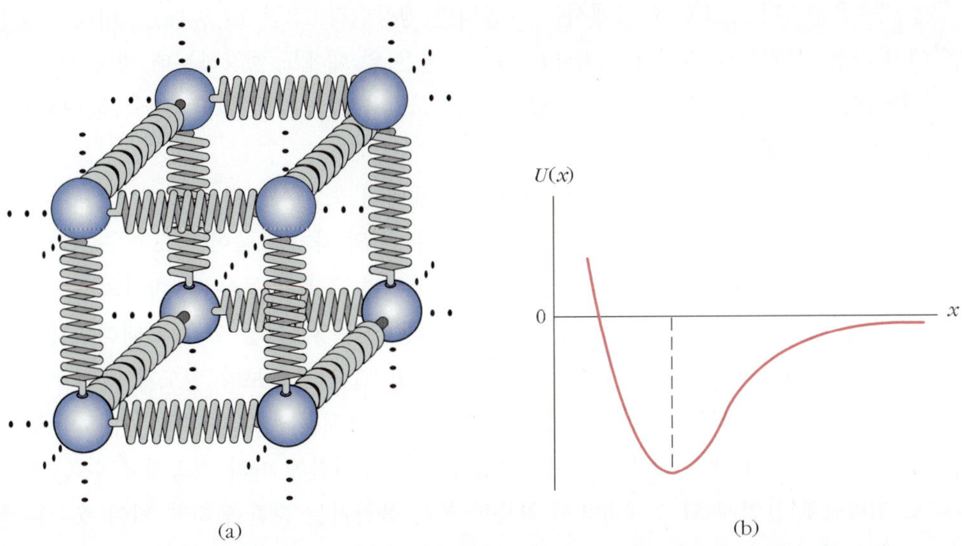

그림 14.7

(a) 고체 내의 이웃한 원자들 간의 힘을 압축보다는 늘어나기 쉬운 용수철로 서로 연결된 모습으로 생각할 수 있다.

(b) 이웃한 원자들 사이의 거리와 퍼텐셜에너지 관계 그래프는 관련된 힘들이 대칭이 아님을 보여주고 있다.

예제 **14.2** 측량기사가 20℃에서 정확한 50.000m 길이의 금속 줄자를 사용한다고 하자. 온도가 35℃인 더운 여름날 이 금속 줄자를 이용하여 거리를 측정해서 35.794m의 결과를 얻었다. 실제 거리는 얼마인가?

풀이 $L_0 = 50.000\,\text{m}$, $T_0 = 20\,℃$, $T = 35\,℃$, 그리고 $\Delta T = T - T_0 = 15\,℃ = 15\,\text{K}$이다. 식 (14.5)에서

$$\Delta L = \alpha L_0 \Delta T = (1.2\times 10^{-5}\,\text{K}^{-1})(50\,\text{m})(15\,\text{K})$$
$$= 9.0\times 10^{-3}\,\text{m} = 9.0\,\text{mm}$$

이고,

$$L = L_0 + \Delta L = 50.000\text{ m} + 0.009\text{ m} = 50.009\text{ m}$$

이다. 그러므로 35℃에서의 길이는 50.009m이다. 35℃에서 줄자가 약간 늘어나 있다. 따라서 줄자의 1 m라고 표시되어 있는 두 점 사이의 거리는 실제 1m 보다 (50.009m)/(50.000m)배 길다. 그러므로 실제거리는 줄자로 읽은 값보다 위의 값을 곱한 만큼 더 크다. 따라서 실제거리는

$$(35.794\text{m})\times\frac{50.009\text{m}}{50.000\text{m}} = 35.800\text{m}$$

이다.

물의 팽창

0℃와 4℃ 사이에서, 물은 온도가 증가할 때 부피가 줄어들고(즉, 이 범위에서 부피팽창 계수는 음수이다.), 4℃ 이상에서는 가열되면 팽창한다 (그림 14.8 (a)). 따라서 물은 4℃에서 가장 큰 밀도를 가진다(그림 14.8 (b)). 물은 얼 때에도 팽창하는데 냉장고의 냉동실 얼음들이 가운데가 볼록하게 얼어 있는 것을 보았을 것이다. 이와는 다르게 대부분의 물질은 얼면 수축한다.

이러한 물의 특성은 호수의 식물이나 동물의 생태에 중요한 영향을 미친다. 호수의 물은 위에서부터 아래로 언다. 온도가 4℃ 이상일 때는 위의 차가운 물이 밀도가 크기 때문에 아래로 내려오지만, 온도가 4℃보다 낮아지기 시작하면 표면의 물은 더 차가와도 아래의 덜 차가운 물보다 밀도가 작기 때문에 표면의 차가운 물은 더 이상 아래로 내려오지 않고 위에 머무르게 된다. 따라서 수면부터 얼기 시작하고 얼음도 물보다 밀도가 작기 때문에 물에 떠 있게 된다. 그러므로 호수의 물 전체가 얼기 전까지는 호수 바닥의 물은 4℃로 변함이 없다. 만일 물이 다른 대부분의 물질처럼 온도가 내려감에 따라 계속해서 수축한다면 호수도 밑바닥부터 얼게 되고 계속해서 따뜻한 물은 올라가는 순환을 하게 되어 호수는 훨씬 더 빨리 얼어붙게 될 것이다. 이렇게 얼게 되면 대부분의 수중 동식물들은 모두 죽게 된다. 따라서 물이 이러한 특성을 갖지 않았더라면 생물의 진화는 전혀 다른 방향으로 진행되었을 것이다.

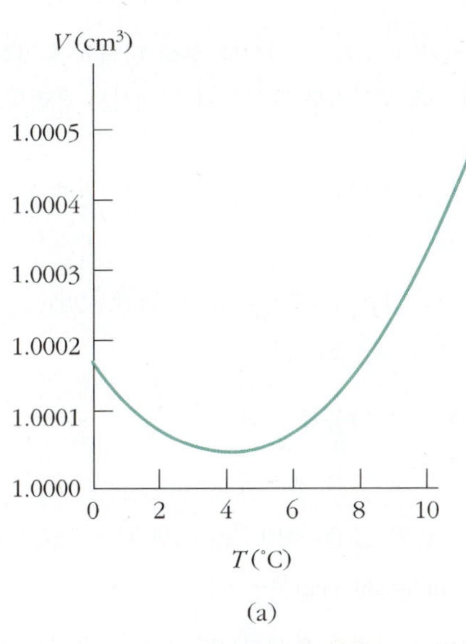

(a)

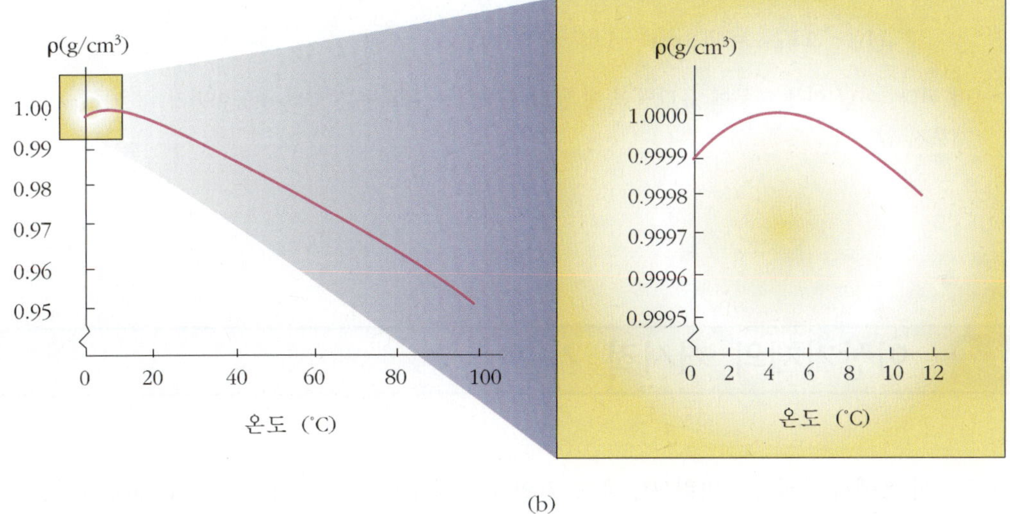

(b)

그림 14.8

(a) 0℃에서 10℃까지의 온도에서 1g 물의 부피. 100℃가 되면 부피는 1.034cm^{3}이 된다. 만일 부피팽창계수가 일정하다면 곡선이 직선으로 되어야 한다.

(b) 대기압에서 물의 온도에 대한 밀도의 변화. 오른쪽의 삽입그림은 물이 4℃에서 최대 밀도가 됨을 보인다.

14.3 1.0리터의 유리병이 20℃의 실온에서 주둥이까지 물로 가득 채워져 있다. 유리병과 물의 온도를 90℃까지 올렸다. 유리병의 물이 넘치겠는가? 아니면 수위가 내려가겠는가? 얼마나 많은 양이 그렇게 되겠는가? 주어진 온도 범위에서 유리의 평균 부피팽창계수는 2.7×10^{-5}℃$^{-1}$, 물의 평균 부피팽창계수는 52.5×10^{-5}℃$^{-1}$이다.

풀이 유리의 β값보다 물에 대한 β값이 훨씬 더 크므로 물이 넘쳐흐를 것이라는 것을 쉽게 알 수 있다. 이제 얼마나 많은 양이 넘쳐흐를 것인지를 계산하기 위해서는 유리와 물의 부피변화 양을 각각 계산해 보아야 한다.

먼저 유리병의 부피변화 $\Delta V_{유리}$를 다음과 같이 계산할 수 있다.

$$\Delta V_{유리} = \beta V_0 \Delta T$$

$$\Delta V_{유리} = (2.7\times 10^{-5}℃^{-1})(1.00\times 10^{-3}\mathrm{m}^3)(90℃ - 20℃)$$

$$= 1.89\times 10^{-6}\mathrm{m}^3 = 1.89\ \mathrm{cm}^3$$

다음 물에 대한 부피변화 $\Delta V_{물}$은 다음과 같다.

$$\Delta V_{물} = \beta V_0 \Delta T$$

$$\Delta V_{물} = (52.5\times 10^{-5}℃^{-1})(1.00\times 10^{-3}\mathrm{m}^3)(90℃ - 20℃)$$

$$= 36.8\times 10^{-6}\ \mathrm{m}^3 = 36.8\ \mathrm{cm}^3$$

물의 부피변화 양이 유리병의 부피변화 양보다 더 크므로, 주둥이로 넘쳐흐르게 될 물의 양은

$$\Delta V_{물} - \Delta V_{유리} = 36.8\ \mathrm{cm}^3 - 1.89\,\mathrm{cm}^3 = 34.9\ \mathrm{cm}^3$$

이 된다. 이런 이유 때문에 유리병 속에 담아 판매하는 음료수는 병의 주둥이까지 내용물을 가득 채우지 않는다.

14.4 이상기체의 거시적 기술

이 절에서 부피 V, 압력 P, 온도 T인 용기에 들어 있는 기체의 특성에 대해 생각한다. 이들 양들이 서로 어떻게 관련되어 있는가를 살핀다. 일반적으로 **상태방정식**(equation of state)이라 불리는 이들 사이의 상호관계에 대한 방정식은 매우 복잡하다. 그러나 만일 기체가 매우 낮은 압력(낮은 밀도)으로 유지되면 상태방정식은 실험적으로 매우 간단하게 표현할 수 있다. 이러한 낮은 밀도의 기체를 보통 **이상기체**(ideal gas)로 간주한다. 실온과 대기압 하에서의 대부분의 기체는 근사적으로 이상기체처럼 행동한다.

주어진 일정 부피에서 기체의 양을 분자수로 나타내는 것이 편리하다. 어떤 물질의 1몰(mole)은 **아보가드로수** $N_A = 6.022\times 10^{23}$개의 분자수를 포함하는 물질의 질량이다. 한 물질의 **몰수**(number of mole) n과 질량 m사이의 관계는 다음 식으로 표현된다.

$$n = \frac{m}{M} \tag{14.11}$$

여기서 M은 그 물질의 **몰질량**(molar mass)이며 g/mol로 표현된다. 예를 들어 산소 분자 O_2의 분자질량은 32.0g/mol 이다. 따라서 산소 1몰의 질량은 32.0g이다.

그림 14.9에서처럼 움직이는 피스톤에 의해 체적이 변화될 수 있는 실린더 용기에 갇힌 이상기체를 생각한다. 실린더는 새지 않고 따라서 질량(또는 분자수)이 일정하다고 가정한다. 그와 같은 계에서 실험은 다음 정보를 제공한다. 첫째로 기체의 온도가 일정할 때 기체의 압력은 체적에 반비례한다(Boyle의 법칙). 둘째로 기체의 압력이 일정할 때 부피는 온도에 비례한다(Charles과 GayLussac의 법칙). 이 관측들은 다음과 같은 **이상기체의 상태방정식**(equation of state for an ideal gas)으로 요약된다.

$$PV = nRT \tag{14.12}$$

이상기체 법칙이라 불리는 위 표현식에서 R은 실험으로부터 결정될 수 있는 기체상수이고 T는 절대온도이다. 모든 기체에서 기체상수는 동일한 값을 가지므로 R을 **보편 기체 상수**(universal gas constant)라고 부른다. 압력을 파스칼(Pa)로, 부피를 세제곱미터(m^3)로 하는 국제단위에서 곱 PV는 N · m 또는 J의 단위로 주어지고 R의 값은

$$R = 8.31\ \mathrm{J/mol \cdot K} \tag{14.13}$$

이다. 만일 압력을 대기압으로, 부피를 리터($1\,\mathrm{L} = 10^3\,\mathrm{cm}^3 = 10^{-3}\,\mathrm{m}^3$)로 표시하면, R은

$$R = 0.0821\,\mathrm{L \cdot atm/mol \cdot K}$$

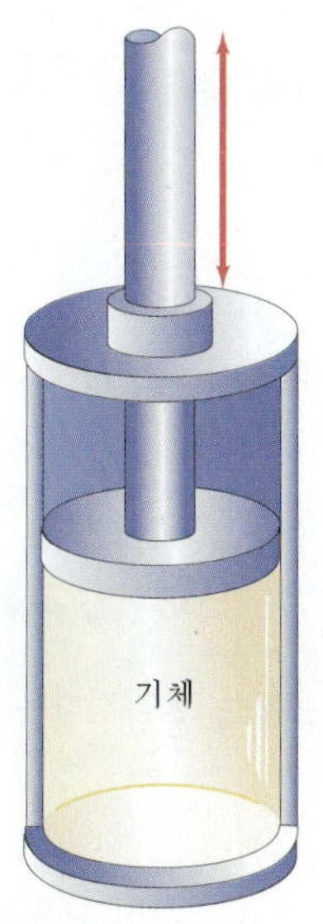

그림 14.9
움직이는 피스톤에 의해 부피가 변하는 실린더에 갇힌 이상기체. 기체의 상태는 압력, 부피, 그리고 온도 중 어느 두 특성에 따라 변한다.

이다. 이 값과 식 (14.12)를 사용하면, 대기압과 0 ℃ (273 K)에서 어떤 기체 1몰이 차지하는 부피는 22.4L임을 알 수 있다(학생들은 확인해 보기 바란다).

이상기체 법칙은 총 분자수 N으로도 기술된다. 분자의 총수는 몰수와 **아보가드로수**(Avogadro's number) N_A의 곱이기 때문에 식 (14.12)를 다음과 같이 쓸 수 있다.

$$PV = nRT = \frac{N}{N_A}RT$$

$$PV = Nk_BT \tag{14.14}$$

여기서 k_B를 **볼쯔만 상수**(Boltzmann's constant)라고 부른다.

$$k_B = \frac{R}{N_A} = 1.38 \times 10^{-23}\,\text{J/K} \tag{14.15}$$

14.4 순수한 기체 헬륨이 움직일 수 있는 피스톤이 장착된 통 속에 들어 있다. 이 기체의 초기 부피, 압력, 온도는 각각 $15 \times 10^{-3}\,\text{m}^3$, 200kPa, 300K이다. 피스톤으로 기체를 압축하여 부피가 $12 \times 10^{-3}\,\text{m}^3$으로 감소하고 압력이 350kPa로 증가했다면, 기체의 나중 온도는 얼마일까? (단, 기체 헬륨이 이상기체처럼 행동한다고 가정하라.)

풀이 만일 통으로부터 기체의 유출이 전혀 없다면 분자수는 일정하다. 따라서 기체에 이상기체 상태방정식

$$PV = nRT$$

를 사용하면 $\frac{PV}{T} = nR =$ 상수 이므로 처음과 나중의 기체에 대해

$$\frac{P_iV_i}{T_i} = \frac{P_fV_f}{T_f}$$

이 성립한다. 여기서 i와 f는 처음과 나중값의 표기이다. 따라서 나중값 T_f에 대하여 풀면

$$T_f = \left(\frac{P_fV_f}{P_iV_i}\right)T_i = \frac{(350\ \text{kpa})(12 \times 10^{-3}\,\text{m}^3)}{(200\,\text{kpa})(15 \times 10^{-3}\,\text{m}^3)} \times (300\ \text{K})$$
$$= 420\ \text{K}$$

으로 온도가 120K 상승한다. 즉, 기체를 압축시키면 내부온도는 올라간다는 것을 알 수 있다.

14.5 기체운동론

앞 절에서 압력, 부피, 몰수, 온도 등의 거시적 물리량을 사용하여 이상기체의 성질을 알아보았다. 이 절에서는 이러한 거시적인 특성이 원자(미시적) 범위에서 일어나는 일에 근거하여 이해될 수 있음을 보일 것이다. 또한 기체를 구성하는 개개 분자들의 성질에 관련하여 기체법칙을 다시 살필 것이다.

기체에서의 분자간 상호 작용은 고체나 액체에서보다는 매우 약하기 때문에 우리가 현재 다루는 것은 기체의 분자 행동으로 제한될 것이다.

이상기체의 압력에 대한 분자 모형

이상 기체 모형을 이용하여 기체 운동학 이론을 기술한다. 이 이론을 통해 이상 기체의 압력과 온도를 미시적 변수들로 해석할 수 있다. 이러한 기체 운동학 이론 모형의 가정은 다음과 같다.

1. 분자의 수가 매우 많고 분자 사이의 평균 간격은 분자의 크기와 비교할 때 훨씬 크다. 이것은 분자들이 용기 안에서 매우 적은 부피를 점유함을 의미한다.
2. 분자들은 뉴턴의 운동법칙을 따르지만, 전체적으로는 무질서하게 움직인다. "무질서하다"는 것은 기체 분자들이 넓은 범위의 속력 분포로 어느 방향이든지 같은 확률로 움직임을 의미한다.
3. 분자들 사이의 힘은 매우 짧은 영역에서 일어나서, 분자들은 서로 충돌되는 동안만 상호 작용한다.
4. 분자들은 용기의 벽과 탄성충돌을 한다.
5. 고려하는 기체는 순수한 단일 물질이다. 즉, 모든 분자들은 동일하다.

이상기체를 단일 원자들로 구성된 것으로 형상화하지만, 분자 기체들도 낮은 압력에서는 이상기체와 거의 유사하게 행동한다. 이때 분자 구조(분자의 회전이나 진동)는 이상 기체의 운동에 영향을 주지 않는다.

이제 부피 V 인 용기 안에 있는 N 개의 분자로 구성된 이상기체의 압력에 대한 표현을 구한다. 용기는 한 변의 길이가 d 인 정육면체이다(그림 14.10). 먼저 질량 m 이고 x 방향으로 속도 $-v_x$ 로 움직이는 한 개의 분자를 생각한다(그림 14.11). 이 분자가 용기의 벽과 탄성적으로 충돌하면 그 속도의 방향은 반대가 된다. 분자의 충돌 전의 운동량의 x 성분 p_x 는 $-mv_x$ 이었으나 충돌 후에는 mv_x 의 값을 가지므로, 이 분자의 운동량의 변화는

$$\Delta p_x = mv_f - mv_i = mv_x - (-mv_x) = 2mv_x$$

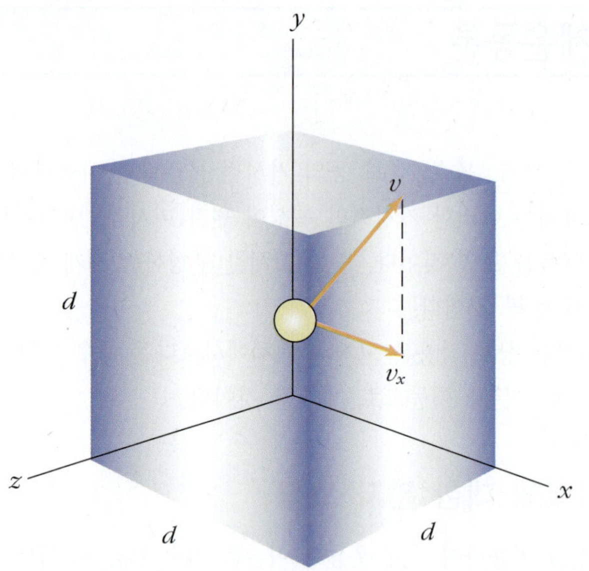

그림 14.10 이상기체를 포함하는 한 변의 길이 d인 정육면체 상자. 분자가 속도 v로 움직인다.

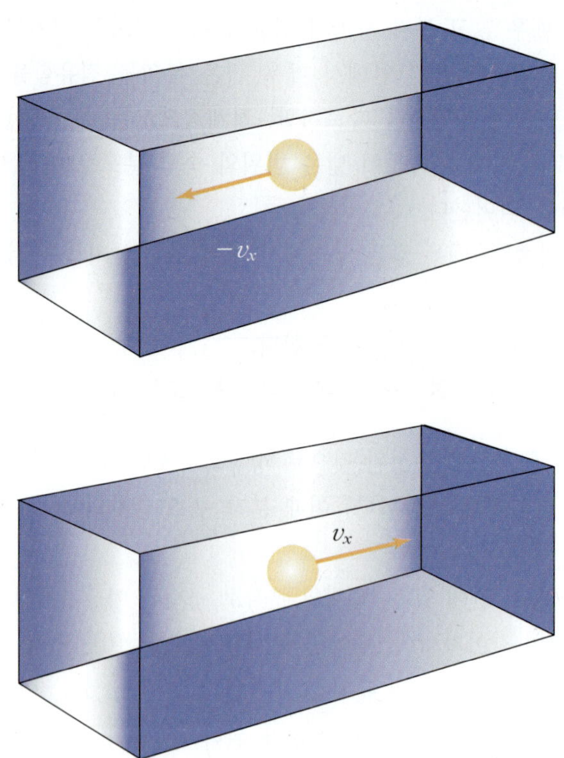

그림 14.11 분자가 용기의 벽과 탄성충돌한다. 운동량의 x 성분이 반대방향이 되면서 벽에 운동량을 전달하며 y 성분의 변화는 없다. 여기서 분자는 xy 평면에서 움직이는 것으로 가정한다.

이다. 이 분자에 충격량-운동량 정리 (식 (7.2))를 적용하면 다음과 같다.

$$F_1 \Delta t = \Delta p_x = 2mv_x$$

여기서 F_1은 벽이 분자에 작용한 힘이다. 분자가 같은 벽에 다시 충돌하기 위해서는 x방향으로 $2d$의 거리를 움직여야 한다. 따라서 두 충돌 사이에 걸리는 시간은 $\Delta t = 2d/v_x$이고, 이것을 충격량-운동량 방정식에 대입하면, 벽이 분자에 작용하는 힘의 크기는

$$F_1 = \frac{2mv_x}{\Delta t} = \frac{mv_x^2}{d}$$

이다. 뉴턴의 제 3법칙에 의해, 분자가 벽에 작용하는 힘(F_2)은 크기가 같다. 모든 분자들에 의해 벽에 가해지는 총 힘은 개개 분자들에 의해 가해지는 힘을 더하면

$$F = \frac{m}{d}(v_{x_1}^2 + v_{x_2}^2 + \cdots + v_{x_N}^2)$$

이다. 여기서 v_{x_1}은 분자 1의 속도의 x 성분, v_{x_2}는 분자 2의 속도의 x성분 등을 나타낸다.

N개의 분자에 대한 x 방향의 속도의 제곱의 평균값은

$$\langle v_x^2 \rangle = \frac{v_{x_1}^2 + v_{x_2}^2 + \cdots + v_{x_N}^2}{N}$$

이고, 벽에 작용하는 총 힘은

$$F = \frac{m}{d} N \langle v_x^2 \rangle$$

이다. 여기서 용기 안에 있는 한 개의 분자가 속도 성분 v_x, v_y, v_z를 갖는 경우를 생각하자. 속도의 제곱을 각 성분의 제곱으로 표시하면 $v^2 = v_x^2 + v_y^2 + v_z^2$이고, 분자의 운동이 무질서하여, 속도 성분의 제곱의 평균은 어느 방향에서나 같기 때문에

$$\langle v_x^2 \rangle = \langle v_y^2 \rangle = \langle v_z^2 \rangle$$

이다. 따라서

$$\langle v^2 \rangle = 3\langle v_x^2 \rangle$$

이다. 벽에 작용하는 총 힘은

$$F = \frac{N}{3}\left(\frac{m\langle v^2 \rangle}{d}\right)$$

이다. 그러므로 벽에 작용하는 압력은

$$P = \frac{F}{A} = \frac{1}{3}\left[\frac{N}{Ad}m\langle v^2 \rangle\right]$$

이고, 용기의 부피 $V = Ad$ 를 고려하면 압력은 다음과 같이 쓸 수 있다.

$$P = \frac{1}{3}\left(\frac{N}{V}\right)[m\langle v^2 \rangle] = \frac{2}{3}\left(\frac{N}{V}\right)\left[\frac{1}{2}m\langle v^2 \rangle\right] \qquad (14.16)$$

이 결과는 압력이 단위 부피당 분자수와 분자의 평균 병진운동 에너지에 비례함을 나타낸다. 간단한 이상기체의 모형으로 거시적인 양인 압력을 미시적 양인 분자 속력의 제곱의 평균값에 관련짓는 중요한 결과에 도달하였다. 우리는 원자적 세계와 거시적 세계 사이를 연결하는 열쇠를 갖게 된다.

식 (14.16)이 우리에게 친숙한 압력의 어떤 특성들을 나타냄에 유의해야 한다. 용기 안의 압력을 증가시키는 한 방법은 용기 안의 단위 부피당 분자의 수를 증가시키는 것이다. 여러분이 타이어에 공기를 넣을 때 이런 일이 생긴다. 타이어에 있는 분자들의 평균 병진운동 에너지를 증가시킴으로써 역시 타이어 안의 압력이 증가될 수 있다. 쉽게 알 수 있듯이 이것은 타이어 안에 있는 기체의 온도가 증가할 때 가능하다. 타이어가 도로 표면을 따라 오래 굴러가면 타이어가 계속적으로 유연하게 되면서 타이어의 부분이 비틀어지고 고무의 내부 에너지 증가를 가져온다. 고무의 증가된 에너지는 전도에 의해서 타이어 안의 공기에 에너지를 전달하고 공기의 온도를 높여 결국 압력의 증가를 가져온다.

온도의 분자적 해석

식 (14.16)을 다음과 같이 쓰면 온도의 의미를 파악할 수 있다.

$$PV = \frac{2}{3}N\left[\frac{1}{2}m\langle v^2 \rangle\right]$$

위 식을 이상기체의 상태방정식

$$PV = Nk_BT$$

와 비교하면, 다음 식을 얻는다.

$$T = \frac{2}{3k_B}\left[\frac{1}{2}m\langle v^2\rangle\right] \tag{14.17}$$

즉, 기체의 온도는 분자의 평균 병진운동 에너지의 직접적인 측정이다. 식 (14.17)을 정리하여 분자의 평균 병진운동 에너지를 온도로 표한다.

$$\frac{1}{2}m\langle v^2\rangle = \frac{3}{2}k_BT \tag{14.18}$$

분자당 평균 병진운동 에너지는 $\frac{3}{2}k_BT$이다. $\langle v_x^2\rangle = \frac{1}{3}\langle v^2\rangle$이므로

$$\frac{1}{2}m\langle v_x^2\rangle = \frac{1}{2}k_BT \tag{14.19}$$

이다. 마찬가지로 y와 z방향의 운동에 대해서도

$$\frac{1}{2}m\langle v_y^2\rangle = \frac{1}{2}k_BT,\ \ \frac{1}{2}m\langle v_z^2\rangle = \frac{1}{2}k_BT$$

이 성립한다. 따라서 각 병진자유도(translational degree of freedom)는 기체에 동일한 양의 에너지 $\frac{1}{2}k_BT$를 제공한다(일반적으로 "자유도"란 분자가 에너지를 소유할 수 있는 독립적인 방법의 수에 관련된다). 이 결과의 일반화는 **에너지 등분배 정리**(theorem of equipartition of energy)로 알려져 있고, 이것은 열평형에 있는 한 계의 에너지는 모든 자유도에 대해 동등하게 분배된다는 것을 나타낸다.

N 개의 기체 분자의 총 병진운동에너지는 분자당 평균 에너지의 N 배이며, 식 (14.18)에 의해

$$E = N\left[\frac{1}{2}m\langle v^2\rangle\right] = \frac{3}{2}Nk_BT = \frac{3}{2}nRT \tag{14.20}$$

이다. 여기서 볼츠만 상수 $k_B = R/N_A$와 기체의 몰수 $n = N/N_A$를 사용했다. 이 결과로부터 분자들로 이루어진 한 계의 총 운동에너지는 그 계의 절대온도에 비례함을 알 수 있다.

$\langle v^2 \rangle$의 제곱근을 분자의 **평균제곱근 속력**(root-mean-square speed)이라고 한다. 식 (14.18)에 의해 평균제곱근 속력 $v_{\rm rms}$는

$$v_{\rm rms} = \sqrt{\langle v^2 \rangle} = \sqrt{\frac{3k_BT}{m}} = \sqrt{\frac{3RT}{M}} \tag{14.21}$$

이다. 여기서 M은 몰 질량으로 kg/mol에 해당한다. 이 표현으로부터, 어떤 주어진 온도에서 평균적으로 가벼운 분자들은 무거운 분자들보다 더 빨리 운동함을 알 수 있다. 예로서 몰 질량 2×10^{-3}kg/mol인 수소는 몰 질량 32×10^{-3}kg/mol인 산소보다 4배 만큼 빠르게 운동한다. 표 14.3에 20℃에서 여러 분자들에 대한 평균제곱근 속력을 보였다.

표 14.3 여러 가지 평균제곱근 속력

Gas	Molar Mass(g/mol)	20℃일 때의 $v_{\rm rms}$(m/s)
H_2	2.02	1902
He	4.0	1352
H_2O	18	637
Ne	20.1	603
N_2 또는 CO	28	511
NO	30	494
CO_2	44	408
SO_2	64	338

예제 14.5 체적 0.300m^3인 헬륨 통이 20.0℃에서 2.00mol의 헬륨 기체를 포함하고 있다. 헬륨이 이상기체처럼 행동한다고 가정하고, (a) 계의 총 열에너지를 구하라. (b) 분자당 평균 운동에너지는 얼마인가?

풀이 (a) 식 (14.20)에 $n = 2.00\,\text{mol}$, $T = 293\,\text{K}$를 대입하면

$$E = \frac{3}{2}nRT = \frac{3}{2}(2.00\,\text{mol})(8.31\ \text{J/mol}\cdot\text{K})(293\,\text{K}) = 7.30\times10^3\,\text{J}$$

을 얻는다.

(b) 식 (14.18)로부터 분자당 평균 운동에너지는

$$\frac{1}{2}m\langle v^2 \rangle = \frac{3}{2}(1.38\times10^{-23}\ \text{J/K})(293\ \text{K}) = 6.07\times10^{-21}\,\text{J}$$

이다. 이것은 분자 1개당 평균 운동에너지이므로 총 열 에너지는 이 값에 전체 분자 개수를 곱한 것과 같다. 따라서 총 열 에너지는

$$E = (2\,\text{mol})\times(6.022\times10^{23}\,\text{개}\cdot\text{mol}^{-1})\times(6.07\times10^{-21}\ \text{J}\cdot\text{개}^{-1}) = 7.30\times10^3\,\text{J}$$

로 앞에서 구한 값과 일치한다.

연습문제

EXERCISES

1 (a) 온도 −40.0°는 섭씨온도와 화씨온도 눈금에서 동일한 수치를 나타내는 유일한 온도임을 보여라.
(b) 켈빈온도와 화씨온도가 수치적으로 같아지는 온도 눈금은 얼마인가?

2 만약 섭씨온도 눈금에서 온도가 ΔT_C만큼 변한다면, 화씨온도 눈금변화 ΔT_F는 $\frac{9}{5}\Delta T_C$와 같음을 보여라.

3 15℃에서 길이가 정확히 1m인 강철 막대가 있다. 또 15℃에서 강철 막대보다 정확히 0.4mm 짧은 알루미늄 막대가 있다. 이 두 막대를 오븐 속에서 똑같이 가열하면 어느 온도에서 길이가 같아지는가?

4 강철 기차 레일이 12.0m 길이로 잘라져서 끝이 연결되도록 놓아지고 있다. 이 레일은 온도가 −2.0℃인 겨울에 놓여진다. 온도가 40.0℃인 무더운 여름날에 끝과 끝이 간신히 닿도록 하려면 레일 토막 사이의 간격을 얼마로 띄어 놓아야 하는가?

5 20.0℃에서 지름 10.00cm인 황동 고리를 가열하여 20.0℃에서 지름 10.01cm인 알루미늄 봉에 끼어 넣었다.
(a) 결합된 것을 식혀서 빼내려면 몇 도의 온도가 되어야 할까? 이것이 가능한가?
(b) 만일 알루미늄 봉의 반지름이 10.02cm라면? [두 물질의 평균 선팽창계수의 값이 일정하다고 가정하라.]

6 강철 마개의 내부 지름과 유리병의 외부 지름이 둘 다 정확하게 실온 21.0℃에서 11.500cm이다. 만일 마개를 꽉 닫고 마개와 병이 모두 80.0℃가 될 때까지 뜨거운 물을 부으면 지름은 어떻게 변할까?

7 일정부피 기체온도계에서 20.0℃에서의 압력은 0.980atm이다.
(a) 45.0℃에서의 압력은 얼마인가?
(b) 만약 압력이 0.500atm이라면 온도는 얼마인가?

8 일정한 부피 안에 갇힌 기체에 대하여, 백금이 녹는 온도에서의 압력과 물의 삼중점 온도에서의 압력의 비가 7.476이다. 백금이 녹는 온도는 섭씨로 얼마인가?

9 (a) 20℃ 대기압에서 1.0cm^{3}의 부피를 차지하는 이상 기체가 있다. 용기 안에 있는 기체 분자 수를 구하라.
(b) 만일 온도가 일정하게 유지되고 압력이 1.0×10^{-11}Pa로 감소한다면 용기 속에 남아있는 기체 분자의 수는 얼마인가?

10 공기 기포가 호수 표면으로부터 100m 아래에서 1.50cm^{3}의 부피를 가진다. 그것이 표면에 도달할 때 기포의 부피는 얼마인가? 기포 안에 있는 공기 분자의 수와 온도는 기포가 수면으로 올라오는 동안 일정하다고 가정하라.

11 자동차 타이어가 10℃의 정상 대기압하에 있는 공기에 의해 부풀려졌다고 하자. 그 과정 중에 공기는 원래 부피의 28.0%로 압축되고 온도는 24.0℃로 증가되었다.

(a) 이때 타이어의 압력은 얼마인가?

(b) 차가 고속으로 운행된 후에 타이어 공기 온도는 85.0℃로 상승하였고, 타이어의 내부 부피는 2.0% 만큼 증가하였다. 타이어의 새 압력은 얼마인가?

12 용기에 0℃, 1기압에서 5몰의 이상기체가 있다. 일정한 부피에서 이상기체를 온도가 100℃가 될 때까지 가열하였다.

(a) 새로운 압력은 얼마인가?

(b) 그 온도에서 압력이 1기압으로 되돌아오기 위하여서는 기체 몇 몰을 빠져나가게 해야 하는가?

(c) 기체가 빠져나간 후, 용기를 다시 밀폐하고 0℃까지 식힌다. 이제 새로운 압력은 얼마인가?

13 산소를 이상기체로 취급할 수 있다.

(a) 온도가 300K인 산소분자의 평균제곱근 속력을 구하여라.

(b) 분자당 평균 운동에너지는 얼마인가?

(c) 산소기체 1몰의 전체 운동에너지는 얼마인가?(산소분자의 질량은 $m = 5.31 \times 10^{-26}$kg이다.)

14 어떤 기체의 온도가 0℃이고 압력이 1atm일 때 이 기체의 부피가 22.4L임을 보여라. (이 기체는 이상기체로 간주된다.)

15 실린더가 150℃의 평형상태에서 헬륨과 아르곤의 혼합 기체로 채워져 있다.

(a) 각 분자의 평균 운동에너지를 구하라.

(b) 각 분자의 평균제곱근 속력을 구하라.

16 헬륨원자 (질량 6.66×10^{-27}kg)의 평균제곱근 속력이

(a) 지구의 탈출속도 1.12×10^{4}m/s와

(b) 달의 탈출속도 2.37×10^{3}m/s와 같기 위한 온도를 각각 구하라.

17 (a) 이상기체법칙을 식으로 나타내고 사용된 기호의 단위 및 특성을 설명하여 보아라.

(b) 이상기체법칙과 운동에너지의 관계를 식으로 나타내어라.

18 (a) 물이 일정 온도에서 액체가 기체로 혹은 기체가 액체로 변하는 상변화 현상을 P-V 도표 상에서 그리고 과정을 설명하여라.

(b) 물이 액체에서 기체로 변할 때 필요로 하는 열의 명칭과 양을 나타내어라.

19 (a) 온도 25℃ 대기압 하에서 부피가 3.0L인 풍선에는 몇 mol의 수소가 들어 있을까?

(b) 이 풍선이 대기 중으로 날아 올라가 기압이 0.7atm인 곳에 도달하는 동안 대기의 온도는 10℃나 떨어지고 20%의 수소가 빠져 나갔다면 이 때 풍선의 부피는 얼마가 되겠는가?

15 열 및 열역학 제 1 법칙

17세기까지 당시의 과학자들은 열이란 하나의 입자와 같아서 온도가 다른 두 물체가 접촉하였을 때, 온도가 높은 물체에서 낮은 물체로 열의 알갱이(Caloric)가 이동하는 것이라 믿었다. 열입자 보존 원리에 입각한 이러한 열입자 이론은 일반적인 열전달 현상은 그럴듯하게 잘 설명할 수 있었지만, 마찰에 의해서 열이 계속 생성된다는 사실이나 어느 곳에서도 열이 감소되지 않는다는 사실은 설명할 수 없었다. 열입자가 보존될 수 없다는 사실을 처음으로 밝힌 사람은 벤자민 톰슨(Benjamin Thompson)이었다. 그는 군수공장에서 대포에 구멍을 뚫는 일을 감독하던 중 드릴과 금속의 마찰에 의해 계속 열이 생겨나는 것을 확인하였고, 열입자란 것은 마찰만으로 계속 생성될 수 있기 때문에 기존의 열입자 보존 이론은 결국 잘못된 것이고, 열이란 것이 보존되는 것이 아니라 하나의 전달될 수 있는 운동형태 즉, 에너지라는 주장을 하게 되었다. 실제로 그는 대포의 가공과정에서 생성된 열이 드릴이 금속에 한 일에 거의 비례한다는 사실을 밝혔다.

열입자 이론은 톰슨의 연구 후에도 대략 1840년대까지는 지배적인 이론의 위치를 차지하였으나 열입자 보존에 위배되는 실험들이 나타나면서부터 서서히 약화하였다. 영국의 학자인 제임스 주울(James Joule, 1818~1889)은 다양하면서도 정확한 실험을 수행하여, 결국 열이란 어떤 계와 그를 둘러싼 외부 계의 온도차에 의해 전달되는 에너지의 일종이라는 결론을 내리게 되었다. 여기서 그는 소멸된 역학적 에너지가 계에 생성된 열에너지와 같다는 사실을 증명하였다.

15.1 열 및 내부에너지

열이란 계와 그를 둘러싸고 있는 다른 계 사이에서 온도차에 의해 서로 주고 받는 에너지를 의미한다. 임의의 두 계 사이에 온도차에 의한 결과로 생기는 에너지 이동을 열이라 정의하므로, 온도차에 의한 에너지 이동이 아닌 경우에는 열이란 용어를 사용해서는 안 된다. 두 계 사이에 열의 전달이라는 수단 이외에도 에너지 전달은 일어날 수 있다. 예를 들면 차폐된 피스톤에 일을 하면 외부로부터 피스톤 내부의 기체에 에너지가 전달되며 이에 따라 열전달이라는 수단이 없어도 계의 내부에너지는 증가할 수 있다. 열과 내부에너지는 서로 구별되어야 한다. **내부에너지**(internal energy)는 계를 구성하는 원자나 분자의 마구잡이 병진운동, 회전운동, 진동과 관련된 운동에너지와 퍼텐셜에너지 뿐만 아니라 분자 사이의 퍼텐셜에너지를 포함한다. 계의 열에너지의 크기는 상대적인 기준인 온도에 따라 측정될 수 있다. 역사적으로 열의 단위인 **칼로리**(cal)는 다음과 같이 정의한다.

1cal : 순수한 물 1g의 온도를 14.5℃에서 15.5℃로 올리는 데 필요한 열에너지의 양

1kcal는 1,000cal, 즉 1kg의 물을 1℃ 올리는 데 필요한 열량이다(참고로 음식물의 영양에너지를 의미하는 칼로리 Cal는 kcal이다).

1948년 과학자들은 열을 에너지 전달의 척도로 정하였는데, 열의 국제단위를 주울(J)로 정하였다. 제임스 주울의 일과 열에 대한 실험 결과에 따라 현재 1cal는 정확히 4.184J와 같다. 이를 **열의 일당량**(mechanical equivalent of heat)이라 한다.

$$1\ \text{cal} \equiv 4.184\ \text{J} \tag{15.1}$$

15.1 체중 줄이기

어떤 사람이 저녁에 2,000Cal의 식사를 했다고 하자. 그런데 그는 50kg의 역기를 들어 올려서 저녁에 먹은 칼로리를 모두 소모하려고 한다면 과연 몇 번 역기를 들어 올려야 하겠는가? (역기를 들어 올리는 높이는 2m라 하자.)

풀이 $1\text{Cal} = 1{,}000\text{cal} = 4.184 \times 10^3\text{J}$ 이므로 소모해야할 총 에너지는 다음과 같다.

$$2{,}000\,\text{Cal} = 8.37 \times 10^6\,\text{J}$$

질량을 높이 h만큼 들어 올리는 데 필요한 일은 mgh이므로 이를 요구되는 총 일과 같게 놓으면,

$$W = nmgh = 8.37 \times 10^6\ \text{J}$$

$$n = \frac{8.37 \times 10^6\ \text{J}}{(50\ \text{kg})(9.8\ \text{m/s}^2)(2\ \text{m})} = 8.54 \times 10^3\text{번}$$

5초에 한 번씩 들어 올린다면 12시간이 걸리는 엄청난 횟수이다.

15.2 열용량과 비열

열에너지가 물질로 흘러 들어오면 일반적으로 온도가 상승한다. 물질의 온도를 올리는 데 필요한 열에너지 Q는 그 물질의 질량과 물질의 온도 변화에 비례한다.

$$Q = C\Delta T \tag{15.2}$$

여기서 C는 물질의 **열용량**(heat capacity)으로, 물질의 온도를 1℃ 올리는 데 필요한 열에너지로 정의한다. 단위 질량당 열용량을 **비열**(specific heat)이라 한다. 즉, 비열 c는

$$c = \frac{C}{m} \tag{15.3}$$

이다. 식 (15.2)를 비열로 다시 표현하면 다음과 같다.

$$Q = mc\Delta T \tag{15.4}$$

몰당 열용량을 **몰비열**(molar specific heat)이라 한다. 몰비열 c_m은 $c_m = C/n$이다. 여기서 n은 몰수이다. 식 (15.3)을 이용하면 몰비열과 비열 c는

$$c_m = \frac{C}{n} = \frac{mc}{n} = Mc$$

의 관계가 성립한다. 여기서 $M = m/n$은 몰질량이다. 식 (15.2)을 몰비열로 다시 표현하면 다음과 같다.

$$Q = nc_m\Delta T \tag{15.5}$$

표 15.1 1기압 20℃에서 여러 가지 물질의 비열과 몰열용량

물 질	비열 c (kJ/kg · K)	몰비열 c_m (J/mol · K)	물 질	비열 c (kJ/kg · K)	몰비열 c_m (J/mol · K)
알루미늄	0.900	24.3	은	0.233	24.9
비스무스	0.123	25.7	텅스텐	0.134	24.8
구리	0.386	24.5	아연	0.387	25.2
금	0.126	25.6	에틸알콜	2.4	111
얼음(−10℃)	2.05	36.9	수은	0.140	28.3
납	0.128	26.4	물	4.18	75.2

표 15.1에 1기압, 20℃에서 측정한 여러 물질의 비열과 몰비열을 나타내었다.

표 15.1에서 보인 바와 같이 물은 우리 주변의 물질 중 비열이 가장 큰 물질이다. 비열이 큰 물질일수록 동일한 질량에 동일한 온도를 올리는 데 드는 열량이 많이 필요하다. 이를 다르게 표현하면 비열이 큰 물질은 동일한 조건에서 많은 열량을 포함할 수 있다는 것이다. 따라서 물은 태양열 난방 시스템에서와 같이 열에너지를 저장하는 데 우수한 열저장물질이다. 큰 호수나 바다와 같은 많은 물은 말하자면 대형 열에너지 저장원이 되기 때문에 온도가 크게 변하지 않으면서도 많은 열량을 흡수 혹은 방출할 수 있다. 따라서 주위의 기온 변화를 가능한 줄여주는 역할을 한다. 특히 바다와 육지의 큰 비열 차는 해풍과 육풍의 근원이 된다. 낮에는 바다보다 육지의 온도가 더 빨리 상승하므로 육지의 공기는 밀도 차에 의해 위로 상승하고 상대적으로 더 낮은 온도의 바다의 공기가 육지 쪽으로 흘러 들어오게 되어 바다에서 육지 쪽으로 바람이 불어오므로 이를 해풍이라 한다. 밤에는 반대로 바다가 육지보다 온도가 더 느리게 내려가므로 육지에서 바다 쪽으로 바람이 불게 되며 이를 육풍이라고 한다. 이처럼 물질간의 비열의 차는 공기의 순환 형태를 결정하는 중요한 요인이다.

에너지 보존 : 열량 측정법

온도가 다른 두 계가 접촉되면 두 계는 온도가 동일할 때까지 온도가 높은 계에서 온도가 낮은 계로 열에너지가 이동한다. 두 계의 온도가 동일하여 더 이상 열의 이동이 없는 상태를 열적 평형상태라 한다.

고체나 액체의 비열(c_x)을 측정하기 위해서 보통 어떤 물질을 어느 온도(T_x)까지 가열한 다음, 질량(m_w)과 온도(T_w)를 알고 있는 물이 담긴 용기에 넣고, 열적 평형 상태에 도달하게 한 다음 물의 온도(T)를 측정하는 방법을 쓴다. 이 과정에서는 역학적 에너지의 변화는 거의 무시될 수 있으므로 에너지 보존법칙에 의하면 비열을 모르는 물체(질량 m_x)가 잃은 열량은 물이 얻은 열량과 동일하다.

$$m_w c_w (T - T_w) = m_x c_x (T_x - T) \quad (15.6)$$

이처럼 열에너지 전달을 이용하여 물체의 열용량이나 비열을 측정하는 방법을 **열량 측정법**(calorimetry)이라 한다.

비열은 그 물체가 열을 받는 동안의 조건에 따라 달라진다. 만일 물체의 부피가 변화하지 않는다면 가해진 열이 모두 물체의 온도 상승에 쓰이지만, 물체의 부피가 변화하면 이 가해진 열이 외부에 대해 일을 하게 되므로 더 많은 열에너지를 공급해야 한다. 조건에 따라 일정한 체적 하에서 측정한 비열을 **정적비열**(specific heat at constant volume) (c_v)이라 하며, 이와 달리 압력이 일정하여 체적 변화가 동반될 수 있는 경우의 비열을 **정압비열**(specific heat at constant pressure) (c_p)이라고 한다. 따라서 정압비열이 정적비열보다 크다는 것을 쉽게 이해할 수 있다.

고체나 액체는 열이 가해졌을 경우 팽창하는 것을 막기는 매우 어렵지만 팽창하는 부피가 매우 작아서 팽창 시에 한 일을 거의 무시할 수 있기 때문에 두 비열의 차이는 매우 작다. 그러나 기체는 부피 팽창이 크므로 두 비열의 차이가 매우 크다. 기체의 경우 일정한 부피를 유지하기가 쉬우므로 주로 정적비열을 측정하게 되며 액체나 고체의 경우 대기압 하에서 측정하게 되므로 정압비열을 주로 사용한다.

15.2 1kg의 어떤 물질을 100℃까지 가열한 후, 15℃의 500g의 물이 든 200g 질량의 알루미늄 캔에 넣었다. 알루미늄 캔의 비열이 0.9kJ/kg·K이고 평형 상태에서 물의 온도가 20℃로 측정되었다. 이 물질의 비열은 얼마인가?

풀이 물의 온도 변화는 20℃−15℃=5℃이므로 물이 흡수한 열량을 계산하면,

$$Q_w = m_w c_w \Delta T = (0.5\,\text{kg})(4.18\,\text{kJ/kg}\cdot\text{K})(5\,\text{K}) = 10.45\,\text{kJ}$$

비슷하게 알루미늄 캔이 흡수한 열량을 계산하면,

$$Qc = m_c c_c \Delta T = (0.2\,\text{kg})(0.9\,\text{kJ/kg}\cdot\text{K})(5\,\text{K}) = 0.9\,\text{kJ}$$

이 물질의 온도 변화는 100℃−20℃=80℃이므로 이 물질이 잃은 열량은,

$$Q_x = m_x c_x \Delta T = (1\,\text{kg})(c_x\,\text{kJ/kg}\cdot\text{K})(80\text{K}) = 80\,c_x\,\text{kJ}$$

이 물질이 잃은 열량은 물과 알루미늄 캔이 흡수한 열량과 같으므로,

$$80\,c_x = 10.45 + 0.9$$

따라서 $c_x = 0.142\,\text{kJ/kg}\cdot\text{K}$

15.3 상전이와 숨은 열

물체와 주변 사이에 에너지 교환이 일어날 때, 일반적으로 물체의 온도가 변한다. 그러나, 어떤 경우에는 에너지 교환이 있더라도 온도가 변하지 않을 수도 있다. 이것은 물질의 물리적 성질이 한 상에서 다른 상으로 변화하는 **상전이**(phase transition)가 일어날 때 생기는 현상이다. 일반적으로 상전이의 대표적인 예는 그림 15.1과 같은 물의 상태 변화로서 일상생활에서 쉽게 얼음(고체)이 물(액체)로 변하거나, 물(액체)이 수증기(기체)로 변하는 경우를 들 수 있다. 이처럼 기본적인 상으로는 고체와 액체 그리고 기체상태가 있으며 각 상태들은 물리적인 성질이 서로 다르다. 고체의 경우는 각 원자들의 결합이 강력하여 팽창이나 진동에 의한 다소간의 위치 변동을 제외하면 원자들의 위치가 강하게 제한되어 있으며, 액체의 경우는 고체보다는 원자들의 결합이 느슨하여 전체 부피가 변하지 않는 가운데 자유로운 형태 변화가 가능할 만큼 원자들의 위치가 변할 수 있다. 기체의 경우는 원자들 간의 결합력이 매우 약하여 부피 및 형태 변화가 아주 자유로울 만큼 원자의 위치가 쉽게 변할 수 있다.

이러한 세 가지 기본적인 상은 각자 기본적인 물리적 구조가 다르기 때문이며, 상변화에는 물리적 구조의 변화에 따르는 내부에너지가 출입하게 된다. 이 상변화에 수반되는 에너지를 **숨은열**(latent heat)라고 한다. 예를 들면 고체인 얼음에서 액체인 물로 상전이가 일어나려면 고체의 원자간 결합력을 끊기 위한 에너지가 필요하게 되며 이에 따른 열을

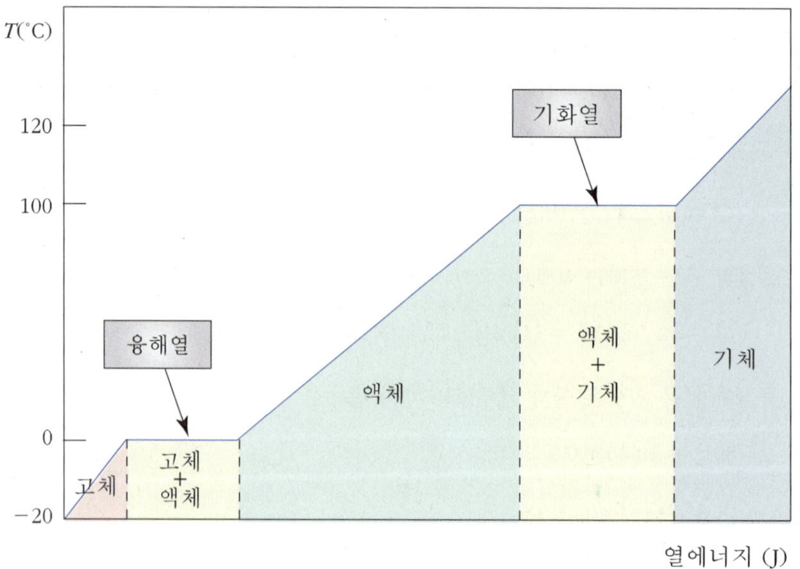

그림 15.1 −20℃의 얼음이 120℃의 수증기로 변하기까지의 온도 변화 그림

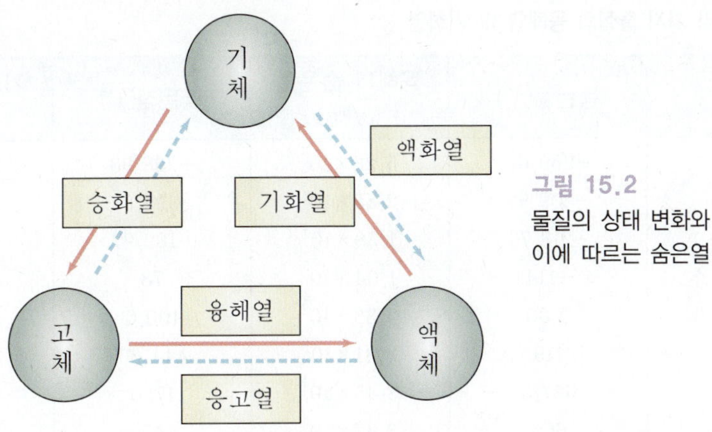

그림 15.2
물질의 상태 변화와 이에 따르는 숨은열

융해열(latent heat of fusion)이라 하며 반대로 액체인 물에서 고체인 얼음으로 변할 때 에너지가 밖으로 방출되는데 이에 따른 열을 **응고열**(latent heat of solidification)이라 한다. 이 융해열과 응고열은 그 크기가 동일하다. 액체인 물이 끓어서 기체인 수증기가 되려면 에너지가 공급되어야 하므로 이때 필요한 열을 **기화열**(latent heat of vaporization)이라 하며 반대의 경우를 **액화열**(latent heat of condensation)이라 한다. 어떤 경우는 드라이아이스나 나프탈렌처럼 고체에서 액체를 거치지 않고 바로 기체로 변하거나 기체에서 바로 고체로 변하는 현상이 생기며 이때 관계된 열을 **승화열**(latent heat of sublimation)이라 부른다. 이러한 기본적인 상전이 외에 실제적으로는 한 결정상태에서 다른 결정상태로 변하는 경우에도 숨은열이 동반하게 된다. 이처럼 숨은열은 분자들의 운동에너지, 즉 온도 변화에 수반되기 보다는 분자들 간의 위치 변화, 즉 퍼텐셜에너지의 변화에 수반되며 이 때 물체의 온도는 변하지 않는다.

어떤 주어진 양의 물질의 상태를 변화시키려면 일정한 열에너지가 필요하며 이 때 필요한 열은 물질의 종류나 상전이의 종류 그리고 물체의 질량에 비례한다. 어떤 물체의 상전이 시 단위 질량당 수반되는 열량을 숨은열(L)로 정의하고, 질량 m 인 순수한 물질의 상전이에 필요한 에너지는

$$Q = mL \tag{15.7}$$

이다. 표 15.2에는 각 물질의 융해열과 기화열 그리고 녹는점과 끓는점이 표시되어 있다. 이 표에서 보인 바와 같이 융해열보다는 기화열이 훨씬 큰 데, 이는 고체에서 액체로 변화하는 상전이 현상보다는 액체에서 기체로 변하는 기화 현상에 훨씬 더 많은 에너지가 필요함을 의미하는 것이다.

표 15.2 여러 가지 물질의 융해열 및 기화열

물질	녹는점(℃)	융해의 숨은열 (J/kg)	끓는점(℃)	기화의 숨은열 (J/kg)
헬륨	−269.65	5.23×10^{3}	−268.93	2.09×10^{4}
질소	−209.97	2.55×10^{4}	−195.81	2.01×10^{5}
산소	−218.79	1.38×10^{4}	−182.97	2.13×10^{5}
에틸알코올	−114	1.04×10^{5}	78	8.54×10^{5}
물	0.00	3.33×10^{5}	100.0	2.26×10^{6}
황	119	3.81×10^{4}	444.60	3.26×10^{5}
납	327.3	2.45×10^{4}	1750	8.70×10^{5}
알루미늄	660	3.97×10^{5}	2450	1.14×10^{7}
은	960.80	8.82×10^{4}	2193	2.33×10^{6}
금	1063.00	6.44×10^{4}	2660	1.58×10^{6}
구리	1083	1.34×10^{5}	1187	5.06×10^{6}

예제 15.3 1기압 하에서 −20℃의 얼음 1kg을 수증기로 만드는 데 얼마나 많은 열이 필요한가?

풀이 얼음의 열용량은 2.05kJ/kg · K(표 15.1)이므로 얼음을 −20℃에서 0℃까지 올리는 데 필요한 열량은

$$Q_1 = m_i c_i \Delta T = (1\,\text{kg})(2.05\,\text{kJ/kg}\cdot\text{K})(20\,\text{K}) = 41\,\text{kJ}$$

얼음의 융해열은 표 15.2로부터 333kJ/kg 이므로 1kg의 얼음이 녹는 데 필요한 열은

$$Q_2 = mL = (1\,\text{kg})(333\,\text{kJ/kg}) = 333\,\text{kJ}$$

융해된 물을 0℃에서 100℃까지 올리는 데 필요한 열량은

$$Q_3 = m_u c_u \Delta T = (1\,\text{kg})(4.18\,\text{kJ/kg}\cdot\text{K})(100\,\text{K}) = 418\,\text{kJ}$$

마지막으로 100℃의 물을 수증기로 변하게 하려면 표 15.2로부터 물의 기화열 2.26MJ이 필요하다는 것을 알 수 있다.

$$Q_4 = mL = (1\,\text{kg})(2.26\,\text{MJ/kg}) = 2.26\,\text{MJ}$$

따라서 필요한 총 열량은 이 네 가지 열량의 합이므로,

$$Q = Q_1 + Q_2 + Q_3 + Q_4 = 0.041 + 0.333 + 0.418 + 2.26 = 3.062\,\text{MJ}$$

총 3.062MJ의 열량이 필요하다.

15.4 기체가 한 일과 P–V 그래프

14장의 기체 분자 운동론에서는 기체 분자들 사이의 상호작용이 없는 이상기체를 가정하였다. 이 이상기체의 상태방정식은 단순하면서도 실제 기체의 많은 상황을 비교적 정확하게 기술할 수 있기 때문에, 앞으로 논의 하는 모든 기체는 특별하게 언급하지 않는 한 이상기체라고 가정한다.

열에너지를 일로 전환하는 기관인 엔진 등의 실제 문제에서는 기체가 한 일을 정확히 이해하는 것이 중요하다. 증기기관이든 가솔린기관이든 발생된 열에너지는 피스톤을 운동시켜 외부로 일을 한다. 이러한 내연기관의 기본 형태인 그림 15.3의 간단한 실린더를 생각하자.

피스톤의 외벽은 단열되어 있고 기체 내부의 압력이 P 이면 피스톤 면에 작용하는 힘은 $F=PA$ 이다. 여기서 A 는 피스톤의 넓이이다. 피스톤이 움직일 때 갑작스런 운동은 기체 상태를 나타내는 거시적 변수인 온도(T), 압력(P), 내부에너지(U)를 결정할 수 없기 때문에 일반적으로 기체의 열적 평형 상태에 가깝게 움직여 나간다고 가정한다. 이와 같은 과정을 **준정적 과정**(quasi-static process)이라 하며 실제 문제에서도 이러한 준정적 과정을 고려할 수 있다.

그림 15.3과 같이 피스톤이 길이 dx 만큼 움직였을 때 기체가 피스톤에 한 일은,

$$dW = Fdx = PAdx = PdV \tag{15.8}$$

여기서 기체의 부피변화가 (+)이면 기체가 외부에 일을 한 것이고 (−)일 경우는 기체가 외부로부터 일을 받았다는 의미이다. 기체의 압력이 일정하면 기체의 압력에 부피변화를 곱한 값은 바로 기체가 외부에 한 일이다. 만일 기체의 압력이 변하면 실제 기체가 한 일은 다음의 적분식으로 표시된다.

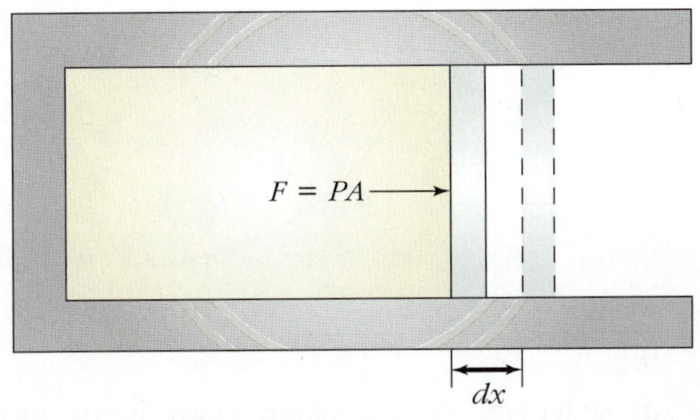

그림 15.3 단열된 실린더와 피스톤 내부에 갇혀 있는 기체. 피스톤이 dx 만큼 이동할 때

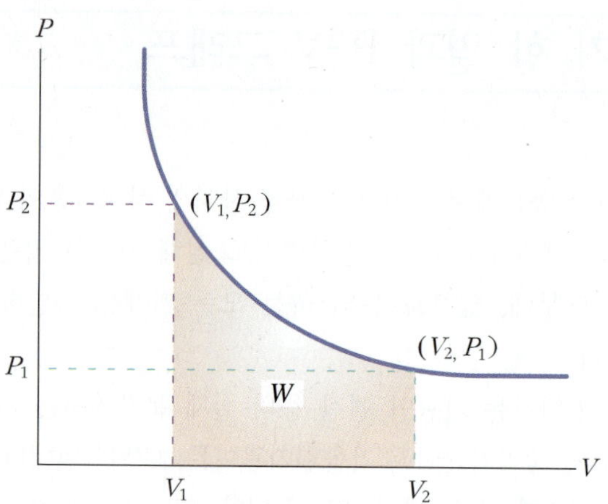

그림 15.4 기체가 가역적으로 V_1에서 V_2로 증가하였을 때 기체가 한 일은 $P-V$ 곡선 아래 면적과 같다.

$$W = \int_{V_1}^{V_2} P dV \tag{15.9}$$

즉, 기체가 한 일은 $P-V$ 그래프에서 곡선 아래 면적과 같다. 이를 그림 15.4에 표시하였다. 그런데 중요한 것은 초기 조건과 최종 조건이 동일하더라도 중간 과정에 영향을 받는다는 것을 유의해야 한다. 즉, 과정이 진행되는 경로에 따라 기체가 한 일이 달라진다. 그림 15.5에서 보듯 동일한 초기 및 최종 조건일지라도 그래프 아래 면적이 모두 다르며, 따라서 기체가 한 일도 같지 않다.

한 가지 주지해야할 사항은 $P-V$ 그래프에서 온도관계를 알아보는 것이다. 그림 15.6과 같이 $P-V$ 곡선 상의 한 점에 대응하는 온도는 이상기체 상태방정식으로부터 $T = PV/nR$임을 알 수 있다. 이것은 그래프 상에서 두 축과 그 지점이 이루는 면적에 비례한다.

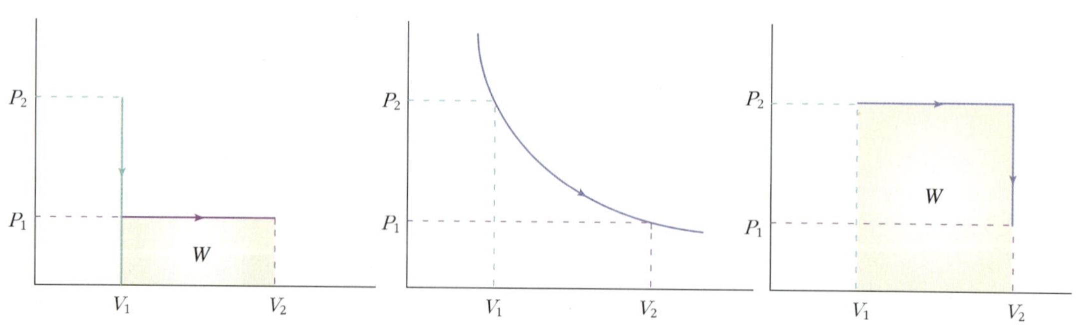

그림 15.5 처음 상태와 나중 상태가 동일하여도 기체가 한 일은 경로에 의존한다.

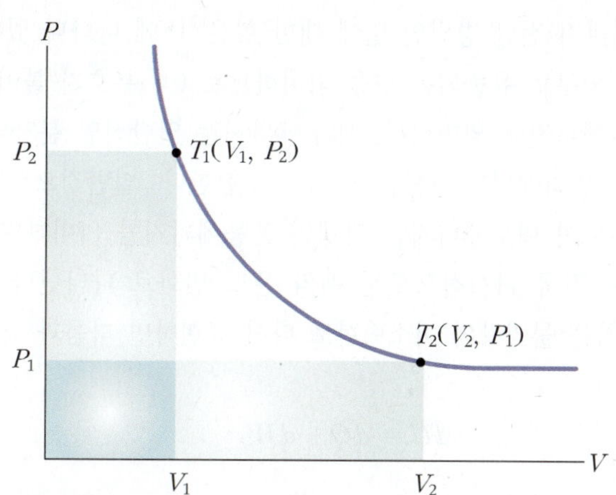

그림 15.6
$P-V$ 그래프 상에서 그 지점의 온도는 압력과 부피의 곱에 비례해 주어진다. 두 지점간의 온도의 비는 색칠한 면적의 비와 같다.

15.5 열역학 제 1 법칙

제6장에서 에너지 보존법칙을 다룰 때 계의 내부에너지를 포함한 일반화된 에너지 보존법칙을 다룬 바 있다. 열역학 제 1 법칙은 일반화된 에너지 보존법칙이며 내부에너지의 가능한 변화를 포함한다. 이는 모든 종류의 과정에 적용할 수 있는 보편적 법칙이고 거시적 세계와 미시적 세계를 연결시켜 준다.

계와 외부 사이에 에너지 전달에는 두 가지 방법이 있다. 하나는 계에 힘이 작용하여 일을 하거나 받는 것이며, 다른 하나는 어떤 방법에 의하여 열에너지가 전달되는 것이다. 이 두 가지 방법의 에너지 전달에 의하여 계의 에너지에 변화가 생기며, 이는 기체의 압력, 온도, 부피와 같은 거시적인 양의 변화로 나타난다. 따라서 계의 내부에너지는 그 계가 받은 열량 Q와 계가 외부에 한 일의 양 W에 따라 변한다. 이때 계의 내부에너지 변화 ΔU는

$$\Delta U = Q - W \tag{15.10}$$

이것을 **열역학 제 1 법칙**(First law of thermodynamics)이라 부른다. 이 식은 매우 간단한 식이지만 실제 응용에서 많이 쓰이는 중요한 식이다. 이 제 1 법칙이 의미하는 바는 계로 에너지의 유입이 있으면 이는 계의 내부에너지 증가로 나타난다는 것이며, 이것이 바로 열역학에서의 일반화된 에너지 보존법칙이다. Q는 계에 흡수, 즉 유입되는 열에너지를

의미하며 또 다른 에너지 전달 방법인 일에 대한 항은 W에 나타나 있다. 다만 이 항은 계가 외부에 한 일, 즉 외부로 유출되는 양을 의미하므로 (−)부호가 붙어야 계로부터 유출되는 또는 방출되는 일에너지를 의미한다. 내부에너지는 일반적인 분자의 운동과 관련된 운동에너지뿐만 아니라 위치에너지, 화학에너지를 포함한다. 일반적으로 화학적인 변화나 상전이가 없을 경우에는 이 내부에너지는 기체의 운동에너지를 의미하며, 제14장에서 알 수 있는 바와 같이 이는 결국 거시적으로는 계의 온도 변화로 나타난다.

열역학 제 1 법칙을 물리량의 미소변화로 다시 표현하면 다음과 같다.

$$dU = dQ + dW \tag{15.11}$$

여기서 Q 나 W 는 계의 상태를 나타내는 함수가 아니다. 다시 말하면 계의 열이 많다거나 일이 많다고 이야기하는 것은 틀리다는 것이다. 계에 유입된 열에너지나 일은 내부에너지의 변화로 나타나며, 결국 계의 상태를 나타내는 함수는 내부에너지인 U 가 된다. 따라서 여기서 dQ나 dW는 미분값이 아닌 단순한 미소한 양을 의미하며 dU 는 계의 상태 변화를 나타내는 미분값이다.

15.6 열역학 제 1 법칙의 응용

열역학에서는 특정한 계를 다루는 경우가 많은데 이를 통해서 열역학 제 1 법칙에 대한 이해와 실제 응용에 도움을 받을 수 있다. 이 절에서는 열역학 제 1 법칙을 응용하여 단열, 등온과정 등 여러 과정에 대해 알아본다.

단열과정

단열과정(adiabatic process)은 계를 외부에서 열적으로 완전히 단열시키거나 또는 단열과정이 충분히 빨리 일어나서 계로 유입되는 열의 출입이 무시되는 경우이다. 실제 공기는 열의 전달이 매우 적은 단열체이므로 공기 일부가 상승하면 압력 강하에 따라 부피가 팽창한다. 이 과정 중에 주위 공기와의 열전달은 무시할 수 있으므로 실제 단열 팽창과정으로 다룰 수 있다. 단열과정 중에는 외부의 열전달이 없으므로 $Q = 0$이고, 열역학 제 1 법칙에 의하여

$$\Delta U = Q - W = -W \tag{15.12}$$

이다. 계가 외부에 일을 하면(계가 팽창하면 $W > 0$) $\Delta U < 0$이므로 내부에너지가 줄어든다. 일반적인 공기처럼 내부에너지가 오로지 운동에너지에 의한 것이라면 온도 T가 낮아진다. 이 과정을 **단열팽창**(adiabatic expansion)이라 한다. 단열팽창과정은 열에너지 전달이 없는 상태에서 계가 외부에 일을 하기 위해 내부에너지를 소모하는 과정이라 할 수 있다. 반대로 디젤기관의 내부처럼 공기가 외부계(피스톤)에 의해 압축될 때는 $W < 0$이므로 $\Delta U > 0$이다. 즉, 내부 온도는 상승하는데 이 경우를 **단열압축**(adiabatic compression)이라 한다.

단열 자유팽창

그림 15.7은 단열벽내에 기체가 얇은 막의 한 쪽에 모여 있는 계를 보여준다. 만일 얇은 막이 찢어지면 기체가 진공 중으로 급속히 팽창한다. 기체가 팽창하는 과정은 일반적인 피스톤 팽창을 보여주는 그림 15.3과 유사하지만 근본적인 차이가 있다. 두 경우 모두 기체가 팽창하는 과정이지만 피스톤 팽창의 경우 기체가 팽창하면서 외부에 일을 하는 반면, 그림 15.7의 기체는 단순히 진공 중으로 퍼져 나가며 외부에 일을 하지 않는다는 차이점이 있다. 이 그림과 같은 과정을 단열 자유팽창 혹은 단순히 **자유팽창**(free expansion)이라 한다. 이 자유팽창에서는 외부로부터 열전달이 없고($Q = 0$) 또한 외부와의 일의 교환도 없다($W = 0$). 따라서 열역학 제 1 법칙에 따라 내부에너지의 변화도 없다($\Delta U = 0$). 즉, 이상기체의 경우 자유팽창이 되면 기체의 온도도 변화가 없다. 다만 높은 압력의 실제 기체의 경우 온도의 변화가 약간 생긴다.

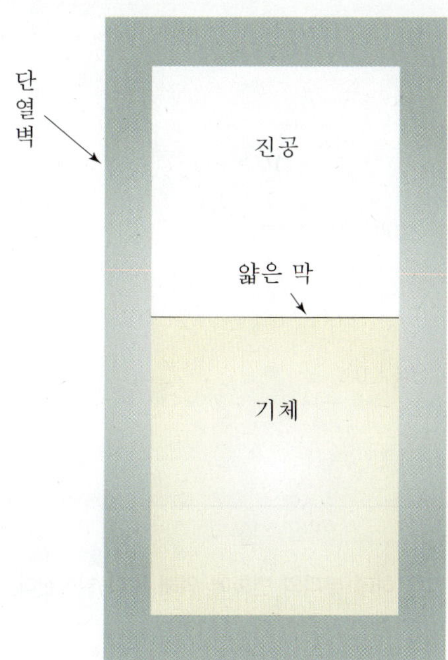

그림 15.7
단열된 자유팽창계. 얇은 막이 찢어지면 기체가 진공 중으로 급속히 팽창한다.

등압과정

일정한 압력 하에서 발생하는 열역학 과정을 **등압과정**(isobaric process)라 한다. 이 과정이 일어나는 동안에는 그림 15.8과 같이 압력이 일정한 가운데 부피의 변화가 생기며, 이에 따라 기체는 외부에 일을 하거나 받게 된다. 기체가 팽창 시 외부에 한 일은 단순히

$$W = \int_{V_1}^{V_2} P dV = P(V_2 - V_1) \tag{15.13}$$

로 주어지며, 열역학 제 1 법칙에 의해 $\Delta U = Q - W$에서 $W > 0$이고, 팽창하는 경우 그림 15.8에서 보인 바와 같이 처음 지점의 온도보다는 나중 지점의 온도가 높다($T_2 > T_1$). 왜냐하면 이상기체의 상태방정식에 의해 $PV = nRT$이므로 압력과 부피를 곱한 값이 온도에 비례하므로 압력이 동일하더라도 나중 지점의 부피가 더 크므로 ($V_2 > V_1$)온도가 높다. 따라서 나중 지점의 내부에너지도 더 높다($U_2 > U_1$). 결론적으로 등압과정은 $\Delta U > 0$, $W > 0$이므로 등압과정에서는

$$Q = \Delta U + W > 0 \tag{15.14}$$

이다. 등압 팽창과정에서는 외부로부터 열에너지의 유입이 반드시 필요하다(그림 15.8).

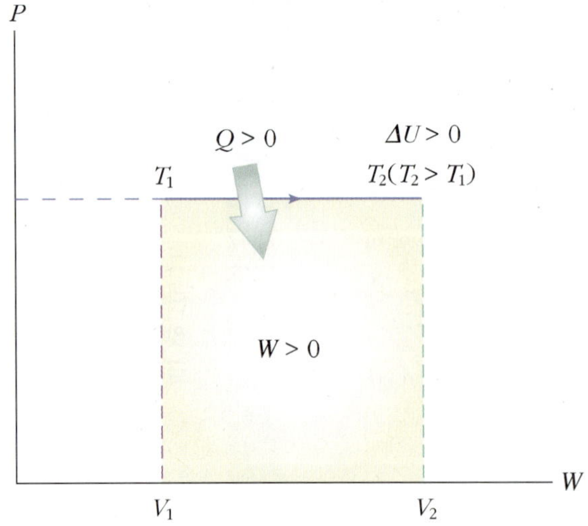

그림 15.8 등압과정. 일정한 압력 하에 부피의 변화에 의해 일이 발생한다.

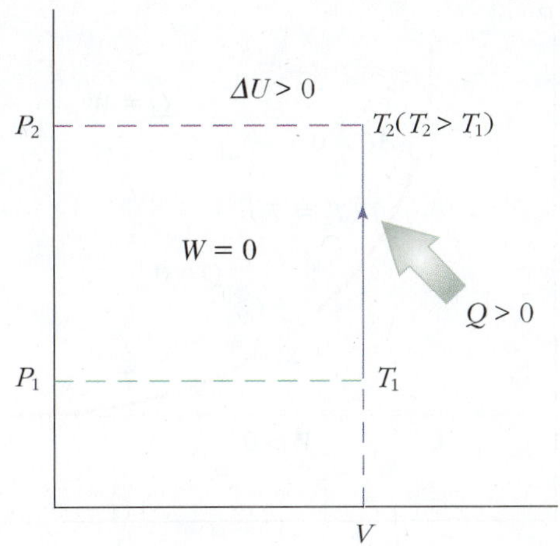

그림 15.9 등적 과정. 부피의 변화가 없는 상태에서 압력의 변화만 있는 과정이다. 부피의 변화가 없으므로 기체가 한 일은 없다.

등적과정

부피가 일정하게 유지되면서 발생하는 열역학 과정을 **등적과정**(isovolumetric process)이라고 한다. 부피가 변하지 않기 때문에 등적과정에서는 기체가 한 일은 없다($W=0$). 열역학 제 1 법칙에 의해 등적과정은 다음과 같이 계에 유입되는 열에너지는 모두 내부에너지의 증가로 나타난다.

$$\Delta U = Q \tag{15.15}$$

등적과정을 보여 주는 그림 15.9는 압력이 증가하는 경우이다. 부피의 변화가 없으므로 일은 없으며, 압력의 증가에 따라 온도가 상승한다($T_2 > T_1$). 따라서 내부에너지도 증가한다($\Delta U > 0$). 이 내부에너지의 상승은 바로 외부에서 유입된 열에너지 때문이다($Q > 0$). 등적과정의 예는 불속에 던져 넣은 닫힌 깡통을 들 수 있다. 불에 의해 깡통이 가열됨에 따라 깡통 내부 공기의 압력이 계속 증가하며, 온도도 증가한다. 깡통의 체적이 고정되어 있으므로 깡통이 폭발할 때까지 깡통 내부의 공기와 압력은 외부로부터의 열에너지 유입에 의해 계속 증가한다.

등온과정

온도가 변하지 않는 열역학 과정을 **등온과정**(isothermal process)이라 한다. 이상기체에서 내부에너지는 온도에만 의존하므로 등온과정에서의 내부에너지의 변화는 없다($\Delta U = 0$). 그림 15.10과 같은 등온 팽창과정에서는 부피의 팽창에 의해 외부에 일을 한다($W > 0$). 열역학 제 1 법칙에 따르면 등온과정에서 유입된 열($Q > 0$) 모두가 외부에 한 일로 소모된다.

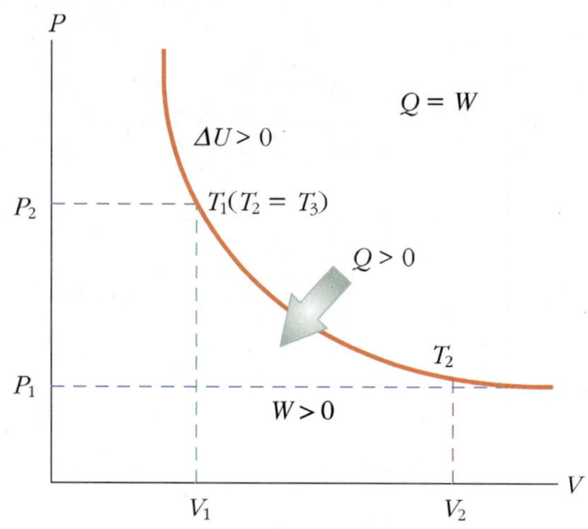

그림 15.10 등온과정을 나타내는 그래프. 온도의 변화가 없으므로 내부에너지의 변화는 없으며, 유입된 열이 모두 외부에 일로 소모된다. 등온 과정의 곡선은 $PV=k$ 형태의 쌍곡선이다.

$$Q = W > 0 \tag{15.16}$$

등온 과정의 경우 이상기체의 상태방정식에 의해 $PV = k$(상수)의 형태이므로 그림과 같은 쌍곡선 형태의 그래프를 그린다. 곡선의 방정식이 주어졌으므로 등온과정에서 외부에 한 일을 계산하면 다음과 같다.

$$W = \int_{V_1}^{V_2} P dV = \int_{V_1}^{V_2} \frac{nRT}{V} dV = nRT \ln\left(\frac{V_2}{V_1}\right) \tag{15.17}$$

기체가 팽창하면 식 (15.17)로부터 한 일이 (+)임을 알 수 있으며 이는 그래프상의 아래 면적이 된다.

예제 15.4 끓는 물

1g의 물은 1cm^3의 부피를 차지한다. 대기압 하에서 이 물이 끓으면 $1{,}671\text{cm}^3$이 된다. 이 과정 중에 내부에너지 변화를 계산하여라.

풀이 물의 기화열은 $L_v = 2.26\times 10^6\,\text{J/kg}$이므로 1g의 물이 기화하는 데 필요한 열량은

$$Q = mL_v = (1.00\times 10^{-3}\text{kg})(2.26\times 10^6\,\text{J/kg}) = 2{,}260\,\text{J}$$

물이 기화할 때는 대기압 하이므로 정압 팽창과정이다. 이 팽창과정에서 외부에 한 일은

$$W = P(V_g - V_\ell) = (1.013\times 10^5\text{N/m}^2)[(1{,}671 - 1)\times 10^{-6}\text{m}^3] = 169\,\text{J}$$

이다. 내부에너지 변화는

$$\Delta U = Q - W = 2{,}260\,\mathrm{J} - 169\,\mathrm{J} = 2{,}091\,\mathrm{J}$$

이다. 물이 끓는 과정은 정압 팽창과정이고 대부분의 숨은열은 내부에너지의 증가에 쓰이며, 소수만이 외부로 한 일로 전환된다. 이처럼 숨은 열이 존재할때는 내부에너지는 온도만의 함수가 아니어서 일반적인 이상기체의 $P-V$ 해석을 수정해야 한다.

예제 15.5 다음 그래프와 같은 순환과정을 갖는 열기관이 있다. 각 과정은 총 4개의 개별 과정들로 이루어져 있으며 과정 bc는 PV 곱이 일정하다고 가정한다. 다음 물음에 답하여라.

(a) 각 과정이 각각 어떤 과정인지 기술하라.

(b) 기체의 온도가 가장 높은 지점과 가장 낮은 지점은?

(c) 외부에 일을 하는, 즉 $W > 0$인 구간과 외부로부터 일을 받는 구간은 어디인가?

(d) 외부로부터 열에너지가 유입되는 구간과 유출되는 구간을 구하라.

(e) 계가 순환과정 동안 계가 외부에 한총 일과 계에 유입된 총 열에너지를 구하라.

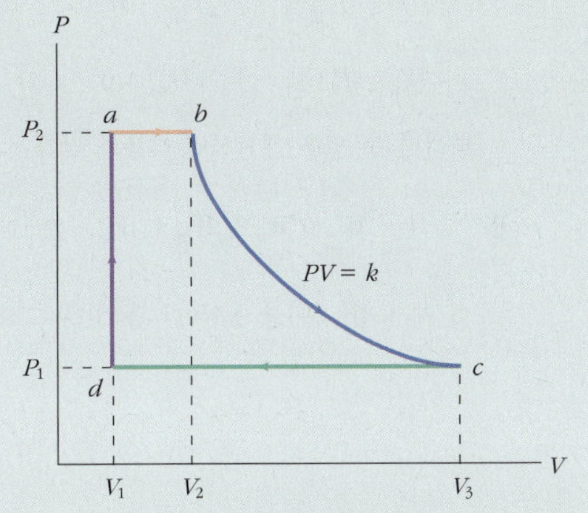

그림 15.11

풀이 (a) ab : 일정한 압력이므로 정압 팽창과정
bc : $PV = nRT = k$인 등온 팽창과정
cd : 정압 압축과정 da : 정적과정

(b) 이상기체의 온도는 상태방정식 $PV = nRT$에 의하여 압력과 부피를 곱한 값에 비례하므로 d지점의 온도가 가장 낮으며 bc 구간이 등온구간으로 가장 높은 온도를 가진다.

구간	ΔU
ab	+
bc	0
cd	−
da	+

(c) 그래프의 부피가 팽창할 경우가 외부에 일을 하는 구간이므로 ab, bc 구간이며, 외부로부터 일을 받는 구간은 cd 구간이다. da 구간은 정적과정이므로 일이 없다.

(d) 열에너지의 유입과 유출은 열역학 제 1 법칙에 따라 내부에너지와 일의 부호와 크기를 조사하면 된다. 열역학 제 1 법칙을 열량에 대해 쓰면,

$$Q = \Delta U + W$$

로 주어지므로 각 구간에서 각 부호를 기술하면 다음과 같다.
따라서 ab, bc, da 구간에서는 열에너지가 계로 유입되며, 반대로 cd 구간에서는 열에너지가 계 밖으로 유출된다.

(e) 계가 한 순환과정을 마치면 다시 P-V 그래프상의 동일 지점으로 돌아오므로 이상기체의 경우에는 내부에너지의 변화가 없다. 따라서 한 순환과정 동안의 계에 유입된 열량은 그대로 외부로 한 일이 된다. 즉,

$$Q = W$$

그래프로부터 한 사이클 동안의 일을 계산하여 보자.

$$W_{ab} = P_2(V_2 - V_1)$$

$$W_{bc} = \int_{V_2}^{V_3} P dV = \int_{V_2}^{V_3} \frac{nRT}{V} dV = nRTln\left(\frac{V_3}{V_2}\right)$$

$$W_{cd} = P_1(V_1 - V_3),\ W_{da} = 0$$

따라서 총 일을 계산하면 다음과 같다.

$$W = W_{ab} + W_{bc} + W_{cd} + W_{da} = P_2(V_2 - V_1) + nRT\ln\left(\frac{V_3}{V_2}\right) - P_1(V_3 - V_1)$$

이 계가 한 사이클 동안 한 총 일은 그래프로 둘러싸인 면적이 된다.

15.7 정적비열과 정압비열

앞 절에서 정적비열보다는 정압비열이 더 클 것이라는 것을 예상하였다. 이 절에서는 열역학 제 1 법칙을 적용한 실제 계산을 통해 정적비열과 정압비열의 관계를 유도한다.

어떤 물질의 비열 값은 그 물질의 내부에너지에 관한 정보, 즉 분자 구조에 관한 정보를 제공한다. 액체나 고체는 부피의 변화가 작으므로 정적비열과 정압비열에 큰 차이는 없지만, 기체는 외부 조건에 따라 두 비열은 차이가 있으므로 이들은 구분되어야 한다.

먼저 부피가 일정한 상태의 기체에 열을 가하면 가한 열 Q_V와 온도 사이는 다음의 관계가 성립한다.

$$Q_V = nc_v \Delta T$$

여기서 c_v는 부피가 일정할 때 단위 몰당 비열인 **정적몰비열**(molar specific heat constant volume)이다. 부피가 일정하므로 기체가 외부에 한 일은 없고($W = 0$) 이때 열역학 제 1 법칙은 다음과 같이 표현된다.

$$Q_V = \Delta U + W = \Delta U = nc_v \Delta T$$

이 식을 다시 쓰면 정적몰비열은

$$c_v = \frac{1}{n}\frac{\Delta U}{\Delta T} \tag{15.18}$$

이다. 즉, 정적몰비열은 단위 몰당 온도 변화에 따른 내부에너지 변화율이라 할 수 있다.

다음은 압력이 일정한 상태에서의 등압과정을 생각한다. 이 등압과정에서 가한 열 Q_p는

$$Q_p = nc_p \Delta T \tag{15.19}$$

로 주어진다. 여기서 c_p는 **정압몰비열**(molar specific heat constant pressure)이다. 열역학 제 1 법칙을 이용하면 식 (15.19)는

$$Q_p = \Delta U + W = \Delta U + P\Delta V = nc_v \Delta T + P\Delta V \tag{15.20}$$

이다. 이상기체의 상태방정식에 의하면 $P\Delta V = nR\Delta T$ 이므로

$$Q_p = nc_v \Delta T + nR\Delta T = nc_p \Delta T \tag{15.21}$$

이다. 식 (15.21)로부터 다음과 같은 정압몰비열과 정적몰비열의 관계를 얻는다.

$$c_p = c_v + R \tag{15.22}$$

이상기체에서 정압몰비열은 정적몰비열에 상수 R 을 더한 값과 같다. 식 (15.22)는 이상기체에서 예측된 식이지만 실제 모든 기체에 잘 적용된다.

헬륨이나 아르곤 등의 단원자 기체의 경우 기체의 내부에너지가 병진운동 에너지로만 구성되기 때문에 제 14장의 분자운동론으로부터 분자 하나에 대해 자유도당 $\frac{1}{2}k_B T$씩의 에너지가 배분되는 등분배 원리에 따라 단원자 기체 1몰에는 $\frac{3}{2}RT$ 의 내부에너지가 주어진다. 따라서 전체 내부에너지

$$U = \frac{3}{2}nRT \tag{15.23}$$

와 다음 관계식

$$\Delta U = \frac{3}{2}nR\Delta T = nc_v\Delta T$$

으로부터 정적몰비열 $c_v = \frac{3}{2}R$을 얻는다. 정압몰비열은 식 (15.22)에 의해

$$c_p = c_v + R = \frac{5}{2}R$$

이다.

산소, 질소, 수소등의 2원자 기체의 경우 기체의 내부에너지는 등분배 원리에 의해 x, y, z방향의 병진 자유도 3과 두 축의 회전 자유도 2를 가지므로 총 자유도는 5이므로 내부에너지는

$$U = \frac{5}{2}nRT$$

이므로 정적 및 정압몰비열은 다음과 같다.

$$c_v = \frac{1}{n}\frac{dU}{dT} = \frac{5}{2}R, \qquad c_p = c_v + R = \frac{7}{2}R$$

고체의 경우 각 원자들은 각자의 평형위치에서 마치 용수철에 연결된 형태로 운동한다고 생각할 수 있다. 원자들은 x, y, z 세 방향의 운동과 진동운동의 자유도를 지니게 된다. 따라서 병진운동에 대한 3개의 자유도와 세 방향의 진동운동 자유도를 더해서 총 자유도가 6이 된다. 이 경우 내부에너지는 $U = 3nRT$가 되며 몰비열은 $c = 3R$이 되는데 이 결과를 **듀롱 페티트 법칙**(Dulong-Petit's law)이라 한다.

이러한 등분배 원리에 의한 비열의 이론적인 예측은 눈부신 성공을 거두었음에도 불구하고 실제적으로 자유도 문제에 대한 완전한 설명이 불가능하였다. 또한 기체의 비열값도 온도에 따라 변하는 것이 관찰되었는데 이 부분도 고전적인 이론으로는 설명이 불가능하다. 따라서 이러한 부분에 대한 설명은 원자나 분자 세계를 정확히 기술하는 양자역학의 도움으로 해결할 수 있다. 결과적으로 등분배 원리는 비열을 이론적으로 설명함으로써 고전 열역학에 큰 기여를 하였으며, 등분배 원리가 설명하지 못하는 부분에 대한 해석문제를 야기하게 되어 20세기 양자역학을 발전시키는 데 중요한 역할을 하게 되었다.

예제 **15.6** 구리의 분자량은 63.5이다. 듀롱 페티트 법칙을 사용하여 구리의 비열을 구하여라.

풀이 듀롱 페티트 법칙에 의하면 모든 고체의 몰비열은

$$c = 3R = 3(8.31\ \mathrm{J/mol \cdot K}) = 24.9\mathrm{J/mol \cdot K}$$

로 주어진다. 이는 구리 1몰의 비열, 즉 구리의 분자량만큼의 질량인 63.5g의 비열이다. 따라서 구리의 비열, 즉 단위 질량당 비열은

$$c = \frac{24.9\,\mathrm{J/mol \cdot K}}{63.5\,\mathrm{g/mol}} = 0.392\,\mathrm{J/g \cdot K}$$

임을 알 수 있다.

15.8 열전달

이 장의 처음 부분에서 온도가 동일하지 않은 접촉된 두 계는 열적 평형상태에 도달할 때까지 열에너지가 높은 온도의 물체에서 낮은 물체로 흐른다고 하였다. 열에너지가 한 지점에서 다른 지점으로 이동하는 방법에는 전도, 대류, 복사 등의 세 가지가 있다.

열전도

온도 차이와 가장 분명하게 관련이 있는 열전달 과정을 **열전도**(thermal conduction) 또는 간단히 전도(conduction)라 한다. 전도란 접촉한 두 물체 사이에 원자 크기에서 입자들(분자, 원자, 전자) 사이의 운동에너지 교환이라는 전달 메커니즘으로 설명할 수 있다. 즉, 낮은 에너지의 입자들이 높은 에너지의 입자들과 충돌하여 에너지를 얻는 방식이다. 예를 들면 금속 막대를 붙잡고 끝 부분을 불에 가까이 하면 점점 금속 막대가 뜨거워짐을 알 수 있는데, 이는 막대의 분자들이 실제 이동하여 에너지를 전달하는 현상이 아니다. 평형상태에서 금속 원자들은 진동하는 형태를 띠는데 이 진동에너지가 바로 그 원자의 내부에너지이며, 결국 한 쪽 끝의 금속 원자가 불꽃으로부터 에너지를 받아 진동에너지가 커지면 그와 연결된 다른 금속원자도 그 에너지를 전달받아 진동에너지가 커지기 시작한다. 이처럼 인접한 원자들 사이에 진동에너지가 전달되는 방식의 열전달 메커니즘이 전도이다. 실제적으로 이 에너지를 전달하는 것이 원자의 진동뿐만 아니라 자유전자들도 이에 큰 영향을 미친다. 따라서 대부분 전도성이 좋은 금속 물질들은 열전달이 좋은 열전도체이다. 반면에 많은 부도체들은 열전달이 좋지 않은데 그 이유는 금속과는 달리 에너지를 전달하는 과정을

담당하는 자유전자들이 없기 때문이며, 또한 물질의 구조에 따라 원자의 진동에 의한 열전달 효과가 다르기 때문에 각 물질에 따라 열전도율에 차이가 생긴다.

전도현상은 두 부분의 온도 차이에 따라 생기므로 기본적으로 온도 차이에 비례하는데 두 지점간의 단위 거리당 온도차가 클수록 크다. 시간에 대한 열에너지의 이동 비율인 열전달률 H는 막대의 단면적 A와 온도차 dT에 비례하고 두 지점간의 거리 dx에는 반비례한다. 따라서 전도 현상에 대한 열전도 법칙(law of thermal conduction)은 다음과 같은 식으로 나타낸다.

$$H = -kA\frac{dT}{dx} \tag{15.24}$$

여기서 k는 물질의 열전도 특성을 나타내는 **열전도도**(thermal conductivity)이고 dT/dx는 **온도기울기**(temperature gradient)라 부르는 단위 길이당 온도 차이를 의미한다. 여기서 (−) 부호는 온도가 낮은 쪽으로 열이 흐른다는 것을 의미한다.

예제 **15.7 직렬로 연결된 열 전도판에 의한 열전달**

그림 15.12와 같이 직렬로 각각의 두께가 d_1, d_2인 두 종류의 열 전도판이 연결되어 있다고 하자. 이 두 열전도판의 복합 열전달 계수를 구하여라.

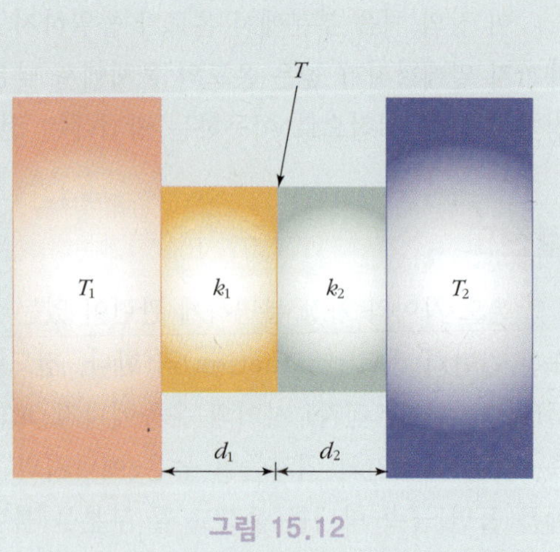

그림 15.12

풀이 두 전도체의 경계면에서의 온도를 T라 하고, 열전달 단면적을 A로 놓고 열전도 법칙을 적용하면 직렬이므로 두 열전도판을 통과하는 열량은 동일하므로 다음이 성립한다.

$$H = k_1 A\frac{T_1 - T}{d_1} = k_2 A\frac{T - T_2}{d_2}$$

위 식으로부터

$$(T_1 - T) = \frac{Hd_1}{k_1 A}, \ (T - T_2) = \frac{Hd_2}{k_2 A}$$

를 얻고 두 식을 연립하여 T를 소거하면

$$(T_1 - T_2) = \frac{H}{A}\left(\frac{d_1}{k_1} + \frac{d_2}{k_2}\right)$$

를 얻을 수 있다. 이를 다시 정리하면,

$$H = A\frac{(T_1 - T_2)}{\left(\frac{d_1}{k_1} + \frac{d_2}{k_2}\right)}$$

가 얻어진다. 이것이 직렬 연결된 복합 재질의 열전달 법칙이며, 두께가 동일할 경우 복합 열전달 계수는 다음과 같이 구할 수 있다.

$$\frac{1}{k} = \frac{1}{k_1} + \frac{1}{k_2}$$

직렬 연결된 복합 재질의 일반적인 열전달 법칙은 다음과 같다.

$$H = A\frac{(T_1 - T_2)}{\sum_i \frac{d_i}{k_i}}$$

대류

전도 현상은 실제 분자가 이동하지 않고 전자나 고체 원자의 진동에너지의 전달에 의해 열에너지를 전달하는 현상인데 반해, 온도가 높은 액체나 기체 분자가 밀도차에 의해 직접 이동하여 열에너지를 전달하는 현상을 **대류**(convection)라 한다. 대류에는 밀도 차에 의해 흐름이 일어나는 자연 대류와 송풍기나 펌프 등에 의한 강제 대류로 나뉜다.

집안에 난로를 피운 경우를 생각해 보자 그러면 난로 주위의 공기는 난로로부터 열에너지를 공급받아 온도가 높아지고 이에 따라 팽창하게 된다. 그 결과 밀도가 낮아진 뜨거운 공기는 주위의 밀도가 더 높은 차가운 공기에 비해 밀도차에 의한 부력을 받아 위로 상승하게 된다. 그러면 이들의 뜨거운 공기가 빠져 나간 부분을 다시 주위의 찬 공기가 채우게 되고, 이 찬 공기는 다시 데워져서 상승하는 일련의 순환형태를 보인다. 이것이 바로 대류에 의한 난방의 원리이다. 따라서 이러한 자연 대류 하에서는 별도로 송풍기를 작동하지 않아도 방안 전체 공기가 따뜻해지게 된다. 만일 난로가 천장부분에 달려 있다면 대류현상이 발생하지 않아서 사람이 앉아있는 아래 부분까지 따뜻해지기 위해서는 더 많은 시간이 걸린다. 이와 같은 자연 대류현상은 주전자에 물을 끓이는 것도 마찬가지로 만일 대류현상이 없다면 실제 물을 데우기 매우 어렵다.

복사

뜨거운 난로가 있는 주위에 다가가면 실제 공기에 의한 전도나 대류가 없어도 난로로부터 뜨거운 느낌을 받을 수 있는데 이것은 또 다른 열전달 형태인 복사현상 때문이다. 전도나 대류가 실제 매질을 통하거나 매질의 이동에 의해 열을 전달하는 데 비하여 복사현상은 실제 매질이 필요하지 않다. 일반적으로 온도가 있는 물체는 전자기파를 방출하게 되어 있는데 이처럼 온도가 있는 물체가 내보내는 전자기파에 의한 열에너지 전달현상을 **복사**(radiation)라 한다.

온도를 가진 물체가 방출하는 복사율은 그 물체의 온도의 네제곱에 비례한다. 온도 T에서 표면적 A인 물체가 방출하는 에너지율(복사율) I는 다음과 같은 **스테판의 법칙**(Stefan's law)에 따라 주어진다.

$$I = e\sigma A T^4 \tag{15.25}$$

여기서 e는 방출율($0 \leq e \leq 1$)이며 σ는 스테판상수로 $\sigma = 5.6696 \times 10^{-8}\ \mathrm{W/m^2 \cdot K^4}$이다. e는 그 물체의 고유 성질이며 $e = 1$인 이상적인 복사체를 **흑체**(black body)라 부른다. 흑체는 이상적인 복사체인 동시에 이상적인 흡수체이다.

온도가 높은 물체는 복사에 의해 주위에 있는 온도가 낮은 물체에 에너지를 전달하며 이 두 물체가 온도가 같을 때까지 에너지의 전달이 계속된다. 물체의 온도는 식 (15.25)와 같이 복사에너지의 크기를 결정할 뿐 아니라 복사되는 전자기파의 파장분포를 결정하기도 한다. 그림 15.13은 두 가지 서로 다른 온도의 흑체에 대한 복사 스펙트럼, 즉 복사가 일어나는 정도를 파장의 함수로 그린 그래프이다. 최대 복사율을 가진 파장은 온도가 상승함에 따라 짧아진다. 물체의 온도가 상온인 300K 일 때 주로 파장이 10μm인 적외선이 방출된다. 태양은 훨씬 더 뜨겁기 때문에 더 짧은 파장을 더 많이 방출하는데 복사가 최대가 되는 파장은 다음과 같이 절대온도에 반비례한다.

$$\lambda_{max} = \frac{2.898\,\mathrm{mm \cdot K}}{T} \tag{15.26}$$

이것을 **빈의 변위법칙**(Wien's displacement law)이라 한다. 어떤 온도에서 물체는 다양한 파장의 빛을 발산하는데, 가장 큰 세기를 갖는 복사파의 파장은 온도가 높을수록 짧아진다. 온도가 높을수록 붉은색보다는 청색에 가까워진다. 이 법칙은 별의 복사선을 분석하여 별의 온도를 결정하는 데 이용되고 있다.

실제 상황에서의 열전달은 위의 세 가지 방식이 동시에 일어나지만, 물질과 상황에 따라 어떤 경우가 더 효과적일 수 있다. 한 예로서 금속 가열체가 있는 일반 전기난로는 주로 대류에 의해 열이 전달된다. 금속의 경우 매우 낮은 복사율을 가지기 때문이다. 반면에 석영관으로 된 난로는 석영관 필라멘트의 복사율이 커서 대부분 복사로 열이 방출된다. 도자기로 된 커피잔의 경우 복사율이 크기 때문에 전도 뿐 아니라 복사에 의해 열이 식는 만면, 금속으로 된 커피잔의 경우 복사율의 작아서 주로 전도에 의해 열이 식는다.

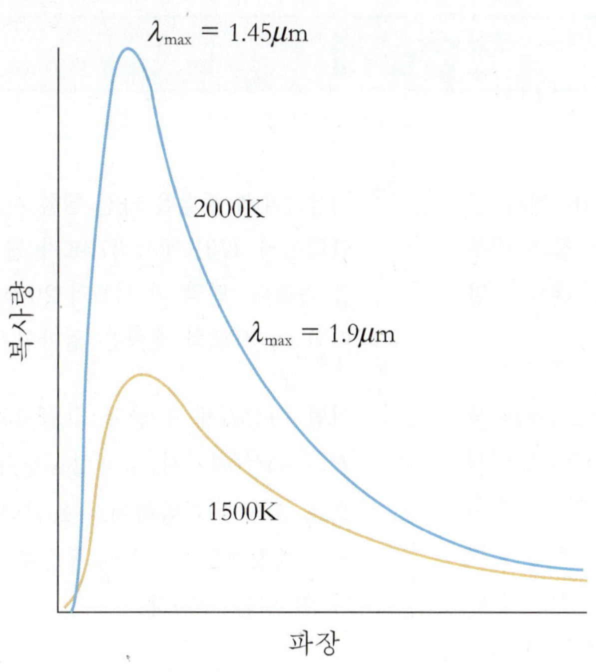

그림 15.13
두 온도에서의 흑체 복사를 파장의 함수로 나타낸 그래프

일반적으로 물체의 온도를 유지하는 데 사용하는 보온 플라스크(Dewar flask)는 이중의 유리병으로 구성되어 있으며 두 유리병 사이를 진공으로 만들어 전도와 대류를 막는다. 진공상태에서는 전도나 대류가 발생할 수 없으므로 오로지 유리병의 목부분에 의한 전도만이 발생하는데 유리가 좋은 전도체가 아니고 단면적이 작으므로 열손실이 거의 없다. 또한 복사를 막기 위하여 내부 벽을 은도금하였다. 이 은도금면은 복사파를 대부분 반사시키므로 복사에 의한 열에너지 손실을 최소한으로 줄여준다. 가정에서도 겨울에 난방에너지의 손실을 막고자 가장 열이 빠져나가기 쉬운 유리창을 이중으로 하는 경우가 많은데, 움직이지 않는 대기는 매우 좋은 절연체이므로 전도에 의한 열손실을 막는 데 매우 효과적이다. 가장 효과적인 유리창은 가운데가 진공 처리된 이중 진공 유리창이다.

예제 15.8 태양으로부터 전달되는 빛은 스펙트럼 분석결과 복사율이 최대인 빛의 파장은 483nm로서 가시광 영역에 속한다. Wien의 법칙을 이용하여 태양표면 온도를 추정하여라.

풀이 빈의 변위법칙에 의하여

$$\lambda_{max} = \frac{2.898\,\text{mm}\cdot\text{K}}{T} = 483\,\text{nm}$$

이므로 표면온도를 구하면

$$T = \frac{2.898\times 10^{6}\,\text{nm}\cdot\text{K}}{483\,\text{nm}} = 6{,}000\,\text{K}$$

연습문제 EXERCISES

1 나이아가라 폭포의 물은 높이 50m에서 떨어진다. 위치에너지 변화가 모두 물의 내부에너지로 바뀐다고 가정하면 물의 온도가 얼마나 증가하겠는가?

2 질량 100g의 알루미늄 열량계가 250g의 물을 담고 있다. 열량계와 물은 10.0℃에서 열적 평형을 이루고 있다. 물속에 두 개의 금속 덩어리를 놓았다. 하나는 80.0℃의 50.0g의 구리이고 다른 하나는 100℃의 온도를 가진 질량 70.0g의 금속 덩어리이다. 전 계는 최종온도 20.0℃에서 평형을 이루었다.

(a) 모르는 금속의 비열을 구하라.

(b) 표 15.1을 보고 그 금속의 종류를 추정하라.

3 0℃의 얼음조각 200g을 20℃의 물 500g에 넣었다. 그릇의 열용량을 무시하고 이 계가 주위와 단열되었다고 할 때 이 계의 최종 평형온도는 얼마인가? 그리고 얼음의 녹은 질량을 구하라.

4 물의 비열은 상당히 크기 때문에 낮에 바닷가에서 불어오는 해풍의 근원이 된다. 즉, 바닷물의 비열이 상당히 크므로 주위의 열량을 흡수하여 공기의 온도가 상승하는 것을 막게 된다. 물 1kg, 즉 1리터의 물은 동일한 온도 상승 시에 몇 리터의 공기가 흡수하는 열량과 같은지를 계산하라. 공기의 비열은 대략 1kJ/kg℃이며 밀도는 1.3kg/m^3이다.

5 이상기체의 성질을 가진 헬륨 시료에 일정한 압력에서 273K에서 373K가 될 때 까지 열을 가했다. 만약 이 기체가 20.0J의 일을 했다면 이 시료의 질량은 얼마인가?

6 어떤 이상기체 40몰이 그림 15.14와 같이 $P = aV^2$(여기서, $a = 2\ \text{atm/m}^6$)의 곡선으로 원래 대기압하에서 1m^3인 부피가 두 배로 팽창하였다. 이 때 팽창하는 동안 기체가 한 일을 구하라.

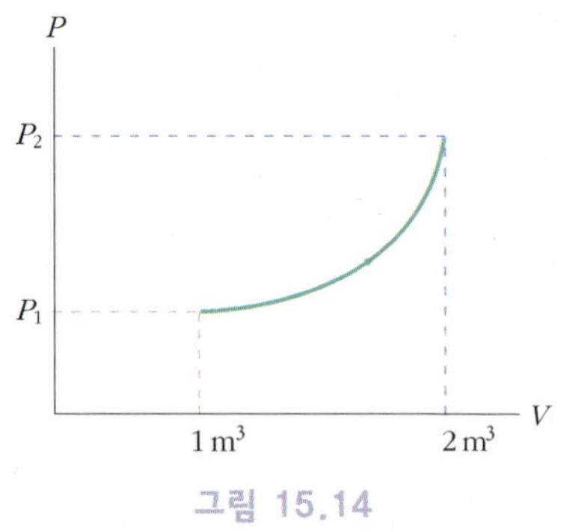

그림 15.14

7 연습문제 15장 6에서 온도 변화량과 내부에너지 변화량 그리고 유입된 열량을 구하라.

8 100℃ 1몰의 물이 대기압 하에서 100℃의 수증기가 될 때 수증기가 한 일과 내부에너지의 변화를 구하라. 수증기는 이상기체로 간주하라.

9 상온(27℃), 0.5atm에 있던 2몰의 이상기체를 대기압까지 등온 압축하였다. 이 과정을 $P-V$ 그래프로 그리고 초기 부피와 최종 부피를 계산하라. 그리고 기체가 한 일과 전달된 열에너지를 계산하라.

10 이상기체가 일정한 부피에서 온도가 변할 때 내부에너지 변화는 $\Delta U = nc_v \Delta T$로 주어진다. 이 식은 과정에 상관없이 어떤 온도 변화에도 적용되는데, 그 예로 일정한 압력으로 팽창하는 이상기체에 대하여 이를 검증하라. 그리고 이 식이 항상 성립하는 이유에 대해 설명하라.

11 처음 압력이 1기압이고 온도가 상온(27℃)의 2몰의 공기가 상승하게 되면 단열팽창에 의해 기체의 온도가 낮아지는데 이 과정에서 공기의 나중 온도와 부피 그리고 기체가 한 일 및 내부에너지 변화를 구하라. 단, 단열과정에서는 $PV^{\gamma} = k$를 만족한다고 하며 $\gamma = c_p/c_v = 7/5$, 공기는 이상기체, 나중의 압력은 0.5기압이라고 가정한다.

12 어떤 이상기체가 그림 15.15와 같이 두 등압과정과 두 등온과정으로 이루어진 열역학 순환과정을 수행한다고 하자. 이 순환과정 동안 한 일을 구하라.

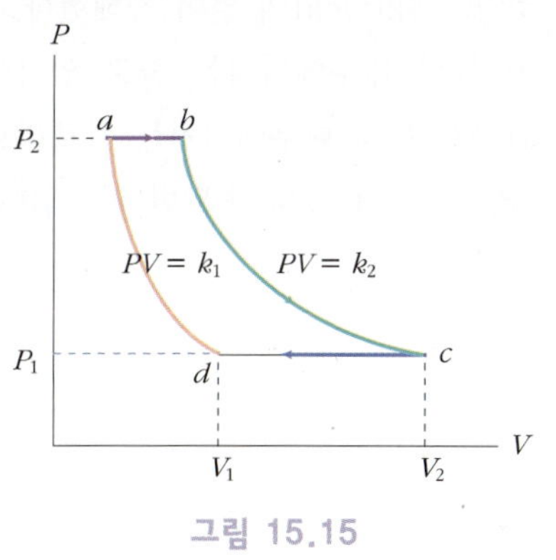

그림 15.15

13 연습문제 15장 12에서 열에너지가 흡수되는 과정과 방출되는 과정은 어느 과정인가? 그리고 두 등온과정사이의 내부에너지 변화를 구하라.

14 그림 15.16과 같이 병렬 연결된 열전도체의 총 열전달계수를 구하라. (단, 두 물체의 단면적과 두께는 각각 A, d로서 동일하다고 가정한다.)

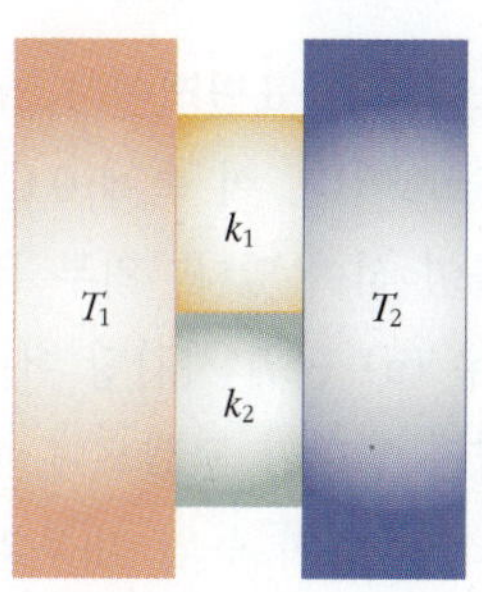

그림 15.16

15 태양의 표면 온도는 대략 6,000K라고 한다. 태양의 반경은 대략 7×10^8m, 그리고 태양을 흑체로 가정하고 태양으로부터 단위 시간당 방출되는 에너지를 계산하여라. 그리고 이 에너지가 지구상에 도달하였을 때의 단위 면적당 에너지를 추정하라. (태양에서 지구까지의 거리는 대략 1.5×10^{11}m임을 참조할 것.)

16 처음의 온도가 60℃인 물 50g이 있다.
(a) 끓는점까지 데우는 데 필요한 열은 얼마이며, (b) 완전히 수증기로 바꾸는데 필요한 열은 얼마인가?

17 (a) 전도에 의해 전달되는 열의 전달속도를 나타내는 식을 표시하고 설명하여라.
(b) 복사열에 관한 Stefan-Boltzmann의 법칙을 수식으로 나타내고 설명하여라.

18 아이스박스의 표면적이 1.0m^2이고 벽의 두께는 3cm이다. 이 속에 0℃의 얼음과 음료들이 섞여 있다. 외부 온도가 30℃라고 할 경우 (a) 단위 시간당 아이스박스로의 열 전

달량은 얼마가 되겠는가? (b) 이 상태에서 10시간 동안 얼마의 얼음이 녹겠는가? 아이스박스 벽의 열전도도는 0.01(J/s · m · ℃) 라고 한다.

19 아이스박스의 표면적이 $1.2m^2$이고 벽의 두께는 5cm이다. 이 속에 0℃의 얼음 1kg 과 음료들이 섞여 있다. 외부 온도가 30℃라고 할 경우 (a) 단위 시간당 아이스박스로의 열전달량은 얼마가 되겠으며, (b) 이 조건에서는 최소한 얼마 동안 내부의 온도가 0℃로 유지되겠는가? 아이스박스 벽의 열전도도는 0.01(J/s · m · ℃)라고 한다.

20 25℃의 물 30g을 -15℃ 상태의 얼음 1.5kg 위에 부으면 최종 온도는 몇 도가 되겠느냐? 얼음의 융해열(L_f) 및 비열은 각각 79.8 cal/g 및 0.5cal/g·℃이고 주위와의 열 유출입은 무시한다.

21 초기 온도가 -20℃인 얼음 80g이 있다. (a) 얼음의 온도를 0℃로 올리고 얼음을 완전히 녹이는데 필요한 열은 얼마이며, (b) 얼음이 녹은 물을 데워서 25℃로 올리는데 추가로 필요한 열은 얼마인가? (c) -20℃인 얼음 80g을 25℃의 물로 바꾸는데 필요한 열은 모두 얼마인가? 여기서 얼음과 물의 비열은 각각 0.5 및 1cal/g · ℃이고 물의 융해열은 80cal/g이다.

22 질량이 200g이고 초기 온도가 120℃인 어떤 금속을 온도가 20℃인 물 100g을 담고 있는 절연된 비이커에 떨어뜨렸다. 비이커에 있는 금속과 물의 최종 온도는 35℃가 되었다. 비이커의 열용량을 무시할 때, (a) 금속으로부터 물로 얼마나 많은 열이 이동하였으며, (b) 온도변화량과 금속의 질량을 이용하면 금속의 비열은 얼마로 추정되는가? 또한 (c) 최종온도를 70℃로 만들기 위해서는 초기온도 120℃인 금속을 얼마나 넣어야 되겠는가?

23 200g의 물을 담고 있는 비이커를 저어줌으로써 1200J의 일이 가해지고 열판으로부터 추가로 300cal의 열이 가해졌다. (a) 변화한 물의 내부에너지는 줄로 얼마이며, (b) 변화한 물의 내부에너지는 칼로리로 얼마인가? 또, (c) 물의 온도변화는 얼마인가?

24 200g의 물을 담고 있는 비이커를 저어줌으로써 300J의 일이 가해지고 열판으로부터 추가로 1200cal의 열이 가해졌다. (a) 변화한 물의 내부에너지는 줄로 얼마이며, (b) 변화한 물의 내부에너지는 칼로리로 얼마인가? 또, (c) 물의 온도변화는 얼마인가?

16 열기관, 엔트로피, 열역학 제 2 법칙

앞 장에서는 열역학 제 1 법칙에 대하여 다루었다. 열은 에너지가 전달되는 한 형태이며 모든 열역학적 과정에서 시스템의 전체 에너지는 보존됨을 알았다. 하지만 열역학 제 1 법칙은 에너지가 전달되거나 변환되는 방향에 대해서는 설명하지 않는다. 우리는 열이 항상 뜨거운 물체에서 차가운 물체로 전달되며, 거꾸로 찬 물체에서 뜨거운 물체로 흐르지 않음을 잘 알고 있다. 이와 같이 자연계에서는 일정한 방향으로만 진행하며 반대로 진행되는 것이 불가능한 현상들이 많이 있다. 이러한 과정을 설명하고자 하는 것이 이 장에서 배울 **열역학 제 2 법칙**이다. 우리는 열역학 제 2 법칙을 여러 가지로 표현하고 있으나 이들은 결국 같은 표현임을 알게 될 것이다.

16.1 열의 전달과 열역학 제 2 법칙

뜨거운 벽돌과 차가운 벽돌이 붙어 있다고 생각하면, 뜨거운 벽돌에서 차가운 벽돌로 열이 전달되어 두 벽돌은 결국 같은 온도에 도달한다. 이 상태를 열적평형이라 한다. 열역학 제 1 법칙에 의하여 이 과정에서 계의 총 에너지는 변함이 없다. 그러나 뜨거운 벽돌이 찬 벽돌로부터 열을 빼앗아 더욱 뜨거워지는 반대과정은 일어나지 않는다. 이와 같이 열의 흐름은 한쪽 방향만 일어나는 비가역적 과정이다. **열역학 제 2 법칙**(second law of thermo-dynamics)은 자연에서 에너지가 전환되는 방향을 결정하여 주는 중요한 법칙이다.

열역학 제 2 법칙 : 열은 외부의 도움 없이는 항상 뜨거운 물체에서 차가운 물체로 흐른다.

열은 항상 뜨거운 곳에서 차가운 곳으로 열적 평형을 이룰 때까지 한 방향으로만 흐른다. 열적평형 상태에 있는 풍선이 스스로 외부의 열을 받아들여 팽창 할 수는 없다. 이와 같이 당연하게 여겨지는 수많은 현상들이 일방적인 방향성을 가지고 있으며 이는 열역학 제 2 법칙으로 설명된다. 만약 열역학 제 2 법칙이 만족되지 않는다면 우주는 도저히 현재의 모습으로 존재할 수 없을 것이다. 열역학 제 2 법칙은 수많은 물리학의 법칙 중에서도 만고불변의 진리로 여겨진다. 열역학 제 2 법칙에 의하면 차가운 물체에서 뜨거운 물체로 자발적인 열전달은 불가능하다. 차가운 곳에서 뜨거운 곳으로 열이 흐르게 하려면 반드시 외부에서 일을 해 주어야만 한다. 바닷물에 존재하는 엄청난 양의 내부에너지(열에너지)는 외부에서 일을 가하지 않으면 조그마한 건전지 역할도 할 수 없는 것이다.

16.2 열기관과 열역학 제 2 법칙

일을 열로 바꾸는 것은 간단하다. 양손을 비비면 열이 발생함을 금방 느낄 수 있다. 이 때 손을 비비는 역학적 일은 모두 열에너지로 변환된다. 반대로, 열에너지를 다른 유용한 형태의 에너지로 바꾸는 기계를 **열기관**(heat engine)이라 한다. 한 예로 자동차 엔진은 화학연료를 연소하여 열에너지로 바꾼 다음 이를 다시 바퀴를 굴리는 역학적 에너지로 변환시키는 열기관이다. 자동차를 오래 운전하면 차체가 뜨거워짐을 잘 안다. 이 때 발생되는 열을 라디에이터가 외부로 전달하며, 배기구를 통하여 여분의 열이 뜨거운 공기와 함께 밖으로 빠져나간다. 이 때 발생되는 열을 없앨 수는 없을까? 만약 연료를 연소하여 얻어진 열에너지가 100% 역학적 에너지로 전환된다면 자동차는 항상 상온을 유지할 것이며 라디에이터와 같은 장치는 필요가 없을 것이다. 그러나 수많은 노력에도 불구하고 이는 불가능하고 항상 여분의 열(배출열)을 내어 놓아야 한다는 사실이 밝혀졌다. 즉, 일을 모두 열에너지로 바꿀 수는 있어도 열에너지를 모두 역학적인 에너지로 바꾸는 것은 불가능하다. 이와 같은 일방적인 방향성은 모든 열기관에 공통적으로 적용되는 기본적인 자연의 원리이며 열역학 제 2 법칙의 다른 표현이다.

열역학 제 2 법칙 : 열에너지를 전부 일로 바꾸는 것은 불가능하다.

그림 16.1은 열기관을 개략적으로 표현한 것이다. 열기관은 온도 T_H의 고온의 열원(열 공급계, heat source)로부터 Q_H의 열을 흡수하여 W 만큼 일을 하고, 온도 T_C의 차가운 저온의 열원(열 흡수계, heat sink)에 Q_C의 열을 내놓는다.

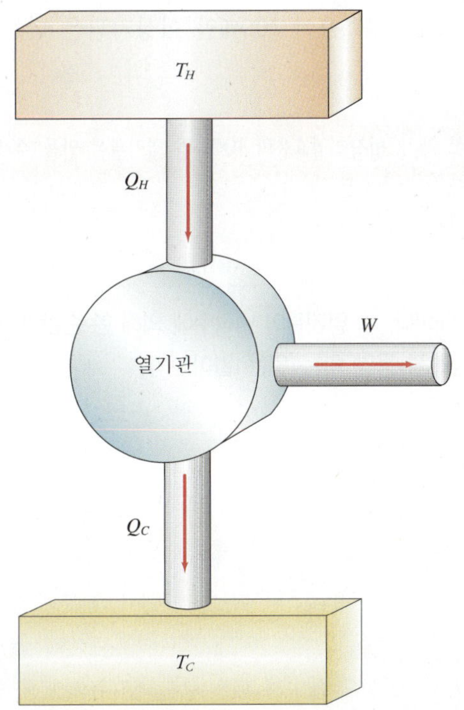

그림 16.1
열기관이 뜨거운 열저수지로부터 Q_H의 열을 흡수하여 W의 일을 하고 차가운 열저수지에 Q_C의 열을 배출한다.

열기관에서는 작업이 순환적으로 이루어지므로 한 과정이 끝나면 다시 시작상태로 되돌아 오게 된다. 즉, 한 순환을 이룬 후의 내부에너지 변화는 없어서 $\Delta U = 0$이다. 그러므로 열역학 제 1 법칙에 의하여 열기관이 한 일은

$$W = Q_H - Q_C$$

이다. 열기관이 행한 역학적인 일은 공급된 열과 버려진 열의 차이와 같다(편의상 W, Q_H, Q_C는 모두 양수이다).

열기관은 일상생활에서 매우 중요한 역할을 하므로 그 효율을 계량화하는 것이 필요하다. 열기관의 **열효율**(thermal efficiency) e는 한 순환과정동안 열기관이 공급받은 열과 행한 알짜 일의 비로 정의한다.

$$\text{열효율 } e = \frac{\text{열기관이 행한 일}}{\text{열기관에 공급된 열에너지}} = \frac{W}{Q_H} = \frac{Q_H - Q_C}{Q_H} \tag{16.1}$$

열역학 제 2 법칙에 의하면 열에너지를 전부 일로 바꿀 수 없으므로 모든 열기관의 열효율은 항상 1보다 작다. 즉, 열효율이 100%인 이상기관은 만들 수 없다.

열역학 제 2 법칙 : 열효율이 100%인 열기관은 만들 수 없다.

예제

16.1 어떤 열기관의 효율이 20%이다. 이 열기관이 냉각수에 의해 한 순환과정 동안 2,000J의 에너지를 잃는다면, 이 열기관이 한 순환과정 동안 하는 일은 얼마인가?

풀이 $e = 1 - \frac{Q_c}{Q_H} = 1 - \frac{2{,}000\,\text{J}}{Q_H} = 0.2$

이므로 $Q_H = 2{,}500\,\text{J}$이다. 그러므로

$$W = Q_H - Q_C = 500\text{J}$$

16.3 카르노 순환과정

1824년 프랑스의 공학자 카르노(Sadi Carnot, 1796-1832)는 최고의 효율을 가지는 이상적인 열기관을 고안하였다. 실린더 내부에 움직일 수 있는 피스톤이 있고 그 안에 이상기체가 들어 있으며, 실린더의 벽과 피스톤은 열적으로 단열되어 있다. 이 기관을 **카르노 기관**(carnot engine)이라 하고, 그 순환과정을 **카르노 순환과정**(carnot cycle)이라 한다. 카르노 순환과정은 두개의 등온과정과 두개의 단열과정으로 이루어져 있다(그림 16.2). 그림 16.3은 카르노 엔진의 순환과정을 $P-V$ 도표로 나타내었다. 초기상태는 A 이다. 내부의 이상기체는 T_H의 열원과 접촉하고 있어 기체의 온도도 T_H이다. 피스톤을 천천히 밀어 넣어 기체의 부피를 최대한 줄여준다. 이 때 기체는 고온 고압의 압축 상태가 된다. 여기서 다음과 같은 4가지 순환과정을 거치게 된다.

Ⅰ) $A \rightarrow B$ **등온팽창**(isothermal expansion) : 기체는 온도 T_H인 고온의 열원과 열접촉하고 있는 상태에서 팽창한다. 고압기체가 팽창하면서 피스톤을 밀어내고 피스톤은 크랭크(crank)를 돌리는 등의 일을 한다. 기체의 온도를 T_H로 유지하기 위해서 기체는 고온의 열원으로부터 Q_H의 열을 흡수 한다.

Ⅱ) $B \rightarrow C$ **단열팽창**(adiabatic expansion) : 실린더 아래부분의 열접촉을 제거하고 열부도체로 대체한 후 기체는 단열상태에서 계속 팽창한다. 이 과정에서도 기체는 일을 하지만 외부와 단열되어 있으므로 자체 내부에너지를 소모한다. 결과적으로 온도는 T_H에서 T_C로 떨어진다.

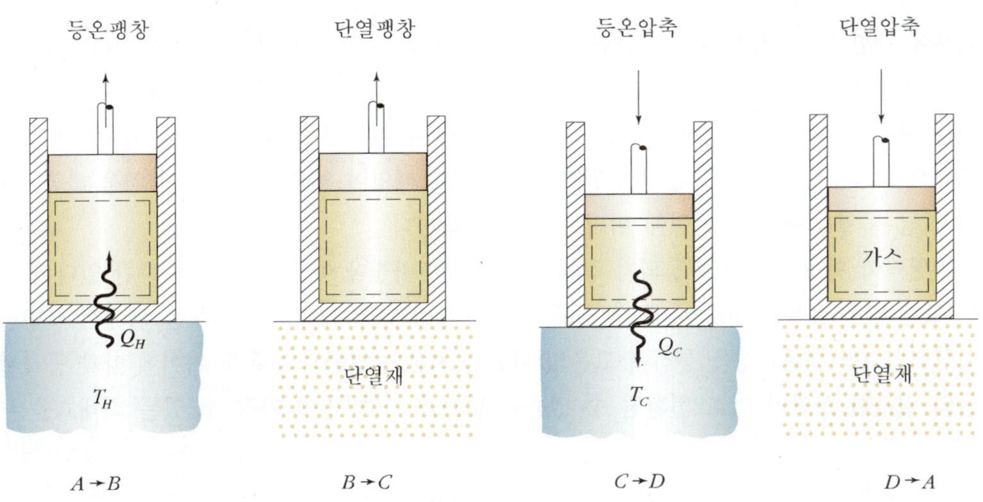

그림 16.2 이상기체가 일을 하는 카르노 엔진. 두 개의 단열과정과 두 개의 등온과정으로 이루어져 있다.

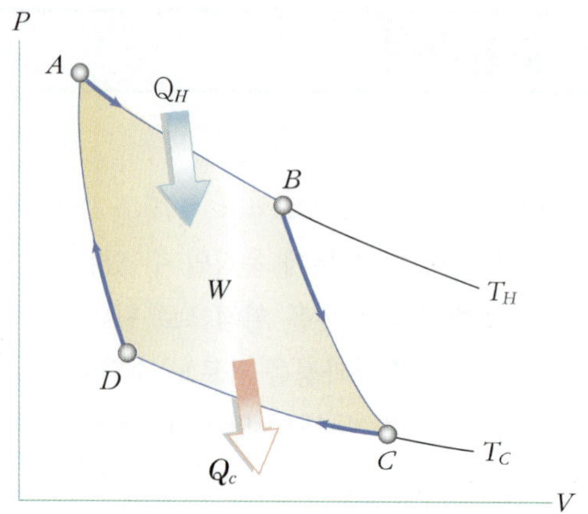

그림 16.3 이상기체가 일을 하는 카르노 엔진의 순환과정($P-V$도형)

Ⅲ) $C \to D$ **등온압축**(isothermal compression) : 상태 C에서 기체는 저온의 열원과 열접촉을 하며 피스톤을 서서히 밀어 기체를 압축시킨다. 기체가 압축되면 온도가 상승하려 하지만, 기체는 저온의 열원과 접촉하고 있으므로 온도를 T_C로 유지하면서 대신 Q_C의 열을 내보낸다.

Ⅳ) $D \to A$ **단열압축**(adiabatic compression) : 상태 D에서 기체의 부피는 거의 시작상태(A)에 도달하지만 온도는 훨씬 낮은 상태이다. 저온의 열원과의 열접촉을 차단하고 단열상태에서 최초의 부피가 될 때까지 압축된다. 단열상태에서 압축되므로 제 1 법칙에 의하여 온도는 T_H로 올라간다.

이 순환과정은 단열과정과 등온과정으로 이루어져 있으므로 가역과정이다. 한 순환과정을 거치면서 기관은 유용한 알짜 일을 행하였음에 주목하자. 기체의 부피가 늘어나면서 외부에 행한 일이, 부피가 줄어들면서 외부로부터 받은 일보다 더 크기 때문이다(압축 될 때는 팽창할 때보다 압력이 더 낮다). 카르노 엔진은 순환과정을 거치면서 계속해서 외부에 일을 행하게 된다. 그러나 등온압축 과정에서 엔진은 저온의 열원에 열을 내어 놓았다. 결과적으로 카르노 엔진은 고온의 열원으로부터 열을 빼앗아 일부를 사용하여 일을 하고, 나머지 남은 열을 저온의 열원에 버리는 일을 계속한다.

열역학 제 2 법칙이 완성되기 전에는 열기관의 마찰을 아주 작게 만들 수만 있다면 거의 모든 열을 유용한 일로 바꿀 수 있을 것이라 생각했다. 그러나 카르노는 위에서 설명한 이상적인 가역순환과정을 통하여 고온의 열원과 저온의 열원과의 온도 차이에 따라 공급된 열의 일정한 양만이 일로 전환될 수 있음을 밝혔다. 열기관이 가질 수 있는 최대효율은

$$e_{\max} = \frac{T_H - T_C}{T_H} \tag{16.2}$$

이다(증명은 예제 16.2 참조). 여기서 T_H와 T_C은 각각 그림 16.2에서와 같은 고온의 열원과 저온의 열원의 절대온도이다. 예를 들어 증기기관의 고온의 열원의 온도가 400K(127℃), 저온의 열원의 온도가 상온인 300K(27℃)라면 이 기관의 최대효율은 $\frac{400-300}{400}=\frac{1}{4}$이다. 그러므로 이상적인 환경에서라도 공급된 열, 즉 증기기관의 내부에너지의 25%만이 일로 전환되고 나머지 75%는 배출열로 버려지게 된다. 실제의 열기관은 내부의 마찰로 인하여 비가역 과정으로 작동할 뿐 아니라 짧은 시간 내에 순환과정을 마치기 때문에 카르노 엔진보다 열효율이 낮다.

예제 **16.2** 카르노 엔진의 열효율이 $e=\frac{T_H-T_C}{T_H}$ 임을 증명하라.

풀이 앞장에서 공부한 이상기체에 대한 관계식은 다음과 같다.

등온과정 : $PV=nRT=$ 상수

단열과정 : $PV^{\gamma}=$ 상수 (여기서 $\gamma=c_P/c_V$)

이상기체의 내부에너지는 온도에만 의존하므로, 등온과정에서는 $\Delta U=\Delta Q-\Delta W=0$이다. 그러므로 과정 I에서는 $Q_H=W_{A\to B}$이 성립하고 과정 III에서는 $Q_C=-W_{C\to D}$이 성립한다. 등온과정에서 한 일은 다음과 같다.

$$W_{A\to B}=\int_{V_A}^{V_B}PdV=\int_{V_A}^{V_B}\frac{nRT_H}{V}dV=nRT_H\ln(V_B/V_A)$$

$$W_{C\to D}=\int_{V_C}^{V_D}PdV=\int_{V_C}^{V_D}\frac{nRT_C}{V}dV=nRT_C\ln(V_D/V_C)$$

순환과정 중에서 $B\to C$와 $D\to A$는 단열과정이므로, $P_BV_B^{\gamma}=P_CV_C^{\gamma}$, $P_AV_A^{\gamma}=P_DV_D^{\gamma}$이고, $A\to B$와 $C\to D$는 등온과정이므로

$$\frac{P_B}{P_A}=\frac{nRT_H/V_B}{nRT_H/V_A}=\frac{V_A}{V_B},\qquad \frac{P_C}{P_C}=\frac{V_D}{V_C}$$

이다. 여기서 $(V_B/V_A)^{\gamma-1}=(V_C/V_D)^{\gamma-1}$이 성립하므로

$$\frac{V_B}{V_A}=\frac{V_C}{V_D}$$

이다. 그러므로 이 열기관의 열효율은

$$e=1-\frac{Q_C}{Q_H}=1+\frac{nRT_C}{nRT_H}\frac{\ln(V_D/V_C)}{\ln(V_B/V_A)}=1-\frac{T_C}{T_H}\frac{\ln(V_C/V_D)}{\ln(V_B/V_A)}=1-\frac{T_C}{T_H}$$

이다.

16.4 열펌프와 냉장고

열펌프(heat pump)는 열기관과 반대로 저온의 열원에서 열을 빼앗아 고온의 열원으로 전달하는 기계이다. 열펌프는 냉방뿐 아니라 난방목적으로도 많이 사용된다. 열역학 제 2 법칙에 따르면 이러한 과정은 자발적으로 이루어 질 수 없으므로 반드시 외부에서 일을 해 주어야 한다. 열펌프의 개략도를 그림 16.4에 나타내었다. 열역학 제 1 법칙에 의하면

$$Q_H = Q_C + W$$

이다. 집안의 난방기의 경우, 압축기가 W의 일을 하면서 순환 냉매를 통하여 집 밖에서 Q_C의 열을 빼앗아 집 안에 Q_H의 열을 내어 놓게 된다. 경제적인 측면에서 볼 때, 최상의 열펌프는 최소한의 일(W)을 하면서 최대한의 열(Q_H)을 내어놓는 것이다. 열펌프의 **성능계수**(COP : coefficient of performance)를 다음과 같이 정의한다.

$$\mathrm{COP} = \frac{\text{펌프가 내어 놓는 열}}{\text{펌프가 행한 일}} = \frac{Q_H}{W} = \frac{Q_H}{Q_H - Q_C}$$

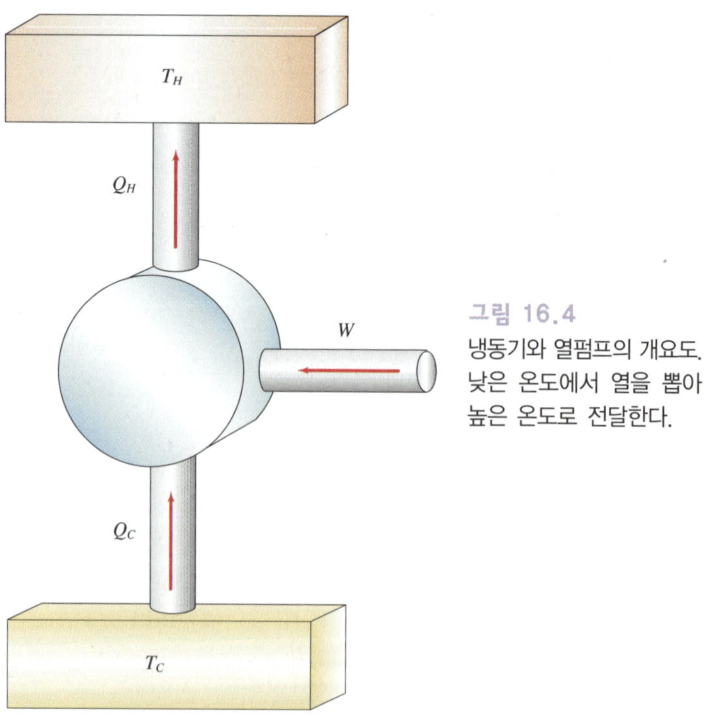

그림 16.4
냉동기와 열펌프의 개요도. 낮은 온도에서 열을 뽑아 높은 온도로 전달한다.

냉장고는 열펌프의 한 종류이다. 냉장고 내부의 열에너지를 뽑아서 더 따뜻한 외부로 열에너지를 내어 놓는 것이 다를 뿐이다. 냉장고에서 Q_C은 내부의 냉각코일를 통하여 냉장고 내부로부터 빼앗아가는 열을 나타내며, W는 모터가 행하는 일을, Q_H는 외부의 냉각코일을 통하여 냉장고 밖으로 나가는 열을 나타낸다. 냉장고의 성능은 적은 일을 하여 냉장고 내부로부터 많은 열량(Q_C)을 빼앗을수록 좋으므로 다음과 같이 나타낸다.

$$\text{COP} = \frac{\text{냉장고 내부에서 빼앗은 열}}{\text{모터가 행한 일}} = \frac{Q_C}{W} = \frac{Q_C}{Q_H - Q_C}$$

성능계수가 클수록 더 좋은 열펌프나 냉장고이다. 만약 아무런 일을 해줄 필요가 없다면 냉장고의 성능계수는 무한대가 된다. 그러나 열역학 제 2 법칙에 의하여 이는 불가능하다. 사실 최고의 성능을 내는 냉장고는 카르노 순환과정을 거꾸로 돌리는 것과 같다. 즉, 냉장고가 낼 수 있는 최고성능계수는 냉장고 내부의 온도와 외부의 온도에 따라 결정되며 이는 $T_C/(T_H - T_C)$로 주어진다.

예제

16.3 온도가 $-5℃$ 와 $20℃$ 인 두 열저장체 사이에서 작동하는 열펌프가 매 순환과정마다 1,200J의 에너지를 소모하고 있다. (a) 이 기관의 최대성능계수, (b) 각 순환과정에서 고온의 열원으로 보내지는 열량, (c) 저온의 열원에서 뽑아내는 열량을 구하라.

풀이 (a) 열펌프 최대 성능계수

$$\text{COP} = \frac{T_H}{T_H - T_C} = \frac{293}{293 - 268} = 11.7$$

(b) $Q_H = (\text{COP}) \times W = (11.7)(1{,}200\,\text{J}) = 14{,}040\,\text{J}$

(c) $Q_C = Q_H - W = 14{,}040\,\text{J} - 1{,}200\,\text{J} = 12{,}840\,\text{J}$

16.5 엔트로피

앞에서 열역학 제 2 법칙이 여러 가지로 표현될 수 있음을 알았다. 열은 항상 뜨거운 곳에서 차가운 곳으로만 흐른다. 일을 전부 열로 바꿀 수는 있어도 열을 모두 일로 바꿀 수는 없다. 일견 달라 보이는 표현들 사이의 공통점은 자연의 수많은 변화가 한 방향으로만 진행되며 돌이킬 수 없다는 것이다. 이를 시간의 화살이라 한다.

열역학의 여러 법칙은 각각 상태함수라 불리는 특정한 변수와 연결되어 있다. 제 0법칙에서는 온도(T), 제1법칙에서는 내부에너지(U)를 사용하였다. 열역학 제 2 법칙에서 사용되는 상태함수는 **엔트로피**(entropy)(S)이다. 엔트로피는 열역학 제 2 법칙에 정량적 의미를 부여할 수 있는 상태변수로서 주어진 열량에 대해 열기관이 얼마만큼 일로 전환시킬 수 있는가를 측정하는 척도가 되며, 특정한 계가 얼마나 무질서한가를 나타내는 척도가 된다.

일정한 온도 T에서 계로 열 Q가 들어오면 계의 엔트로피 변화는 다음과 같다.

$$\Delta S = \frac{Q}{T} \tag{16.3}$$

엔트로피의 SI 단위는 J/K이다. 계로 열이 들어가면 계의 엔트로피는 증가한다(ΔS와 Q 모두 양이다). 계에서 열이 나가면 계의 엔트로피는 감소한다(ΔS와 Q 모두 음이다). 만약 열역학적 상태 A에서 B로 변한다면, 엔트로피 변화량은

$$\Delta S = S(B) - S(A) = \int_A^B \frac{dQ}{T} \tag{16.4}$$

이다. 위치에너지와 같이 엔트로피 절대값 보다 엔트로피 변화가 대부분 중요하다. 만약 열 Q가 온도가 다른($T_H > T_C$) 두 계 사이에 흐르면 전체 엔트로피의 변화는 다음과 같다.

$$\Delta S = \frac{-Q}{T_H} + \frac{Q}{T_C}$$

$T_H > T_C$이므로

$$\frac{Q}{T_H} < \frac{Q}{T_C} \tag{16.5}$$

이다. 즉 찬 계의 엔트로피 증가는 뜨거운 계의 엔트로피 감소 보다 크다. 결국 전체 엔트로피는 증가한다($\Delta S > 0$). 우주의 엔트로피를 증가시키는 과정은 비가역적인데, 가역과정에서는 전체 엔트로피가 변하지 않는다. 예를 들어 카르노 엔진과 같이 고온 T_H의 열원에서 Q_H의 열을 흡수하여 저온 T_C의 열원에 Q_C의 열을 내어 놓는 이상적인 열기관을 생각하자. 이 때, 다음과 같은 관계식이 성립한다.

$$\frac{Q_H}{T_H} = \frac{Q_C}{T_C} \tag{16.6}$$

그러므로 완전한 순환과정을 거치는 동안 엔진의 엔트로피 변화는 없다. 이상의 사실을 종합하여보면, 열적으로 고립된 계는 열역학적 상태 A 에서 B 로 변할 때 다음 식이 성립한다.

$$\Delta S = S(B) - S(A) \geq 0 \text{ (열적으로 고립된 계)} \tag{16.7}$$

여기서 등호는 가역, 부등호는 비가역적인 변화에 해당한다. 결과적으로 열적으로 고립된 계에서는 모든 자발적인 변화에서 엔트로피가 증가한다. 전체 우주는 열적으로 고립되어 있다고 볼 수 있으므로 열역학 제 2 법칙은 다음과 같이 표현할 수 있다.

열역학 제 2 법칙 : 모든 자연과정에서 우주의 엔트로피는 증가한다.

여기서 주의해야 할 문제는 우주의 엔트로피가 자연의 모든 과정에서 항상 증가한다는 것이지만, 계의 엔트로피가 감소하는 과정도 존재한다. 다시 말하면 어떤 계(계 A)의 엔트로피가 감소할 때 다른 계(계 B)의 엔트로피는 증가하는 상황이 있다. 이때는 계 B의 엔트로피 증가량은 계 A의 엔트로피 감소량 보다 크기 때문에 전 계(계 A + 계 B)의 엔트로피는 증가한다.

예제 **16.4** 질량 m_1, 온도 T_1, 비열 c_1인 물체가 질량 m_2, 온도 T_2, 비열 c_2인 물체와 열접촉을 하고 있다. $(T_1 < T_2)$ 이 계가 열적 평형상태가 되어 최종온도 T_f가 되었다면, 이 계의 총 엔트로피 변화량은 얼마인가? 이 계는 외부와는 열 접촉이 없다고 가정한다.

풀이 정의에 의하여

$dQ = mcdT$이므로 $dQ_1 = -dQ_2$로부터 $m_1c_1dT_1 = -m_2c_2dT_2$를 얻는다. 그러므로 총 엔트로피 변화량은

$$\Delta S = \int_1 \frac{dQ_1}{T} + \int_2 \frac{dQ_2}{T} = m_1c_1\int_{T_1}^{T_f} \frac{dT}{T} + m_2c_2\int_{T_2}^{T_f} dT$$

가 된다. 이 식을 적분하면

$$\Delta S = m_1c_1\ln\left(\frac{T_f}{T_1}\right) + m_2c_2\ln\left(\frac{T_f}{T_2}\right)$$

가 된다. ($m_1c_1(T_f - T_1) = m_2c_2(T_2 - T_f)$를 풀어서 최종온도 T_f를 직접 구하여 보고, 위에서 구한 총 엔트로피 변화량이 항상 양수임을 증명하여 보라.)

연습문제

EXERCISES

1 가역적인 열기관이 $T_H = 670\text{K}$와 $T_C = 270\text{K}$인 두 개의 열원 사이에서 작동하고 있다. 열저수지 T_H로부터 열기관에 100kJ의 열이 전달되었다면 열기관이 행한 일은 얼마인가?

2 어떤 열기관이 매 순환 과정마다 고온 열원에서 360J의 열을 받아 25J의 일을 한다. (a) 열기관의 효율, (b) 각 순환 과정마다 저온 열원으로 내 보내진 에너지를 구하라.

3 어떤 발전소가 440MW의 전기력을 생산하고 있다. 이 발전소의 열효율이 35%라면 이 발전소에서 뿜어내는 열은 시간당 얼마인가? (이를 열오염이라 한다.)

4 현재 만들어진 엔진 중에서 가장 효율이 좋은 엔진 중의 하나(실제 효율 42.0%)가 430℃와 1870℃ 사이에서 작동한다.

(a) 이론적인 최대효율은 얼마인가?

(b) 만약 엔진이 1초 동안 1.40×10^5J의 열을 흡수한다면 엔진이 전달하는 일률은 얼마인가?

5 카르노 기관이 2,000J의 열을 500K의 열원에서 흡수하여 얼마간의 일을 하고, 350K의 열원으로 열을 방출하였다.

(a) 이 기관이 한 일은 얼마인가?

(b) 방출된 열은 얼마인가?

(c) 이 기관의 열효율은 얼마인가?

6 카르노 엔진이 T_H와 T_C의 열원에서 작동한다. ($T_H > T_C$) 다음 중 어느 것이 이 엔진의 열효율을 높이는 데 더 효과적이겠는가?

(a) T_H를 일정하게 유지하고 T_C를 내린다.

(b) T_C를 일정하게 유지하고 T_H를 올린다.

7 어떤 발명가가 300K와 500K의 온도인 열원 사이에서 작동하며 뜨거운 열원으로부터 1,000J의 열을 빼앗아 450J의 일을 하는 열기관을 만들었다고 말한다. 이 열기관은 가능한 것인가? 그 이유는 무엇인가?

8 가정용 냉장고의 성능계수가 6.0이라 하자. 냉장고 밖의 온도가 300K라면 냉장고 내부의 최저온도는 얼마인가?

9 35.0%의 효율을 가진 카르노 열기관이 역으로 작동하여 냉장고가 된다면, 이 냉장고의 성능계수는 얼마가 되겠는가?

10 자동차 기관의 실린더 속에서 연소 직후 기체의 처음 부피는 50.0cm^3이고 압력은 3.00×10^6Pa이다. 피스톤이 최대로 밀렸을 때의 부피는 300cm^3이고 기체는 열에 의한 에너지 손실없이 팽창한다.

(a) 이 기체가 $\gamma = 1.40$면 나중 압력은 얼마인가?

(b) 이 기체가 팽창하면서 하는 일은 얼마인가?

11 $T_C = 273\text{K}$인 차가운 물체에서 $T_H = 373\text{K}$인 뜨거운 물체로 8.00J의 열이 저절로 흘렀다고 하자. 이 때 전체 엔트로피의 변화는 얼마인가? 이것은 가능한 것인가? (이 때 열에너지가 전달되는 동안 두 물체의 온도는 변화가 없다고 가정한다.)

12 1몰의 이상기체가 자유팽창(열적으로 차단된 상태에서 팽창)하여 부피가 두 배가 되었다. 이 때 이 기체의 엔트로피 변화는 얼마인가? 외부의 엔트로피변화는 얼마인가? 자유팽창은 가능한 것인가?

13 0℃(273K)의 얼음 400g이 녹아서 0℃의 물이 된다. 열은 주위의 공기로부터 공급된다. 이 때 얼음의 엔트로피 변화량은 얼마인가? (얼음이 녹을 때의 숨은열은 $L = 334$ J/kg 이다.)

14 물 300g의 온도가 10℃에서 25℃로 올라갔다. 이때 엔트로피의 변화는 얼마인가? (물의 비열은 4.19kJ/kg · K이다)

15 (a) 열역학 제1법칙을 수식으로 표현하고 내부에너지에 관하여 설명하여라.
(b) 엔트로피의 개념을 나타내고 이를 이용하여 열역학 제2법칙을 설명하여라.

16 온도가 100℃인 300 리터의 이상기체를 등온상태 1기압($1.013 \times 10^5 \text{N/m}^2$)에서 20기압까지 압축하려 한다.
(a) 비가역 과정으로 압축할 경우 계에 행해야 하는 일은 얼마가 되겠느냐?
(b) 가역과정인 경우는 어떻게 되겠는가?
(c) 이결과를 보고 무엇을 알 수 있는가?

17 온도가 25℃이고 압력이 20기압인 20리터의 이상기체를 등온상태에서 대기압($1.013 \times 10^5 \text{N/m}^2$) 상태로 팽창시키려 한다.
(a) 비가역 과정으로 팽창할 경우 계가 외부에 행하는 일은 얼마가 되겠느냐?
(b) 가역과정인 경우는 어떻게 되겠는가?
(c) 이결과를 보고 무엇을 알 수 있는가?

18 온도 1000K인 고온의 열 저장체로부터 1000J의 에너지를 받아 300J의 일을 하고 나머지 열은 온도가 300K인 저온 저장체로 전달되었다. 각 저장체의 온도가 일정하고 외부로의 열손실이 없다고 가정할 경우 (a) 각 저장체의 엔트로피 변화량을 나타내고, (b) 총 엔트로피의 변화량을 계산하여라. (c) 일의 효율은 얼마인가?

19 대표적 열기관인 Carnot Cycle 모델을 P-V 도표에 그리고 다음의 각 단위 과정, 즉 (a) 등온팽창, (b) 단열팽창, (c) 등온압축, (d) 단열압축 과정에서 일어나는 열 및 온도 변화의 현상들을 설명하고, (e) 이때의 일에 대한 열기관의 효율을 나타내어 보아라.

20 1.25×10^{14}J의 열을 사용하는 효율 42%인 발전소가 (a) 방출하는 폐열을 계산하고, (b) 일의 출력에 대한 폐열의 비율 및 (c) 일의 양을 나타내어라.

21 1.25×10^{14}J의 열을 사용하는 효율 45%인 발전소가 (a) 수행하는 일의 양은 얼마이며, (b) 방출하는 폐열 및 (c) 일의 출력에 대한 폐열의 비율을 계산하여라.

22 이상기체와 관련하여, (a) 20℃의 대기압하에서 5mole의 기체가 차지하는 부피는 얼마가 되겠는지 계산하여라. (b) 같은 온도에서 압력이 5기압으로 증가했을 때 부피는 어떻게 변하는가? (c) 이 기체의 내부에너지 변화는 어떻게 되는가? (d) 비가역과정에 대하여 이 기체가 받은 일을 계산하고 (e) 가역과정으로 받은 일과 비교하여라.

23 질량이 200g이고 초기 온도가 120℃인 어떤 금속을 온도가 20℃인 물 100g을 담고 있는 절연된 비이커에 떨어뜨렸다. 비이커에 있는 금속과 물의 최종 온도는 35℃가 되었다. 비이커의 열용량을 무시할 때, (a) 금속으로부터 물로 얼마나 많은 열이 이동하였으며, (b) 온도변화량과 금속의 질량을 이용하면 금속의 비열(c_p)은 얼마로 추정되는가? 또한 (c) 이 계에서의 총 엔트로피 변화는 어떻게 되겠느냐? $dQ = c_p dT$이고 $\Delta S = \int dQ/T$임을 유의하라.

24 카르노 기관이 500K와 300K의 온도 사이에서 작동하여 각 순환과정 동안에 400J의 일을 한다. (a) 이 기관의 효율은 얼마인가? (b) 이 기관은 각 순환과정 동안에 얼마나 많은 열을 높은 온도의 열원으로부터 받아들이는가?

25 대표적인 핵발전소는 540℃의 온도에서 원자로로부터 터빈으로 열을 전달한다. 만일 터빈이 220℃의 온도에서 열을 방출한다면, 이 터빈의 가능한 최대 효율은 얼마인가?

26 대양 열에너지 발전소는 25℃의 온도에 있는 표면의 따뜻한 물에서 열을 받아서 바다 속 깊은 곳으로부터 온도 10℃의 차가운 물로 열을 내보낸다. 이 발전소는 8%의 효율로 작동할 수 있는가?

27 대표적인 자동차 기관이 25%의 효율로 작동된다고 가정하자. 1갤런의 가솔린이 연소될 때 약 150MJ(150×10^6J)의 열이 방출된다(MJ는 megajoule의 약자임).

(a) 1갤런의 가솔린에서 얻을 수 있는 에너지 중, 얼마나 많은 에너지가 자동차를 움직이고 부속품을 작동시켜서 유용한 일을 하는 데에 사용될 수 있을까?

(b) 갤런당 얼마나 많은 열이 배기가스와 방출기에 의해 주위로 내보내지는가?

(c) 차가 일정한 속력으로 움직이고 있다면, 기관이 사용한 출력일은 얼마인가?

(d) 매우 더운 날이나 추운 날에는 기관의 효율이 더 클 것이라고 예상할 수 있는가?

28 어떤 카르노 기관이 500℃와 150℃의 온도 사이에서 작동하여 각 완전 순환과정 동안에 30J의 일을 한다고 가정하자.

(a) 이 기관의 효율은 얼마인가?

(b) 각 순환과정에서 500℃의 열원으로부터 얼마나 많은 열을 흡수하는가?

(c) 각 순환과정에서 150℃의 열원으로 얼마의 열을 방출하는가?

(d) 각 순환과정에서 내부 에너지의 변화가 있다면 얼마이겠는가?

29 열펌프처럼 역으로 작동하는 카르노 기관이 5℃의 차가운 열원으로부터 30℃의 따뜻한 열원으로 열을 이동시킨다.

(a) 이 두 온도 사이에서 작동하는 카르노 기관의 효율은 얼마인가?

(b) 카르노 열펌프가 각 순환과정에서 300J의 열을 높은 열원으로 방출한다면, 각 순환과정에서 얼마나 많은 일을 공급하여야 하는가?

(c) 각 순환과정에서 5℃의 열원으로부터 얼마나 많은 열을 뽑아야 하는가?

(d) 냉장고나 열펌프의 성능이 $K = QC/W$로 정의된 동작계수로 기술된다면, 이 카르노 열펌프의 동작계수는 얼마인가?

(e) 이 문제에서 사용된 온도는 가정난방을 위한 열펌프로의 응용에 적당한가?

30 석유를 태우는 동력장치가 100MW의 전력을 생산하도록 설계되었다고 가정하자. 터빈이 600℃와 260℃의 온도 사이에서 작동하며, 이 두 온도에서의 이상적인 카르노 효율의 80%의 효율을 갖는다.

(a) 이들 온도에 대한 카르노 효율은 얼마인가?

(b) 실제의 기름연소 터빈의 효율은 얼마인가?

(c) 이 장치는 1시간동안에 몇 킬로와트시(kW · h)의 전기에너지를 발생시키는가?

(d) 매 시간 당 몇 킬로와트시의 열을 기름으로부터 얻어야 하는가?

(e) 1배럴의 석유가 1700kW · h의 열을 준다면, 이 장치는 매시간당 얼마나 많이 석유를 사용하는가?

Fundamentals of Physics

01

부록

• 물리학의 최근 동향

물리학의 최근 동향

17세기 후반 뉴턴이 등장한 이후, 물리학은 수학적으로 엄밀한 과학으로서 기초과학의 주춧돌이 되어 왔다. 뉴턴의 역학 이론은 당시까지 무질서해 보이던 많은 자연 현상들을 몇 개의 아주 기초적인 법칙들로부터 설명할 수 있었으며, 자연을 하나의 커다란 기계장치로 보는 기계론적 사고방식을 창출하게 되었다. 뉴턴 이후 지난 300 여년 동안 물리학은 질량을 가진 물체 사이에 작용하는 중력상호작용, 전하를 띤 물체 사이에 작용하는 전자기상호작용, 핵을 강하게 묶어주는 강한 상호작용, 핵의 붕괴현상과 관련된 약한 상호작용의 네가지 상호작용이 일어나는, 작게는 원자 수준 이하의 세계부터 크게는 우주 전체를 연구 대상으로 했다. 이처럼 물리학은 자연현상을 지배하는 기본법칙을 규명하는 것을 기본 바탕으로 삼고 주변에서 일어나는 자연현상을 지배하는 기본법칙을 규명하는 것을 기본바탕으로 삼고 주변에서 일어나는 자연현상을 합리적이고 논리적으로 설명하고 예측할 수 있는 학문으로 발전해 왔다.

20세기 초반에 정립된 상대성이론과 양자역학은 인간의 기존 사고양식에 엄청난 변화를 일으켰으며, 또한 이에 기초를 둔 산업기술의 비약적인 발전으로 인간의 생활양식도 급격한 변화를 맞이하는 계기가 되었다. 이와 같이 물리학에서의 위대한 발견들은 물질문명뿐만 아니라 정신문명에도 지대한 영향을 미쳐왔다.

20세기 말에는 과학은 크게 세 분야에서 괄목할 만한 성과를 이뤘다. 먼저 양자역학을 통해 물질의 기본이 되는 원자의 신비를 밝혔다. 이 양자역학을 근간으로 한, 독자적인 분자생물학의 발달은 생명현상을 파악할 수 있는 생명체들의 유전자 정보를 모두 밝혀낼 수 있게 했다. 또한 과학과 공학 계산을 빠르게 수행할 수 있는 전자컴퓨터를 보유하면서 비선형 현상과 관련된 복잡계에 대한 분석도 가능해졌다.

20세기 들어 급속도로 팽창한 물리학 분야는 세분화되기 시작했으며, 또한 전문화되어 왔다. 즉, 입자물리학, 원자핵물리학, 응집물질물리학, 응용물리학, 열 및 통계물리학, 플라즈마물리학, 광학 및 양자 전자학, 원자 및 분자물리학, 반도체물리학, 천체물리학으로 세분화되어 발전하여 왔다. 따라서 자연현상을 이해하려는 물리학자들의 노력은 결집되지 못하고 흩어지게 되었다. 21세기에는 세분화된 분야들의 뿌리를 다시 점검해 보고 공통된 새로운 시각을 찾아내기 위한 노력이 생기기 시작하였으며, 또한 인간사회에 이미 깊숙히 영향을 미치고 있는 고도화된 물질문명은 물리학자들이 특수한 산업분야에 직접 응용될 수 있는 보다 실용적인 문제에 눈을 돌리도록 요구하게 되었다. 이러한 시대적 요구에 부응하여, 21세기에 들어오면서부터 물리학은 다시 통합의 길을 걷기 시작했으며, 나노기술과 같은 총체적 주제를 통해 물리학 내에서 뿐 아니라 생명기술과 정보기술 분야까지도 포함해 급속히 통합의 길을 가고 있다. 나노기술은 크기가 작기 때문에 발생하는 양자역학적 원리를 근간으로 하고 있다.

나노기술(nano technology, IT)이란 100 나노미터보다 작은 크기의 소자를 만들고 제어하는 기술이며, 크기가 작기 때문에 발생하는 양자역학적 원리를 이용하는 것이다. "지구 : 동전 = 동전 : 나노" 이것은 나노 세계가 얼마나 작은지 단적으로 설명하는 공식이다. 지구를 눌러서 지름을 동전만한 크기로 만들었다면, 그 동전을 다시 똑 같은 힘으로 눌러야 원자 3~4개를 합쳐놓은 크기인 1 나노미터가 된다. 오랫동안 이런 극미세 세계는 인간의 손이 닿지 않는 곳으로 여겨졌다. 1981년 과학자들은 마침내 STM(scanning tunnel microscopy) 기술을 이용해 원자크기의 IBM이라는 글씨를 새겨 넣음으로써 극미세 세계의 접근은 가능하게 되었다.

크기가 작아진다면 재료공학, 전자 전기공학, 컴퓨터공학, 기계공학 등의 응용학문분야에서 아주 놀라운 결과들이 나올 수 있을 것이다. 그러나 다루는 물질의 크기 외에 한가지 더 중요한 것이 있다. 바로 새로운 특성, 물리화학적 성질을 이용하는 것이다. 원자(분자) 한 개 또는 몇 개로 구성된 물질이라면 100 나노미터 이상인 크기의 물질에서 보기 어려운 성질들이 나타난다. 그리고 이 새로운 물리화학적 성질 때문에 상상하기 어려웠던 소자나 기계를 개발할 수 있으며 더 나아가 새로운 패러다임을 가진 세계를 기대할 수 있는 것이다. 물질의 크기가 작기 때문에 나타나는 성질들, 그것들을 찾고 응용하여 새로운 개념의 재료 또는 소자 등을 개발하는 것 이것이 나노기술이다.

나노기술의 의미와 기대되는 혜택들을 고려해볼 때 원자 조작기술은 장래 나노기술연구의 성공 여부를 결정하는 가장 중요한 기술이다. 나노조작이라 함은 단순히 원자의 위치를 이동시키는 것만을 의미하는 것이 아니라 물리화학적 특성도 함께 조작하는 의미로 해석되어야 할 것이다. 나노입자는 대개 수십 개에서 수백 개의 원자 또는 분자들의 모임이기 때문에 마이크론 크기(10^{-6}m)에서 나타나지 않는 특이한 전자적, 광학적, 전기적, 자기적, 화학적, 기계적인 특성들이 기대되기 때문에 나노입자 제조 및 응용 기술이 각광을 받고 있다. 예컨대, 입자를 구성하는 원자 혹은 분자의 수가 적을수록 표면원자의 수는 내부에 있는 원자의 수와 비교하여 상대적으로 증가하게 되어 체적특성은 감소하고 표면특성이 증가하는 효과와 모세관 효과가 강하게 나타난다.

1946년 개발된 최초의 컴퓨터 에니악은 한번 전원을 연결하면 주변 필라델피아 지역의 전기가 전부 나갈 정도였다. 속도는 지금 PC의 80만분의 1에 불과했지만 크기는 어마어마했다. 반도체 기술의 발달로 컴퓨터는 손안에 들어올 정도로 작아졌지만 현재와 같은 기술로는 곧 한계점에 다다른다. 4~5년 후면 반도체를 더 이상 미세화 하는 것이 불가능하기 때문이다. 나노기술은 이러한 문제점을 해결해 줄 것이다. 기존의 반도체는 수천 개의 전자가 이동함으로써 작동한다. 하지만 나노기술을 이용하면 원자나 전자 하나하나에 정보를 저장하고 재생하는 것이 가능하다. 이렇게 크기가 작아지면 에너지효율이 증가한다. 원자나 전자는 움직이고 작동하는 데 에너지가 거의 소비되지 않는다. 또 원자나 전자에 정보를 저장하는 미래의 컴퓨터는 고장이 났을 경우에도 완전히 재생이 가능하다. 어떤 부품이건 원자 단위까지 분해해서 완벽하게 다른 부품으로 재조립할 수 있기 때문이다.

나노기술은 비단 컴퓨터 분야에만 적용되는 것은 아니다. 물리학, 화학, 전자공학, 생명공학 등 과학의 전 분야를 뒷받침해주는 기반 기술이 되고 있다. 나노기술을 퓨전 과학으로 지칭하는 이유도 이 때문이다. 그만큼 연구 범위도 다양하다. 우선 나노기술로 DNA를 분석하는 방법이 개발되고 있다. 몸속에 내장돼 정확한 시간에 정확한 양의 약물을 내보내는 나노크기의 상자도 개발 중이다. 즉 질병이 발생한 부위에서 뚜껑이 열려 나노 혹은 피코(pico : 1조 분의 1) 리터 단위까지 약물을 조절해 분비하는 것이다. 또 몸속에서 특정 병균만은 잡을 수 있는 나노 덫 개발이나, 혈관 속을 돌아다니는 종양 제거로봇, 눈에 보이지 않게 적군의 특정 부위만을 공격하게 만드는 나노 병사의 등장도 가능하다. 나노기술이 인체와 결합될 때 그 효용성은 더욱 커진다. 나노 칩을 뇌에 삽입함으로써 컴퓨터와 인간의 지능을 하나로 통합할 수 있다.

숯을 분해해 다이아몬드를 만든다? 나노기술의 측면에서 접근하면 가능한 이야기다. 숯과 다이아몬드는 똑같은 탄소원자로 만들어져 있다. 나노기술이 발달로 원자를 분해하고 제어하는 것이 자유로워지면 숯을 자동으로 다이아몬드로 만드는 전자레인지가 등장할 수도 있다. 또 이 전자레인지는 특정 제품을 만드는 데 필요한 "레시피(recipe)"를 받아 탄소 3g, 산소 5g 등 필요한 원료를 취합해 바로 해당 제품을 만들어 내는 것도 가능할 것이다. 즉, 나노기술은 과학기술의 부흥을 뜻한다.

기존의 거대한 우주선은 에너지 조달이 가장 큰 걸림돌이었다. 나노크기 우주선을 제조하면 에너지 고갈의 우려 없이 우주탐험이 쉽고 간단해진다.

현재 나노기술의 최대 난제는 상온에서 안정적인 상태의 나노 물질을 만들지 못하고 있다는 것이다. IBM 연구소 아이글러 박사가 1990년 니켈 금속

판 위에 크세논 원자를 하나씩 늘어놓아 “IBM” 로고글자를 새긴 것은 나노기술의 대표적 성공 사례이지만, 극저온에서나 가능한 일이었다. 상온에서 원자 하나하나를 안정적으로 배열하는 것은 미완의 기술이다. 나노물질을 효율적으로 대량 생산하는 방법도 찾아야 한다. 어떠한 방법으로 나노물질을 제조하든지 간에, 현재 수준으로는 나노물질을 만드는 데 들어가는 비용이 엄청나다. 나노기술로 얻는 이익이 비용보다 크지 않으면 기술은 무용지물일 수밖에 없다. 나노부품들을 기존의 다른 부품, 시스템과 연결시키는 것도 해결해야 할 과제이다.

물질이 나노미터(nm=10억분의 1m) 수준으로 작아지면 거시세계에서는 볼 수 없는 특이한 물리 화학적 성질을 나타낸다. 그런데 물질이 나노 크기의 입자가 되면 독성이 강해진다는 연구 결과가 나와 나노기술의 미래를 어둡게 하고 있다. 듀폰사 연구팀도 비슷한 실험을 한 결과 폐에서 나노튜브가 응집하면서 기관지 튜브를 막아서 쥐가 질식사했다. 영국 리버풀대의 독성학자인 비비언 하워드 교수는 “나노입자는 물질 자체의 독성보다 크기가 작아질수록 표면적이 상대적으로 넓어지면서 생체조직에 대한 반응성이 증가해 독성이 생기는 것으로 보인다.”고 밝혔다. 게다가 나노 입자는 폐뿐 아니라 소화기관, 피부를 통해 세포와 중추신경계에까지 침투할 수 있다는 게 문제이다. 그러나 이에 대한 신중한 검토 없이 벌써 썬크림이나 화장품의 원료로 나노입자가 쓰이고 있다는 것이다. 미국 라이스대 나노기술환경생물센터 비키 콜빈 소장은 “자연계에 존재하는 무기물질은 너무 커서 세포나 조직에 침투하지 못하지만 인공의 나노 입자는 어디든 들어올 수 있다”고 말했다. 과학자들은 지금까지 나온 연구결과만 갖고 나노입자를 규제하기는 어렵다고 보고 있다. 하지만 캐나다의 민간단체인 ETC그룹은 안전성이 입증될 때까지 전 세계적으로 나노입자의 생산을 금지해야 한다고 주장하고 있다. 이 단체에 따르면 듀폰, 바스프, 로레알 등 140개 기업이 나노입자를 생산해내고 있으며, 주기율표의 원소 가운데 44개가 나노입자 형태로 판매되고 있다. 국내에서는 정부가 수천억 원을 나노기술 개발에 투입하고 있지만 나노기술에 대해 환경영향평가를 미뤄놓은 상태다.

이러한 나노기술 외에도 유전자 재조합, 지놈프로젝트 등의 생명에 관련된 기술을 연구하는 BT(biology technology), 반도체, 전자, 통신, 인터넷, 소프트웨어, 신소재등의 고부가가치 산업을 이끌어 갈 IT(information technology), 우주비행정이나 인공위성 우주기지를 만드는 기술 ST(space technology)등 앞으로 포스트 산업혁명을 몰고 올 것으로 예상되는 이런 최첨단 기술의 밑바탕에는 물리학이라는 큰 주춧돌이 있음을 아무도 의심하지 않을 것이다.

Fundamentals of Physics

02 부록

- 국제단위계(SI)
- 물리학의 기본상수
- 천문학적 값
- 유용한 수학 관계식
- 단위 변환 인자
- 원소의 주기율표
- 그리스 문자
- 10의 지수의 접두사

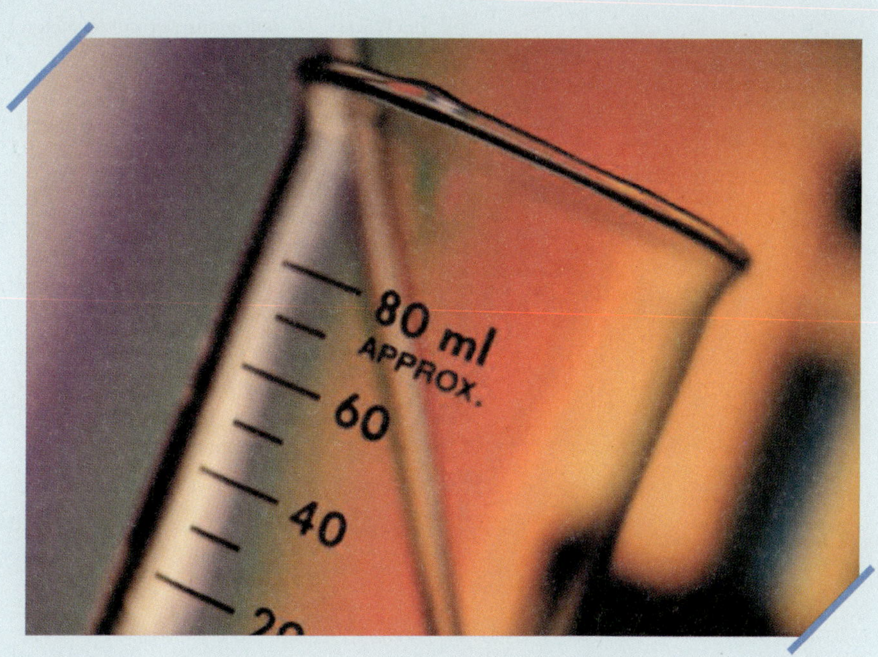

국제단위계(SI)※

◐ 국제 단위계

줄여서 SI 단위계라고 부르는 국제단위계(the Système International d' Unit ès)는 무게와 측정에 관한 국제 회의에서 개발된 단위계이며, 전 세계의 모든 산업국들이 채택하고 있다. 이 단위계는 mksa(meter-kilogram-second-ampere) 단위계에 기초를 두고 있다. 아래의 자료들은 미국 표준국 (NBS)의 특별 간행물 330(1991 년판)으로부터 발췌하였다.

양	단위이름	기호	
	SI 기본단위		
길이	meter	m	
질량	kilogram	kg	
시간	second	s	
전류	ampere	A	
열역학적 온도	kelvin	K	
광도	candela	cd	
물질의 양	mole	mol	
	SI 유도단위		등가단위
면적	square meter	m^2	
부피	cubic meter	m^3	
진동수	hertz	Hz	s^{-1}
질량밀도(밀도)	kilogram per cubic meter	kg/m^3	
속력, 속도	meter per second	m/s	
각속도	radian per scond	rad/s	
가속도	meter per second squared	m/s^2	
각가속도	radian per second squared	rad/s^2	
힘	newton	N	$kg \cdot m/s^2$
압력(역학적 변형력)	pascal	Pa	N/m^2
운동학적 점성	squared meter per second	m^2/s	
동역학적 점성	newton-second per square meter	$N \cdot s/m^2$	
일, 에너지, 열량	joule	J	$N \cdot m$
일률	watt	W	J/s
전기량	coulomb	C	$A \cdot s$
전위차, 기전력	volt	V	W/A, J/C
전기장의 강도	volt per meter	V/m	N/C
전기저항	ohm	Ω	V/A
전기용량	farad	F	$A \cdot s/V$

양	단위이름	기호	등가단위
자기선속	weber	Wb	V · s
인덕턴스	henry	H	V · s/A
자기 선속 밀도	tesla	T	Wb/m^2
자기장 세기	ampere per meter	A/m	
기자력	ampere	A	
광선속	lumen	lm	cd · sr
밝기, 휘도	candela per square meter	cd/m^2	
조명도	lux	lx	lm/m^2
파수	1 per meter	m^{-1}	
엔트로피	joule per kelvin	J/K	
비열용량	joule per kilogram kelvin	J/kg · K	
열전도	watt per meter kelvin	W/m · K	
복사세기(강도)	watt per steradian	W/sr	
방사능 (방사성 동위원소의)	becquerel	Bq	s^{-1}
방사선의 조사선량	gray	Gy	J/kg
방사선의 선량당량	sievert	Sv	J/kg
	SI 보충단위		
평면각	radian	rad	
입체각	steradian	sr	

◐ SI 단위의 정의

meter(m) 미터(meter)는 빛이 진공 중에서 1/299,792,458초 동안에 진행하는 거리와 같다.

kilogram(kg) 킬로그램(kilogram)은 질량의 단위이며, 국제적인 킬로그램 원기의 질량과 같다(킬로그램 원기는 프랑스의 무게와 측정에 관한 국제 사무국의 Sevres 지하실에 보관되어 있는 백금과 이리듐의 합금으로 특수 제작된 원기둥이다.)

second(s) 초(second)는 세슘 133 원자의 바닥상태의 두 개의 초미세 준위 사이의 천이에 해당하는 복사선의 주기의 9,192,631,770배에 해당하는 시간이다.

amper(A) 암페어(amper)는 진공 중에서 1미터 떨어져 있고, 단면적을 무시할 수 있는 무한히 긴 평행도체 사이에 미터 당 2×10^{-7}N의 힘이 작용하도록 하는 정상전류이다.

kelvin(K) 캘빈(kelvin)은 물의 삼중점의 열역학적 온도의 1/273.16을 단위로 한 열역학적 온도의 단위이다.

ohm(Ω) 옴(ohm)은 도체의 두 점 사이에 가해진 1 V의 일정한 전위차에서 그 도체에 1 A의 전류가 흐르게 하는 도체의 두 점 사이의 전기저항이다. 이 도체는 어떠한 기전력원이 되지 않는다.

coulomb(C) 쿨롱(coulomb)은 1 암페어의 전류가 매초당 운반하는 전기량이다.

candela(cd) 칸델라(candela)는 임의의 방향으로 진동수 540×10^{12} Hz인 단색 복사선을 방출하고, 그 방향으로 스테라디안당 1/683 W의 복사세기를 가지는 광원의 발광강도이다.

mole(mol) 몰(mole)은 질량수 12인 탄소 0.012 kg에 있는 탄소원자의 수와 같은 실체들을 포함하고 있는 계에 있는 물질의 양이다. 그 최소 단위가 되는 실체들은 원자, 분자, 전자, 다른 입자들로 기술되거나, 그러한 입자들의 무리로 기술되어야 한다.

newton(N) 뉴턴(newton)은 1 kg의 질량에 제곱초당 1 m의 가속도가 생기게 하는 힘이다.

joule(J) 줄(joule)은 1 N의 힘이 작용한 질점이 힘의 방향으로 1 m의 변위를 일으켰을 때 한 일이다.

watt(W) 와트(watt)는 매 초당 1 J의 비율로 에너지를 발생시켜 주는 전력이다.

volt(V) 볼트(volt)는 도선에서 두 점 사이에 소모되는 전력이 1 W일 때, 1암페어의 일정한 전류를 운반하는 두 점 사이의 전위차이다.

weber(Wb) 웨버(weber)는 기전력이 1초 동안에 1 V의 기전력이 일정한 비율로 0까지 줄어들 때 만들어져 한 번 감은 코일 회로에 연관되는 자기선속이다.

lumen(lm) 루멘(lumen)은 세기가 1 cd인 균일한 점광원에 의해 1 sr의 입체각으로 방출되는 광선속이다.

farad(F) 패럿(farad)은 축전기의 두 판이 각각 1 C의 동일한 전기량으로 대전되었을 때, 그 판들 사이에 전위차가 1 V가 되는 축전기의 전기용량이다.

henry(H) 헨리(henry)는 닫힌 회로에서 전류가 매초당 1 A의 비율로 균일하게 변할 때, 회로에 1 V의 기전력이 생기는 폐회로의 인덕턴스이다.

radian(rad) 라디안(radian)은 원둘레에서 반지름의 길이와 같은 호를 자르는 두 반지름의 평면각이다.

steradian(sr) 스테라디안(steradian)은 구의 반지름의 제곱과 넓이가 같은 구면 위의 넓이에 대하여 구의 중심으로부터 잘리는 입체각이다.

물리학의 기본상수※

상수	기호	계산할 때 쓰는 값
진공에서의 광속	c	3.00×10^{8} m/s
기본 전하량	e	1.60×10^{-19} C
중력상수	G	6.67×10^{-11} m/s^2 · kg
보편 기체상수	R	8.31 J/mol · K
Avogadro 상수	N_A	6.02×10^{23} mol-1
Boltzmann상수	k_B	1.38×10^{-23} J/K
Stefan-Boltzmann상수	σ	5.67×10^{-8} W/m^2 · K^4
STP에서 이상기체 1몰의 부피	V_m	2.24×10^{-2} m^3/mol
유전상수	ε_0	8.85×10^{-12} F/m
투과상수	μ_0	$1.26 \cdot 10^{-6}$ H/m
Planck 상수	h	6.63×10^{-34} J · s
	$\hbar = h/2\pi$	1.05×10^{-34} J · s
전자의 질량	m_e	9.11×10^{-31} kg
		5.49×10^{-4} u
양성자 질량	m_p	1.67×10^{-27} kg
		1.0073 u
전자의 자기모우먼트	μ_e	9.28×10^{-24} J/T
양성자의 자기모우먼트	μ_p	1.41×10^{-26} J/T
Bohr 마그네톤	μ_B	9.27×10^{-24} J/T
핵 마그네톤	μ_N	5.05×10^{-27} J/T
Bohr 반지름	r_B	5.29×10^{-11} m
Rydberg 상수	R	1.10×10^{7} m^{-1}
전자의 콤프턴 파장	λ_c	2.43×10^{-12} m
열의 일 당량		4.186 J/cal(15 calorie)
표준 대기 압력	1 atm	1.01325×10^{5} Pa
절대영도	0 K	-273.15℃
전자볼트	1 eV	$1.60217733(49) \times 10^{-19}$ J
원자 질량 단위	1 u	$1.6605402(10) \times 10^{-27}$ kg
전자의 질량 에너지	$m_e c^2$	0.51099906(15) MeV
이상기체의 부피(0℃ 1기압)		22.41410(19) L/mol
중력가속도(표준)	g	9.80665 m/s^2

※ 이 표의 값은 1998년도 CODATA가 추천한 값에서 뽑았다(www.physics.nist.gov).

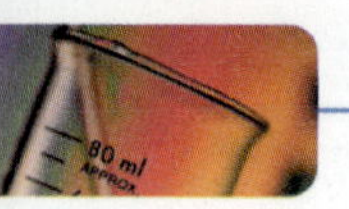

천문학적 값※

◐ 지구에서의 거리

달※	3.82×10^{8}m	우리은하계의 중심	2.2×10^{20} m
태양※	1.50×10^{11}m	Andromeda 은하계	2.1×10^{22} m
가장 가까운 별 (Proxima Centauri)	4.04×10^{16}m	관측 가능한 우주의 끝	$\sim 10^{26}$ m

※ 평균거리

◐ 태양, 지구, 달

성질	단위	태양	지구	달
질량	kg	1.99×10^{30}	5.98×10^{24}	7.36×10^{22}
평균 반지름	m	6.96×10^{8}	6.37×10^{6}	1.74×10^{6}
평균 밀도	kg/m^3	1410	5520	3340
표면에서의 자유낙하가속도	m/s^2	274	9.81	1.67
탈출속도	km/s	618	11.2	2.38
회전주기[a]	—	극에서 37일[b] 적도에서 26일[b]	23시간 56분	27.3일
복사율[c]	W	3.90×10^{26}		

[a] 먼 별에 대한 측정 [b] 기체로 이루어진 태양은 강체처럼 회전하지 않는다.
[c] 1340 W/m2의 비율로 수직하게 입사한다고 가정했을 때, 지구 대기권 밖에서 받는 태양 에너지

◐ 행성의 성질

	수성	금성	지구	화성	목성	토성	천왕성	해왕성	명왕성
태양으로부터의 거리 10^6km	57.9	108	150	228	778	1430	2870	4500	5900
공전주기, 년	0.241	0.615	1.00	1.88	11.9	29.5	84.0	165	248
자전주기[a], 일	58.7	-243[b]	0.997	1.03	0.409	0.426	-0.451[b]	0.658	6.39
궤도속도, km/s	47.9	35.0	29.8	24.1	13.1	9.64	6.81	5.43	4.74
궤도에 대해 축이 이루는 각도	<28°	≈3°	23.4°	25.0°	3.08°	26.7°	97.9°	29.6°	57.5°
이심률	0.206	0.0068	0.0167	0.0934	0.0485	0.0556	0.0472	0.0086	0.250
적도지름, km	4880	12100	12800	6790	143000	120000	51800	49500	2300
질량(지구=1)	0.0558	0.815	1.000	0.107	318	95.1	14.5	17.2	0.002
밀도(물=1)	5.60	5.20	5.52	3.95	1.31	0.704	1.21	1.67	2.03
표면에서의	3.78	8.60	9.78	3.72	22.9	9.05	7.77	11.0	0.5

	수성	금성	지구	화성	목성	토성	천왕성	해왕성	명왕성
탈출속도[c], km/s	4.3	10.3	11.2	5.0	59.5	35.6	21.2	23.6	1.1
알려진 위성	0	0	1	2	16+테	18+테	17+테	8+테	1

[a] 먼 별에 대한 측정 [b] 금성과 천왕성은 궤도운동 방향과 반대로 자전한다
[c] 행성의 적도에서 측정한 중력가속도

유용한 수학 관계식

◐ 대수

$a^{-x} = \frac{1}{a^x}$ $\qquad a^{(x+y)} = a^x a^y$ $\qquad a^{(x-y)} = \frac{a^x}{a^y}$

로그 : 만일 $\log a = x$ 이면, $a = 10x$이다. $\qquad \log a + \log b = \log(ab)$

$\log a - \log b = \log(a/b)$ $\qquad \log(a^n) = n \log a$

만일 $\ln a = x$이면, $a = e^x$이다. $\qquad \ln a + \ln b = \ln(ab)$

$\ln a - \ln b = \ln(a/b)$ $\qquad \ln(a^n) = n \ln a$

근의 공식 : 만일 $ax^2 + bx + c = 0$이면, $x = \frac{-b \pm \sqrt{b^2 - 4ac}}{2a}$ 이다.

◐ 이항정리

$$(a+b)^n = a^n + na^{n-1}b + \frac{n(n-1)a^{n-2}b^2}{2!} + \frac{n(n-1)(n-2)a^{n-3}b^3}{3!} + \cdots$$

◐ 삼각함수

직각삼각형 ABC에서 $x^2 + y^2 = r^2$이다.

삼각함수의 정의 : $\sin a = y/s$ $\qquad \cos a = x/r$ $\qquad \tan a = y/x$

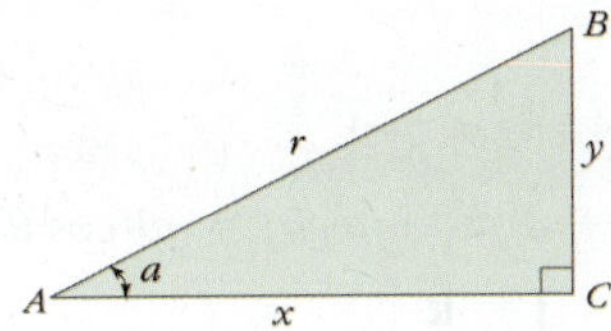

항등식 :

$\sin^2 a + \cos^2 a = 1$ $\qquad \tan a = \frac{\sin a}{\cos a}$

$\sin 2a = 2 \sin a \cos a$ $\qquad \cos 2a = \cos^2 a - \sin^2 a = 2\cos^2 a - 1 = 1 - 2\sin^2 a$

$\sin \frac{1}{2}a = \sqrt{\frac{1-\cos a}{2}}$ $\qquad \cos \frac{1}{2}a = \sqrt{\frac{1+\cos a}{2}}$

$\sin(-a) = -\sin a$ $\qquad \sin(a \pm b) = \sin a \cos b \pm \cos a \sin b$

$\cos(-a) = \cos a$ $\qquad \cos(a \pm b) = \cos a \cos b \mp \sin a \sin b$

$\sin(a \pm \pi/2) = \pm \cos a$ $\qquad \sin a \pm \sin b = 2 \sin \frac{1}{2}(a+b) \cos \frac{1}{2}(a-b)$

$\cos(a \pm \pi/2) = \pm \sin a$ $\qquad \cos a \pm \cos b = \pm 2 \cos \frac{1}{2}(a+b) \cos \frac{1}{2}(a-b)$

◐ 기하

반지름 r 인 원둘레 : $C = 2\pi r$

반지름 r 인 원의 면적 : $A = \pi r^2$

반지름 r 인 구의 부피 : $V = 4\pi r^3/3$

반지름 r 인 구의 표면적 : $A = 4\pi r^2$

반지름 r 이고 높이 h 인 원통의 부피 : $V = r^2 h$

◐ 벡터의 곱셈

$\mathbf{i}$, $\mathbf{j}$, $\mathbf{k}$ 가 x, y, z 방향의 단위벡터라고 하면

$\mathbf{i} \cdot \mathbf{i} = \mathbf{j} \cdot \mathbf{j} = \mathbf{k} \cdot \mathbf{k} = 1, \quad \mathbf{i} \cdot \mathbf{j} = \mathbf{j} \cdot \mathbf{k} = \mathbf{k} \cdot \mathbf{i} = 0$

$\mathbf{i} \times \mathbf{i} = \mathbf{j} \times \mathbf{j} = \mathbf{k} \times \mathbf{k} = 0$

$\mathbf{i} \times \mathbf{j} = \mathbf{k}, \quad \mathbf{j} \times \mathbf{k} = \mathbf{i}, \quad \mathbf{k} \times \mathbf{i} = \mathbf{j}.$

x, y, z축에 대한 성분이 a_x, a_y, a_z인 임의의 벡터 $\boldsymbol{a}$는

$$\mathbf{a} = a_x\mathbf{i} + a_y\mathbf{j} + a_z\mathbf{k}$$

로 쓸 수 있다. $\mathbf{a}$, $\mathbf{b}$, $\mathbf{c}$가 크기 a, b, c인 임의의 벡터 $\mathbf{a}$는

$$\mathbf{a} \times (\mathbf{b} + \mathbf{c}) = (\mathbf{a} \times \mathbf{b}) + (\mathbf{a} + \mathbf{c})$$

$$(s\mathbf{a}) \times \mathbf{b} = \mathbf{a} \times (s\mathbf{b}) = s\,(\mathbf{a} \times \mathbf{b}) \qquad (s\text{는 스칼라}).$$

θ가 $\mathbf{a}$, $\mathbf{b}$사이의 각이라면 다음과 같다.

$$\mathbf{a} \cdot \mathbf{b} = \mathbf{b} \cdot \mathbf{a} = a_x b_x + a_y b_y + a_z b_z = ab\cos\theta$$

$$\mathbf{a} \times \mathbf{b} = -\mathbf{b} \times \mathbf{a} = \begin{vmatrix} \mathbf{i} & \mathbf{j} & \mathbf{k} \\ a_x & a_y & a_z \\ b_x & b_y & b_z \end{vmatrix}$$

$$= \mathbf{i}\begin{vmatrix} a_y & a_z \\ b_y & b_z \end{vmatrix} - \mathbf{j}\begin{vmatrix} a_x & a_z \\ b_x & b_z \end{vmatrix} + \mathbf{k}\begin{vmatrix} a_x & a_y \\ b_x & b_y \end{vmatrix}$$

$$= (a_y b_z - b_y a_z)\,\mathbf{i} + (a_z b_x - b_z a_x)\,\mathbf{j} + (a_x b_y - b_x a_y)\,\mathbf{k}$$

$$|\mathbf{a} \times \mathbf{b}| = ab\sin\theta$$

$$\mathbf{a} \cdot (\mathbf{b} \times \mathbf{c}) = \mathbf{b} \cdot (\mathbf{c} \times \mathbf{a}) = \mathbf{c} \cdot (\mathbf{a} \times \mathbf{b})$$

$$\mathbf{a} \times (\mathbf{b} \times \mathbf{c}) = (\mathbf{a} \cdot \mathbf{c})\mathbf{b} - (\mathbf{a} \cdot \mathbf{b})\mathbf{c}.$$

◐ 멱급수(주어진 x의 범위에서 수렴한다) :

$$\sin x = x - \frac{x^3}{3!} + \frac{x^5}{5!} - \frac{x^7}{7!} + \cdots \text{ (모든 } x)$$

$$\cos x = 1 - \frac{x^2}{2!} + \frac{x^4}{4!} + \frac{x^6}{6!} + \cdots \text{ (모든 } x)$$

$$\tan x = x + \frac{x^3}{3} + \frac{2x^5}{15} + \frac{17x^7}{315} + \cdots \ (|x| < \pi/2)$$

$$e^x = 1 + x + \frac{x^2}{2!} + \frac{x^3}{3!} + \cdots \text{ (모든 } x)$$

$$\ln(1 + x) = x - \frac{x^2}{2} + \frac{x^3}{3} - \frac{x^4}{4} + \cdots \ (|x| < 1)$$

◐ 미분과 적분

다음에서 u, v는 x, y에 대한 임의의 함수이고, a, m은 상수이다. 각각의 부정적분은 임의의 상수가 더해져야 한다. 더 자세한 것은 "The *Handbook of Chemistry and Physics*"(CRC Press Inc.)를 참조하라.

◐ 미분공식

1. $\dfrac{dx}{dx} = 1$

2. $\dfrac{d}{dx}(au) = a\dfrac{du}{dx}$

3. $\dfrac{d}{dx}(u + v) = \dfrac{du}{dx} + \dfrac{dv}{dx}$

4. $\dfrac{d}{dx}x^m = mx^{m-1}$

5. $\dfrac{d}{dx}\ln x = \dfrac{1}{x}$

6. $\dfrac{d}{dx}(uv) = u\dfrac{dv}{dx} + v\dfrac{du}{dx}$

7. $\dfrac{d}{dx}e^x = e^x$

8. $\dfrac{d}{dx}\sin x = \cos x$

9. $\dfrac{d}{dx}\cos x = -\sin x$

10. $\frac{d}{dx}\tan x = \sec^2 x$

11. $\frac{d}{dx}\cot x = -\csc^2 x$

12. $\frac{d}{dx}\sec x = \tan x \sec x$

13. $\frac{d}{dx}\csc x = -\cot x \csc x$

14. $\frac{d}{dx}e^u = e^u \frac{du}{dx}$

15. $\frac{d}{dx}\sin u = \cos u \frac{du}{dx}$

16. $\frac{d}{dx}\cos u = -\sin u \frac{du}{dx}$

◐ 적분공식

1. $\int dx = x$

2. $\int au\, dx = a\int u\, dx$

3. $\int (u + v)\, dx = \int u\, dx + \int v\, dx$

4. $\int x^m\, dx = \frac{x^{m+1}}{m+1}$ $(m \neq -1)$

5. $\int \frac{dx}{x} = \ln |x|$

6. $\int u \frac{dv}{dx}\, dx = uv - \int v \frac{du}{dx}\, dx$

7. $\int e^x\, dx = e^x$

8. $\int \sin x\, dx = -\cos x$

9. $\int \cos x \, dx = \sin x$

10. $\int \tan x \, dx = \ln |\sec x|$

12. $\int e^{-ax} \, dx = -\frac{1}{a} e^{-ax}$

13. $\int xe^{-ax} \, dx = -\frac{1}{a^2} (ax + 1) e^{-ax}$

14. $\int x^2 e^{-ax} \, dx = -\frac{1}{a^3} (a^2x^2 + 2ax + 2) e^{-ax}$

15. $\int_0^\infty x^n e^{-ax} \, dx = \frac{n!}{a^{n+1}}$

16. $\int_0^\infty x^{2n} e^{-ax^2} dx = \frac{1 \cdot 3 \cdot 5 \cdots (2n-1)}{2^{n+1} a^n} \sqrt{\frac{\pi}{a}}$

17. $\int \frac{dx}{\sqrt{x^2 + a^2}} = \ln (x + \sqrt{x^2 + a^2})$

18. $\int \frac{x \, dx}{(x^2 + a^2)^{3/2}} = -\frac{1}{(x^2 + a^2)^{1/2}}$

19. $\int \frac{dx}{(x^2 + a^2)^{3/2}} = -\frac{x}{a^2(x^2 + a^2)^{1/2}}$

20. $\int_0^\infty x^{2n+1} e^{-ax^2} \, dx = \frac{n!}{2a^{n+1}} \; (a > 0)$

21. $\int \frac{x \, dx}{x + d} = x - d \ln (x + d)$

단위 변환 인자

◐ 길이

1 m = 100 cm = 1000 mm
$= 10^6$ μm $= 10^9$ mm
1 km = 1000 m = 0.6214 mi
1 m = 3.281 ft = 39.37 in.
1 cm = 0.3937 in
1 in. = 2.540 cm
1 ft = 30.48 cm
1 yd = 91.44 cm
1 mi = 5280 ft = 1.609 km
1 Å $= 10^{-10}$ m $= 10^{-8}$ cm $= 10^{-1}$ nm
1 nautical mile = 6080 ft
1 광년 = 9.461 × 1015 m

◐ 면적

1 cm^2 = 0.155 in^2
1 $m^2 = 10^4$ cm^2 = 10.76 ft^2
1 in^2 = 6.452 cm^2
1 ft^2 = 144 in^2 = 0.0929 m^2

◐ 부피

1 L = 1000 cm^3 $= 10^{-3}$ m^3
= 0.03531 ft^3 = 61.02 in^3
1 ft^3 = 0.02832 m^3 = 28.32 L
= 7.477 gallons
1 gallon = 3.788 L

◐ 시간

1 min = 60 s
1 h = 3,600 s
1 일 = 86.400 s
1 년 365.24 일 $= 3.156 \times 10^7$ s

◐ 각도

1 rad = 57.30° = 180°/π
1° = 0.01745 rad = π/180 rad
1 회전 = 360° = 2 π rad
1 rev/min(rpm) = 0.1047 rad/s

◐ 속력

1 m/s = 3.281 ft/s
1 ft/s = 0.3048 m/s
1 mi/min = 60 mi/h = 88 ft/s
1 km/h = 0.2778 m/s
= 0.6214 mi/h
1 mi/h = 1.466 ft/s = 0.4470 m/s
= 1.609 km/h
1 furlong/fortnight
$= 1.662 \times 10^{-4}$ m/s

◐ 가속도

1 m/s^2 = 100 cm/s^2 = 3.281 ft/s^2
1 cm/s^2 = 0.01 m/s^2
= 0.03281 ft/s^2
1ft/s^2 = 0.3048m/s^2 = 30.48 cm/s^2
1mi/h · s = 1.467 ft/s^2

◐ 질량

$1\ kg = 10^3\ g = 0.0685\ slug$

$1\ g = 6.85 = 10^{-5}\ slug$

$1\ slug = 14.59\ kg$

$1\ u = 1.661 \times 10^{-27}\ kg$

$g = 9.80\ m/s^2$일 때 1 kg의 무게는 2.205 lb이다.

◐ 힘

$1\ N = 10^5\ dyn = 0.2248\ lb$

$1\ lb = 4.448\ N = 4.448 \times 10^5\ dyn$

◐ 압력

$1\ pa = 1\ N/m^2 = 1.451104\ lb/in^2$
$= 0.209\ lb/ft^2$

$1\ bar = 105\ Pa$

$1\ lb/in^2 = 6891\ Pa$

$1\ lb/ft^2 = 7.88\ Pa$

$1\ atm = 1.013 \times 10^5\ Pa$
$= 1.013\ bar = 14.7\ lb/in^2$
$= 2117\ lb/ft^2$

$1\ mmHg = 1\ torr = 133.3\ Pa$

◐ 에너지

$1\ J = 107\ ergs = 0.239\ cal$

$1\ cal = 4.186\ J$

(based on 15° calorie)

$1\ ft \cdot lb = 1.356\ J$

$1\ Btu = 1055\ J = 252\ cal$
$= 778\ ft \cdot lb$

$1\ eV = 1.602 \times 10^{-19}\ J$

$1\ kWh = 3.600 \times 10^6\ J$

◐ 질량-에너지 등가

$1\ kg \leftrightarrow 8.988 \times 10^{16}\ J$

$1\ u \leftrightarrow 931.5\ MeV$

$1\ eV \leftrightarrow 1.073 \times 10^{-9}\ u$

◐ 일률

$1\ W = 1\ J/s$

$1\ hp = 746\ W = 550\ ft \cdot 1\ lb/s$

$1\ Btu/h = 0.293\ W$

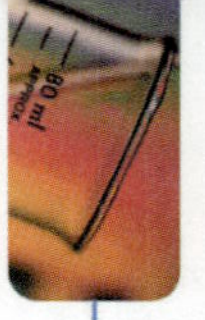

원소의 주기율표

금속 / 반금속 / 비금속

수평주기	알카리 금속 IA		전이금속 IIIB	IVB	VB	VIB	VIIB	VIIIB	VIIIB	VIIIB	IB	IIB						불활성 기체 0
1	1 H																	2 He
2	3 Li	4 Be											5 B	6 C	7 N	8 O	9 F	10 Ne
3	11 Na	12 Mg											13 Al	14 Si	15 P	16 S	17 Cl	18 Ar
4	19 K	20 Ca	21 Sc	22 Ti	23 V	24 Cr	25 Mn	26 Fe	27 Co	28 Ni	29 Cu	30 Zn	31 Ga	32 Ge	33 As	34 Se	35 Br	36 Kr
5	37 Rb	38 Sr	39 Y	40 Zr	41 Nb	42 Mo	43 Tc	44 Ru	45 Rh	46 Pd	47 Ag	48 Cd	49 In	50 Sn	51 Sb	52 Te	53 I	54 Xe
6	55 Cs	56 Ba	57 *	72 Hf	73 Ta	74 W	75 Re	76 Os	77 Ir	78 Pt	79 Au	80 Hg	81 Tl	82 Pb	83 Bi	84 Po	85 At	86 Rn
7	87 Fr	88 Ra	89-103 †	104 Rf	105 Db	106 Sg	107 Bh	108 Hs	109 Mt	110	111	112	113	114	115	116	117	118

내부 전이금속

Lanthan 계 *	57 La	58 Ce	59 Pr	60 Nd	61 Pm	62 Sm	63 Eu	64 Gd	65 Tb	66 Dy	67 Ho	68 Er	69 Tm	70 Yb	71 Lu
Actin 계 †	89 Ac	90 Th	91 Pa	92 U	93 Np	94 Pu	95 Am	96 Cm	97 Bk	98 Cf	99 Es	100 Fm	101 Md	102 No	103 Lr

그리스 문자

영문이름	대문자	소문자	이름	영문이름	대문자	소문자	이름
Alpha	A	α	알파	Nu	N	ν	뉴
BetaB	B	β	베타	Xi	Ξ	ξ	크시,자이
Gamma	Γ	γ	감마	Omicron	O	o	오미크론
Delta	Δ	δ	델타	Pi	Π	π	파이
Epsilon	E	ε	입실론	Rho	P	ρ	로
Zeta	Z	ζ	제타	Sigma	Σ	σ	시그마
Eta	H	η	에타	Tau	T	τ	타우
Theta	Θ	θ	쎄타	Upsilon	ϒ	υ	웁실론
Iota	I	ι	아이오타	Phi	Φ	ϕ	화이
Kappa	K	κ	카파	Chi	X	χ	카이
Lambda	Λ	λ	램다	Psi	Ψ	ψ	프시
Mu	M	μ	뮤	Omega	Ω	ω	오메가

10의 지수의 접두사

10의 지수	접두사	약어	발음
10^{-24}	yocto-	y	*yoc* - toe
10^{-21}	zepto-	z	*zep* - toe
10^{-18}	atto-	a	*at* - toe
10^{-15}	femto-	f	*fem* - toe
10^{-12}	pico-	p	*pee* - koe
10^{-9}	nano-	n	*nan* - oe
10^{-6}	micro-	μ	*my* - crow
10^{-3}	milli-	m	*mil* - i
10^{-2}	centi-	c	*cen* - ti
10^{3}	kilo-	k	*kil* - oe
10^{6}	mega-	M	*meg* - a
10^{9}	giga-	G	*jig*-a or *gig* - a
10^{12}	tera-	T	*ter* - a
10^{15}	peta-	P	*pet* - a
10^{18}	exa-	E	*ex* - a
10^{21}	zetta-	Z	*zet* - a
10^{24}	yotta-	Y	*yot* - a

연습문제 답안지

제1장 일차원 운동 or 벡터해석

1 (a) 4개 $7.254 \times 10^2 s$
(b) 4개 5.870×10^{-2}cm
(c) 유효숫자가 4개라고 하면 2.400×10^3g 이고, 2개이면 2.4×10^3g
(d) 4개 9.000×10^4mℓ

2 (a) 2.29×10^9g (b) 1.3×10^9g
(c) 123.403 (d) 123.397
(e) 0.37 (f) 41000

3 48km/h

4 272.9km/h

5 $t_1 + t_2 = \dfrac{d}{c+v} + \dfrac{d}{c-v} = \dfrac{2cd}{c^2 - v^2}$
$= \dfrac{2d}{c} / \left[1 - \left(\dfrac{v^2}{c^2}\right)\right]$

6 (a) $\dfrac{9000\,\text{km}}{\text{hr}^2}$ (b) 32s

7 0.075km

8 (a) 3.6s (b) 35m/s

9 (a) 6.1s (b) 39.7m/s

10 $\dfrac{1}{2} g(n^2 - 1)$

11 78.4m

12 서쪽으로 30m

13 (a) $V_x = V\cos\theta$, $V_y = V\sin\theta$,
$V = \sqrt{(V_x^2 + V_y^2)}$, $\theta = \tan^{-1}(V_y / V_x)$
(b) $V_{1x} = V_1 \cos\theta_1$, $V_{1y} = V_1 \sin\theta_1$,
$V_{2x} = V_2 \cos\theta_2$, $V_{2y} = V_2 \sin\theta_2$
(c) $V_x = V_{1x} + V_{2x}$, $V_y = V_{1y} + V_{2y}$,
$V = \sqrt{(V_x^2 + V_y^2)}$, $\theta = tan^{-1}(V_y / V_x)$

14 (a) $|\vec{A}| \simeq 7.07$, $|\vec{B}| \simeq 6.40$
(b) −25
(c) $34\hat{i} - 13\hat{j} + 10\hat{k}$
(d) 123.5°

15 증명

제2장 2차원 및 3차원 운동

1 5m/s

2 (a) $r = 240(\text{m})\,\text{i} - 180(\text{m})\,\text{j}$
(b) 3.5m/s
(c) −36.9°

3 (a) + 2.5m/s
(b) $-\dfrac{25}{11}$m/s
(c) 0

4 0.6m/s^2

5 $\theta = 11.78°$

6 $k = \dfrac{2}{3}$, 단위는 m/s^3

7 (a) $v = [(3.0 - 1.0t)i - 0.5tj]$m/s
(b) $v = -1.5(\text{m/s})\text{j}$
(c) $x = 4.5$m, $y = -2.25$m

8 0, 5, 20, 30, 30

9 (a) 0.3s
(b) $t = 3$s에서 $a = 18$m/s^2

10 (a) 2.5×10^4m
(b) 5.0×10^4m

11 13.6m

12 (a) 10.02m/s
(b) −4.68m/s

13 (a) 수직 방향 : 30m/s
수평 방향 : 52m/s
(b) 6.12sec
(c) 318m

14 (a) 수직 방향 : 52m/s
수평 방향 : 30m/s
(b) 10.6sec
(c) 318m

15 (a) 수직 방향 : 42.4m/s
수평 방향 : 42.4m/s
(b) 8.65sec
(c) 367m

16 (a) 10.2s
(b) 883.32m
(c) 17.67s
비슷하다.

17 55.4m/s

18 25.2m

19 반이 된다.

20 126m/s

21 (a) 1.25m/s^2(중심방향)
(b) −1.67m/s^2

22 27m/s, 수직선에 대해 68°

23 (a) 1.92m/s, 북동쪽으로 51.3° 방향
(b) 37.5m, 동쪽

24 (a) 1.44m/s, 강변으로부터 55.3° 방향, 혹은 북동쪽으로 33.7° 방향.
(b) 20m 동쪽

25 (a) 3.37min
(b) 북서쪽으로 30° 방향

26 26s

27 (a)

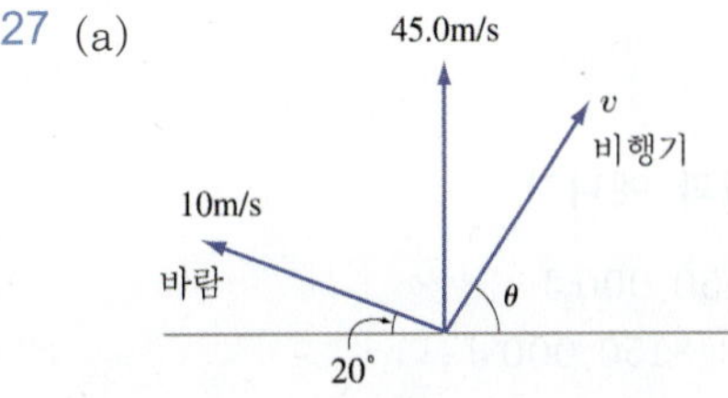

(b) 84.5° 동북쪽
(c) 35.8m

28 (a) $v = ds/dt$, $s = \int vdt$
(b) $a = dv/dt$, $v = v_0 + at$

29 (a) $a = dv/dt$ (b) $v = v_o + at$
(c) $v = ds/dt$
(d) $s = \int vdt = v_o t + 1/2at^2$
(e) $v^2 - v_o^2 = 2as$

30 (a) 102sec (b) 12,755m

31 (a) 14.5m/s (b) 89.25m
(c) 3.55sec

32 (a) 6.86m/s^2 (b) 29.15m

33 6.8m/s^2

제3장 운동의 법칙

1 (a) $T_1 = 31.5$ N, $T_2 = 37.5$ N, $T_3 = 49.0$ N
(b) $T_1 = 113$ N, $T_2 = 56.6$ N, $T_3 = 98.0$ N

2 74.7kg, 122N

3 (a) 2.5m/s^2
(b) 동북 53.1° 방향으로 45.0m, 15.0m/s

4 147N, 30.0°

5 7.00m/m^2, 28.0N

6 (a) 4,800N (b) 1,200N
(c) 뒤쪽으로 1,200N
(d) 수직 아래로부터 17° 뒤쪽 방향으로 20.5×10^3N

7 (a) 1.17m/s^2 (b) 43.9N
(c) 2.34m/s

8 (a) $a_1 = 2a_2$
(b) $a_1 = 5.6$m/s^2, $a_2 = 2.8$m/s^2
(c) $T_1 = 28$ N, $T_2 = 56$ N

9 (a) $a = F/(m_1 + m_2)$, $P = m_2 F/(m_1 + m_2)$
(b) 0.80m/s^2, 7.2N

10 $0 < t < 2.0$초 동안 29.6N, $2.0 < t < 4.0$초 동안 19.6N, $4.0 < t < 6.0$초 동안 9.6N

11 (a) $0°$ (b) $90°$
(c) $180°$

12 4,359N, 36.6도

13 $-m6Bt$

14 (a) 19.6N (b) 39.2N

15 (a) $\omega\sin\alpha$ (b) $3\omega\sin\alpha$
(c) $\omega\cos\alpha$, $2\omega\cos\alpha$
(d) for $\alpha=0°$, $T_1=0$, $T_2=0$, $N_1=w$, $N_2=2w$
for $\alpha=90°$, $T_1=w$, $T_2=3w$, $N_1=0$, $N_2=0$

16 (a) $a=\dfrac{m_2-m_1}{m_1+m_2}g$ (b) $T=\dfrac{2m_2m_1}{m_1+m_2}g$

17 (a) $a=\dfrac{2}{3}g(\text{m/s}^2)$ (b) $T=\dfrac{8}{3}g(\text{N})$

18 (a) $F_a=6\times2.5+T=25(\text{N})$
(b) $T=4\times2.5=10(\text{N})$

19 (a) $a_f=-g/6$ (아래 방향)
(b) $a_f=g/6$ (위 방향)

20 (a) 59.3 kg중 (b) 80.7 kg중
(c) 70 kg중

21 $\mu=0.83$, $T=1.0\times9.8=9.8(\text{N})$

22 (a) 49(N) (b) 54(N)
(c) 44(N)

23 1,328N

24 (a) 관성의 법칙으로 질량의 크기에 의존한다.
(b) $F=ma=d(mv)/dt$ 시간에 대한 가속도의 변화는 작용하는 힘의 크기에 비례하고 질량에 반비례, 혹은 시간에 대한 운동량의 변화는 작용하는 힘의 크기에 비례.
(c) 작용 반작용의 법칙으로 어떤 물체에 힘을 가하면 크기가 같고 방향이 반대인 힘이 작용한다.

25 (a) 13.06kg (b) 10kg
(c) 6.94kg

제4장 뉴턴의 운동법칙의 응용

1 (a) $6.93(\text{m/s}^2)$ (b) $6.31(\text{m/s}^2)$

2 (a) 75N (b) 50N

3 식 유도

4 0.319

5 (a) 68.6N (b) 1.96m/s^2

6 증명

7 (a) 14.6m/s^2 (b) $1.46\times10^4\text{N}$

8 $\sqrt{\dfrac{Mgr}{m}}$

9 (a) $\sqrt{gr}$ (b) $\dfrac{v^2+v_{\min}^2}{v^2-v_{\min}^2}$

10 (a) 985N (b) 4.95m/s^2
(c) 985N

11 (a) 39,400N (b) 9,850N

12 (a) 39,400N (b) 9,850N
(c) 6,910N

13 (a) -6.86m/s^2 (b) 29.15m

14 (a) 98N (b) 147N
(c) 1609N

15 (a) 98N (b) 294N
(c) $163°$

16 (a) 1330N (b) 630N
(c) 손잡이의 각도로 밀고 당길 때 누르는 힘과 들어 올리는 힘으로 작용한다.

17 86.65N, 106.32N

제5장 일과 에너지

1 사람 : 150,000 J
마찰력 : −150,000 J

2 $W=12\text{J}$, $v=2.8\text{m/s}$

3 200J

4 40cm

5 100J

6 45m

7 36대 250

8 (a) $F=k\Delta x$ (b) $F/A=\gamma\Delta L/L_o$
(c) $F/A=S\Delta x/L_o$ (d) $F/A=B\Delta V/V_o$
(e) $PE=0.5kx^2$

9 (a) Net F=0 and Net τ=0
(b) 외력이 작용했을 때 평형상태로 다시 돌아오면 안정, 평형이 깨져서 다른 상태로 바뀌면 불안정하다고 함.

10 (a) 손잡이의 위치 (b) 2,207g
(c) 26.0N

11 (a) 손잡이의 위치 (b) 1,350g
(c) 17.64N

12 F=300N으로 바람의 반대 방향

13 (a) 끝에서 70cm 되는 곳
(b) 끝에서 73.3cm 되는 곳

제6장 퍼텐셜에너지와 에너지 보존

1 1.25×10^6 J

2 $\frac{1}{2}kx_f^2$, 기준점의 퍼텐셜에너지

3
(a) $k\frac{m_1\cdot m_2}{x}+U_i$
(b) $km_1m_2\left(\frac{-d}{x_1(x_1+d)}\right)$

4 (a) 1.25×10^6 J (b) 6.25×10^5 J

5 255.1m

6 4×10^4 N/m

7 0.1m

8 0

9 설명

10 980W

11 5×10^4 W

12 39,600N

13 7m

14 1.5m

15 $\sqrt{15}$ m/s

16 (a) 3,031J (b) 35.7% 증가

17 (a) 294,000J (b) 81.7W

18 (a) 490,000J (b) 68min

19 (a) 32.83m/s (b) 17.15m/s
(c) 215.6kJ

제7장 운동량과 충돌

1 $mv\sqrt{2}$

2 (a) -8×10^5 m/s^2 (b) 4×10^4 N
(c) 5×10^{-4} s (d) 20Ns

3 $h=\left(\frac{m_1}{m_1+m_2}\right)^2 d$

4 $v=\sqrt{\frac{2(m+M)}{m}gy}$

5 (a) 10.4m (b) 612.5J

6 24.27m/s

7 $v_0\geq\left(\frac{m+M}{mM}\right)^{1/2}(2E)^{1/2}$

8 10.402m/s^2

9 3m/s

10 $\frac{wv'}{W+w}$

11 $\frac{1}{4}mv^2$

12 0.9m/s

13 1.2×10^{-19}kg · m/s

14 (a) $m_1v_1+m_2v_2=m_1v_1'+m_2v_2'$
(b) $F=ma=mdv/dt$
(c) 충돌시간이 길수록 충격력이 작아지고 충돌시간이 짧을수록 충격력이 커진다.

15 (a) 5m/s (b) 37.5J
(c) 375N

16 (a) 0.3m/s (b) 22.5J
(c) 225.0N

17 (a) $F=13{,}289{,}946$ N
(b) $v_1^2-12{,}717v_1+60{,}642{,}328=0$
(c) 중형차의 가속도 $(v_1-33.6)/1\text{s}(\text{m/s}^2)$
소형차의 가속도 $(v_2-22.5)/1\text{s}(\text{m/s}^2)$
(d) $v_1=\dfrac{(m_1+m_2)v_{10}-2m_2v_{20}}{m_1+m_2}$,
$v_2=v_1+v_{10}-v_{20}$

제8장 회전운동

1 (a) 1.991×10^{-7}rad/s
(b) 1.870×10^{-6}rad/s

2 (a) 1,200rad/s (b) 25s

3 (a) $0.043rev/\text{s}^2$ (b) 19.65회전

4 1.44 m/s

5 3.67rad/s

6 −2N · m, 시계방향

7 $\theta=50.2°$

8 (a) mgx_0−지면에 수직으로 들어가는 방향
(b) mgx_0t (c) 증명

9 3.3rad/s

10 $\dfrac{5}{8}mL^2$

11 $\dfrac{1}{2}MR^2$

12 (a) $\alpha=\dfrac{2T}{MR}$, $a_T=\dfrac{2T}{M}$
(b) $\alpha=\dfrac{1}{R}\left(\dfrac{2m}{M+2m}\right)g$, $a_T=\left(\dfrac{2m}{M+2m}\right)g$

13 (a) 3.125Nm (b) 78.125J

14 (a) 16.73m/s (b) 1.49s

15 (a) $2rad/\text{s}$ (b) 12J, 마찰열

16 (a) $F=mr\omega^2=mv^2/r$
(b) $a=r\omega^2=v^2/r$
(c) $F=GMm/r^2$

17 (a) $F=mr\omega^2$
증명문제는 답을 쓸 수 없음

18 (a) 384,000,000m (b) 0.00272m/s^2
(c) 963m/s (d) 0.00242m/s^2
(e) 근본적으로 같아야 한다.

19 (a) 34,282km 상공 (b) 2,958m/s

제9장 만유인력

1 (a) $6.67\times 10^{-8}N$ (b) $6.67\times 10^{-8}N$
(c) 50kg=1.3×10^{-9}m/s^2,
20kg=3.3×10^{-9}m/s^2

2 (a) $1.68\times 10^{-5}N$, 오른쪽
(b) 0.155m

3 5.96×10^{24}kg

4 2/3배

5 1.9×27kg

6 1.27

7 (a) 9.58×10^6m (b) 2×10^4s

8 3,600km

9 (a) 5.3×10^4s (b) 7.79×10^3m/s
(c) 3.81×10^8J

10 2.49km/s

11 16.6km/s

12 $\frac{GM_E m}{2} \frac{h_2 - h_1}{(R_E + h_1)(R_E + h_2)}$

13 (a) $1.02g$ (b) 지구의 1.95배

14 $v = \sqrt{2GM\left(\frac{3}{R} + \frac{1}{r}\right)}$

15 (a) $\omega = d\theta/dt$
(b) $\alpha = d\omega/dt = d^2\theta/dt^2$
(c) $\tau = rF = mra = mr^2\alpha$
(d) $I = mr^2$
(e) $L = I\omega$

16 (a) 20.25kg · m^2 (b) 6.26m/s

17 (a) 75.4sec (b) 80rpm

18 (a) 28.3sec (b) 45.6rpm

19 (a) 28.3sec (b) 34.4rpm

20 (a) 16.73m/s (b) 1.49s

제10장 진동

1 1.1초

2 (a) $x(t) = (0.063\ \text{m})\cos(4.1t)$
$v(t) = (-0.26\ \text{m/s})\sin(4.1t)$
$a(t) = (-1.1\ \text{m/s}^2)\cos(4.1t)$
(b) $x(1.7\text{s}) = 0.049\ \text{m}$
$v(1.7\text{s}) = -0.16\ \text{m/s}$
$a(1.7\text{s}) = -0.82\ \text{m/s}^2$

3 3 : 1

4 6.0 m/s

5 $T/6$

6 증명

7 증명

8 0.083 J

9 (a) 1.48×10^6 (N/m)
(b) 10.3 Hz

10 1.26 m/s

11 0.75초

12 (a) 0.09초 (b) 0.11초
(c) 0.16초

13 1초

14 17.53 m/s^2

15 0.13초

16 4.8분

17 (a) $X(k/m)^{1/2}$
(b) $-k/m \times X\cos(\omega t)$
(c) $2\pi/\omega$

18 (a) $\frac{1}{2}mv^2 + \frac{1}{2}kx^2 = \frac{1}{2}kX^2$
(b) $-(2\pi X/T)\sin(2\pi t/T)$
(c) $mv_{\max}^2 = kX^2$, $v_{\max} = X\sqrt{k/m}$
(d) $2\pi\sqrt{m/k}$

19 (a) $F = kx$
(b) $F = -kx$
(c) $PE = 1/2kx^2$

제11장 파동

1 440 km

2 (a), (b), (c), (e)

3 17.15 m, 1.715 cm

4 1.04×10^5 Hz

5 (a) 1.59 m/s, +x 방향
(b) 2.85 m, 0.56 s^{-1}, 1.79s
(c) 0.03 m

6 $y(x,t) = 0.01\sin(20\pi x - 40\pi t + \pi/6)$ m

7 1 m

8 19.6 g

9 증명

10 4배

11 $dK/dx = 1/2\, T_o A^2 \pi^2 \sin^2 \pi x$

12 그림

13 그림

14 (a) V_p와 p는 동일위상
(b) 압력 p의 위상이 변위 y의 위상보다 90° 늦다.

15 (a) 0.85 m (b) 444.44 Hz
(c) 440 Hz

16 3.89×10^3 Hz

17 (a) 80 kHz (b) 83 kHz

18 (a) $I = P/A$
(b) $\beta(dB) = 10 log_{10}(I/I_o)$
(c) $I_o = 10^{-12}\ \mathrm{W/m^2}$
(d) 10^{-7}W

19 (a) 그림 16-17 참조
(b) $f_n = nv_w/(4L)$, $n = 1, 3, 5, \ldots$

20 (a) 그림 16-19 참조
(b) $f_n = nv_w/(2L)$, $n = 1, 2, 3, \ldots$

21 (a) Doppler 효과; $f_{obs} = f_s \dfrac{vw}{(v_w \pm v_s)}$,
− 접근 시, + 멀어져갈 때.
(b) 1,079 Hz
(c) 932 Hz
(d) 다가오는 물체의 소리가 약간 크게 들린다.

22 (a) $\dfrac{2}{\pi}\omega A$ (b) ωA
(c) $\dfrac{2}{\pi}$

23 (a) 340 Hz (b) 3.0×10^8 Hz

24 (a) 338 m/s (b) 2.8 km

25 (a) 138 dB (b) 88.0 dB

26 (a) 중간에 마디가 있고, 양 끝에 반마디(배)가 있는 파
(b) 80 cm
(c) 425 Hz
(d) 12.5 Hz가 증가
(e) 40 cm, 850 Hz

27 (a) 1.6 m (b) 75 Hz

28 (a) 6 m (b) 56.67 Hz
(c) 170 Hz

29 (a) 0.12 kg/m (b) 20 m/s
(c) 8 m (d) 1.25 cycle
(e) 0.5 s

30 (a) 0.0167 kg/m (b) 268.3 m/s
(c) 1.4 m (d) 191.6 Hz
(e) 0.7 m

제12장 파동의 중첩

1 0.495 m

2 (a) 4.2 cm (b) 6.0 cm, 47.8 s^{-1}

3 1.3 kHz

4 (a) 60 cm (b) 0.126
(c) 24 m/s

5 4638.9 Hz

6 (a) 1.41 (b) 1.52 A

7 (a) $y = (2.0\ cm)\cos\left(\dfrac{\pi}{2}x\right)\cos(30\pi t)$
(b) $x = 1.0, 3.0, 5.0, \cdots$ (cm)
(c) 60 cm/s

8 20 Hz

9 10 Hz, 20 Hz, 30 Hz

10 (a) 0.80 m (b) 118 N
(c) 35.6 cm

11 (a) 75 Hz (b) 5번째, 6번째
(c) 2 m

12 0.126, 0.378, 0.630, 0.882 m

13 1.64 m

14 350 m/s

15 (a) 446 Hz
(b) 줄을 조금 늦춰준다.

16 (a) $I = P/A$, $P \propto$ (진폭)2
(b) 파의 진동과 전파
(c) 요동의 방향과 전파 방향이 같은 파동
(d) 공간에 정지해 있는 것처럼 보이는 경우

제 13 장 유체역학

1 1.5×10^4 Pa

2 1.34×10^5 Pa

3 3.95×10^5 Pa

4 1.25 g/cm^3

5 0.67 g/cm^3(나무), 0.74 g/cm^3(기름)

6 0.4 g/cm^3

7 아니다.

8 3.14×10^4 N

9 증명

10 (a) 5.0m/s
(b) -8×10^3 Pa

11 7.7×10^{-4} m^3/s

12 증명

13 $\frac{1}{6}\rho g L H^3$, 1/3H

14 1.25×10^3 kg/m^3

15 (a) $V_\rho = 1.0\,V = 32$g, $V = 32$cm^3
(b) $\rho = 1 \times 7/8 = 0.875$ g/cm^3

16 (a) 32.064 cm^3 (b) 0.870g/cm^3

17 (a) V=잠긴 부피 = 밀려난 물의 부피,
$V\rho = 1.0 \times V = 32$g, V = 32cm^3
(b) 0.8 g/cm^3

18 (a) 2.5 cm^3 (b) 6.0 g/cm^3
(c) 12.50443 g

19 (a) 2.5 cm^3
(b) 6.0 g/cm^3
(c) 12.504 g

20 (a) 2cm^3
(b) 0.9756 g/cm^3

21 (a) $\gamma = F/L$
(b) $h = 2\gamma\cos(\theta)/(\rho g r)$

22 $\rho_o = \frac{h_w}{h_o}\rho_w$

23 (a) $P_o + 500\left[1 - \left(\frac{A_2}{A_1}\right)^2\right]v_2^2$
(b) $v_1 = \left(\frac{A_2}{A_1}\right)v_2$
(c) $1000 v_2 \Delta t A_2$

24 (a) $F = \eta A v/L$
(b) $N_R = Dv\rho/\eta$
(c) $N_R < 2100$; 층류, $N_R > 2100$; 난류

25 (a) $P_1 + \rho v_1^2/2 + \rho g h_1 = P_2 + \rho v_2^2/2 + \rho g h_2$
(b) 20.4 m
(c) 2.25 g

26 (a) 76.2(ℓ/s)
(b) 0.1555 m^3/s
(c) 중간 과정을 고려하지 않는다.

27 (a) 24,696 N/m^2
(b) 21.2 m/s
(c) Bernoulli 식에 나타난 바와 같이 압력 P는 $\rho u^2/2$와 연계하여 작용하므로 적은 유속의 차이도 비교적 정확한 값을 제공할 수 있다.

28 (a) $r\Delta p = 2L\tau$
(b) $\Delta p(R^2 - r^2)/(4\eta L)$
(c) $\Delta p R^2/(8\eta L)$

29 6.608×10^4 Pa

30 증명

제 14 장 온도와 기체운동론

1 (a) 증명 (b) $T = 574.59°$

2 증명

3 48.36℃

4 6.048 mm

5 (a) −225 ℃ (b) −477 ℃

6 11.50814 cm (마개), 11.50271 cm (병)

7 (a) 1.0774×10^5 Pa (b) −123.58 ℃

8 1,768.99℃

9 (a) 2.5×10^{19}개 (b) 같다.

10 16.05 cm^3

11 (a) 3.797×10^5 Pa (b) 4.487×10^5 Pa

12 (a) 1.384×10^5 Pa (b) 1.34 mol
(c) 0.742×10^5 Pa

13 (a) 484 m/s (b) 6.21×10^{-21} J
(c) 3742 J

14 증명

15 (a) 8.76×10^{-21} J (b) 0.51 m/s

16 (a) 2.02×10^4 K (b) 903.6 K

17 (a) $PV = NkT$ (b) $1/2mv^2 = 3/2kT$

18 (a) 그림 12.20 참조
(b) 증발잠열 539 cal/g

19 (a) 0.1227 mol (b) 3.3137 L

제 15 장 열 및 열역학 제 1 법칙

1 0.117 °K

2 (a) 1.82 kJ/kg · ℃ (b) −10℃의 얼음

3 0℃, 125.5 g

4 $3.215 \times 10^3 l$

5 64 mg

6 4.67×10^5 J

7 2.25×10^6 J 2.72×10^6 J

8 3.1×10^3 J 37.6 kJ

9 0.1 m^3, 5×10^{-2} m^3, −7.05 kJ

10 증명

11 −27 ℃, 2.24 kJ

12 $P_1(V_2 - V_1)\ln\left(\frac{P_2}{P_1}\right)$

13 흡수− ab, bc 구간 방출− cd, da 구간
$\frac{3}{2}P_1(V_2 - V_1)$

14 $k_1 + k_2$

15 4.52×10^{26}(W) 1.6 kW/m^2

16 (a) 2,000 cal
(b) $Q_T =$ 28,950 cal

17 (a) $Q/t = kA(T_2 - T_1)/d$
(b) $Q/t = \sigma e A T^4$

18 (a) 10J/s (b) 1,071g Ice

19 (a) 7.2J/s (b) 12.93hr

20 −10.6℃

21 (a) 7200cal (b) 2000cal
(c) 9200cal

22 (a) 1500cal (b) 0.0882cal/g · °C
(c) 1134g

23 (a) 2460J (b) 586cal
(c) 2.93℃

24 (a) 5340J (b) 1271.4cal
(c) 6.3℃

제 16 장 열기관, 엔트로피, 열역학 제 2 법칙

1 59.7kJ

2 (a) $e = 0.069$ (b) 335J

3 1.36×10^{12} J

4 (a) 67.2% (b) 5.88×10^{4}W

5 (a) 1400 J (b) 600 J
(c) 30%

6 (a)

7 불가능

8 257.1K

9 2.86

10 (a) 2.4×10^{5} Pa (b) 67.19 J

11 − 0.0079 J/K, 불가능

12 +5.76 J/K, 없음, 가능

13 488J/K

14 65J/K

15 (a) $\triangle U = Q - W$
(b) $\triangle S = (Q/T)rev$

16 (a) 577,410J
(b) 91,040J
(c) 가역압축이 훨씬 적은 일

17 (a) 38,494J
(b) 121,387J
(c) 가역팽창

18 (a) 2.333J/K
(b)1.633J/K
(c) 0.3

19 (a) 등온의 W=PdV 과정에서 외부로부터 열을 받는다.
(b) 단열팽창과정으로 온도가 강하한다.
(c) 등온압축과정으로 외부로 열을 빼앗긴다.
(d) 다시 단열압축과정으로 온도가 상승한다.
(e) $Eff_c = (T_h - T_c)/T_h$

20 (a) 7.25×10^{13}J
(b) 1.38
(c) 5.25×10^{13}J

21 (a) 5.625×10^{13}J
(b) 6.875×10^{13}J
(c) 1.222

22 (a) 120.2l
(b) 24.04l
(c) 0
(d) -4.808×10^{4}J
(e) −19,602J

23 (a) 1500cal
(b) 0.0882cal/g · °C
(c) 9.57J/K

24 (a) 0.4
(b) 1000J

25 0.394

26 8%의 효율을 갖지 못한다

27 (a) 37.5MJ
(b) 112.5MJ
(c) a와 같다.
(d) 말할 수 없다.

28 (a) 0.45(45%)
(b) 66.7J
(c) 36.7J
(d) 없다.

29 (a) 0.0825(8.25%)
(b) 24.8J
(c) 275.2J
(d) 11.1
(e) 적당하다

30 (a) 0.389(38.9%)
(b) 0.312(31.2%)
(c) 100000kW · h
(d) 320500kW · h
(e) 188.5배럴

제17장 전기력과 전기장

1 전자

2 4.88C

3 2.6N, x축에 대해서 37° 방향

4 8.2×10^{-8}N　　3.7×10^{-47}N

5 91.0N

6 5.51×10^{-7}C

7 설명

8 4.5×10^{5}C

9 1.3×10^{5} m/s

10 (a) $E_A = i\dfrac{q}{4\pi\epsilon_o}\left[\dfrac{1}{(x-a)^2}+\dfrac{1}{(x+a)^2}\right]$

(b) $j\dfrac{q}{2\pi\epsilon_o}\dfrac{y}{(y^2+a^2)^{3/2}}$

11 $\dfrac{2k\lambda}{R}$

12 (a) $\dfrac{Q}{4\pi\epsilon_o r^2}$　　(b) $\dfrac{Qr}{4\pi\epsilon_o R^3}$

13 $\dfrac{a^2\rho}{2\epsilon_o r}$

14 9,100 V/m

15 그림

16 구를 중심으로 휘어 들어가게 된다.

17 0

18 $\dfrac{\sigma}{2\epsilon_o}A\cos\theta$

19 $\dfrac{\lambda}{2\pi\epsilon_o R}$

20 (a) $\dfrac{kQ}{r^2}$　　(b) 0

21 45,000 V/m

22 (a) $2.39\times10^{-6}C/m^3$

(b) $q_5 = 1.25nC,\ q_{10} = 10nC,\ q_{20} = 80nC$

(c) $E_5 = 4500\,V/m, E_{10} = 9000\,V/m,$

$E_{20} = 18000\,V/m$

23 (a) $E=\dfrac{Q}{4\pi\epsilon_o r^2}$, $E=\dfrac{Q}{4\pi\epsilon_o r^2}\left(1+\dfrac{2(r^3-a^3)}{(b^3-a^3)}\right)$,

$E=\dfrac{3Q}{4\pi\epsilon_o r^2}$

(b) −Q　　(c) +Q

24 증명

25 $E_1=\dfrac{\sigma}{2\epsilon_o}$, $E_2=\dfrac{3\sigma}{2\epsilon_o}$, $E_3=\dfrac{\sigma}{2\epsilon_o}$, $E_4=\dfrac{\sigma}{2\epsilon_o}$

26 0, -7.84×10^{5}V/m (구의 중심)

27 Q/ϵ_o

28 증명

29 $q_e=-1.6\times10^{-19}$C, $q_p=1.6\times10^{-19}$C

30 (a) 총 전하의 합은 어떤 과정에서도 항상 일정하다.

(b) 분리할 수 있으며 정전기와 축전기 등이 대표적인 예이다.

31 (a) $F=kq_1q_2/r^2$

(b) $F<0$ 당기는 힘, $F>0$ 밀치는 힘.

(c) $E=F/q=kQ/r^2$, $F=qE$.

32 (a) 전자 : $-1.60\times10^{-19}C$

양성자 : $1.60\times10^{-19}C$

(b) 전하는 새로 생성되거나 없어지지 않고 항상 처음의 전하량을 유지한다. 전자나 원자핵 그리고 이온들이 가진 전하량은 물리적, 화학적 변화에도 바뀌지 않는다.

(c) 두 물체를 마찰 시키면 마찰열에 의해 결합력이 약한 물체의 전자가 다른 물체로 이동한다. 이는 전자(음전하)가 물체에서 분리되는 현상으로 전자를 잃은 물체는 상대적으로 양(+)의 전하를 띠며, 전자를 얻은 물체는 상대적으로 음(−)의 전하를 띠게 된다.

33 (a) $-9.6\times10^{-17}N$

(b) $-3.2\times10^{-11}m/s^2$

(c) 점점 더 큰 속도

34 (a) 27,000N/C,
Q_2에서 Q_1 방향
(b) 24.233N/C, 66.8° 방향

35 (a) + 방향 (b) 15000V/m
(c) 2.4×10^{-15}N
(d) 2.64×10^{15}m/s^2, 위쪽 방향
(e) 포물선.

36 (a) 2.25×10^{6}N (b) 5.4×10^{6}N
(c) 3.15×10^{6}N, 왼쪽
(d) 1.575×10^{8}N/C, 왼쪽
(e) 9.45×10^{6}N/C, 오른쪽

37 (a) 아래 방향 (b) 2.40×10^{-19}J

38 (a) −1.5kV (b) −900V
(c) 600V, 증가

제18장 전위와 전기용량

1 $-4.5\times10^{-4}\ J$

2 (a) 음극관 쪽
(b) $K_f = q(V_i - V_f) = q\Delta V$

3 $kq\dfrac{2a\ \cos\theta}{r^2}$

4 $-1.086\times10^{12}\,V$

5 $\dfrac{kQ}{\sqrt{x^2+a^2}}$

6 내부 $\dfrac{k_e\ Q}{R^3}r$, 외부 $\dfrac{kQ}{r^2}$

7 (a) $1.44\times10^{-18}J$ (b) $-1.44\times10^{-18}J$
(c) $9V$

8 (a) 0.49m (b) 49cm

9 1.66×10^{-7}m

10 $1.76\times10^{6}\,V$/m

11 $r_{25}=3.6$m, $r_{50}=1.8$m, $r_{100}=0.9$m
반비례

12 $12V$

13 (a) $1.77\times10^{-9}(F)$ (b) $1.77\times10^{-5}(C)$
(c) $2.0\times10^{6}(N/C)$ (d) 17.7(J/m^3)

14 4.6×10^{6}m/s

15 (a) 1.0×10^{-6}N (b) 2.5×10^{-7}J
(c) 56.6V

16 4.16mW

17 $V_1=4\ volt$ $Q_1=4\times10^{-6}C$
$V_2=4\ volt$ $Q_2=4\times10^{-6}C$
$V_{AD}=V_3=8\ volt$ $Q_3=8\times10^{-6}C$
$V_4=12\ volt$ $Q_1=1.2\times10^{-5}C$

18 $\dfrac{1}{K}=\dfrac{1}{2}\left(\dfrac{1}{K_1}+\dfrac{1}{K_2}\right)$

19 $1.7\times10^{7}\,V$

20 $0.52nF$

21 $6.12\times10^{-4}C$

22 (a) $2.25\times10^{2}\,V/m$ (b) 1/6로 줄어든다.

23 (a) $3.3\mu F$ (b) $45.45\,V$
(c) $1.5\times10^{-5}C$ (d) 3.41×10^{-3}J

24 (a) $6.72\times10^{5}(V/m)$
(b) 8J

25 $-9\times10^{6}\,V$/m

26 1.44×10^{-20}J

27 (a) 도달할 수 없다.
(b) $v'=2.96\times10^{5}$m/s

28 (a) $0\le x\le1$:
$$-\frac{\sigma}{\epsilon_o}=-\frac{1.25\times10^{-4}}{8.85\times10^{-12}}=-1.41\times10^{7}\,V/m$$
$1\le x\le2$: 0
$2\le x\le3$: $+\dfrac{\sigma}{\epsilon_o}=+1.41\times10^{7}\,V$/m

(b) $0\le x\le1$: $-\dfrac{\sigma}{\epsilon_o}x=-1.41\times10^{7}x\,V$

$1 \le x \le 2 : 0$

$2 \le x \le 3 : +\frac{\sigma}{\epsilon_o}x = +1.41 \times 10^7 x\ V$

29 (a) $15\mu F$ (b) $12\ V$

30 (a) $V = PE/q$
(b) $V = Er = kQ/r$
(c) $Volt(V) = J/C$

31 (a) 에너지의 단위
(b) 4.8×10^{-17}J

32 (a) 4,000 keV (b) 20.0 m

33 (a) $V = kq/(z-a) + k(-q)/(x+a)$
$= 2kqa/(x^2 - a^2)$
(b) $V = 2kqa/x^2$

34 (a) $-0.82 \times 10^{-7} N$
(b) 27.2V
(c) $-4.35 \times 10^{-18} J$

35 (a) 500μC
(b) 2500μJ
(c) 7,500μJ 증가함

36 (a) 24μC.
(b) 8V, 4V

37 (a) −0.2J
(b) 감소한다.

38 (a) 83pF
(b) 3.8×10^{-3}m^2
(c) 1.2kV

39 (a) 6.480×10^5C
(b) 7.78MJ
(c) 54.5h

제19장 전류와 직류회로

1 (a) $3.6 \times 10^3\ C$
(b) 2.25×10^{22}개

2 4.92Ω

3 $1.36 \times 10^3 \Omega$

4 1.26배

5 $9.6\mu A$

6 $2.01A$

7 3.24 Ω

8 (a) $5C$
(b) 3.125×10^{19}개

9 2×10^{15}개

10 $0.1A$ (오른쪽)

11 6×10^{-3} /℃

12 (a) 0.1 A (b) 2.2 kΩ

13 (a) 14Ω (b) 1.14Ω

14 10.8Ω

15 $I_1 = -\frac{5}{7}$ A, $I_2 = -\frac{9}{7}$ A

16 $I_1 = 1.85$ A, $I_2 = 2.08$ A, $I_3 = -0.23$ A

17 $Q_1 = 24\mu C$, $Q_2 = 6\ \mu C$, $Q_3 = 18\ \mu C$

18 $2.5R$

19 (a) $\frac{5}{22}$ A (b) $\frac{75}{22}$ V

20 5.4V

21 $2.54 \times 10^{-4} V$

22 (a) 50V
(b) 양 손이 모두 회로에 닿을 가능성을 줄이는 것이다.

23 0V, 2V, 4V, 8V, −2V

24 (a) 0.025 Ω
(b) 12.3 kΩ

25 3.0×10^{-5} A

26 (a) 120Ω
(b) 눈금의 1.2배로 읽는다.

27 810 J

28 (a) 262.8C (b) 3,153.6J

29 $P_1 = 24.01\,W$, $P_2 = 85.805\,W$, $P_3 = 8.0\,W$

30 $\frac{\varepsilon^2}{2R}\,W$

31 (a) $R_{60} = \frac{2000}{3}\,\Omega$, $R_{100} = 400\,\Omega$
(b) 60W 전구 (c) 100W 전구

32 $40\,\mu F$

33 (a) $I = \Delta Q/\Delta t$
(b) $ampere(A) = C/s$

34 (a) 120cm, $L = 30 \times 4 = 120\,cm$
(b) 4A
(c) 480W
(d) 감소

35 (a) $2.09 \times 10^{6} A/m^2$ (b) $1.54 \times 10^{-4} m/s$

36 101.6°C

37 $3.92 \times 10^{-3}/℃$

38 1.35A

39 1.789A

40 500V

41 (a) 50 V (b) B의 정확도

42 (a) $q = Q_o \exp(-t/(RC))$
(b) 69.5sec

43 (a) 제1법칙 : 접합점 법칙. 회로의 한 접합점으로 들어오는 모든 전류의 합과 나가는 전류의 합은 같다.
(b) 제2법칙 : 고리법칙. 임의의 폐회로에서 전위의 총 합은 0이다.
(c) 복잡한 전기회로에서 각 회로에 흐르는 전류의 양과 흐름의 방향 등을 알아낼 수 있다.

44 (a) −0.15 J
(b) 위쪽 방향
(c) 위쪽, 20000V/m

45 (a) 3.6Ω (b) 0.517A
(c) 0.31A (d) 2.14W
(e) 크다.

46 (a) 0.25A (b) 1.25V
(c) 2.25W (d) 충전

47 (a) 토스터기 : 6.96A
다리미 : 9.57A
음식 처리기 : 4.35A
(b) 휴즈가 끊어진다.
(c) 12Ω

48 (a) 4Ω (b) 3A
(c) 1A

49 (a) 0.2A (b) 0.6W

50 (a) 0.91A (b) 121Ω

51 (a) 660W (b) 18.3Ω

52 (a) 632V (b) 63.2mC

53 (a) 240Ω (b) 140Ω
(c) 60.0W (d) 100.0W

제 20 장 자기장

1 그림

2 (a) 위쪽으로
(b) 지면 밖으로
(c) 편향되지 않는다.
(d) 지면 속으로

3 $2.09 \times 10^{-2}\,T$, $-y$축 방향

4 $1.6 \times 10^{-12} N$

5 $1.2 \times 10^{-20} N$ 뒤쪽

6 (a) $3.06 \times 10^{7} m/s$ (b) $3.95 \times 10^{7} m/s$
(c) 37.78°

7 $2.45 \times 10^{-1} T$ 동쪽

8 9.98 N · m

9 12.5T

10 2.7×10^{-5}N 서로 당기는 방향

11 $-20.0\times 10^{-6}\ T(-y$ 축 방향)

12 (a) 6.4×10^{-3}N/m
(b) 더 큰 힘을 느낀다.

13 3.18×10^{-2}A

14 (a) $9.27\times 10^{-24}\ A\cdot m^2$
(b) 그림

15 8.0×10^{-13}N

16 20.875 cm

17 $\frac{IB}{\rho g}$

18 (a) 북쪽방향 (b) $8.8\times 10^{-19}N$
(c) $mg=1.64\times 10^{-26}N$ 자기력이 5.4×10^7배 크다.

19 (a) 척력이 작용. 균형이 맞지 않아서 옆으로 약간 기우뚱
(b) 옆으로 밀려 나가는 것을 막아준다.
(c) A의 위와 B의 아래가 같은 극이다.
(d) B가 A에 붙는다.

20 2.83×10^7m/s

21 $8\times 10^{-3}T$(+z 방향)

22 위치1 - $1.33\times 10^{-2}T$(나오는 방향)
위치2 - 0
위치3 - $1.33\times 10^{-2}T$(들어가는 방향)

23 (a) 0.114m (b) 10.44m

24 1.31 T(들어가는 방향)

25 5×10^{-2}A · m^2

26 (a) $\frac{2000}{3}$ m/s
(b) 전자와 같다

27 (a) 증명 (b) 증명
(c) 증명
(d) 양전하-시계방향, 음전하-반시계방향

28 (a) 0.0118 A · m^2
(b) 0.005 N · m
(c) 좌상 45° 방향에서 우하 45° 방향
(d) 0.005 J

29 7.2×10^{-2} N

30 (a) 외부에만 존재-시계방향
(b) $B=\frac{\mu_o}{2\pi}\frac{I}{r}$

제21장 패러데이 법칙과 자기유도

1 0.785×10^{-4}Wb

2 0

3 2.0×10^4 m/s

4 $0.1\,T$, 들어가는 방향

5 $\omega BA\sin\omega t$

6 10 V

7 전기장 : 9.95×10^{-6}J/m^3,
자기장 : 1.43×10^5J

8 $\tau=9.1\times 10^{-3}$s, $U=4.14\times 10^{-3}$ J

9 $\frac{\mu_0 r^2 N^2}{2R}$

10 $I=\frac{\varepsilon}{R}=\frac{0.2}{10}=0.02$ A(시계방향)

11 (a) 좌에서 우로 (b) 생기지 않는다.

12 (a) $e=3.925\times 10^{-3}$V, $i=39.25$mA
(a)는 반시계, (b)는 시계방향
(b) $e=-3.925\times 10^{-3}$V, $i=39.25$mA
(a)는 시계, (b)는 반시계방향

13 $\frac{\mu_0 a}{2\pi} I_0\omega\ln\left(\frac{d+a}{a}\right)\sin\omega t$

14 $\frac{1}{2}\omega B_0 r\sin\omega t$

15 5,000번

16 $F = qvB\sin\theta$
(a) 오른쪽, $2.8\times10^{-1}4N$
(b) 원운동, 175,000km

17 (a) 당기는 힘
(b) 밀치는 힘

18 (a) $\frac{F}{l} = \frac{2\times10^{-7}I_1I_2}{r}$, 밀어내는 방향
(b) $1.5\times10^{-4}N$
(c) 지면 안쪽으로 들어가는 방향

19 (a) 5N
(b) 오른쪽
(c) 방향만을 바꾸어준다.
(d) 200 m/s^2
(e) 200 m

제 22 장 자기파

1 (a) 69.5 mA (b) 0.28 μT

2 (a) $\frac{dE}{dt} = 4.496\times10^{14}$ V/m · s
(b) $I_d = I = 5$ A

3 2.5×10^{-5} T

4 (a) 333.3 nT (b) $2\pi\times10^{-7}$ m
(c) 4.78×10^{14} Hz

5 $E_{max} = 951$ V/m, $B_{max} = 3.17\times10^{-6}$ T

6 5.76×10^{-4} W/m^2

7 (a) 4×10^{-10} kg · m/s
(b) 4.0×10^{-10} N

8 (a) 2.0×10^5 W
(b) 7.2×10^8 J
(c) $P = 3.33\times10^{-6}$ N/m^2
$F = 6.66\times10^{-4}$ N

9 (a) x축 방향
(b) $\lambda = 0.628$ m, $f = 4.78\times10^8$ Hz
(c) $E = 10\sqrt{\mu_o c}\cos(10x - 3\times10^9 t)j$,
$B = 10\sqrt{\frac{\mu_o}{c}}\cos(10x - 3\times10^9 t)k$

10 (a) 5.45×10^{14} Hz (b) 3×10^5 Hz

11 100 km 떨어진 곳에서 라디오로 듣는 사람이 먼저 듣게 된다.

12 (a) 5파장 (b) 1.25파장

13 (a) 6.67×10^{-16} T (b) 5.3×10^{-24} W/m^2
(c) 6.66×10^{-25} W (d) 2.79×10^{-34} N

14 입사파의 3/8배. 수직 방향에 대하여 30°

15 $I_3 = (3/8)I_0$

16 (a) $E = -N\Delta\Phi/\Delta t$
(b) $E = NBA\omega\cdot\sin\omega t$
(c) Motor의 작동에서 역으로 전류가 발생하여 구동기전력을 감쇄시키는 기전력

17 (a) 0.0018 m^2
(b) 0.036 T · m^2
(c) 0 T · m^2
(d) 0.25초
(e) 0.144 V

제 23 장 빛의 반사와 굴절

1 $\phi = (n-1)\theta$

2 (a) 2.04×10^8 m/s (b) 442.18 nm

3 71.8°

4 $f(n-1)$

5 $t\frac{(n-1)}{n}$

6 $\frac{b}{1-\frac{\sqrt{2}}{\sqrt{7}}}$

7 70.05° 방향

8 $\frac{n_r\sqrt{(1-\sin^2\theta_i)}}{\sqrt{(n_r^2 - n_i^2\sin^2\theta_i)}}$

9 $d = t\,\theta_i \left(1 - \frac{\theta_r}{\theta_i}\right)$, 근사식 $d = t\,\theta_i \frac{n-1}{n}$

10 3.88 cm

11 1.06 ns

12 66.93^o

13 그림

14 그림

15 $n = \frac{\sin\frac{\phi+\delta}{2}}{\sin\frac{\phi}{2}}$

16 그림

제 24 장 거울과 렌즈

1 85cm

2 2.67m

3 (a) $q = -\frac{75}{8}$ cm, $M = +\frac{3}{8}$
(b) $q = -\frac{150}{13}$ cm $M = \frac{3}{13}$
(c) 똑바로 서있는 상태임

4 (a) 오목거울
(b) 거꾸로 된 확대 실상

5 −38.2 cm

6 3.88 mm

7 (a) 16.4 cm (b) 16.4 cm

8 2.84 cm

9 10.7 cm

10 7.5 cm

11 8.00 cm

12 $r_1 = 45$ mm, $r_2 = 90$ mm

13 증명

14 $\frac{40}{9}$ cm

15 1

16 q=1.50 m, −1.40 cm

제 25 장 파동광학

1 $y_1 = 150$, $y_3 = 450$

2 6.638 nm

3 $\Delta\theta = 0.64^o$

4 712 nm

5 (a) 9.24 cm (b) 2.7 cm

6 94.8 nm

7 107.14 nm

8 증명

9 12.66 mm

10 $\lambda_a = 2\lambda_b$

11 22.4 km

12 632 nm

13 (a) 501 nm, 676.6 nm, 729.8 nm
(b) 20.49°, 28.03°, 30.66°

14 0.1776°

15 12500개

16 0.0939 nm

17 3.38°

제 26 장 상대성 이론

1 $0.87c$

2 $5s$

3 (a) $1.55 \times 10^5 s$
(b) 3.26×10^{14} m

4 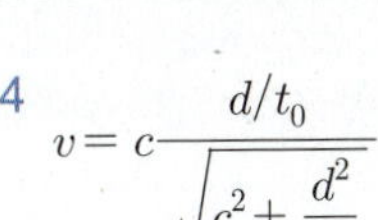
$$v = c\frac{d/t_0}{\sqrt{c^2+\frac{d^2}{t_0^2}}}$$

5 $0.9999995c$

6 $100.26\ g/cm^3$

7 3960년

8 $4.57\times10^{-7}s$

9 1.03×10^{-18} Ns

10 3.9×10^{7} m/s

11 9×10^{13} J

12 1.17 MeV

13 $\frac{\sqrt{3}}{2}c$

14 1.445 MeV/c

15 $E_{electron}=$ 100.511 MeV,
$E_{proton}=$ 1038.28 MeV
$v_{electron}=0.99999\ c$, $v_{proton}=0.43\ c$

16 증명

17 양성자

제 27 장 양자물리학

1 (a) $9.5\mu m$ (b) 32 ℃

2 4901.85℃

3 (a) 2.56 eV (b) 1.28×10^{-5} eV
(c) 1.9×10^{-7} eV
(d) 자외선, 마이크로파, 라디오파에 해당한다.

4 5.94×10^{14}Hz

5 (a) 2.89eV (b) 2.7×10^{5} m/s

6 (a) 리튬 (b) 0.81 eV

7 70.1°

8 28.1 keV

9 23°

10 (a) 39pm (b) 1.2nm

11 (a) 0.15 keV
(b) 13 keV 동일 파장의 경우 광자의 에너지가 전자의 에너지에 비해 월등히 큼

12 (a) 13.4 GeV
(b) (a) 정도의 에너지로는 전자가 절대 핵 내에 존재할 수 없다.(5.69×10^{42} eV가 필요)

13 (a) $A=1$ (b) 86%

14 1.1×10^{-23} m/s

15 110 Å

16 (a) 6.00×10^{-3} (b) 3.92×10^{-2}

제 28 장 원자물리

1 (a) $n=4$에서 2로 천이
(b) Balmer 계열

2 $E=$ 12.1 eV
$p=6.5\times10^{-27}$ kg · m/sec
$\lambda=$ 1030 Å

3 (a) $\lambda=$ 6550 Å, 4850 Å, 4330 Å
(b) 6550 Å와 3640 Å 사이

4 0.21 eV

5 (a) 12.8 eV
(b) $E=$ 12.8 eV, 2.6 eV, 0.66 eV
(c) 4.1 m/sec

6 $-\frac{me^4}{2\epsilon_0^2h^2}\frac{1}{n^2}$

7 54.4 eV

8 1.3×10^{13}광년

9 (a) 2.5×10^{74} (b) 없다.

10 0.68 MeV

11 증명

12 (a) 0.212 nm
(b) 9.95×10^{-25} kg · m/s
(c) 2.11×10^{-34} kg · m^2/s
(d) 3.4 eV
(e) −6.8 eV
(f) −3.4 eV

제 29 장 핵물리학

1 6.2배

2 1.27×10^4 m

3 $U=7.5\times10^5$ eV, 최소한 1 MeV는 되어야 함.

4 7 MeV 정도. 중양자에 비해 훨씬 큼.

5 8.79 MV, 다른 원소보다 커서 가장 안정하다.

6 14h

7 증명

8 3.23×10^9 $years$(약 32억년)

9 7.89 MeV

10 약 13년

제 30 장 입자물리학과 우주론

1 증명

2 67.6 MeV, 1.63×10^{22} Hz, 18.4 fm

3 (a) $\overline{\nu_\mu}$ (b) ν_μ
(c) $\overline{\nu_e}$ (d) ν_e
(e) ν_μ (f) $\overline{\nu_e}$, ν_μ

4 불가능. 에너지가 보존되지 않는다.

5 실재로 원자는 기본 입자로 구성되어 있고, 경입자의 질량이 중성자보다 무겁기도 함.

6 (b), (c), (d)

7 (b), (e), (f)

찾아보기

ㄱ

ㄴ

ㅇ

ㅈ

저자명단

건국대학교 : 곽철영, 권용경, 김광주, 박배호, 송기문, 송정현, 여준현, 오선근, 윤종혁, 이무희, 이상영, 이재광, 이준택, 임용식, 채광표
경남대학교 : 이수대
경상대학교 : 김현수, 이정주
경희대학교 : 김영동, 남순건, 유건호, 정진모
광운대학교 : 서윤호
군산대학교 : 윤성현, 윤창선, 차덕준
동명대학교 : 김성대
동아대학교 : 이재열, 정태훈, 진원배
동의대학교 : 김성철, 김중환, 박재돈, 유윤식, 유 일, 이종환, 진병문
명지대학교 : 강치중, 송승기, 주관식, 최 덕
목포대학교 : 김창대
부경대학교 : 김성부, 서효진, 최병춘
부산대학교 : 김현철, 김형국, 유인권, 황윤회
삼육대학교 : 이규봉
상명대학교 : 이진형, 장길상
서남대학교 : 김문수, 이석재
세종대학교 : 이창영
연세대학교 : 박홍이, 정광호
영남대학교 : 이종훈, 조영결
원광대학교 : 박상렬, 황용규
인천대학교 : 강준희, 권명회, 김정용, 김준호, 박인호, 이영희, 장영록, 최성을
홍익대학교 : 김태완, 민항기

일반 물리학 Ⅰ (3nd)

2005년 4월 20일 제1판 발행
2008년 3월 20일 제2판 발행
2009년 3월 30일 제2판 개정판 발행

2011년 3월 10일 제3판 인쇄
2011년 3월 20일 제3판 발행
저자명 물리 개발 연구 위원회
발행인 연 규 산
발행처 청범출판사
등 록 1991년 8월 13일 No. 5-282
주 소 서울시 노원구 공릉 1동 598-7
TEL : 971-5385
FAX : 977-8967
ISBN 978-89-88247-66-2 03420
978-89-88247-67-9 (SET)